高等学校教材

无机化学

上册

（第三版）

武汉大学　吉林大学等校编

曹锡章　宋天佑　王杏乔修订

高等教育出版社

内容提要

本书第三版是在原无机化学编写组编写的《无机化学》第二版基础上修订的，第三版共24章，分上下两册出版。这次修订保持了该书第二版的编排体系与特点，对部分章节的内容进行了调整或改写，新增了生物无机化学简介一章，更换了近50%的习题。书中理论部分充分注意与中学教材的衔接及与后续课程的联系；元素与化合物叙述部分力求发挥理论的指导作用，对基本无机反应和元素与化合物性质内容介绍增加了推理性，以提高学生综合分析和触类旁通的能力。

本书可作为综合性大学化学系普通化学和无机化学课程的教材，亦可供其他各类高等院校化学、应用化学及化工专业在教学中参考。

第三版前言

本教材第二版自1983年出版以来，经许多高等院校10年的教学使用，广大读者对教材提出许多宝贵和中肯的修改意见。1988年本教材第二版荣获国家教委高等学校优秀教材一等奖，这是对教材编写者的鼓舞和鞭策。

为了适应无机化学飞速发展和教学改革新形势的需要，要面向未来、面向21世纪，参加第二版修订工作的编者于1989年在北京讨论了这次修订的原则和具体安排。大家一致认为：在保持第二版风格的基础上，理论部分一方面应注意同中学教材和后续课程的衔接，另一方面更要考虑读者的可接受性；元素叙述部分应做到理论与事实的密切结合和相互作用，力求对基本的无机反应和物质的基本性质增加推理性，使读者能逐步提高综合分析和触类旁通的能力。会议还一致建议由吉林大学曹锡章负责第三版的修订工作。

经研究确定：第三版对绪论和热力学初步两章作了较大的改动；为了保持氧族元素的完整性，将原来第五章的 O_2、O_3 和第六章的 H_2O、H_2O_2 移到氧族一章；补写一章生物无机化学简介，同时在铁、铜、钴、锌、钼各部分增加一些有关生物化学方面的某些知识；在第二十章过渡元素(1)中增加了无机物的颜色专题。此外本书的第三版中全部采用国家标准中的量和单位，各章更新了近50%的习题，并附有部分答案，供读者自检参考，在下册书末增加索引以利于读者检索。

参加第三版修订工作的有曹锡章(第一、四、十一、十四、十八、二十、二十一章)，王杏乔(第五、九、十三、十九、二十二、二十三、二十四章)，宋天佑(第二、三、六、七、八、十、十二、十五、十六、十七章)，由曹锡章统编定稿。北京大学华彤文、杨骏英、严宣申、陈景祖和刘淑珍等审阅了全文并提出许多宝贵意见，在此一并表示衷心的感谢。

由于作者水平所限，错误在所难免，恳请广大读者批评指正。

编者

1992 年 4 月

编者的话
（第　一　版）

综合大学化学系无机化学试用教材是在一九七七年七月下旬根据党中央、国务院的有关指示和教育部有关编写教材的原则精神，由八所综合大学协商着手编写的。先由武汉大学主持召开了教材编写大纲讨论会议，制订了编写大纲，并组成了教材编写小组进行编写工作。十月下旬在武昌召开了有二十一所院校参加的初稿审查会议，又由审查会议推荐组成了定稿小组，根据审稿意见修改定稿。

编写过程中，编者结合我国社会主义革命和建设的要求，并对外国教材的情况做了一定的研究分析，努力以近代化学学科基础理论作为起点，注意贯彻精简的原则，叙述力求深入浅出。理论部分重视联系生产和科研实际，元素部分侧重基本性质、反应规律和重要应用的论述，以期学生既能正确掌握基本概念和基础理论，又能通过整个课程学习提高分析问题和解决问题的能力，并为后续课程打好基础。

本书共二十章，分上下两册出版，上册为无机化学原理部分，下册为元素部分。本书除供综合大学化学系使用外，也可供其他高等院校教学参考。各校在讲授时章节次序可酌情变动。

本书初稿由武汉大学李培森、张畹蕙，邵学俊，山东大学尹敬执，北京大学严宣申、王长富、杨骏英、南开大学廖代正、姚风仪、郭德威，辽宁大学吕云阳和吉林大学曹锡章、刘学铭、俞国桢、王杏乔等同志执笔。由尹敬执、申泮文（山西大学）、李培森和曹锡章等同志统一修改。最后由尹敬执、申泮文两同志定稿。

限于编者水平，本书仍有一些不足之处，如在无机化学中如何运用化学热力学理论以及加强元素与理论部分的内在联系等，都还需要在今后教学实践中逐步加以解决。

由于时间仓促，书中错误和不妥之处在所难免，请读者给予批评和指正。

《无机化学》编写组

一九七七年十二月

目　录

第一章　绪　　论

随着科学技术的飞速发展，人们已逐渐认识到化学将成为使人类继续生存的关键科学，因为它对于人类的供水、食物、能源、材料、资源、环境以及健康问题至关重要。当代每个人的生命都要受到以化学为核心的科学成果的影响，在走向21世纪的今天，化学已经是一门满足社会需要的中心科学。

§1-1　化学是研究物质变化的科学

我们知道，宇宙中的万物从宏观世界的天体、银河、日月、星辰、河流、海洋、动植物、细菌和微生物到微观世界的电子、中子、光子等基本粒子，都是不依赖于我们的意识而存在客观的实实在在的东西。也就是说，世界是由物质所组成的，而且整个物质世界从微观世界到宏观世界，从无机界到有机界，从生物界到人类社会都是处于永恒的运动之中，人类的思维实际上也是生物运动的结果。一切自然科学（包括化学在内）都是以客观存在的物质世界作为它考察和研究的对象。

然而，世界上的物质是多种多样的，而且运动形式也是纷繁万状，那么化学所研究的对象是属于哪个范畴的物质呢？所研究的内容又是哪种运动形式呢？

1-1　化学研究的对象与内容

目前，人们把客观存在的物质划分为实物和场（电磁场、引力场等）两种基本形态、化学研究的对象是实物，场不属于化学研究的范畴。就物质的构造情况来说，大至宏观的天体，小至微观的基本粒子，其间可分为若干层次。如果包括地球在内的天体作为第一个层次，那么组成天体的单质和化合物成为下一个层次，组成单质和化合物的原子、分子和离子作为再下一个层次，组成原子、分子和离子的电子、质子、中子以及其它许多种基本粒子还可构成一个层次。在物质构造的这些层次中，仅有某些基本粒子（如光子等）属于场这种物质形态，而包括其余基本粒子在内的所有层次的物质都属于实物。化学研究的对象只局限于原子、分子和离子这一层次上的实物，也常称之为物质。

另外，物质的运动包含有多种形式，例如机械运动、物理运动，化学运动和生物运动等。化学的研究内容仅限于研究物质的化学运动即化学变化。在化学变化过程中，分子、原子或离子因核外电子运动状态的改变而发生分解或化合，同时伴有物理变化(如光、热、电、颜色、物态等)。因此在研究物质的化学变化的同时，必须注意相关的物理变化。在化学变化之后，虽然原物质变成了新物质，但不涉及原子核的改变。由于物质的化学变化基于物质的化学性质，而物质的化学性质同物质的组成和结构密切相关，所以物质的组成、结构和性质必然成为化学研究的内容。不仅如此，物质的化学变化还必然同外界条件有关，因而研究物质的化学变化一定同时要研究变化发生的外界条件。

现以我们所熟知的下述反应为例来进行说明：

$$H_2(g) + Cl_2(g) = 2HCl(g)$$

这个反应是工业上赖以生产盐酸的方法，先使氢气在氯气中燃烧生成氯化氢气体，然后使氯化氢气体溶于水即成盐酸。经过研究知道在燃烧过程中，H_2 分子和 Cl_2 分子发生电子转移，分子分解成原子，原子间重新组合，结果生成了新的物质——HCl。并且知道这一反应过程是一种连锁反应：

$$Cl_2 + 能量 \longrightarrow 2Cl$$

$$Cl + H_2 \longrightarrow HCl + H$$

$$H + Cl_2 \longrightarrow HCl + Cl$$

如此循环往复不断反应，直到反应完毕。此反应虽是放热反应，但常温下并不反应，须先预热或光照才能引发反应。这就是发生变化时所需的外界条件，它同 Cl_2 分子分解成 Cl 原子时需要能量有关。因为只有生成 Cl 原子后，连锁反应才能不断循环进行。在生成 HCl 的过程中，显然发生了电子转移，这同它们的原子结构特征有关，中学已有介绍，在此不再赘述。

综上所述，可以认为化学是一门在原子、分子或离子层次上研究物质的组成、结构、性质、变化及其内在联系和外界变化条件的科学。简而言之，化学是研究物质变化的科学。

1－2　研究化学的目的

人所共知，人类社会赖以存在和发展的基础是物质资料的生产。自然界中的物质，有些可直接为人们所利用，象石油、煤等可直接用作燃料；有些则需经过加工处理，才能变成直接有用的物质，例如铁矿石只有经过冶炼才能成为用途极广的钢铁；有些可直接为人所用的自然资源，经过一定的加工处理，又可以变成其它有用的物质，例如对石油进行不同方法的处理便可得到极为有用的合成纤维或塑料等等。这些从自然资源中提取有用物质的加工处理方法，就是化学的方法。因此，人们研究化学的最终目的就是通过认识物质化学变化的规律，去驯服物质，把各种自然界取得的原料经过加工和改造，可以得到比粗品更好或自然界完全没有的新物质。以往人类受物质的支配和限制，而现在可以通过化学手段，几乎是随心所欲地强迫地改造它们，使它们为人类造福。

可以想象，化学对人类的生存和社会的发展，该有多么重大的意义！如果不对自然水加以纯化，如果不施用化肥和农药以增产粮食，如果不冶炼矿石以获取大量的金属，如果不从自然资源中提取千万种纯物质，如果不合成出自然界中所没有的许多新物质，如果…，那么，人类社会的发展将不堪设想。相反，正是由于有了化学的发展，加上其它科学的发展，人类社会才发展到今天这个地步。

显然，在我国实现现代化的建设中，化学将发挥其应有的作用。在实现农业现代化的过程中，对化肥和农药的品种、质量和数量将提出更高的要求——高效低毒又不污染环境；在实现工业现代化的过程中，冶金工业需要的大量黑色金属、有色金属和稀有金属、轻纺工业需要的合成纤维、合成橡胶、工程塑料、染料、药物以及其它工业所需要的各种性能的合成材料，都迫切要求化学和化学工业的发展和配合；在实现国防现代化的过程中，要求化学工作者能够提供出各种特殊性能的金属、合金、合成材料、弹药等等，以制造新式武器，在实现科学技术现代化的过程中，其它科学的发展，如生物学、医学等，一些近代技术的发展如半导体、激光、原子能、航空航天等，都要求化学科学和化学工业的协同发展。

在我国，发展生产的根本目的在于满足广大人民群众日益增长的物质生活和精神生活的需要。随着国民经济的发展，尤其是农业和轻工业的发展，必然大大提高人民的物质生活水平，并为丰富人民的精神生活提供更多更好的物质保证。因此，化学在提高我国人民的物质生活水平和满足人民的精神生活需要方面必将起着重大的作用。

1-3 研究化学的方法

我们知道，实践是认识世界的基础，是衡量真理的最高标准。毫无疑问，人们要想认识物质世界，必须实践。物质世界中千变万化的化学现象都是通过化学实验观察到的，而化学科学中的一些学说和定律，既是在实验的基础上经综合、归纳而得到，也是在实验的鉴别中修正、发展而成熟的。可见实验在化学发展中具有特殊的重要作用。从这个意义上说，人们把化学科学看成是一门实验性科学。对于从事化学研究工作的人员来说，不论是搞应用化学的，还是搞理论化学的，都应该高度重视化学实验，否则将无法正确认识化学世界。显然，我们强调实验的重要性，并不否认理论的指导作用。因为有了正确理论的指导，我们就可以迅速并且正确地完成所研究的课题。稀有气体化学发展过程充分地说明了实验和理论之间的依存关系。正当元素周期律由于镓(1875年)、钪（1879年）和锗（1886年）各元素的相继发现而被普遍承认以后不久，1894年由于氩的发现又对周期律发起挑战。因为按照它的原子量(39.9)，这个新的元素在周期系中应该排在钾（39.1）和钙（40.1）之间，但是在那里没有为它留下空位。在发现氩以后的四年中，又在地球上找到了氦以及其它惰性气体，才开始明了所有这些元素都是列在周期系第七族之后“零”族的元素。惰性气体的发现，使元素周期系变得更完全和更完善，同时也为本世纪原子结构理论的建立奠定了物质基础。由于它们的惰性在长达68年（1894—1962年）的时间内，化学家一直称其为“惰性气体”。多年来，有些理论化学家如鲍林在1933年曾预言惰性气体能够形成化合物，但实验无机化学家合成这些化合物的尝试久未成功，这一事实就成为本世纪初化学键理论的键合根据——“稳定八隅体”。

人类的认识是永无休止的，经过实践的检验，理论的相对真理性会得到发展和完善。青年化学家巴特列脱（N. Bartlett）根据O_2和Xe的第一电离能非常相近的事实，于1962年他成功地合成出同$O_2^+[PtF_6]^-$相似的第一种惰性气体化合物$Xe^+[PtF_6]^-$。这一重大成果又一次震动了科学家，动摇了长期禁固人们思想的“绝对惰性”的形而上学观念，使该族元素的名称一夜之间由“惰性气体”变成了“稀有气体”。迄今为止，原子半径较大的氪、氙、氡的氟化物，氟氧化物都已制得，但原子半径较小的稀有气体元素的化合物还没有制备成功。惰性气体化合物的发现又一次用实验事实修正了化学键理论，使它获得新的内容。化学自从走上科学道路以后，200年间对物质的变化、性质、合成等研究，都取得了极大的进展，使这门科学发生了根本的变化。但是化学目前还没有发展到理论化阶段，即使一个最简单的反应，还不能用一个完整的理论来加以描述，因此努力发展化学理论是摆在化学工作者面前的一项重要任务。所以，实践、认识、再实践、再认识是我们研究化学的正确途径。

此外，抓主要矛盾是解决一切复杂问题的关键，研究化学问题也不例外。各种化学模型的建立以及各种化学反应最优条件的研究，无不从抓主要矛盾入手。抓住了主要矛盾，我们就抓到了事物的本质，问题就能迎刃而解。所以《实践论》、《矛盾论》中的基本观点是一切化学工作者所必须建立的，并用它来指导研究化学问题。

§1-2　化学发展简史

恩格斯说过："科学的发生和发展过程，归根到底是由生产所决定的。"化学正象其它科学一样，是人类实践活动的产物。化学可以给人以知识，化学史可以给人以智慧，在学习化学时，学习一点化学史颇为有益。学习这些历史，首先使我们能深刻地体会到一个化学概念和理论是怎样形成和怎样经过不断的修正而趋于完善的，从而使我们对理论有更深刻的认识而又不僵化。其次也会使我们了解到那些作出杰出贡献的前辈们为化学科学发展的献身精神和不怕困难百折不挠的毅力以及治学严谨实事求是的科学态度，他们的成功经验和失败教训均值得我们引为借鉴。

2-1　古代化学

(1) 实用和自然哲学时期（——公元前后）

在以石器进行狩猎的原始社会中，人类第一个化学上的发明就是火，火大概发明在公元前 50 万年。

约在公元前三千年左右，世界上开始了奴隶社会时期。在这段时期中，化学发展上是以实用化学工艺为特征的所谓"实用时期"，这个时期一直延续到公元前后。在这段时期中，埃及人已会从铁矿石炼铁，制造有色玻璃，鞣制皮革，从植物中提取药物、染料和香料，制造陶器等等。在印度和中国，化学工艺的发展比埃及还要早一些。我国铜的冶炼技术发展很早，约开始于公元前2500—2000年，从安阳殷墟发掘出的殷代青铜器来看，铸件异常精美，技术很高，是用孔雀石和木炭来冶炼的，所含铜、锡、铅之比为（79～96）:（20～2）:（0～2.5）。我国两汉时（公元前一世纪）发明了造纸术。

在这个时期中积累了不少零星的化学知识，还不能构成一门科学，不过已给某些人构成了思考宇宙结构和物质问题的基础，并提出过一些看法。关于宇宙的结构问题，最早的见解是我国商末（约公元前1140年）出现在“易经”中的“八卦”和“五行”学说中，这些朴素的学说后来被人们所神化而失去了好的作用。比中国约晚300余年，古希腊才出现各种有关宇宙构造的思想，直到公元前5世纪，安培多克尔（Empedocles）指出宇宙是由水、火、气、土四种原质所构成的。公元前4世纪亚里斯多德（Aristotle）在“发生和消灭”一书中说:“将四种‘原性’——热、冷、干、湿成对地组合起来便可得出安培多克尔的四‘原质’，物质的多样性全靠这些‘原性’的不同比例的结合”。根据亚里斯多德的看法，如果把“原性”取出或放人，“原质”就可相互转化，因此创造各种物质的技术就在于把几种固定的性质结合起来。这种错误的哲学思想整整支配了人们长达二千年之久，使化学走上了炼金、炼丹的歧途。

(2) 炼金术、炼丹时期（公元前后—公元1500年）

这段化学发展时期相应于封建社会发展时期，这个时期最早出现于中国。由于中国封建主的贪得无厌，梦想长生，促使许多道家用化学方法去炼“丹”（即今日之 Pb_3O_4 和 HgS），公元二世纪（东汉）魏伯阳著有“周易参同契”一书，这部书是世界上现存最古老的炼丹术文献。公元4世纪（东晋）葛洪著有“抱朴子内篇”20卷是一部炼丹术巨著，他发现了反应的可逆性

(HgS，Hg 和 Pb_3O_4，Pb 间互变）以及金属间的取代（铁和铜盐）。

阿拉伯的炼丹术比中国晚500年左右才开始，他们具有相同的哲学思想，都是以“性质”为主，好似“性质”主宰“物质”而不是“物质”具有“性质”。欧洲也这样，梦想制备出一种性质完美的“哲人石”，然后用它与别的物质一接触，此物质即可变成黄金。当时的社会是黄金愈多愈好，因为黄金是当时支付一切的唯一手段。

在这段时期中，化学走入了歧途，但也积累了更多的化学知识，提高了实验技术，制作了许多操作器皿。

(3）医化学时期（公元1500—1700年）

在16世纪初期，欧洲的生产力发展较快，突破了封建制度开始了资本主义工业的发展，商业的兴盛和生活本身所提出的一系列新要求如医治疾病等，迫使化学走上正路。另一方面炼金、炼丹家作了千年以上的努力也是徒劳甚至丧失生命，因而逐渐放弃这项试验，这首先在西方宣告结束，而中国是在宋代以后才没人再搞。

以炼金术改革者而出现的有巴拉塞尔斯（Paracelsus）和阿格利柯拉（Agricola)。巴拉塞尔斯写道：“化学的目的并不是为了制造金子和银子，而是为了制造药剂”。当时用化学方法制成了许多药剂（主要是无机物)，成功地医治了一系列疾病，促使许多医生加入这一队伍，推动了化学的发展。阿格利柯拉则总结了那时的采矿和冶金技术，著成一本巨著“论金属”。

我国明代医药化学家、医生李时珍著有一药物学巨著“本草纲目”（1590年)，书中列有中药材、矿物1000多种并附有制备方法，性质介绍。明代的宋应星也象阿格利柯拉一样，总结了我国的工业技术，著有“天工开物”（1639年）一书。

(4）燃素学说时期（公元1700—1774年）

由于和化学联系最密切的在当时除药物外就是冶金了，所以人们的注意力指向了燃烧反应。1700 年左右史塔尔（Stahl）提出了一种燃素学说，他认为任何能燃烧的物体里都含有一种名叫燃素的物质。当物质燃烧时，该物质就失去燃素，若在矿石中加入含有燃素的物质（如煤），就可以得到金属。在某种程度上统一说明了当时所积累的几乎全部实验材料。此学说的主要功绩是彻底清除了亚里斯多德的“原性”学说，但是本身却存在着致命的困难：所有被氧化的金属总是比未氧化前要重些，这和预期的结果正相反。燃素说企图用燃素具有“负重量”来说明这一事实，这显然是太不可信了。最后不得不宣告燃素理论之失败而迎来了新的拉瓦锡（Lavoisier，1774 年）的氧化理论。实验证实燃烧并不是放出燃素，恰恰相反，是燃烧物质和空气中的氧所起的化合反应，由此萌发出近代化学的萌芽。

2－2　近代化学的萌芽

从 1661 年波义耳（Boyle）发表他的名著“怀疑派的化学家”起一直到 1869 年门捷列夫（Менделеев）建立元素周期系为止约 200 年的时间，可以作为近代化学由萌芽发展到比较成熟的过程。

近代化学时期的到来首先要归功于天平的使用。它使化学的研究进入定量阶段。这样才出现了一系列的基本定律和原子分子学说，如 1748 年罗蒙诺索夫（Ломоносов）的质量不灭定律；1774 年拉瓦锡的氧化理论；18 世纪末叶普劳斯特（Proust）的定比定律；1803 年开始由道尔顿（Dalton）建立的倍比定律，当量定律，原子学说，相对原子量概念；1808 年盖·吕萨克（Gay-Lussac）的气体简比定律；1811 年阿佛加德罗（Avogadro）的定律和分子概念。这些基本定律和原子分子学说的产生，使化学成为一门科学。

1869 年门捷列夫把当时已知的 60 多种元素按原子量和化学性质之间的递变规律排列起来，组成了一个元素周期系并找出了它们的规律——元素周期律，使化学科学提高到了辩证唯物主义的高度，充分体现了从量变到质变的客观规律。

2－3　化学的现状

由于物理学在19世纪末叶到20世纪初获得了一系列的新发现（如电子、原子核、放射性等）以及量子力学的出现，使物质结构理论大大地向前发展了一步，使化学在加深微观认识的基础上弄清了许多化合物的性能与结构的关系，给无机物和有机物的合成提供了指导作用，特别是合成出的有机物数量急剧上升。20世纪以来，随着实验技术的更新，化学知识愈来愈丰富，反应的能量问题、方向问题、机理问题都得到了广泛而深入的研究，从而进一步促进了化学理论的发展。

化学发展到这个阶段，研究领域相当广泛，已不是每个化学家所能全面涉猎的，有必要进一步专业化。化学最早被划分为两个分支学科（无机化学和有机化学）后又划分为四个分支学科，即以研究碳氢化合物及其衍生物为对象的有机化学；以研究所有元素及其化合物（除了碳氢化合物及其衍生物）为对象的无机化学；以研究物质化学组成的鉴定方法及其原理为内容的分析化学；以应用物理测量方法和数学处理方法研究物质及其反应，寻求化学性质跟物理性质间本质联系的普遍规律为内容的物理化学。

由于化学研究工作的发展，化学知识的广泛应用，以及不同学科领域的互相渗透，化学科学又进一步划分出了许多分支学科，例如高分子化学、放射化学、地球化学、工业化学、农业化学、环境化学、生物化学等。

我们看到随着化学各分支学科与边缘学科的建立，化学研究的领域愈来愈专门化，分工愈来愈细，但是在探索具体课题时这些分支学科又相互联系相互渗透。例如，物理化学的研究常以某些无机或有机化合物的合成作为起点，在进行这些工作时又必然要借助于分析化学的准确测定结果，以指示合成工作中原料、中间体和产物的组成和含量，当然在合成和分析过程中也不能离开化学热力学，化学动力学以及结构化学的理论指导。因此，不论我们从事何种专业的工作，除了精通本学科的知识以外，还必须熟悉相关领域的知识，认识到这一点是很重要的。

最近20多年来化学有了突飞猛进的发展，到90年代已合成出近1000万种不同的化合物。合成新化合物的速度每年还在增长。在合成新材料方面，已经能合成出比头发丝还细的石英光导纤维。在通讯中用它代替铜线，一根光导纤维就可供两万五千人同时通话而互不干扰。1987年发现 $YBa_2Cu_3O_x$ 一类氧化物显示超导性的温度为90K（-183℃）。这项重大进展意味着在液氮温度下实现超导性已成为可能，这样就有可能把电能进行长距离输送而不损失，制造不受放热作用限制的计算机集成电路和无摩擦的超导磁体悬浮列车等。为了使化学工业能长期稳步发展，取决于能否不断更新和发展新流程、节省能源、提高效益和不断为市场提供新产品，同时还要加强对环境的保护。在这方面催化与合成技术将起决定作用。目前已经有了一些实验工具，化学家们借助这些工具可以“看到”分子在催化剂表面上反应的情况和结构变化奥秘，从而就可能合成出在立体结构及活性上都合乎人意的各类催化剂。今天的化学家已经能够利用激光技术在极短的时间内查出反应过程中的过渡态。15年前我们只能追踪到存在寿命大于百万分之一秒的中间瞬态，现在可以靠激光闪光光解最尖端的技术把时间缩短到皮秒（10^{-12}s），最近已达到0.01皮秒（10飞秒），这就大大推动了动力学的发展。实验室中已经合成出一些行之有效的植物激素，生长调节剂和昆虫的信息素，它们都能直接或间接地增加粮食生产。例如，从药材楝树中提取出来的茚苦楝子素，只要 $2ng \cdot cm^{-2}$（即 $2 \times 10^{-9} g \cdot cm^{-2}$）的量就足以阻止沙漠蝗进食。再如合成出的瓦尔堡醛喷洒在玉米叶上停留30分后，叶上的昆虫将会永远失去进食能力。人的生老病死等生命过程都是化学变化的表现。我们已在分子水平上认识药物的化学作用。这些知识有助于我们在分子水平上治疗疾病，从而达到理想疗效。从上面几个片段可以看到最近20年间现代化学发展的深度和广度。因此把化学和物理学说成是当今自然科学的轴心，应该是当之无愧的。

近代化学传入中国的时间是在19世纪中叶。1855年上海出版了一本由英国医生合信（Hopson）所著的“博物新编”，共三集，在第一集里介绍了化学知识。应该看到近代化学之传入我国是鸦片战争的产物。我国近代化学的启蒙者——徐寿在1867—1884年期间译出了好几部化学书籍，有“化学鉴源”（即无机及有机化学），“化学考质”（即定性分析化学）和“化学求数”（即定量分析化学）等，他还在格致书院里建立了化学实验室。

在半封建半殖民地的旧中国，化学科学当然得不到很好的发展，只是与药物工业、轻工业有关的有机化学稍有一点基础。

建国40多年来，我们取得了很多化学科研成果。唐敖庆等老一辈化学家在分子结构理论工作方面取得了国际水平的研究成果。科学院和北京大学合作合成有生物活性的胰岛素的研究是具有国际水平的。它标志着我国的结构化学水平和精密有机合成水平的领先地位。原子弹、氢弹的研制成功说明我国核物理、核化学、材料科学的发展已赶上国际水平。洲际导弹和卫星的发射成功是离不开高能燃料、耐热材料和半导体材料的研究与发展的。最近在高温超导材料的合成方面我国也跻身于世界先进行列。这里我们只略举了几个例子，但在总体上说还应看到我国科学的发展还是落后的，必须奋起直追，努力赶上去。

§1-3　无机化学简介

3-1　无机化学的研究对象和发展

无机化学是化学科学中发展最早的一个分支学科。它承担着研究所有元素的单质和化合物（碳氢化合物及其衍生物除外）的组成、结构、性质和反应的重大任务。

由 18 世纪后半叶到 19 世纪初期在无机化学形成一门独立的化学分支学科以前，可以讲一部化学发展史也就是无机化学发展史。随着有机工业的发展，有机化学得到了蓬勃发展，相形之下，在 19 世纪中叶以后，无机化学处于停滞落后的状态。20 世纪 40 年代以来，由于原子能工业、电子工业、宇航、激光等新兴工业和尖端科学技术的发展，对有特殊性能的无机材料的需求日益增多，无机化学又重新得到很快的发展。特别是结构理论的发展（化学键、配合物）和现代物理方法的引入，使人们对无机物的结构和变化规律有了比较系统的认识，积累了丰富的热力学和动力学数据。在这个基础上建立了大规模的无机工业体系，工业发展和科学发展相互促进，无机化学开始"复兴"。

当前，无机化学和其它化学分支一样，正从基本上是描述性的科学向推理性的科学过渡，从定性向定量过渡，从宏观向微观深入，一个比较完整的、理论化的、定量化的和微观化的现代无机化学新体系正在迅速地建立起来。

鉴于无机化学本身的发展，它又被精细地划分为许多分支，例如普通元素化学、稀有元素化学、稀土元素化学、配位化学(即络合物化学)、金属间化合物化学、无机高分子化学、无机合成化学、同位素化学等；同时，无机化学又同其它学科相互渗透，产生了不少新的边缘学科，例如生物无机化学、固体无机化学、金属有机化学、金属酶化学等。

3-2 无机化学的任务

无机化学现正酝酿着一次蓬勃的发展，很多生长点位于它与姐妹学科的交界处，如金属有机化学、生物无机化学，固体化学等领域。

无机元素在生物体中所起的重大作用正在被认识。生物体远远不是单纯的有机体，遍及周期表中的很多金属元素都很敏感地影响着生物的生存和发展，有些金属元素对生命过程有着极为重要的作用。例如，血红素中的铁影响着氧的传输与消耗，叶绿素中的镁影响着太阳能的吸收与转化，光合体系中的锰，铁都影响着能量的转换。一些离子在细胞间电讯号的传递（神经系统中的钾、钙）、肌肉收缩（钙）、酶催化作用（维生素 B_{12} 中的钴）等方面起着重要作用。这些都导致了对生物体系中无机化学研究的热潮。

含有金属－碳（—M—C—）键的一类化合物叫有机金属化合物。令人神往的有机金属化合物的大量出现，使传统的有机和无机界限趋向消失，在生物体系中金属有机化合物的出现，也大大强化了研究这一边界学科的重要性。许多新发现的无机化合物，经常应用于有机合成并取得惊奇的效果。例如德国的 Ziegler 和意大利的 Natta 发现烷基铝和三氯化钛的混合物可以使乙烯或丙烯聚合成等规聚合物，从而获得 1963 年诺贝尔奖金。英国 Wilkinsen 等人 1951 年发现二茂铁［$(C_5H_5)_2Fe$］，它是一种夹心或化合物，即 Fe 位于两个 C_5H_5 基的平面层之间。这类化合物不仅由于它的富电子性而容易发生许多亲电子取代反应而被重视，它的特殊的结构也大大促进了化学键理论和结构化学的发展，发明者因此获得 1973 年的诺贝尔奖。发展有机金属化学是当前无机化学的一项迫切任务。

现代科学技术的发展需要各式各样具有特殊性能的材料。化学是人们认识和控制物质的组成、结构和性质的中心科学。因此，它在解决上述问题中将起着重要作用。氢是一种很好的燃料，既不污染空气又有极其丰富的资源，但氢气的储运是一个大难题。为此化学家发现并合成了一大类具有特殊吸氢性能的化合物。例如，在稍加压力的条件下，1 克 $LaNi_5$ 就能吸收 100 多毫升氢气，形成特殊的间隙化合物，减压时氢气即可放出。信息的储存需要用磁记录材料或光记录材料，它们是具有特殊结构的氧化铁、氧化铬、铁酸钡或 Sm^{2+}/CaF_2、$Eu^{3+}/CaSO_4$ 等化合物。新型光导纤维材料氟化玻璃有可能在 2000 年达到实用化阶段。使用这种材料可以把光信号从亚洲传输到美洲而不需任何中继站。新近合成的两种“奇异”耐高温材料是氮化硅（Si_3N_4）和硅化钨（WSi_2）。它们都是重要的半导体材料。Si_3N_4 的厚度即使在0.2μm 以下，仍然是一种极好的绝缘层。超导材料和在超高压、超高温、强磁场和低温下合成的材料，都可能有意想不到的性能。为了开发新型功能材料，无机化学与固体物理的结合逐渐形成了无机材料科学（固体无机化学）这个新领域。

在发展生物无机、有机金属和无机材料科学的同时，我们应当注意到，合成化学是获得新化合物和新材料的基础，因此发展无机合成化学是无机化学的重要任务。另外，人们日益发现，自然界中的化合物都以配合物形式存在。配合物在结构理论的发展、新型领域的开拓、生命过程，工农业生产等方面都有着广泛的应用。因此加强对配位化学的研究工作便成了无机化学的另一项任务。

自从 1886 年法国化学家莫桑（Moissan）用电解法成功地制得元素氟一百多年以来，化学家们曾试图采用化学方法制氟，但都失败了。直到最近化学家克里斯特（Christe）终于设计了一种制备氟的化学方法，反应过程如下：

$$2KMnO_4 + 2KF + 10HF + 3H_2O_2 \longrightarrow 2K_2MnF_6 + 8H_2O + 3O_2$$

$$SbCl_5 + 5HF \longrightarrow SbF_5 + 5HCl$$

$$K_2MnF_6 + 2SbF_5 \xrightarrow{150℃} 2KSbF_6 + MnF_3 + \frac{1}{2}F_2$$

这一发现告诉我们，科学上的成就永远属于敢于向传统难题挑战的人们。同时也表明：在仔细耕耘过的研究领域内，还有可能找到未曾发现的珠宝。

第二章　物质的状态

在通常的温度和压强条件下，物质可以三种不同的物理聚集状态存在，即气态、液态和固态，在特殊的条件下，还可以等离子态存在。

物质三态中以气体的性质最为简单，固体次之，液体最为复杂。目前人们对液体的认识程度较差。

物质的存在状态对其化学行为是有影响的；物质状态的变化虽属物理变化，但常与化学变化相伴而发生。因此，对化学工作者来说，研究物质的状态是必要的。大量事实表明，人们对于物质各种聚集状态内在规律的认识，不仅说明了许多物理现象，而且解决了众多的化学问题。对此，我们在今后的学习中将逐渐有所了解，加深认识。

§2-1　气　体

1-1　理想气体

假设有一种气体，它的分子只有位置而不占有体积，是一个具有质量的几何点；并且分子之间没有相互吸引力，分子之间及分子与器壁之间发生的碰撞不造成动能损失。这种气体我们称之为理想气体。

理想气体只是一种人为的气体模型，实际中它是不存在的。建立这种模型是为了将实际问题简化，形成一个标准。而实际问题的解决则可以从这一标准出发，通过修正得以解决。后面将提到的实际气体状态方程的讨论，会使我们看到这一科学方法的具体运用。

研究结果表明，在高温、低压条件下，许多实际气体很接近于理想气体。因为在上述条件下，气体分子间的距离相当大，于是一方面造成气体分子自身体积与气体体积相比可以忽略，另一方面也使分子间的作用力显得微不足道。尽管理想气体是一种人为的模型，但它具有十分明确的实际背景。

(1) 理想气体的状态方程式

经常用来描述气体性质的物理量，有压强（p）、体积（V）、温度（T）和物质的量（n）。有一些经验定律可以说明几个物理量之间的关系。

当 n 和 T 一定时，气体的 V 与 p 成反比，这就是波义耳（Boyle）定律，可以表示为

$$V \propto \frac{1}{p} \tag{2-1}$$

当 n 和 p 一定时，气体的 V 与 T 成正比，这就是查理－盖·吕萨克（Charles－Gay－Lussac）定律，可以表示为

$$V \propto T \tag{2-2}$$

当 p 和 T 一定时，气体的 V 和 n 成正比，这就是阿佛加德罗（Avogadro）定律，可以表示为

$$V \propto n \tag{2-3}$$

以上三个经验定律的表达式（2－1）、（2－2）和（2－3）可以合并成下式

$$V \propto \frac{nT}{p} \tag{2-4}$$

实验测得式（2－4）中的比例系数是 R，于是得到

$$V = \frac{nRT}{p}$$

通常写成

$$pV = nRT \tag{2-5}$$

这就是大家较为熟悉的理想气体状态方程式。在国际单位制中，p 以 Pa，V 以 m^3，T 以 K 为单位，则 R 为 $8.314 J \cdot mol^{-1} \cdot K^{-1}$。

根据理想气体状态方程式，可以进行一系列的计算与讨论。

例 2－1　在容积为 $10.0dm^3$ 的真空钢瓶内充入氯气，当温度为 288K 时，测得瓶内气体的压强为 $1.01 \times 10^7 Pa$。试计算钢瓶内氯气的质量，以千克表示。

解：由 $pV = nRT$，推出 $m = \frac{MpV}{RT}$

$$m = \frac{71.0 \times 10^{-3} \times 1.01 \times 10^7 \times 10.0 \times 10^{-3}}{8.314 \times 288}$$

$$= 2.99(kg)$$

例 2－2　在 373K 和 100kPa 压强下，UF_6（密度最大的一种气态物质）的密度是多少？是 H_2 的多少倍？

解：由 $pV = nRT$ 推出 $\rho = \frac{pM}{RT}$

$$\rho_{UF_6} = \frac{100 \times 10^3 \times 352 \times 10^{-3}}{8.314 \times 373}$$

$$= 11.4(kg \cdot m^{-3})$$

$$\rho_{H_2} = \frac{100 \times 10^3 \times 2.02 \times 10^{-3}}{8.314 \times 373}$$

$$= 0.0651(kg \cdot m^{-3})$$

$$\frac{\rho_{UF_6}}{\rho_{H_2}} = \frac{11.4}{0.0651} = 175(倍)$$

例 2－3　利用蒸气密度法测定某种易挥发的液体的相对分子质量。操作过程是先使一盛有该种液体的瓶子浸泡在温度高于其沸点的其它液体中间接加热，待液体完全蒸发后封住瓶口，取出瓶子并冷却，称量。再设法测量瓶子的容积，据此就可以求出该液体分子的摩尔质量（近似值）。已知某次实验的数据如下，求出该液体分子的摩尔质量。

室温 288.5K，水浴温度 373K；

瓶子盛满蒸气质量为 23.720g；

瓶子盛满空气质量为 23.449g；

瓶子盛满水质量为 201.5g；

大气压强为 $1.012 \times 10^5 Pa$。

解：瓶子的容积为

$$\frac{201.5\times10^{-3}-23.449\times10^{-3}}{1}=0.1781(\mathrm{dm}^3)$$

瓶内空气质量为 $0.1781\times1.293\times\frac{273}{288.5}\times\frac{1.012\times10^5}{1.013\times10^5}$

$$=0.2177(\mathrm{g})$$

瓶内蒸气质量为 $23.720-(23.449-0.2177)$

$$=0.4887(\mathrm{g})$$

所以,液体分子的摩尔质量即蒸气的摩尔质量为

$$M=\frac{mRT}{pV}=\frac{0.4887\times10^{-3}\times8.314\times373\times10^3}{1.012\times10^5\times0.1781\times10^{-3}}$$

$$=84.1(\mathrm{g\cdot mol^{-1}})$$

该液体的相对分子质量(M_r)为 84.1。

用此法测得的相对分子质量是近似值,而且当蒸气分子有缔合现象时,此法不能适用。

例 2-4　根据 $M=\frac{\rho}{p}RT$,理想气体在恒温下的$\frac{\rho}{p}$值应该是一个常数,但实际气体的情况不是这样。图 2-1 是 273K 时 CH_3F 蒸气的$\frac{\rho}{p}\sim p$ 图,从图中可以看出$\frac{\rho}{p}$值随 p 值之下降而下降。

将直线内推至 $p=0$ 时,从图中知 $\left(\frac{\rho}{p}\right)_{p=0}=1.4980\times10^{-5}\ \mathrm{kg\cdot m^{-3}\cdot Pa^{-1}}$,而 $p\to0$ 时,CH_3F 这一实际气体已十分接近理想气体,所以用 $\left(\frac{\rho}{p}\right)_{p=0}$ 值代入理想气体状态方程式即可求得 CH_3F 的摩尔质量。这种方法叫极限密度法。

$$M=\left(\frac{\rho}{p}\right)_{p=0}\cdot RT=1.4980\times10^{-5}\times8.314\times273.16\times10^3$$

$$=34.020(\mathrm{g\cdot mol^{-1}})$$

理论值为　$M_{CH_3F}=34.033\mathrm{g\cdot mol^{-1}}$

结果十分接近。

(2) 气体分压定律

1801 年道尔顿(Dalton)指出,混合气体的总压等于组成混合气体的各气体的分压之和。分压是指混合气体中的某种气体单独

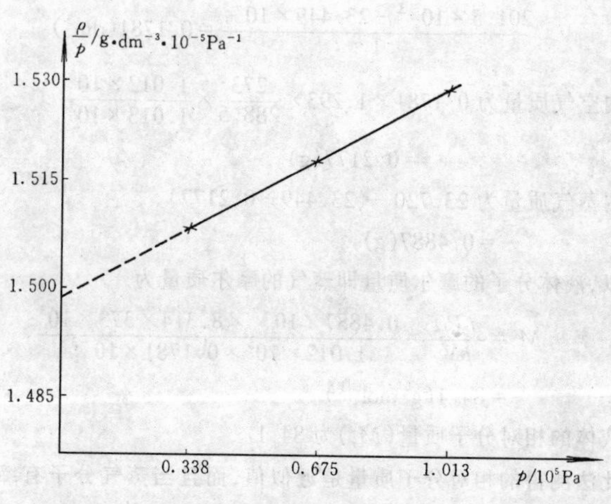

图 2-1　CH_3F 的 $\frac{\rho}{p}\sim p$ 图

占有混合气体的体积时所呈现的压强。

$$p_{总} = \sum p_i = p_1 + p_2 + p_3 + \cdots\cdots \tag{2-6}$$

根据分压的定义,应有关系式

$$p_i V_{总} = n_i RT \tag{2-7}$$

混合气体的状态方程可写成

$$p_{总} V_{总} = nRT \tag{2-8}$$

式(2-7)除以式(2-8)得

$$\frac{p_i}{p_{总}} = \frac{n_i}{n} \tag{2-9}$$

$\frac{n_i}{n}$用 x_i 表示,称为混合气体中某气体的摩尔分数,则式(2-9)可变形为

$$p_i = x_i p_{总} \tag{2-10}$$

式(2－10)表明了分压与混合气体组成之间的关系。

例 2－5　有一 $3.0dm^3$ 的容器，内盛 16 g O_2，28 g N_2，求 300K 时 N_2、O_2 的分压及混合气体的总压。

解：

$$n_{O_2}=\frac{16}{32}=0.5(\text{mol})$$

$$p_{O_2}=\frac{n_{O_2}RT}{V_{总}}=\frac{0.5\times8.314\times300}{3.0\times10^{-3}}=4.16\times10^5(\text{Pa})$$

同理求得　　$p_{N_2}=8.32\times10^5(\text{Pa})$

$$p_{总}=p_{N_2}+p_{O_2}=4.16\times10^5+8.32\times10^5=12.48\times10^5(\text{Pa})$$

例 2－6　将一定量的固体氯酸钾和二氧化锰混合物加热分解后，称得其质量减少了 0.480g，同时测得用排水集气法收集起来的氧气的体积为 0.377dm，此时的温度为 294K，大气压强为 9.96×10^4 Pa。试计算氧气的相对分子质量。

解：用排水集气法得到的是 O_2 和水蒸气的混合气体，水的分压与该温度下水的饱和蒸气压相等，查表得 $p_{H_2O}=2.48\times10^3$ Pa

由于 $p_{总}=p_{O_2}+p_{H_2O}$

故　$p_{O_2}=p_{总}-p_{H_2O}=9.96\times10^4-2.48\times10^3=9.71\times10^4(\text{Pa})$

$$n_{O_2}=\frac{p_{O_2}V_{总}}{RT}=\frac{9.71\times10^4\times0.377\times10^{-3}}{8.314\times294}=0.0150(\text{mol})$$

$$M_{O_2}=\frac{m_{O_2}}{n_{O_2}}=\frac{0.480}{0.0150}=32.0(\text{g}\cdot\text{mol}^{-1})$$

氧气的相对分子质量为32.0 。

(3) 气体扩散定律

1831 年，英国物理学家格拉罕姆（Graham）指出，同温同压下某种气态物质的扩散速度与其密度的平方根成反比，这就是气体扩散定律。若以 u_i 表示扩散速度，ρ_i 表示密度，则有

$$u_i\propto\sqrt{\frac{1}{\rho_i}}，\text{或}\frac{u_A}{u_B}=\sqrt{\frac{\rho_B}{\rho_A}}\qquad(2-11)$$

式中 A、B 两种气体的扩散速度和密度分别用 u_A，u_B，ρ_A，ρ_B 表示。

因为同温同压下，气体的密度 ρ 与其相对分子质量 M_r 成正比，所以式（2－11）可以写成

$$\frac{u_A}{u_B}=\sqrt{\frac{M_{r(B)}}{M_{r(A)}}} \tag{2-12}$$

即同温同压下，气体的扩散速度与其相对分子质量的平方根成反比。

例 2－7　50cm³ 氧气通过多孔性隔膜扩散需 20 秒，20cm³ 另一种气体通过该膜扩散需9.2 秒，求这种气体的相对分子质量。

解：单位时间内气体扩散的体积是和扩散的速度成正比，故

$$\frac{u_{O_2}}{u_X}=\frac{50/20}{20/9.2}=\sqrt{\frac{M_{r(X)}}{M_{r(O_2)}}}=\sqrt{\frac{M_{r(X)}}{32}}$$

$$M_{r(X)}=42$$

例 2－8　将氨气和氯化氢气体同时从一根 120cm 长的玻璃管两端分别向管内自由扩散。试问两气体在管中什么位置相遇而生成 NH_4Cl 白烟。

解：设经过 t 秒后，两气体在距氨气一端 $x$cm 处相遇，则相遇处距氯化氢气体一端为（120－x）cm

根据气体扩散定律　$$\frac{u_{HCl}}{u_{NH_3}}=\sqrt{\frac{M_{r(NH_3)}}{M_{r(HCl)}}}$$

即

$$\frac{(120-x)/t}{x/t}=\sqrt{\frac{17}{36.5}}$$

$$x=71.3\ (\text{cm})$$

1－2　实际气体状态方程式

理想气体定律虽然是从实验中总结出来的规律，但对于实际气体，它的适用性将受到局限。在恒温条件下，一定量理想气体的 pV 乘积是一个常数，但实际气体却不是这样。这个结论不难从图 2－2 和表 2－1 中得出。

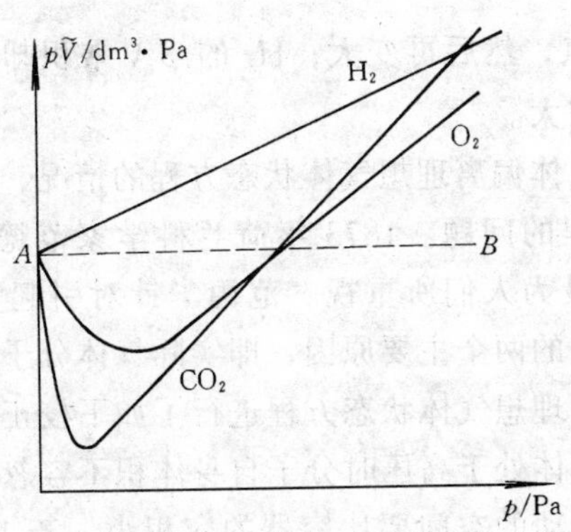

图 2-2 气体的 $p\tilde{V}\sim p$ 示意图

表 2-1 1mol H_2 和 1mol CO_2 在 273K 时的 $p\tilde{V}$ 乘积

（$\tilde{V}$：1mol 气体的体积）

$p/1.013\times10^5$Pa	H_2		CO_2	
	$\tilde{V}/dm^3$	$p\tilde{V}/1.013\times10^5 dm^3\cdot Pa$	$\tilde{V}/dm^3$	$p\tilde{V}/1.013\times10^5 dm^3\cdot Pa$
1	22.428	22.43	22.262	22.26
50	0.4634	23.17	0.04675	2.338
100	0.2386	23.86	0.04497	4.497
200	0.12712	25.42	0.04285	8.570
300	0.09004	27.01	0.04152	12.46
400	0.07163	28.65	0.04051	16.20
600	0.05318	31.91	0.03894	23.36
800	0.04392	35.14	0.03729	29.83
1000	0.03837	38.37	0.03687	36.87

图 2-2 中虚线 AB 是理想气体的 $p\tilde{V}$ 乘积，为一常数，（气体为 1mol 时应为 $22.69\times10^5 dm^3\cdot Pa$）其它三种实际气体的 $p\tilde{V}$ 乘积均不是常数。多数气体的 $p\tilde{V}$ 乘积是随压强的升高先变小，

出现一个最低点，然后再变大；H_2 的 $p\widetilde{V}$乘积却例外，一直随压强的升高而增大。

面对实际气体偏离理想气体状态方程的情况，人们提出了修正气体状态方程的问题。1873 年荷兰科学家范德华（Van der-Walls）的工作最为人们所重视。范德华针对引起实际气体与理想气体产生偏差的两个主要原因，即实际气体分子自身体积和分子间作用力，对理想气体状态方程进行了如下校正。

首先鉴于气体处于高压时分子自身体积不容忽视，那么实际气体分子可以活动的空间要比容器的容积小。若 1mol 某气体分子自身体积为 b，则在忽略分子间引力的情况下，状态方程被修正成

$$p(V-nb)=nRT \tag{2-13}$$

第二由于气体处于高压时分子相互间的引力不容忽视，所以实际气体碰撞器壁时所表现出的压力所造成的压强要比分子间无引力的理想气体所产生的压强要小，这种差值是怎样造成的呢？碰撞器壁的分子受到内层分子的吸引，不能全力以赴地碰撞器壁，因此考虑分子间引力时（2－13）式将变成

$$(p+p_{内})(V-nb)=nRT \tag{2-14}$$

式中 $p_{内}$ 是由于分子间引力所造成的修正值。内层分子对碰撞器壁分子的引力和内部分子的密度成正比，也和碰壁的外层分子的密度成正比，而这两部分分子共处于同一容器中密度相等，故有

$$p_{内}\propto\left(\frac{n}{V}\right)^2$$

若比例系数为 a，则可写成等式

$$p_{内}=a\left(\frac{n}{V}\right)^2$$

将其代入式（2－14），即得到既考虑了分子自身体积，又考虑了分子间引力的实际气体状态方程式

$$\left(p+\frac{an^2}{V^2}\right)(V-nb)=nRT \qquad (2-15)$$

对 1mol 实际气体，则有

$$\left(p+\frac{a}{\widetilde{V}^2}\right)(\widetilde{V}-b)=RT \qquad (2-16)$$

式（2-15）和（2-16）是范德华方程式。其中，a 是同分子间引力有关的常数，b 是同分子自身体积有关的常数，统称为范德华常数，均可由实验确定。表 2-2 列出了一些气体的范德华常数。

表 2-2　一些气体的范德华常数

气体	$a/m^6\cdot Pa\cdot mol^{-2}$	$b/m^3\cdot mol^{-1}$	气体	$a/m^6\cdot Pa\cdot mol^{-2}$	$b/m^3\cdot mol^{-1}$
He	3.44×10^{-3}	2.37×10^{-5}	NH_3	4.22×10^{-1}	3.71×10^{-5}
H_2	2.47×10^{-2}	2.66×10^{-5}	C_2H_2	4.45×10^{-1}	5.14×10^{-5}
NO	1.35×10^{-1}	2.79×10^{-5}	C_2H_4	4.53×10^{-1}	5.71×10^{-5}
O_2	1.38×10^{-1}	3.18×10^{-5}	NO_2	5.35×10^{-1}	4.42×10^{-5}
N_2	1.41×10^{-1}	3.91×10^{-5}	H_2O	5.53×10^{-1}	3.05×10^{-5}
CO	1.51×10^{-1}	3.99×10^{-5}	C_2H_6	5.56×10^{-1}	6.38×10^{-5}
CH_4	2.28×10^{-1}	4.28×10^{-5}	Cl_2	6.57×10^{-1}	5.62×10^{-5}
CO_2	3.64×10^{-1}	4.27×10^{-5}	SO_2	6.80×10^{-1}	5.64×10^{-5}
NCl	3.72×10^{-1}	4.08×10^{-5}	C_6H_6	1.82	1.154×10^{-4}

显然，经过修正的气态方程即范德华方程式比理想气体状态方程式能够在更为广泛的温度和压强范围内得到应用。虽然它还不是精确的计算公式，但计算结果却比较接近于实际情况。例如对乙炔气体的计算结果，偏差较小，见表 2-3 所列数据。

1-3　气体的液化

气体变成液体的过程叫做液化或凝聚。任何气体的液化，都必须在降低温度或同时增加压强的条件下才能实现。这是因为降温可以减小液体的饱和蒸气压；而加压则可以减小气体分子间的

表 2-3　293K 时 1mol 乙炔气的压强-体积关系

$p/1.013\times10^5\text{Pa}$	$\tilde{V}/\text{dm}^3$	$\dfrac{p\tilde{V}}{1.013\times10^5\text{Pa}\cdot\text{dm}^3}$	$\dfrac{\left(p+\dfrac{a}{\tilde{V}^2}\right)(\tilde{V}-b)}{1.013\times10^5\text{Pa}\cdot\text{dm}^3}$ $a=4.4\text{m}^6\cdot\text{Pa}\cdot\text{mol}^{-2}$ $b=0.051\text{m}^3\cdot\text{mol}^{-1}$
1	24.06	24.06	24.16
31.6	0.695 8	21.99	25.44
84.2	0.114 05	9.60	25.7
110.5	0.098 80	11.20	25.7
233.6	0.082 94	19.35	26.5
329.1	0.077 89	25.6	26.9

距离，有利于增大分子间的引力。因此，当降温或同时加压到一定程度时，气体就液化了。

然而，使气体液化的两个条件，即降温和加压，是否需要同时具备呢？实验结果表明，单纯采用降温的方法可以使气体液化；但单纯采用加压的方法却不能奏效，必须首先把温度降低到一定数值，然后加足够的压强方可实现气体的液化。如果温度高于那个定值，则无论怎样加压，都不能使气体液化。这个在加压下使气体液化所需的一定温度，称为临界温度，用符号 T_c 表示；在临界温度时，使气体液化所需的最低压强，被称之为临界压强，用符号 p_c 表示；而在临界温度和临界压强下，1mol 气态物质所占有的体积，则称之为临界体积，用符号 V_c 表示。T_c、p_c 和 V_c 统称为临界常数。一些气体的临界常数和熔、沸点列于表 2-4 中。

从表列数据可以看出，He、H_2、N_2、O_2 等是熔、沸点很低的物质，其临界温度都很低，难以液化。这是由于这些非极性分子之间的引力都很小造成的；而那些强极性分子，如 H_2O、NH_3 等，则因具有较大的分子间作用力而比较容易液化。

气态物质处在临界温度、临界压强和临界体积的状态下，我

表 2-4　一些气体的临界常数和熔、沸点

气体	T_c/K	p_c/Pa	$V_c/m^3 \cdot mol^{-1}$	m.p./K	b.p./K
He	5.1	2.28×10^5	5.77×10^{-5}	1	△
H_2	33.1	1.30×10^6	6.50×10^{-5}	14	20
N_2	126	3.39×10^6	9.00×10^{-5}	63	104
O_2	154.6	5.08×10^6	7.44×10^{-5}	54	90
CH_1	190.9	4.64×10^6	9.88×10^{-5}	90	156
CO_2	304.1	7.39×10^6	9.56×10^{-5}	104	169
NH_3	408.4	1.13×10^7	7.23×10^{-5}	195	240
Cl_2	417	7.71×10^6	1.24×10^{-4}	122	239
H_2O	647.2	2.21×10^7	4.50×10^{-4}	273	373

们说它处于临界状态。这是一种不够稳定的特殊状态。在这种状态下气体和液体之间的性质差别将消失，两者之间的界面亦将消失。

1-4　气体分子的速率分布和能量分布

气体由为数极多的分子组成，这些分子均以高速度运动着，由于频繁的分子间及分子与器壁间的碰撞，每个分子的运动方向和速率是随机变化的。但实验和理论计算的结果却表明，分子总体的速率分布却遵循着一定的统计规律。

一百多年前著名的英国物理学家马克斯韦尔（Maxwell）用概率论及统计力学的方法推出了计算气体分子运动速率分布的公式，并根据公式计算了氧气分子在273K时的速率分布状况，见表2-5。到本世纪中叶，随着实验技术的发展，科学家们直接测定了某些气体分子的速率分布，证明了马克斯韦尔的理论的正确性。

图2-3是气体分子运动速率分布曲线。横坐标是气体分子的运动速率 u，纵坐标是 $\frac{1}{N}\frac{\Delta N}{\Delta u}$。$N$ 表示一定量气体的分子总数，ΔN 表示速率处于速率 u_0 附近的速率间隔 Δu 内的分子数，

表 2-5　氧气分子在 273K 时的速度分布

速率范围/$m \cdot s^{-1}$	分子百分比/%	速率范围/$m \cdot s^{-1}$	分子百分比/%
<100	1.4	400～500	20.3
100～200	8.1	500～600	15.1
200～300	16.7	600～700	9.2
300～400	21.5	>700	7.7

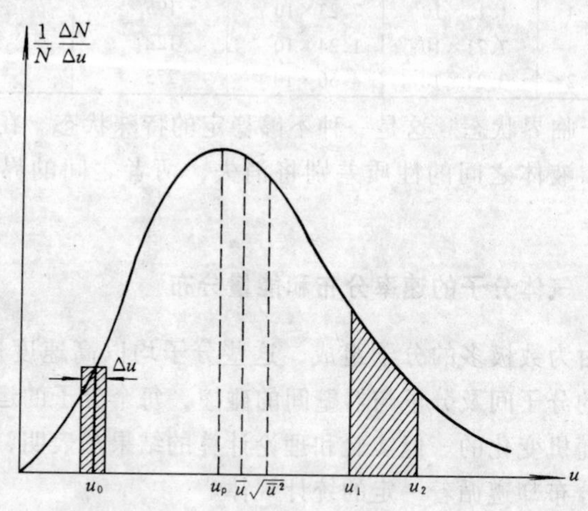

图 2-3　气体分子运动速率分布

$\frac{\Delta N}{\Delta u}$表示速率 u_0 附近单位速率间隔内的分子数，故纵坐标$\frac{1}{N}\frac{\Delta N}{\Delta u}$则表示处于速率 u_0 附近单位速率间隔内的气体分子数占分子总数的分数。速率分布曲线下覆盖的面积，如 u_1—u_2 之间的阴影部分的面积则表示速率处于 u_1—u_2 之间的气体分子的数目占分子总数的分数。由此可知整个曲线下覆盖的面积应为 1。图 2-3 的速率分布曲线与表 2-2 所示数据异曲同工，都描述了气体分子速率分布的规律，即差不多半数以上的分子具有适中的运动速率，仅有少数分子具有相当大的速率或很小的速率。

图 2－3 中，曲线最高点所对应的速率用 u_p 表示，这表明气体分子中具有 u_p 这种速率的分子数目最多，在分子总数中占有的比例最大。u_p 称做最几速率，意思是几率最大。

最几速率并不是平均速率，它与两种不同意义上的平均速率，即算术平均速率 $\overline{u}$ 和均方根速率 $\sqrt{\overline{u^2}}$，都不相等。

$$\overline{u}=\frac{u_1+u_2+\cdots+u_N}{N} \qquad (2-17)$$

$$\sqrt{\overline{u^2}}=\sqrt{\frac{N_1u_1^2+N_2u_2^2+\cdots}{N_1+N_2+\cdots}} \qquad (2-18)$$

上面提到的三种速率的比例是

$$\sqrt{\overline{u^2}}:\overline{u}:u_p=1.000:0.921:0.816 \qquad (2-19)$$

图 2－3 中给出了三种速率的位置关系。

在计算气体分子在单位时间平均运动的距离时，经常用到 $\overline{u}$；而计算气体分子的平均动能时，则经常用到 $\sqrt{\overline{u^2}}$。

图 2－4 给出了两种不同温度下的气体分子运动速率的分布曲线。显然，当温度升高时，气体分子的运动速率普遍增大，具有较高速率的分子的分数必然提高。表现在分布曲线上，即曲线

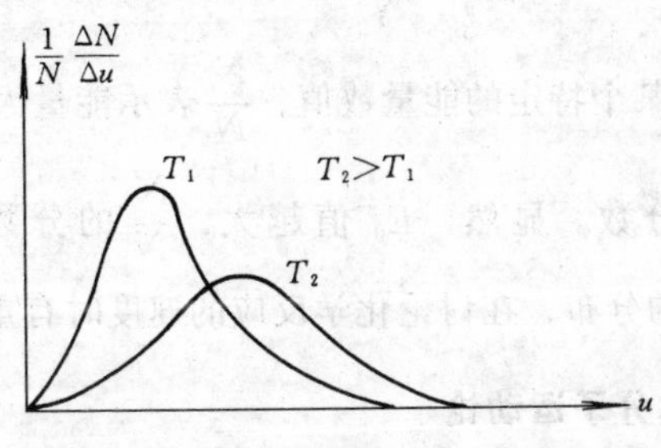

图 2－4　不同温度时的速率分布曲线

右移。分子运动的$\sqrt{\overline{u^2}}$、$\bar{u}$ 及 u_p 都随着温度的升高而变大，但具有这种速率的分子的分数却变小了。由于曲线下覆盖的面积为定值，故高度降低的同时，曲线覆盖面加宽，整个曲线在高温时变得较为平坦。

气体分子运动的动能与速率有关，$E_K=\frac{1}{2}mu^2$，所以气体分子的能量分布可以用类似的曲线表示，如图 2-5 所示。

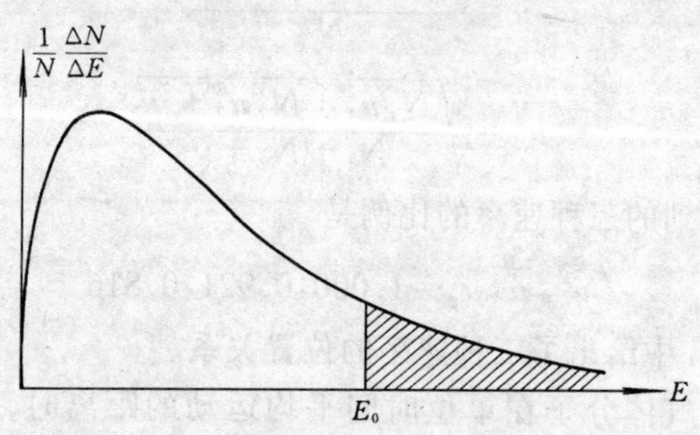

图 2-5 气体分子的能量分布

在无机化学课程中，对于气体分子能量分布的讨论一般只需用近似的公式

$$f_{E_0}=\frac{N_i}{N}=e^{-E_0/RT} \tag{2-20}$$

式中 E_0 是某个特定的能量数值，$\frac{N_i}{N}$表示能量大于和等于 E_0 的所有分子的分数。显然，E_0 值越大，$\frac{N_i}{N}$的分数值越小。式(2-20)所表示的分布，在讨论化学反应的速度时有重要的用途。

1-5 气体分子运动论

气体的经验公式是从实验中总结出来的，它反映了气体的一些规律。这些经验规律启发人们去研究理论，以求解释和加深认识这些规律的本质。经过许多科学家的努力探索，终于形成了气体分子运动理论，它可以从理论高度去揭示气体经验定律的内在联系。本课程只围绕气体压强的产生等基本问题对气体分子运动论简单地加以介绍，以加深对气体定律的理解。

为了从本质上认识气体压强的产生以及压强和气体温度、体积的关系，我们在理想气体基本假定的基础上，进行如下的简化的数学推导。

设有一边长为 l 的立方体容器，如图 2－6 所示。它的体积

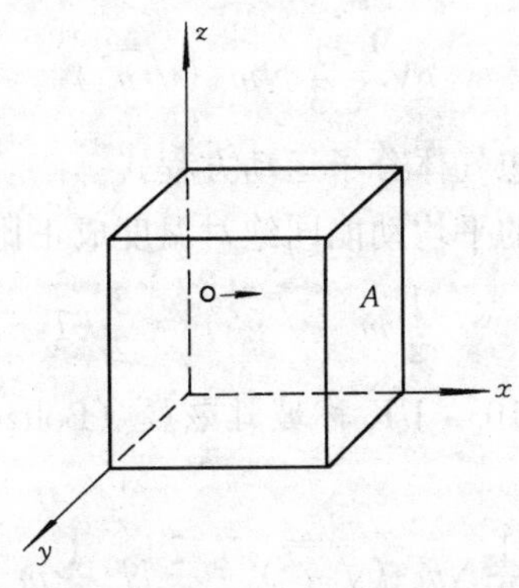

图 2－6　气体分子在立方箱中运动

为 V,内有 N 个质量为 m 的气体分子。现在用均方根速率$\sqrt{\overline{u^2}}$代表每个分子的速率。设一个分子沿 x 轴运动碰撞A 壁，由于碰撞时无能量损失$\sqrt{\overline{u^2}}$大小不变，所以每碰撞一次，分子动量改变值为

$$-m\sqrt{\overline{u^2}}-m\sqrt{\overline{u^2}}=-2m\sqrt{\overline{u^2}}$$

因分子两次碰撞 A 壁之间的运动距离为 l，分子每秒碰撞 A 壁的次数为 $\frac{\sqrt{\overline{u^2}}}{l}$，所以该分子每秒动量总改变值为

$-\frac{2m\ (\sqrt{\overline{u^2}})^2}{l}$,此值即为 A 壁施于该分子的压力。而该分子对器壁的压力为$\frac{2m\ (\sqrt{\overline{u^2}})^2}{l}$。容器内有 N 个分子，各面器壁共受力$\frac{2Nm\ (\sqrt{\overline{u^2}})^2}{l}$，容器壁总面积为$6l^2$，因此器壁受的气体的压强为

$$p=\frac{2Nm\ (\sqrt{\overline{u^2}})^2}{l\cdot 6l^2}=\frac{Nm\ (\sqrt{\overline{u^2}})^2}{3V}$$

即
$$pV=\frac{1}{3}Nm\ (\sqrt{\overline{u^2}})^2。\qquad (2-21)$$

上式即为理想气体分子运动方程式。

因气体分子的平均动能同绝对温度成正比，即

$$\frac{1}{2}m\ (\sqrt{\overline{u^2}})^2=\frac{3}{2}kT$$

式中 $k=1.38\times10^{-23}$ J/K 称玻耳兹曼（Boltzmann）常数。于是（2-21）式变为

$$pV=\frac{1}{3}Nm\ (\sqrt{\overline{u^2}})^2=\frac{2}{3}N\cdot\frac{1}{2}m\ (\sqrt{\overline{u^2}})^2$$

$$=\frac{2}{3}N\cdot\frac{3}{2}kT$$

即
$$pV=NkT\qquad (2-22)$$

上式是理想气体分子运动方程式的一个重要推论。

用式（2-22）解释经验定律很方便，举例说明如下。

例如解释理想气体的状态方程式 $pV=nRT$，由式（2-22）$pV=NkT$，N 个分子气体的物质的量为$\frac{N}{6.02\times10^{23}}$ mol，故

$$pV=NkT=\frac{N}{6.02\times10^{23}}\cdot 6.02\times10^{23}kT=n6.02\times10^{23}kT$$

$6.02\times10^{23}k$，恰好等于气体常数 R。

于是由 $pV=NkT$，很好地解释了 $pV=nRT$。

又如解释气体扩散定律

$$\frac{u_A}{u_B}=\sqrt{\frac{M_B}{M_A}}$$

对于1mol某种气体式（2－21）可写为 $pV=\frac{1}{3}N_0m\ (\sqrt{\overline{u^2}})^2$，将$\sqrt{\overline{u^2}}$简写为 u，上式可写为

$$u=\sqrt{\frac{3pV}{N_0m}}=\sqrt{\frac{3RT}{M}} \tag{2-23}$$

由式（2－23），可直接推导出气体扩散定律的公式

$$\frac{u_A}{u_B}=\sqrt{\frac{M_B}{M_A}}$$

分子运动理论很好地解释了气体的经验定律，但应知道这个理论模型的建立是在许多假定的基础之上，因此和实际气体之间会有一定的差异。只有清楚这些问题，才能更好运用分子运动理论和气体的经验定律。

§2－2　液　体

一般说来，液体没有固定的外形和显著的膨胀性，但有着确定的体积，一定的流动性、一定的掺混性、一定的表面张力，固定的凝固点和沸点。液态物质的性质介于气态物质和固态物质之间，但在某些方面接近于气体，而更多的方面类似于固体。

人们虽对液体进行了大量的研究工作，但至今对液体结构的了解还不象对气体和固体的结构了解得那样深入。

在这一节中，我们将就与液体蒸气压有关的问题展开一些讨论，至于流动性，掺混性和表面张力等问题，将由后继课程来讲解。

2－1　液体的蒸发

蒸发是液体气化的一种方式。一杯水，在敞口放置相当长一段时间之后，其体积将减小。这只能是水分子由液态转为气态的

结果。这种液体变成蒸气的过程就是蒸发。

(1) 蒸发过程

液体分子也和气体分子一样处于无秩序的运动之中，但由于液体分子聚集得紧密，因而两次碰撞间隔内分子运动的路程平均起来比气体分子短得多。当一个液体分子运动到接近液体表面并且具有适当的运动方向和足够大的动能时，它可以挣脱邻近分子的引力逃逸到液面上方的空间变为蒸气分子。

液体分子的能量分布与气体分子相似，都服从于式（2－20）所表示的马克斯韦尔－波耳兹曼分布定律。若 E_0 是能逃出液面的分子所必须具备的最低能量，则从能量角度具备条件的分子数为

$$N_i = N\mathrm{e}^{-E_0/RT} \tag{2-24}$$

其中 N_i 是具备 E_0 以上能量的分子数，N 是分子总数。尽管这些高能量的分子几乎全部处于液体内部，而且运动方向也不一定指向液面，但蒸发速度还是和这种具备足够能量的分子数成正比的。

E_0 的大小和液体自身的性质有关，液体分子间引力的大小会使不同液体的 E_0 各不相同。这可以说明在同一温度下有些液体蒸发得会比另一些液体快些。当液体的温度升高时，从式（2－24）中可以看出，具有 E_0 以上能量的分子的分数将随之增大，故蒸发速度加快。

把一杯某种液体置于抽成真空的钟罩内，液体开始蒸发。蒸气分子占据液面上方的空间，与任何气体类似，它在此空间中作无序运动。蒸气分子与液面撞击时，会被捕获进入液体，这个过程是凝聚。凝聚过程和蒸发过程是互不相干，独立进行的，两者之间没有直接的定量关系。当凝聚速度和蒸发速度相等时，体系达到了一种动态平衡，液面上方单位空间里的蒸气分子数目不再增多，我们称这时的蒸气为饱和蒸气。饱和蒸气所产生的压强叫做饱和蒸气压，简称蒸气压。

(2) 饱和蒸气压

液体的饱和蒸气压是液体的重要性质，它仅与液体的本质和温度有关，与液体的量以及液面上方空间的体积无关。

在相同温度下，若液体分子之间的引力强，液体分子难以逸出液面，蒸气压就低；若液体质点间的引力弱，则蒸气压就高。

对同一液体来说，若温度高，则液体当中动能大的分子数目多，逸出液面的分子数目也相应多些，蒸气压就大；若温度低，则蒸气压低。图 2－7 示出了几种液体在不同温度下蒸气压的变化情况。由图可见，蒸气压对温度的变化是一条曲线。

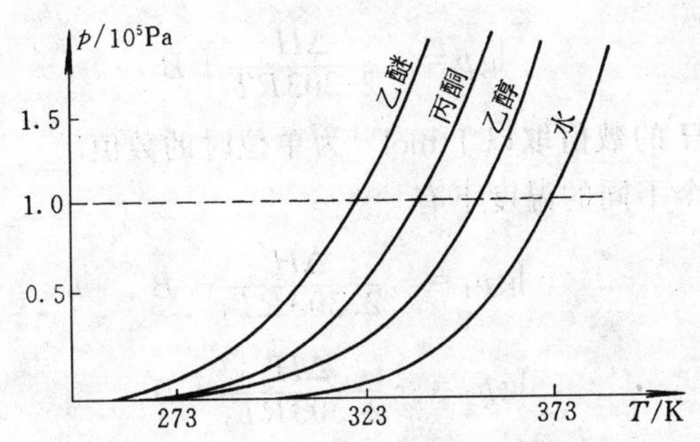

图 2－7　几种液体的蒸气压曲线

以液体饱和蒸气压的数值的对数 $\lg p$ 对绝对温度的倒数 $\frac{1}{T}$ 作图，得到的图象是一条直线，如图 2－8 所示。直线的解析式为

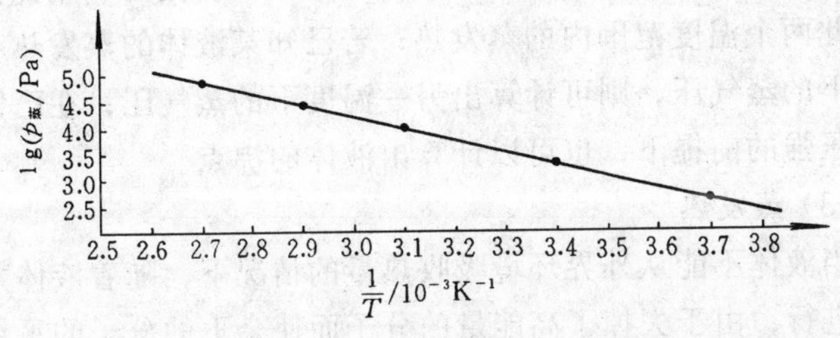

图 2－8　水的饱和蒸气压的对数值对绝对温度的倒数作图

$$\lg p = A\left(\frac{1}{T}\right) + B \tag{2-25}$$

式中 A 为直线的斜率，B 为截距。

式（2-25）是一个适用于液体的经验公式，斜率 A 和液体的蒸发热 ΔH 有关，关于蒸发热我们在下面要较详细地叙述；至于用 ΔH 表示，在后面热力学的章节中再做说明。

$$A = -\frac{\Delta H}{2.303R} \tag{2-26}$$

将式（2-26）代入式（2-25）则有

$$\lg p = -\frac{\Delta H}{2.303RT} + B \tag{2-27}$$

式中的 ΔH 的数值取以 $\mathrm{J\cdot mol^{-1}}$ 为单位时的数值。

在两个不同的温度下有

$$\lg p_1 = -\frac{\Delta H}{2.303RT_1} + B$$

$$\lg p_2 = -\frac{\Delta H}{2.303RT_2} + B$$

两式相减得

$$\lg\frac{p_1}{p_2} = \frac{\Delta H}{2.303R}\left(\frac{1}{T_2} - \frac{1}{T_1}\right) \tag{2-28}$$

此式称为克劳修斯－克拉贝龙（Clansius－Clapeyron）方程式。若已知某液体在某两个温度下的蒸气压，则可利用此公式计算出此两个温度范围内的蒸发热；若已知某液体的蒸发热和某一温度下的蒸气压，则可计算出另一温度下的蒸气压；在已知外界大气压强的前提下，也可以计算出液体的沸点。

（3）蒸发热

当液体不能从外界环境吸收热量的情况下，随着液体蒸发过程的进行，由于失掉了高能量的分子而使余下的分子的平均动能逐渐降低。所以随着液体的蒸发，其温度将随之降低，蒸发速度也随之减慢。

欲使液体保持原温度，即维持液体分子的平均动能，必须从外界吸收热量。这就是说，要使液体在恒温恒压下蒸发，必须从周围环境吸热。这种维持液体恒温恒压下蒸发所必须的热量，称为液体的蒸发热。

显然，不同的液体，因其分子间的引力不同而蒸发热必不相同；即使同一种液体，温度不同时，其蒸发热也不相同。因此常在一定的温度和压强下取 1mol 液体的蒸发热以资比较，这种蒸发热叫做摩尔蒸发热，以 $\Delta_v H_m$ 表示。表 2－5 列出了一些液体的沸点及其在沸点下的摩尔蒸发热。

表 2－6　一些物质在 1.013×10^5 Pa 的沸点(b.p.)和沸点时的蒸发热

化合物	$\frac{\Delta_v H_m}{kJ\cdot mol^{-1}}$	b.p./K	化 合 物	$\frac{\Delta_v H_m}{kJ\cdot mol^{-1}}$	b.p./K
CH_4	9.21	112	HCl	15.06	189
C_2H_6	13.81	184	HBr	16.32	203
C_3H_8	18.08	243	HI	18.16	236
C_4H_{10}	22.26	273	H_2O	40.63	373
C_5H_{14}	28.58	341	H_2S	18.79	212
C_8H_{18}	33.89	398	NH_3	23.56	240
$C_{10}H_{22}$	35.82	433	PH_3	14.60	185
HF	30.17	290	SiH_4	12.34	161

既然蒸发热主要是为了克服液体分子间的引力以便气化，那么蒸发热的大小必然成为液体分子间吸引力大小的一种量度。一般说来，蒸发热越大，液体分子间的作用力越大。

2－2　液体的沸点

液体的沸点，系指液体的饱和蒸气压与外界压强相等时的温度。在此温度下，气化在整个液体中进行，称之为液本的沸腾；而在低于此温度下的气化，则仅限于在液体表面上进行，即蒸发。这是在沸点以下和达到沸点时液体气化之区别所在。

很明显，液体的沸点同外界气压密切相关。外界气压升高，液体的沸点升高；外界气压下降，液体的沸点也随之下降。当外界气压为1.013×10^5Pa 时，液体的沸点称为正常沸点。从图2-7中可以看出乙醚、丙酮、乙醇和水的正常沸点。

利用液体沸点随外界气压而变化的特性，可以采用减压蒸馏的方法去实现分离和提纯的目的。这种方法适用于分离提纯沸点很高的物质，以及那些在正常沸点下易分解或易被空气氧化的物质。因为在减压时，液体的沸点会降低。

例2-9 采用减压蒸馏的方法精制苯酚。已知苯酚的正常沸点为455.1K,如果外压为1.333×10^4Pa,酚的沸点为多少度？$\Delta_v H_m = 48.139\text{kJ}\cdot\text{mol}^{-1}$

解：$p_1 = 1.013\times10^5\,\text{Pa}$

$p_2 = 1.333\times10^4\,\text{Pa}$

$\Delta_v H_m = 48.139\text{kJ}\cdot\text{mol}^{-1} = 48\,139\text{J}\cdot\text{mol}^{-1}$

$R = 8.314\text{J}\cdot\text{K}^{-1}\cdot\text{mol}^{-1}, T_1 = 455.1\text{K}$

将以上数据代入式（2-28）中

$$\lg\frac{1.013\times10^5}{1.333\times10^4} = \frac{48139}{2.303\times8.314}\left(\frac{1}{T_2} - \frac{1}{455.1}\right)$$

$T_2 = 392(\text{K})$

§2-3 固 体

可以想象到，当从液体中取走能量时，分子运动的速度必然减慢。一旦温度降低到分子所具有的平均动能不足以克服分子间的引力时，将有一些速度小的分子聚集在一起相对地固定在一定的位置上。这时液体开始变成固体，这个过程叫做液体的凝固，相反的过程叫做固体的熔化。凝固是一种放热过程，熔化当然是一种吸热过程。

3-1 晶体与非晶体

对固体的内部结构进行实验测定后，可发现有的固体内部质点呈有规则的空间排列，有的则毫无规律。前一类固体叫做晶体，后者叫做非晶体，也叫做无定形体。

自然界中绝大多数的固态物质都是晶体，只有极少数的非晶体。非晶体往往是在温度突然下降到液体的凝固点以下，而物质的质点来不及进行有规则的排列时形成的，例如玻璃、石蜡、沥青和炉渣等。非晶体的内部结构通常类似于液体内部结构。非晶体聚集态是不稳定的，在一定条件下会逐渐结晶化，如玻璃长时间后会变得浑浊不透明，这就是晶化的结果。

晶体与非晶体的特性，有相似之处，但有更多的不同点，概括如下：(1) 晶体和非晶体的可压缩性、扩散性均甚差。(2) 完整的晶体有固定的几何外形，非晶体则没有。(3) 晶体有固定的熔点，非晶体没有固定的熔点。非晶体被加热到一定温度后开始软化，流动性增加，最后变成液体。从软化到完全熔化，要经历一段较宽的温度范围。(4) 晶体具有各向异性，即某些物理性质在不同的方向上表现不同。如石墨易沿层状结构方向断裂，石墨的层向导电能力高出竖向导电能力的 10 000 倍。非晶体则是各向同性的。

3-2　晶体的外形　七大晶系

图 2-9 是三种化合物的晶体外形，食盐晶体是立方体，明

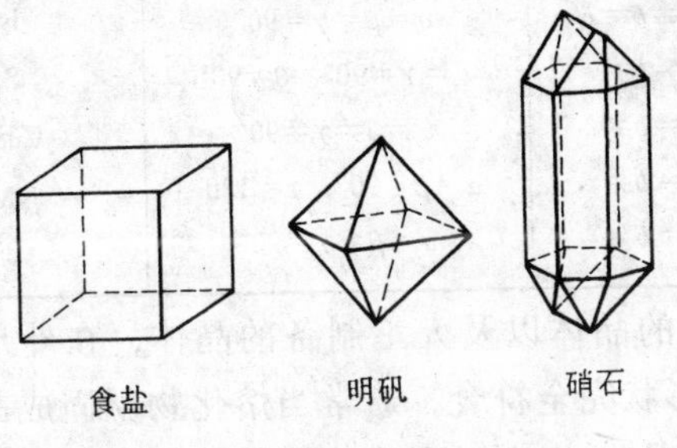

图 2-9　晶体的外形

矾晶体是正八面体，而硝石晶体基本是棱柱体。在结晶学中根据结晶多面体的对称情况，将晶体分为七类，称为七大晶系。图2－10示出了七大晶系的晶体外形。表2－7列出了七大晶系在晶轴长短和晶轴夹角方面的情况，这也是分晶系的根据。

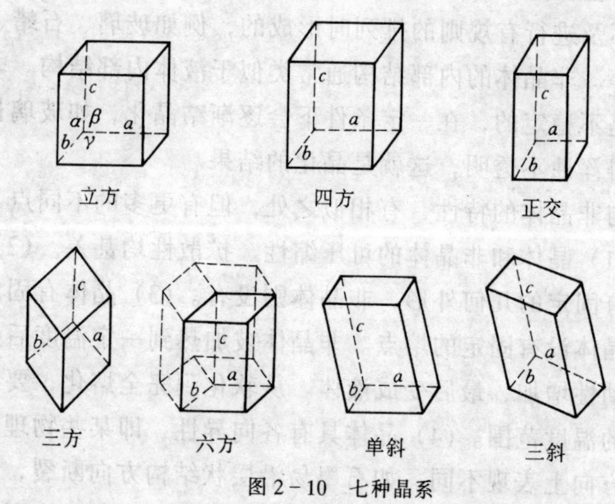

图2－10　七种晶系

表2－7　七大晶系

晶系	晶轴长度	晶轴夹角	实　例
立方	$a=b=c$	$\alpha=\beta=\gamma=90°$	Cu，NaCl
四方	$a=b\neq c$	$\alpha=\beta=\gamma=90°$	Sn，SnO_2
正交	$a\neq b\neq c$	$\alpha=\beta=\gamma=90°$	I_2，$HgCI_2$
单斜	$a\neq b\neq c$	$\alpha=\gamma=90°$，$\beta\neq 90°$	S，$KClO_3$
三斜	$a\neq b\neq c$	$\alpha\neq\beta\neq\gamma\neq 90°$	$CuSO_4\cdot 5H_2O$
六方	$a=b\neq c$	$\alpha=\beta=90°$，$\gamma=120°$	Mg，AgI
三方	$a=b=c$	$\alpha=\beta=\gamma\neq 90°$	Bi，Al_2O_3

自然界中的晶体以及人工制备的晶体，在外形上很少与图2－10所示的形状完全符合，通常当熔化物凝固成晶体或固体物质从溶液中结晶出来时，得不到完整的晶体。有的生长得不均衡，有的则发生歪曲或缺陷。然而，不管晶体外形生成得如何不

规则，但对某一种物质的晶体来讲，晶面间所成的夹角总是不变的，因为晶系的晶轴间夹角是固定的。我们只要测出晶面间夹角和晶轴的长短，就能准确地确定一种晶体所属的晶系。

3-3 晶体的内部结构

(1) 十四种晶格

晶体的外形是晶体内部结构的反映，是构成晶体的质点（离子、分子或原子）在空间有一定规律的点上排列的结果。这些有规律的点称为空间点阵，空间点阵中的每一个点都叫做结点。物质的质点排列在结点上则构成晶体。晶格是实际晶体所属点阵结构的代表，实际晶体虽有千万种，但就其点阵的形式而言，只有十四种。这就是图 2-11 所示的十四种晶格。

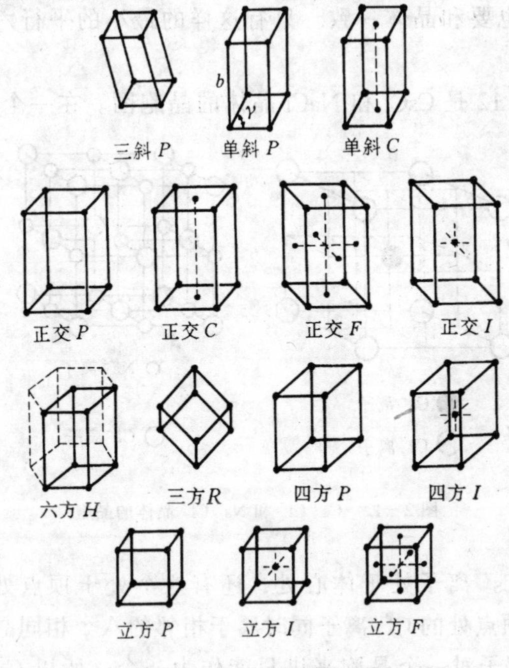

图 2-11 14 种可能的晶格

图 2-11 中的符号 P 表示“不带心”的简单晶格，符号 I 表示“体心”，符号 F 表示“面心”，所以立方晶格有三种形式；符号 C 表示“底心”；三方、六方和三斜都“不带心”，它们都只有一种形式；符号 R 和 H 分别表示三方和六方点阵。

在简单立方晶格中，立方体每个顶角都有一个结点。在体心立方晶格中，除了这八个结点以外，在立方体中心还有一个结点。在面心立方晶格中，除了顶角的八个结点外，立方体六个面的中心都有结点。

(2) 晶胞

晶格是实际晶体所属点阵结构的代表，而晶体结构的代表则是晶胞。整个晶体可以看成是由平行六面体的晶胞并置而成的，因此每个晶胞中各种质点的比应与晶体一致。另外晶胞在结构上的对称性也要和晶体一致。只有这样的最小的平行六面体才叫晶胞。

图 2-12 是 CsCl 和 NaCl 晶体的晶胞图。在一个 CsCl 晶胞

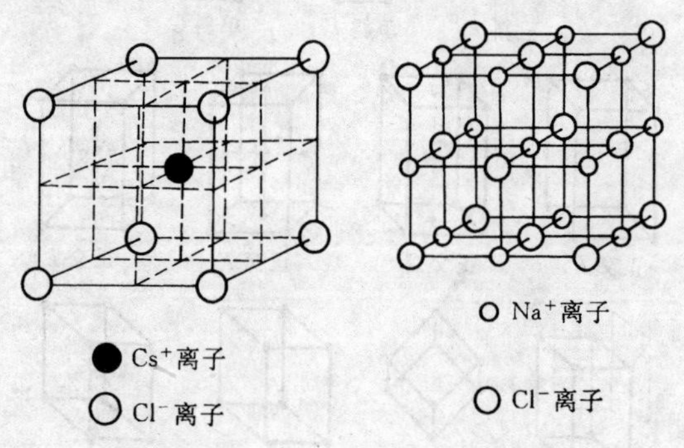

图 2-12　Cs^+Cl^- 和 Na^+Cl^- 晶体的晶胞

中有一个 Cs^+ 离子处于体心处，还有八个处于顶点处的 Cl^- 离子。由于顶点处的 Cl^- 离子同时属于相邻的八个相同晶胞，因此八个 Cl^- 离子对一个晶胞来讲只能作为一个。所以 CsCl 晶胞中

$Cs^+:Cl^-=1:1$，能代表晶体中的离子比。在一个 NaCl 晶胞中，在体心处有一个 Na^+ 离子，在十二条棱的中央各有一个同时属于相邻的四个相同晶胞的 Na^+ 离子、所以晶胞中的 Na^+ 离子数为

$$1+\frac{1}{4}\times 12=4\text{（个）}$$

八个顶点上各有一个同时属于相邻的八个相同晶胞的 Cl^- 离子，六个面的中心上各有一个同时属于相邻的两个晶胞的 Cl^- 离子。所以晶胞中 Cl^- 离子数为

$$\frac{1}{8}\times 8+\frac{1}{2}\times 6=4\text{（个）}$$

因此一个 NaCl 晶胞的化学成分代表了 NaCl 晶体。

晶胞是晶体的代表，晶胞中存在着晶体中所具有的各种质点。通过晶胞判断晶体的点阵属于 14 种晶格的哪一种，首先要把晶胞中环境不同的质点分开来，观察它们各自的排列方式，如图 2-13 所示。把 CsCl 晶胞分开后，我们清楚地看到 Cs^+ 和 Cl^- 各自排列成简单立方形式，因此 CsCl 属简单立方格子。把 NaCl 晶胞分开后 Na^+ 和 Cl^- 各自排列成面心立方形式，因此 NaCl 属面心立方格子。值得注意的是不同的质点在晶胞中的化学环境不

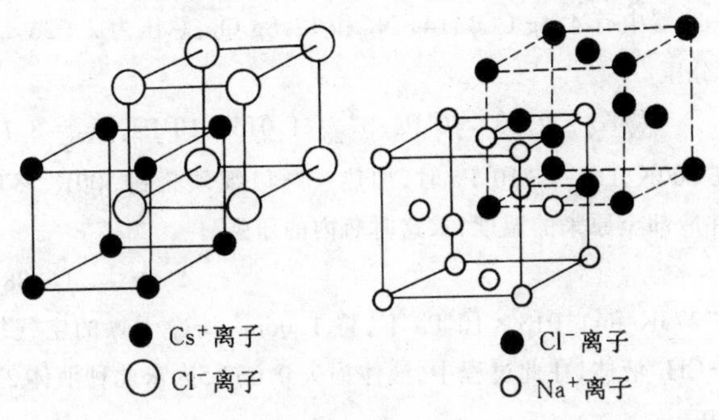

图 2-13　晶胞的构成

同，相同质点的化学环境也并不一定相同。在把晶胞中不同质点分开来观察和判断晶体点阵的类型时，一定要注意上述的问题。但同一晶胞不论可以分成几种化学环境不同的质点，每种质点所排列成的形式都是完全相同的，图 2－13 也说明了这一点。CsCl 的晶胞正是由 Cs^+ 和 Cl^- 的简单立方格子在体心处相互穿插而成的；而 NaCl 晶胞则是由 Na^+ 和 Cl^- 的面心立方格子在体心处相互穿插而成的。

习　题

1. 某气体在 293K 与 9.97×10^4 Pa 时占有体积 1.9×10^{-1} dm^3，其质量为 0.132g，试求这种气体的相对分子质量，它可能是何种气体？

(17；NH_3)

2. 一敞口烧瓶在 280K 时所盛的气体，需加热到什么温度时，才能使其三分之一逸出瓶外？

(420K)

3. 某温度下，将 1.013×10^5 Pa 的 N_2 2dm^3 和 0.506 5Pa 的 O_2 3dm^3 放入 6dm^3 的真空容器中，求 N_2 和 O_2 的分压及混合气体的总压。

($p_{O_2}=2.53\times10^4$ Pa，$p_{N_2}=3.38\times10^4$ Pa，$p=5.91\times10^4$ Pa)

4. 一容器中有 4.4g CO_2、14g N_2 和 12.8g O_2，总压为 2.026×10^5 Pa，求各组分的分压。

($p_{CO_2}=2.03\times10^4$ Pa，$p_{N_2}=1.013\times10^5$ Pa，$p_{O_2}=8.1\times10^4$ Pa)

5. 在 300K、1.013×10^5 Pa 时，加热一敞口细颈瓶到 500K，然后封闭其细颈口，并冷却至原来的温度，求这时瓶内的压强。

(6.08×10^4 Pa)

6. 在 273K 和 1.013×10^5 Pa 下，将 1.0dm^3 洁净干燥的空气缓慢通过 $H_3C—O—CH_3$ 液体，在此过程中，液体损失 0.033 5g，求此种液体 273K 时的饱和蒸气压。

(1.62×10^3 Pa)

7. 有一混合气体，总压为 150Pa，其中 N_2 和 H_2 的体积分数分别为 0.25 和 0.75，求 H_2 和 N_2 的分压。

($p_{N_2}=37.5Pa, p_{H_2}=112.5Pa$)

8．在 291K 和总压为 1.013×10^5Pa 时，$2.70dm^3$ 含饱和水蒸气的空气，通过 $CaCl_2$ 干燥管，完全吸水后，干燥空气为 3.21g，求 291K 时水的饱和蒸气压。

(2.13×10^3Pa)

9．有一高压气瓶，容积为 $30dm^3$，能承受 2.6×10^7Pa 的压强，问在 293K 时可装入多少千克 O_2 而不致发生危险？

(10.25kg)

10．在 273K 时，将同一初压的 $4.0dm^3$ N_2 和 $1.0dm^3O_2$ 压缩到一个容积为 $2dm^3$ 的真空容器中，混合气体的总压为 3.26×10^5Pa，试求

(1) 两种气体的初压；

(2) 混合气体中各组分气体的分压；

(3) 各气体的物质的量。

[(1) $p=1.303\times10^5Pa$；(2) $p_{O_2}=6.5\times10^4Pa$，$p_{N_2}=2.61\times10^5Pa$；(3) $n_{O_2}=0.06mol$，$n_{N_2}=0.23mol$]

11．在 273K 时测得一氯甲烷蒸气在不同压强下的密度如下表：

$p/10^5Pa$	1.013	0.675	0.507	0.338	0.253
$\rho/g\cdot dm^{-3}$	2.307 4	1.526 3	1.140 1	0.757 13	0.566 60

用作图外推法(p 对 ρ/p 作图)得到的数据求一氯甲烷的相对分子质量。

(50.495)

12．(1) 用理想气体状态方程式证明阿佛加德罗定律；

(2) 用 x_i 表示摩尔分数，证明

$$x_i=\frac{\nu_i}{V_{总}}$$

(3) 证明

$$\sqrt{\overline{u_2}}=\sqrt{\frac{3kT}{M}}$$

13．已知乙醚的蒸发热为 $25\ 900J\cdot mol^{-1}$，它在 293K 时的饱和蒸气压为 7.58×10^4Pa，试求在 308K 时的饱和蒸气压。

(1.27×10^5Pa)

14．水的气化热为 $40kJ \cdot mol^{-1}$，求 298K 时水的饱和蒸气压。

$(3.94 \times 10^3 Pa)$

15．如图所示是 NaCl 的一个晶胞，属于这个晶胞的 Cl^-（用○表示）和

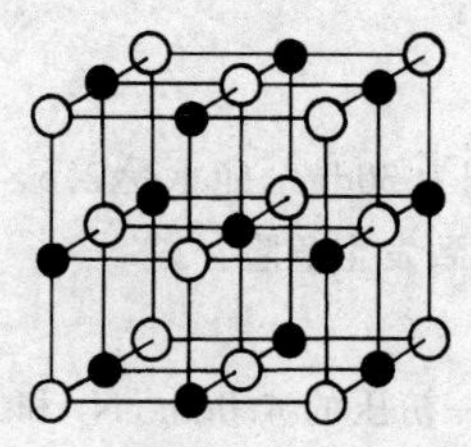

Na^+（用●表示）各多少个？

第三章 原子结构

种类繁多的物质，其性质各不相同。物质在性质上的差别是由于物质的内部结构不同引起的。在化学变化中，原子核并不发生变化，只是核外电子的运动状态发生变化。因此要了解和掌握物质的性质，尤其是化学性质及其变化规律，首先必须清楚物质内部的结构，特别是原子结构及核外电子的运动状态。

§3-1 核外电子的运动状态

我们知道，电子、质子、中子、阴极射线、X-射线的发现以及卢瑟福（Rutherford）的有核原子模型的建立，正确地回答了原子的组成问题。然而对于原子中核外电子的分布规律和运动状态等问题的解决以及近代原子结构理论的确立，则是从氢原子光谱实验开始的。

1-1 氢原子光谱和玻尔理论

(1) 氢原子光谱

太阳光或白炽灯发出的白光，是一种混合光，它通过三棱镜折射后，便分成红、橙、黄、绿、蓝、紫等不同波长的光。这样得到的光谱是连续光谱。一般白炽的固体、液体、高压下的气体都能给出连续光谱。

并非所有光源都给出连续光谱。如将 NaCl 放在煤气灯火焰上灼烧，发出的光经三棱镜分光后，我们只能看到几条亮线，这是一种不连续光谱，即所谓线状光谱或原子光谱。

实际上，任何原子被火花、电弧或用其他方法激发时，都可给出原子光谱，而且每种原子都具有自己的特征光谱，如图3-1

所示。

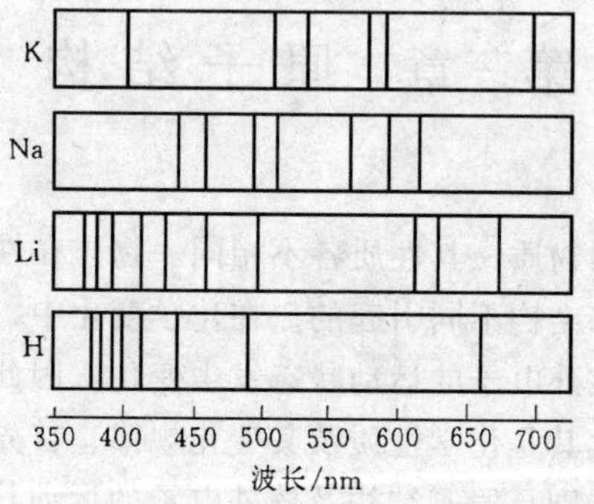

图 3-1　氢和某些碱金属的可见原子光谱

氢原子光谱是最简单的一种原子光谱。对它的研究也比较详尽。氢原子光谱实验如图 3-2 所示。在一个熔接着两个电极，且抽成高真空的玻璃管内，装进高纯的低压氢气，然后在两极上施加很高的电压，使低压气体放电。氢原子在电场的激发下发光。

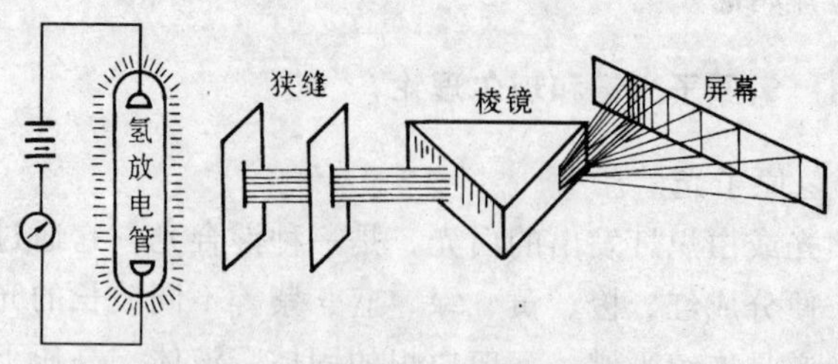

图 3-2　氢原子光谱实验示意图

若使这种光线经狭缝，再通过棱镜分光后可得含有几条谱线的线状光谱——氢原子光谱。氢原子光谱在可见光区有四条比较明显的谱线，通常用 H_α，H_β，H_γ，H_δ 来标志，如图 3-3 所示。

在原子光谱中，各谱线的波长或频率有一定的规律性。1883 年瑞士物理学家巴尔麦（Balmer）找出氢原子光谱可见区各谱线的波长之间有如下关系：

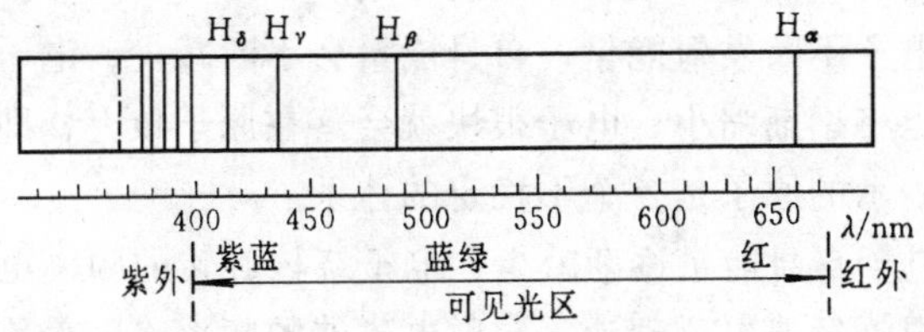

图 3-3　氢原子光谱图

$$\lambda = B\left(\frac{n^2}{n^2-4}\right) \qquad (3-1)$$

式中 λ 为波长，B 为常数，当 n 分别为3，4，5，6时，上式就分别给出 H_α，H_β，H_γ，H_δ 四条谱线的波长。1913 年瑞典物理学家里德堡（Rydberg）仔细地测定了氢原子光谱可见光区各谱线的频率，找出了能概括谱线之间普遍联系的公式，里德堡公式：

$$\nu = R\left(\frac{1}{n_1^2}-\frac{1}{n_2^2}\right) \qquad (3-2)$$

式中 ν 为频率，R 为里德堡常数，其值为$3.289\times10^{15}\,\mathrm{s}^{-1}$，$n_1$ 和 n_2 为正整数，而且 $n_2>n_1$。式(3-2)也经常用下式表示：

$$\bar{\nu} = R_{\mathrm{H}}\left(\frac{1}{n_1^2}-\frac{1}{n_2^2}\right) \qquad (3-3)$$

式中 $\bar{\nu}$ 为波数，即波长的倒数，$\bar{\nu}=\dfrac{1}{\lambda}=\dfrac{\nu}{c}$，$R_{\mathrm{H}}$ 也称为里德堡常数，其值为$1.097\times10^5\,\mathrm{cm}^{-1}$。后来在氢光谱的紫外线区和红外线区分别发现了赖曼线系和帕邢线系。这些谱线系中，各谱线的频率和波数也符合式（3-2）和式（3-3）所表示的关系。事实证明，这些经验公式在一定程度上反映了原子光谱的规律性。

十九世纪末，当人们企图从理论上解释原子光谱现象时，发现经典电磁理论及有核原子模型跟原子光谱实验的结果发生尖锐的矛盾。根据经典电磁理论，绕核高速旋转的电子将不断以电磁波的形式发射出能量。这将导制两种结果：

（a）电子不断发射能量，自身能量会不断减少，电子运动的轨道半径也将逐渐缩小，电子很快就会落在原子核上，即有核原子模型所表示的原子是一个不稳定的体系。

（b）电子自身能量逐渐减少，电子绕核旋转的频率也要逐渐地改变。根据经典电磁理论，辐射电磁波的频率将随着旋转频率的改变而逐渐变化，因而原子发射的光谱应是连续光谱。

事实上，原子是稳定存在的而且原子光谱不是连续光谱而是线状光谱。这些矛盾是经典理论所不能解释的。

1913 年，丹麦物理学家玻尔（Bohr）引用了德国物理学家普朗克（Planck）的量子论，提出了玻尔原子结构理论，初步解释了氢原子线状光谱产生的原因和光谱的规律性。

(2) 玻尔理论

1900 年，普朗克首先提出了著名的、当时被誉为物理学上一次革命的量子化理论。普朗克认为能量象物质微粒一样是不连续的，它具有微小的分立的能量单位——量子。物质吸收或发射的能量总是量子能量的整倍数。能量以光的形式传播时，其最小单位又称光量子，也叫光子。光子能量的大小与光的频率成正比

$$E = h\nu \qquad (3-4)$$

式中 E 为光子的能量，ν 为光的频率，h 为普朗克常数，其值为 6.626×10^{-34} J·s。物质以光的形式吸收或发射的能量只能是光量子能量的整数倍，即称这种能量是量子化的。

电量的最小单位是一个电子的电量，故电量也是量子化的。量子化的概念只有在微观领域里才有意义，量子化是微观领域的重要特征。而在宏观世界中，以一个光子的能量为单位去计算能量或以一个电子的电量去计算电量都是没有意义的。

1913 年玻尔在普朗克量子论、爱因斯坦（Einstein）光子学说和卢瑟福有核原子模型的基础上，提出了原子结构理论的三点

假设：

（a）电子不是在任意轨道上绕核运动，而是在一些符合一定条件的轨道上运动。这些轨道的角动量 P，必须等于 $h/2\pi$ 的整倍数，即

$$P = mvr = n\frac{h}{2\pi} \tag{3-5}$$

式中 m 为电子的质量，v 为电子运动的速度，r 为轨道半径，h 为普朗克常数，π 为圆周率，n 为正整数 1，2，3，…，式(3-5)称为玻尔的量子化条件。这些符合量子化条件的轨道称为稳定轨道，它具有固定的能量 E。电子在稳定轨道上运动时，并不放出能量。

（b）电子在离核越远的轨道上运动，其能量越大。在正常情况下，原子中的各电子尽可能处在离核最近的轨道上。这时原子的能量最低，即原子处于基态。当原子从外界获得能量时（如灼热、放电、辐射等）电子可以跃迁到离核较远的轨道上去，即电子被激发到较高能量的轨道上。这时原子和电子处于激发态。

（c）处于激发态的电子不稳定，可以跃迁到离核较近的轨道上，这时会以光子形式放出能量，即释放出光能。光的频率决定于能量较高的轨道的能量与能量较低的轨道的能量之差：

$$h\nu = E_2 - E_1 \tag{3-6}$$

$$\nu = \frac{E_2 - E_1}{h} \tag{3-7}$$

式中 E_2 为电子处于激发态时的能量，E_1 为低能量轨道的能量，ν 为频率，h 为普朗克常数。

在上述基础上，玻尔根据经典力学原理和量子化条件，计算了电子运动的轨道半径 r 和电子的能量 E。电子绕核作圆周运动的向心力是由核与电子之间的静电引力提供的，故有

$$\frac{mv^2}{r} = k\frac{Ze^2}{r^2} \tag{3-8}$$

式中 Z 是核电荷数，e 为电子电量，k 为静电力恒量。式（3－8）与量子化条件式（3－5）联立，可导出

$$r=\frac{n^2h^2}{4k\pi^2mZe^2} \tag{3-9}$$

将 $h=6.626\times10^{-34}\mathrm{J\cdot s}$、$k=8.988\times10^{9}\mathrm{N\cdot m^2\cdot C^{-2}}$ $\pi=3.142$，$m=9.110\times10^{-31}\mathrm{kg}$，$z=1$，$e=1.602\times10^{-19}\mathrm{C}$ 代入式（3－9）中，可得

$$r=5.29\times10^{-11}n^2\mathrm{m}$$

即　$r=52.9n^2\mathrm{pm}$　　(3－10)

电子的总能量 E，可由电子的动能 $E_{动}$ 和势能 $E_{势}$ 之和求得。

$$E_{动}=\frac{1}{2}mv^2 \tag{3-11}$$

由量子化条件可得

$$v=\frac{nh}{2\pi mr} \tag{3-12}$$

将式（3－9）代入式（3－12），得到 v 的表达式

$$v=\frac{2k\pi Ze^2}{nh} \tag{3-13}$$

将其代入式（3－11），可得

$$E_{动}=\frac{2k^2\pi^2mZ^2e^4}{n^2h^2} \tag{3-14}$$

将电子从离质子无限远处移入质子电场中距质子为 r 的轨道中，这时的功可以认为是电子的势能 $E_{势}$。随着电子与质子之间距离的改变，静电引力在变化，故这是一个变力做功的情况，可用积分求得功，即电子的 $E_{势}$。

$$E_{势}=\int_{\infty}^{r}\frac{kZe^2\mathrm{d}r}{r^2}=-\frac{kZe^2}{r}。 \tag{3-15}$$

将式（3－9）代入式（3－15），

$$E_{势} = -\frac{4k^2\pi^2 mZ^2 e^4}{n^2 h^2} \quad (3-16)$$

综合式（3-14）和式（3-16），得

$$E = \frac{-2k^2\pi^2 mZ^2 e^4}{n^2 h^2} \quad (3-17)$$

代入数值后计算得

$$E = -\frac{13.6}{n^2}\text{eV} \quad (3-18)$$

将 n 值分别代入式（3-10）和式（3-18），得到

$n=1$，$r_1=52.9\text{pm}$，　$E_1=-13.6\text{eV}$；

$n=2$，$r_2=2^2\times52.9\text{pm}$，$E_2=-\frac{13.6}{4}\text{eV}$；

$n=3$，$r_3=3^3\times52.9\text{pm}$，$E_3=-\frac{13.6}{9}\text{eV}$。

由此可见，随着 n 的增加，电子离核越远，电子的能量以量子化的方式不断增加，因此 n 被称为量子数。当量子数 $n\to\infty$时，意味着电子完全脱离原子核的电场的引力，能量 $E=0$。

玻尔理论成功地解释了氢光谱产生的原因和规律性，根据玻尔理论，在通常的条件下，氢原子中的电子在特定的稳定轨道上运动，这时它不会放出能量。因此，在通常的条件下氢原子是不会发光的。同时氢原子也不会发生自发毁灭的现象。但是，当氢原子受到放电等能量激发时，核外电子获得能量从基态跃迁到激发态。处于激发态的电子极不稳定，它会迅速地回到能量较低的轨道，并以光子的形式放出能量。放出光子的频率大小决定于电子跃迁时两个轨道能量之差，即

$$h\nu = \Delta E = E_2 - E_1$$

E_2 和 E_1 分别表示高能级和低能级的能量。由于轨道的能量是量子化的，所以放出的光子的频率是不连续的。氢光谱是线状光谱，其原因就在于此。

玻尔理论对于代表氢光谱规律性的里德堡经验公式也给予了

满意的解释。假如 n_2 和 n_1 是氢原子两条轨道的量子数，轨道能量分别为 E_2 和 E_1，而且 $n_2 > n_1$，将式（3-17）所表示的能量数值以及普朗克常数 h 的值分别代入式（3-7），得

$$\nu = \frac{2k^2\pi^2 mZ^2e^4}{h^3}\left(\frac{1}{n_1^2}-\frac{1}{n_2^2}\right) \text{即}$$

$$\nu = 3.289\times10^{15}\left(\frac{1}{n_1^2}-\frac{1}{n_2^2}\right)\text{s}^{-1} \qquad (3-19)$$

它和式（3-2）完全一致。这就从理论上解释了氢光谱的规律性。公式（3-19）中的 n_1 和 n_2 有着明确的物理意义，它们分别代表着不同层的轨道。从公式（3-19）可以算出当电子从 n_2 为 3，4，5，…的轨道上跳到 $n_1=2$ 的轨道上时产生的光谱线系正是巴尔麦最早研究的谱线，即巴尔麦线系；当电子从 n_2 为 2，

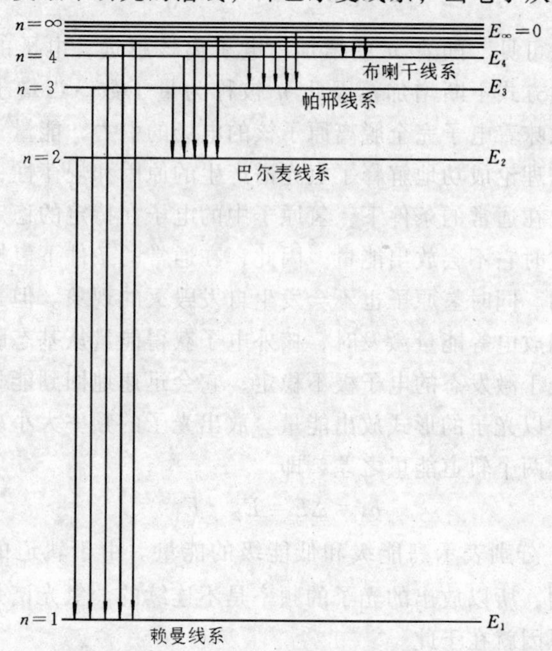

图 3-4　氢原子光谱中各线系谱线产生示意图

3，4，…的轨道跳到 $n_1 = 1$ 的轨道上时即产生赖曼线系，余类推，如图 3－4 所示。

玻尔理论也可以用来计算氢原子的电离能。欲使一基态氢原子电离，必须供给原子足够能量，才能使电子由 $n = 1$ 的轨道变为自由电子，相当于 $n = \infty$，即电子脱离原子核的引力。能量差 ΔE 可用式（3－17）中 E 的值求得：

$$\Delta E = E_{\infty} - E_1 = 0 - \frac{-2k^2\pi^2 mZ^2 e^4}{I^2 h^2} = \frac{2k^2\pi^2 mZ^2 e^4}{h^2}$$

计算结果 $\Delta E = 13.6\text{eV}$。

要使 1mol 氢原子电离则需吸收 13.6eV 的 6.02×10^{23} 倍能量，用 $\text{kJ}\cdot\text{mol}^{-1}$ 表示，这个能量为 1 311.6$\text{kJ}\cdot\text{mol}^{-1}$。它同实验值，氢的电离能 1 312$\text{kJ}\cdot\text{mol}^{-1}$ 非常接近。

玻尔理论对于其它发光现象，如 X－光，也能给予较为满意的解释。例如 X－光的形成，按照玻尔理论看来，是由于原子获得高能量后，最内层（即 K 层）的电子被激发跃迁到外层轨道，随后 L 层或 M 层的电子立即跳到 K 层填补空位，同时以光子的形式放出能量。因其能量很大，波长很短，所以这种 X－光不可见。由 L 层跳到 K 层时产生 K_a 线，由 M 层跳到 K 层时产生 K 线，余此类推，形成一系列的 X－射线谱。由于各种元素核电荷不同，各轨道能量不同，所以元素都具有自己特征的 X－射线谱。X－射线谱常用于元素的定性和定量分析。

玻尔理论虽然成功地解释了原子的发光现象、氢原子光谱的规律性，但它的原子模型却失败了，在精密的分光镜下观察氢光谱，发现每一条谱线均分裂为几条波长相差甚微的谱线。在磁场内，各谱线还可以分裂为几条谱线。玻尔理论对这种光谱的精细结构无法解释，同时玻尔理论也不能解释多电子原子、分子或固体的光谱。这说明玻尔理论有很大的局限性。原因在于，玻尔理论虽然引用了普朗克的量子化概念，但它毕竟还属于旧量子论的范畴。旧量子论在某些方面反映了微观世界的特征，所以它能部分地解释某些现象。但旧量子论是不彻底的，它只是在经典力学连续性概念的基础上，加上了一些人为的量子化条件。如玻尔理论在讨论氢原子中电子运动的圆周轨道和计算轨道半径时，都是以经典力学为基础的，因此它不能正确反映微粒运动的规律，它必然被新的彻底的量子论所取代。量子力学是建筑在微观世界的量子性和微粒运动规律的统计性这两个基本特征的基础上的，所以它能正确地反映微粒运动的规律。

1-2 微观粒子的波粒二象性

(1) 光的二象性

到二十世纪初，人们根据光的干涉、衍射和光电效应等各种实验现象认识到光既具有波的性质，又具有粒子的性质，即光具有波粒二象性。普朗克的量子论和爱因斯坦的光子学说中提出了关系式

$$E = h\nu \tag{3-20}$$

结合相对论中的质能联系定律 $E = mc^2$，可以推出光子的波长 λ 和动量 P 之间的关系

$$P = mc = \frac{E}{c} = \frac{h\nu}{c} = \frac{h}{\lambda} \tag{3-21}$$

(3-20) 和 (3-21) 两式中，左边是表征粒子性的物理量能量 E 和动量 P，右边是表征波动性的物理量频率 ν 和波长 λ，这两种性质通过普朗克常数定量地联系起来了，从而很好地揭示了光的本质。波粒二象性是光的属性，在一定的条件下，波动性比较明显；在另一种条件下，粒子性比较明显。例如光在空间传播过程中发生的干涉、衍射现象就突出表现了光的波动性；而光与实物接触进行能量交换时就突出地表现出光的粒子性，发生光电效应时就是如此。

(2) 电子的波粒二象性

1924 年，法国年轻的物理学家德布罗意（Louis de Broglie）

在光的波粒二象性的启发下，大胆地提出了实物粒子、电子、原子等也具有波粒二象性的假设。他指出，电子等微粒除了具有粒子性外也有波动性，并根据波粒二象性的关系式（3－21）预言高速运动的电子的波长 λ 符合公式

$$\lambda = \frac{h}{P} = \frac{h}{mv} \qquad (3-22)$$

式中 m 是电子的质量，v 是电子的速度，P 是电子的动量，h 是普朗克常数。这种波通常叫做物质波，亦称为德布罗意波。

1927 年，电子衍射实验证实了德布罗意的假设。人们发现，当电子射线穿过一薄晶片时，象单色光通过小圆孔一样发生衍射

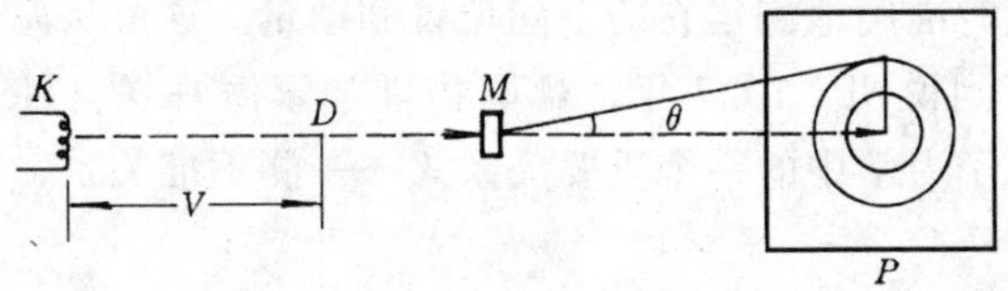

图 3－5　电子衍射示意图

现象。电子衍射实验如图 3－5 所示。电子从阴极灯丝 K 飞出，经过电位差为 V 的电场加速后，通过小孔 D，成为很细的电子束。M 是薄晶片，晶体中质点间有一定的距离，相当于小狭缝。电子束穿过 M 投射到有感光底片的屏幕 P 上，得到一系列明暗相间的衍射环纹。电子发生衍射现象，说明电子运动与光相似具有波动性。

若电子运动的速度为光速的一半，$v = 1.5 \times 10^{8}\,\mathrm{m \cdot s^{-1}}$，电子质量 $m = 9.11 \times 10^{-31}\,\mathrm{kg}$，普朗克常数 $h = 6.626 \times 10^{-34}\,\mathrm{J \cdot s}$，由式(3－22)可求出该电子的德布罗意波的波长 λ。

$$\lambda = \frac{h}{mv} = \frac{6.626 \times 10^{-34}}{9.11 \times 10^{-31} \times 1.5 \times 10^{8}} = 4.85 \times 10^{-12}\,(\mathrm{m})$$

即 $\lambda = 4.85\mathrm{nm}$。

电子既有波动性，又有粒子性，即电子具有波粒二象性。实

际上，运动着的质子、中子、原子和分子等微粒也能产生衍射现象，说明这些微粒也都有波动性。因此波粒二象性是微观粒子的运动特征。由于微观粒子与宏观物体不同，它具有波粒二象性，因此描述电子等微粒的运动规律不能沿用经典的牛顿力学，而要用描述微粒运动的量子力学。

(3) 海森堡测不准原理

在经典力学中，人们能准确地同时测定一个宏观物体的位置和动量。例如我们知道炮弹的初位置、初速度及其运动规律，就能同时准确地知道某一时刻炮弹的位置和运动速度及具有的动量。但是量子力学认为，对于具有波粒二象性的微观粒子，人们不可能同时准确地测定它的空间位置和动量。这可从海森堡测不准原理得到说明。1927 年，德国物理学家海森堡（Heisenberg）提出了量子力学中的一个重要关系式——测不准关系，其数学表达式为：

$$\Delta x \cdot \Delta P \geqslant \frac{h}{2\pi}$$

或
$$\Delta x \geqslant \frac{h}{2\pi m \cdot \Delta v} \tag{3-23}$$

式中 Δx 为粒子的位置的不准量，ΔP 为粒子的动量的不准量，Δv 为粒子运动速度的不准量。测不准关系式的含义是：我们用位置和动量两个物理量来描述微观粒子的运动时，只能达到一定的近似程度。即粒子在某一方向上位置的不准量和在此方向上动量的不准量的乘积一定大于或等于常数 $\frac{h}{2\pi}$。这说明粒子位置的测定准确度愈大（Δx 愈小），则其相应的动量的准确度就愈小（ΔP 愈大），反之亦然。从式（3-23）还可以看出，当粒子的质量 m 越大时，$\Delta x \cdot \Delta v$ 之积越小，所以对于 m 大的宏观物体来说，是可能同时准确地测量位置和速度的。

例如，质量 $m = 10\text{g}$ 的宏观物体子弹，它的位置能准确地测到 $\Delta x = 0.01\text{cm}$，其速度测不准情况为

$$\Delta v \geqslant \frac{h}{2\pi m \cdot \Delta x} = \frac{6.62 \times 10^{-34}}{2 \times 3.14 \times 10 \times 10^{-3} \times 0.01 \times 10^{-2}}$$

$$\Delta v \geqslant 1.054 \times 10^{-28}\ \mathrm{m \cdot s^{-1}}$$

由此可见对宏观物体来说，测不准情况是微不足道的，Δx 和 Δv 的值均小到可以被忽略的程度，所以可认为宏观物体的位置和速度是能同时准确地测定的。

对于微观粒子如电子来说，由于其 $m = 9.11 \times 10^{-31}$ kg，当考虑到原子的半径的数量级为 10^{-10} m，于是 Δx 至少要达到 10^{-11} m 才近于合理，则其速度的测不准情况为

$$\Delta v \geqslant \frac{h}{2\pi m \cdot \Delta x} = \frac{6.62 \times 10^{-34}}{2 \times 3.14 \times 9.11 \times 10^{-31} \times 10^{-11}}$$

$$\Delta v \geqslant 1.157 \times 10^{7}\ \mathrm{m \cdot s^{-1}}$$

速度的不准确程度过大。因此若 m 非常小，位置和速度就不能同时准确地测定。

测不准关系很好地反映了微观粒子的运动特征，但对于宏观物体来说，实际上是不起作用的。

应该指出的是，测不准关系并不是说微观粒子的运动是虚无飘渺的、不可认识的，而只是说明了不能把微观粒子和宏观物体同样用经典力学处理。测不准关系不但没有局限我们认识客观世界的能力，反而促使我们对微观世界的客观规律有了更全面更深刻的理解和认识。

1-3　波函数和原子轨道

(1) 薛定谔方程——微粒的波动方程

海森堡的测不准原理，否定了玻尔提出的原子结构模型。因为根据测不准原理，不可能同时准确地测定电子的运动速度和空间位置，这说明玻尔理论中核外电子的运动具有固定轨道的观点不符合微观粒子运动的客观规律。我们知道，宏观物体的运动状态可以用轨道、速度等物理量来描述。但电子等微粒与宏观物体

不同，它具有波粒二象性，不会有确定的轨道。那么怎样来描述电子等微粒的运动状态呢？

在微观领域里，具有波动性的粒子要用波函数 ψ 来描述。为了理解波函数和它所描述的粒子之间的关系，我们再来详细地考察电子衍射实验。若电子流较强，即单位时间里射出的电子多，则很快得到明暗相间的衍射环纹；若电子流强度相当小，电子一个一个地从阴极灯丝飞出，这时底片上会出现一个一个的点，显示出电子具有粒子性，而且我们难以预言下一个、两个电子会射在什么位置。开始时，这些点无规则地分布着，随着时间的持续，点的数目逐渐增多，点的分布开始呈现规律性。当射出的电子的数目和强电子流射出的数目一样多时，衍射环纹也和强电子流的环纹一样，显出电子的波动性。因此电子的波动性可以看成是电子的粒子性的统计结果。微观粒子的运动，虽然不能同时准确地测出位置和动量，但它在某一空间范围内出现的几率却是可以用统计的方法加以描述的。波函数就和它描述的粒子在空间某范围出现的几率有关。即然波函数和空间范围有关，当然它应是 x，y，z 三变量的函数。一个微观粒子在空间某范围内出现的几率直接与它所处的环境有关，尤其与它在这种环境中的总能量 E 及势能 V 更为密切，当然粒子本身的质量 m 也是至关紧要的决定因素。1926 年奥地利物理学家薛定谔（Schrödinger）建立了著名的微观粒子的波动方程，一般称为薛定谔方程

$$\frac{\partial^2 \psi}{\partial x^2}+\frac{\partial^2 \psi}{\partial y^2}+\frac{\partial^2 \psi}{\partial z^2}+\frac{8\pi^2 m}{h^2}(E-V)\psi=0 \qquad (3-24)$$

式中波函数 ψ 是空间坐标 x，y，z 的函数，E 是体系的总能量，V 是势能，它和被研究粒子的具体处境有关，m 是粒子的质量。这是一个二阶偏微分方程，它的解将是一系列的波函数 ψ 的具体函数表达式，而这些波函数和所描述的粒子的运动情况，即在空间某范围内出现的几率密切相关。

薛定谔方程的求解，涉及较深的数学知识，这是后继课程的

内容。在这里我们定性地说明解薛定谔方程的步骤并定性地讨论这个方程的解。

不同的体系，在薛定谔方程中主要体现在势能 V 的形式上。原子中电子的势能 V 可由式（3－15）表达，即

$$V = -\frac{kZe^2}{r}$$

其中 r 为电子与核的距离，若以核的位置为坐标系原点，则 $r = \sqrt{x^2 + y^2 + z^2}$，这样势能 V 将涉及全部三个变量。为了使势能涉及尽可能少的变量，以使运算简单，故将在三维直角坐标系中的薛定谔方程变成在球坐标系中的形式。球坐标中用三个变量 r、θ、ϕ 表示空间位置（见图 3－6），r 表示点 P 到球心的距离；θ 表示 OP 与 z 轴正向的夹角；ϕ 表示 OP 在 xy 平面内的投影与 x 轴正向的夹角。显然有关系式

$$x = r\sin\theta\cos\phi$$

$$y = r\sin\theta\sin\phi$$

$$z = r\cos\theta$$

$$r = \sqrt{x^2 + y^2 + z^2}$$

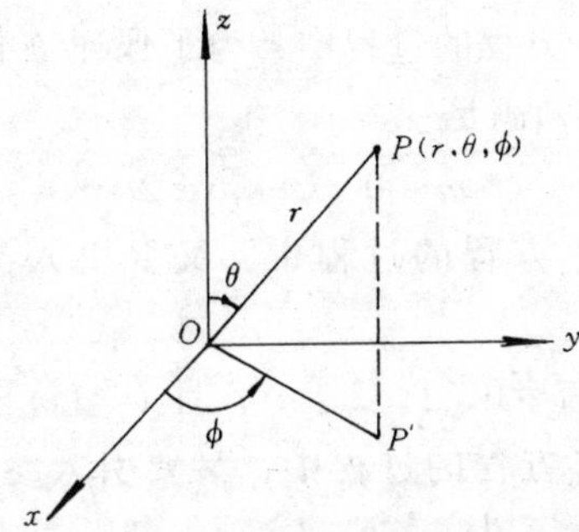

图 3－6　球坐标

变换后的薛定谔方程为

$$\frac{1}{r^2}\frac{\partial}{\partial r}\left(r^2\frac{\partial\psi}{\partial r}\right)+\frac{1}{r^2\sin\theta}\frac{\partial}{\partial\theta}\left(\sin\theta\frac{\partial\psi}{\partial\theta}\right)+\frac{1}{r^2\sin^2\theta}\frac{\partial^2\psi}{\partial\phi^2}$$

$$+\frac{8\pi^2 m}{h^2}(E-V)\psi=0 \tag{3-25}$$

这样变换后的势能表达式中，只涉及一个变量 r。

坐标变换之后要分离变量，即将一个含有三个变量的方程化成三个只含一个变量的方程，以便求解。令

$$\psi(r,\theta,\phi)=R(r)Y(\theta,\phi) \tag{3-26}$$

式（3-26）中 $R(r)$ 称为波函数 ψ 的径向部分，$Y(\theta,\phi)$ 称为波函数 ψ 的角度部分。再令

$$Y(\theta,\phi)=\Theta(\theta)\Phi(\phi) \tag{3-27}$$

将 $\psi(r,\theta,\phi)=R(r)\cdot\Theta(\theta)\Phi(\theta)$ 代入式（3-25）中，得到如下三个只含一个变量的常微分方程

$$\frac{1}{R}\frac{\mathrm{d}}{\mathrm{d}r}\left(r^2\frac{\mathrm{d}R}{\mathrm{d}r}\right)+\frac{8\pi^2 mr^2}{h^2}(E-V)=\beta \tag{3-28}$$

$$\frac{\sin\theta}{\Theta}\frac{\mathrm{d}}{\mathrm{d}\theta}\left(\sin\theta\frac{\mathrm{d}\Theta}{\mathrm{d}\theta}\right)+\beta\sin^2\theta=\nu \tag{3-29}$$

和
$$-\frac{1}{\Phi}\frac{\mathrm{d}^2\Phi}{\mathrm{d}\phi^2}=\nu \tag{3-30}$$

在解 $\Phi(\phi)$ 方程的过程中，为了保证解的合理性，需引入一个参数 m 且必须满足

$$m=0,\ \pm1,\ \pm2\cdots$$

在解 $\Theta(\theta)$ 方程的过程中，又要引入参数 l，l 需满足条件

$$l=0,\ 1,\ 2,\ \cdots,\ 且\ l\geqslant|m|$$

在解 $R(r)$ 方程的过程中，又要引入参数 n，m 为自然数，且 n 与 l 的关系为 $n-1\geqslant l$

由解得的 $R(r)$、$\Theta(\theta)$ 和 $\Phi(\phi)$ 即可求得波函数 $\psi(r,\theta,\phi)$，且 ψ 是一个三变数 r，θ，ϕ 和三参数 n，l，m 的函数式。例如 $n=1$，$l=0$，$m=0$ 时

$$\psi_{1,0,0}=\frac{1}{\sqrt{\pi}}\left(\frac{Z}{a_0}\right)^{3/2}\mathrm{e}^{-\frac{Zr}{a_0}} \tag{3-31}$$

$n=2$，$l=0$，$m=0$ 时

$$\psi_{2,0,0}=\frac{1}{4\sqrt{2\pi}}\left(\frac{Z}{a_0}\right)^{3/2}\left(2-\frac{Zr}{a_0}\right)\mathrm{e}^{-\frac{Zr}{2a_0}} \tag{3-32}$$

而　　$n=2$，$l=1$，$m=0$ 时

$$\psi_{2,1,0}=\frac{1}{4\sqrt{2\pi}}\left(\frac{Z}{a_0}\right)^{5/2}r\mathrm{e}^{-\frac{Zr}{2a_0}}\cos\theta \tag{3-33}$$

对应于一组合理的 n，l，m 取值则有一个确定的波函数 $\psi(r,\theta,\phi)_{n,l,m}$。$n$，$l$，$m$ 称为量子数，它们决定着波函数某些性质的量子化情况，后面还要详述。

在解薛定谔方程，求解 $\psi(r,\theta,\phi)$ 的表达式的同时，还求出了对应于每一个 $\psi(r,\theta,\phi)_{n,l,m}$ 的特有的能量 E 值。

(2) 波函数和原子轨道

波函数 ψ 是量子力学中描述核外电子在空间运动状态的数学函数式，一定的波函数表示一种电子的运动状态，量子力学中常借用经典力学中描述物体运动的“轨道”的概念，把波函数 ψ 叫做原子轨道。例如，$\psi_{1,0,0}$ 就是我们熟知的 $1s$ 轨道，也表示为 ψ_{1s}，$\psi_{2,0,0}$ 就是 $2s$ 轨道 ψ_{2s}，$\psi_{2,1,0}$ 就是 $2p_z$ 轨道 ψ_{2p_z}。有的原子轨道是波函数的线性组合，例如 ψ_{2p_x} 和 ψ_{2p_y} 就是由 $\psi_{2,1,1}$ 和 $\psi_{2,1,-1}$ 线性组合而成的，

$$\psi_{2p_x}=\frac{\psi_{2,1,1}+\psi_{2,1,-1}}{\sqrt{2}}$$

$$\psi_{2p_y}=\frac{\psi_{2,1,1}+\psi_{2,1,-1}}{\sqrt{2}i}$$

值得注意的是，这里的原子轨道和宏观物体的运动轨道是根本不同的，它只是代表原子中电子运动状态的一个函数，代表原子核外电子的一种运动状态。

每一种原子轨道即每一个波函数都有与之相对应的能量 E，对于氢原子或类氢离子（核外只有一个电子）来说，其能量为

$$E_n = -13.6\frac{Z^2}{n^2}\text{eV}$$

波函数 ψ 没有很明确的物理意义，但波函数绝对值的平方 $|\psi|^2$ 却有着明确的物理意义。它表示空间某处单位体积内电子出现的几率，即几率密度。$|\psi|^2$ 的空间图象就是电子云的空间分布图象。为了深刻地理解波函数的物理意义，我们有必要对几率、几率密度、电子云等基本概念作进一步的讨论。

1-4 几率密度和电子云

(1) 电子云的概念

具有波粒二象性的电子并不象宏观物体那样，沿着固定的轨道运动。我们不可能同时准确地测定一个核外电子在某一瞬时所处的位置和运动速度。但是我们能用统计的方法来判断电子在核外空间某一区域内出现机会的多少。这种机会的多少，在数学上称为几率。在电子衍射实验中，电子落在衍射环纹的亮环处的机会多，即几率大；而落在暗环处的机会较少，即几率较小。

对于氢原子核外的一个电子的运动，假定我们能用高速照像机摄取一个电子在某一瞬间的空间位置，然后对在不同瞬间拍摄的千百万张照片上电子的位置进行考察。若分别观察每一张照片，似乎电子在核外毫无规则地运动，一会儿在这里出现，一会儿又在那里出现；但是若把千百万张照片重叠在一起进行考察，则会发现明显的统计性规律。电子经常出现的区域是核外的一个球形空间。图 3-7 即是千百万张照片重叠在一起的图象，每一个黑点表示一张照片上电子的位置。

图中离核越近，小黑点越密；离核远些，小黑点较稀。这些密密麻麻的小黑点象一团带负电的云，把原子核包围起来，如同天空中的云雾一样。所以人们就用一个形象化的语言称它为电

子云。

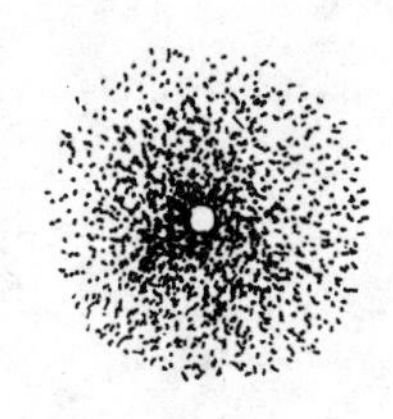
图 3－7　氢原子的 $1s$ 电子云示意图

(2) 几率密度和电子云

电子在空间出现的机会称做几率，在某单位体积内出现的几率则称为几率密度。所以**电子在核外某区域内出现的几率等于几率密度与该区域总体积的乘积**。电子运动的状态由波函数 ψ 描述，$|\psi|^2$ 则是电子在核外空间出现的几率密度。所以知道了某个电子的波函数及 $|\psi|^2$ 就等于知道了这个电子在核外空间各处的几率密度，进而可以知道在某个区域内出现的几率。

电子云也可以表示电子在核外空间的几率密度，图 3－7 中，小黑点密集的地方即表示那里电子出现的几率密度大，在那样的地方出现的几率则大。由此可见电子云就是几率密度的形象化图示，也可以说电子云是 $|\psi|^2$ 的图象。

处于不同运动状态的电子，它们的波函数 ψ 各不相同，其 $|\psi|^2$ 也当然各不相同。表示 $|\psi|^2$ 的图象，即电子云图当然也不一样。图 3－8 给出了各种状态的电子云的分布形状。下面将各种电子云的特点分别介绍一下。

s 电子云　它是球形对称的。凡处于 s 状态的电子，它在核外空间中半径相同的各个方向上出现的几率相同，所以 s 电子云是球形对称的。

p 电子云　沿着某一个轴的方向上电子出现的几率密度最大，电子云主要集中在这样的方向上。在另两个轴上电子出现的几率密度几乎为零，在核附近也几乎为零，所以 p 电子云的形状呈无柄的哑铃形。p 电子云有三种不同的取向，根据集中的方向分别为 p_x、p_y 和 p_z。

d 电子云　形状似花瓣，它在核外空间中有五种不同分布。其中 d_{xy}、d_{yz} 和 d_{xz} 三种电子云彼此互相垂直，各有四个波瓣，

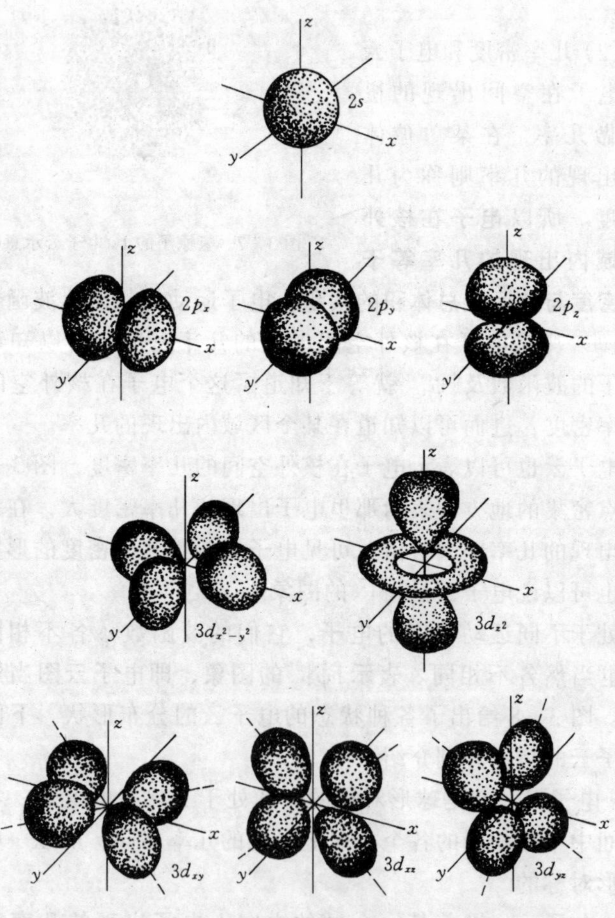

图 3-8　电子云的轮廓图

分别在 xy、yz 和 xz 平面内，而且沿坐标轴的夹角平分线方向分布。$d_{x^2-y^2}$ 的电子形状和上面三种 d 电子云形状一样，也分布在 xy 平面内，四个波瓣沿坐标轴分布。d_{z^2} 电子云沿 z 轴有两个较大的波瓣，而围绕着 z 轴在 xy 平面上有一个圆环形分布。

f 电子云　它在核外空间有七种不同分布。由于形状较为复杂，在这里不作介绍。

(3) 几率密度分布的几种表示法

下面我们以氢原子核外 1s 电子的几率密度为例，介绍几种几率密度分布的表示法。

(a) 电子云图　图 3－7 可以看成是表示 1s 电子几率密度分布的电子云图。黑点的疏密程度则表示电子出现的几率密度的大小。从图中看出，核附近几率密度大，而离核越远，几率密度越小。

(b) 等几率密度面　将核外空间中电子出现几率密度相等的点用曲面连结起来，这样的曲面叫做等几率密度面。如图 3－9 所示，1s 电子的等几率密度面是一系列的同心球面，球面上标的数值是几率密度的相对大小。

(c) 界面图　界面图是一个等密度面，电子在界面以内出现的几率占了绝大部分，例如占 95%。1s 电子的界面图当然是一球面，如图 3－10 所示。

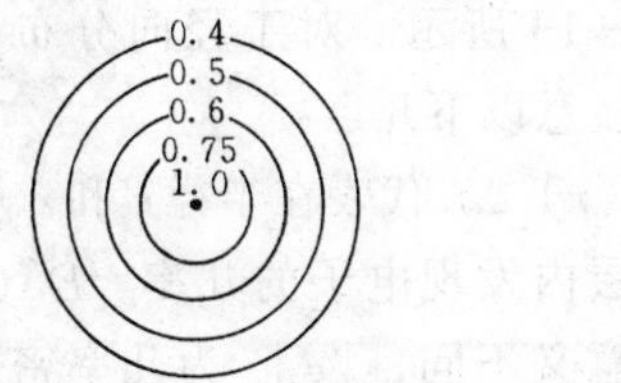

图 3－9　1s 态等几率密度面

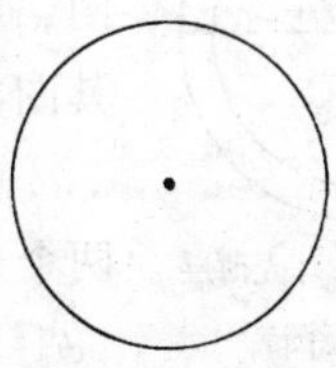

图 3－10　1s 态界面图

(d) 径向几率密度图　以几率密度 $|\psi|^2$ 为纵坐标，半径 r 为横坐标作图，如图 3－11。曲线表明 1s 电子的几率密度 $|\psi|^2$ 随半径 r 的增大而减小。

1－5　波函数的空间图象

波函数 ψ 是 r，θ，ϕ 的函数，对于这样由三个变量决定的函数，在三维空间中难以画出其图象来。我们可以利用式(3-26) $\psi(r,\theta,\phi)=R(r)\cdot Y(\theta,\phi)$从角度部分和径向部分两方面分别讨论它们随 r 和 θ、ϕ 的变化。

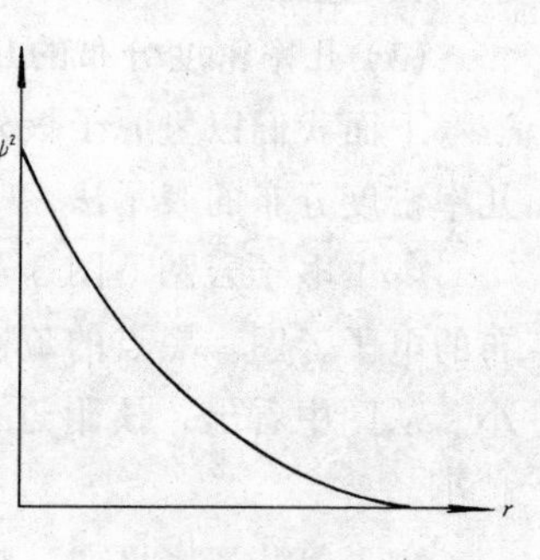

图 3-11 r^2 与 r 对画图

(1) 径向分布

我们考虑一个离核距离为 r、厚度为 Δr 的薄层球壳，如图 3-12 所示。由于以 r 为半径的球面的面积为 $4\pi r^2$，球壳薄层的体积为 $4\pi r^2\Delta r$，几率密度为 $|\psi|^2$，故在这个球壳体积中发现电子的几率为 $4\pi r^2|\psi|^2\Delta r$。将 $4\pi r^2|\psi|^2\Delta r$ 除以厚度 Δr，即得单位厚度球壳中的几率 $4\pi r^2|\psi|^2$。令 $D(r)=4\pi r^2|\psi|^2$，$D(r)$ 是 r 的函数，称 $D(r)=4\pi r^2|\psi|^2$ 为径向分布函数。

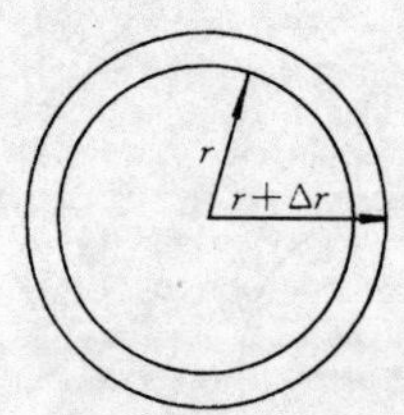

图 3-12 球壳薄层示意图

若以 $D(r)$ 为纵坐标，r 为横坐标作图，可得各种状态的电子的几率的径向分布图，如图 3-13 所示。对于径向分布函数及其图象，应注意以下几点：

(a) $D(r)\Delta r$ 代表在半径 r 和 $r+\Delta r$ 的两个球面夹层内发现电子的几率。$D(r)$ 与 $|\psi|^2$ 的物理意义不同，$|\psi|^2$ 为几率密度，指在核外空间某点附近单位体积内发现电子的几率，而 $D(r)$ 是指在半径为 r 的单位厚度球壳内发现电子的几率。

(b) 从图 3-13 可知，在 $1s$ 的径向分布图中，当 $r=\dfrac{a_0}{Z}=$ 53pm（对 H 而言，$Z=1$）时，曲线有一个高峰，即 $D(r)$ 有一个极大值。它说明电子在 $r=53$pm 的球壳上出现的几率最大。这是因为当靠近核时，几率密度 $|\psi|^2$ 虽有较大值，但因为 r 很小，球壳的体积较小，故 $D(r)$ 的值不会很大；离核较远时，

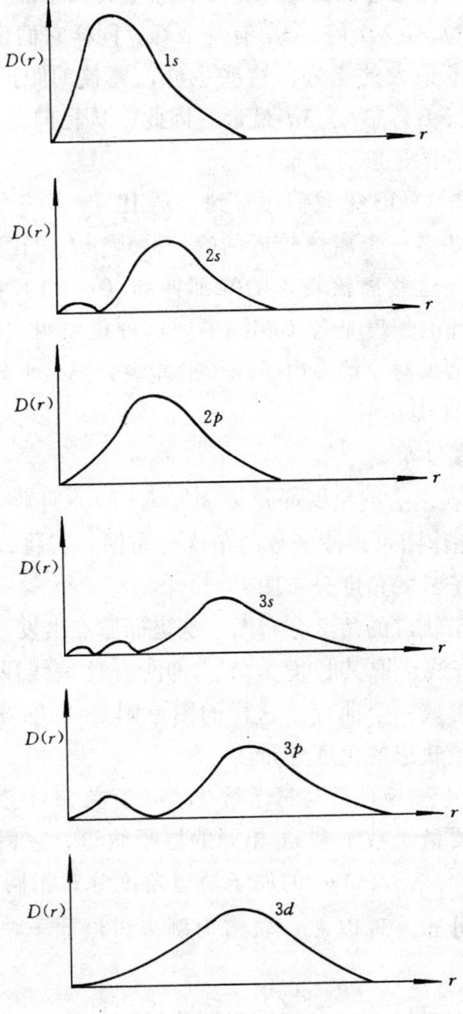

图 3-13　氢原子各种状态的径向分布图

虽然 r 大，球壳的体积大，但几率密度 $|\psi|^2$ 较小，故 $D(r)$ 的值也不会很大。从图 3-13 中，我们还看到 $2s$ 有两个峰，$2p$

只有一个峰，但是它们都是一个半径相似的几率最大的主峰；3*s* 有三个峰，3*p* 有 2 个峰，3*d* 有一个峰，同样它们也都有一个半径相似的几率最大的主峰。这些主峰，离核的距离以 1*s* 最近，2*s*、2*p* 次之，3*s*、3*p*、3*d* 最远。因此，从径向分布的意义上，核外电子可看作是按层分布的。

（*c*）从图 3-13 中我们还看到，*ns* 比 *np* 多一个离核较近的峰，*np* 比 *nd* 多一个离核较近的峰，同理 *nd* 又比 *nf* 多一个离核较近的峰。这些离核较近的峰都伸到（$n-1$）各峰的内部，而且伸入内部的程度是各不相同的。这种现象叫"钻穿"，由钻穿而引起的结果对了解多电子原子的能级分裂是十分重要的，将在§3-2 中详细介绍。

（2）角度分布

波函数 $\psi_{(r,\theta,\phi)}$ 的角度部分是 $Y(\theta, \phi)$。如果将 $Y(\theta, \phi)$ 随 θ，ϕ 变化作图可得波函数的角度分布图；若将 $|Y|^2$ 对 θ，ϕ 作图则得电子云的角度分布图。

（*a*）原子轨道的角度分布图　从坐标原点出发，引出方向为（θ，ϕ）的直线，取其长度为 Y。将所有这些线段的端点联起来，在空间形成一个曲面。这样的图形则是 Y 的球坐标图，我们称它为原子轨道的角度分布。

由于 $Y(\theta, \phi)$ 只与量子数 l，m 有关，与主量子数 n 无关，所以只要量子数 l 和 m 相同的原子轨道，它们的角度分布相同。如 $2p_z$、$3p_z$、$4p_z$ 的原子轨道角度分布相同，统称为 p_z 轨道的角度分布。现以 $2p_z$ 轨道为例来讨论原子轨道角度分布图的画法。

由式（3-33）知，$2p_z$ 的角度部分

$$Y_{p_z} = \cos\theta \tag{3-34}$$

一些 θ 值与其所对应的 Y 值以及 $|Y|^2$ 值在表 3-1 中列出。利用表中列出的数据，可以在 xz 平面内做出如图 3-14 所示的 p_z

轨道的角度分布图。应该注意的是，分布图应是在 xy 平面上下各一个球形，而图 3－14 只是这个分布图的 xz 截面。各部分的"＋"号和"－"号是根据 Y 的表达式计算的结果，在讨论原子轨道的键合作用时很有用途。

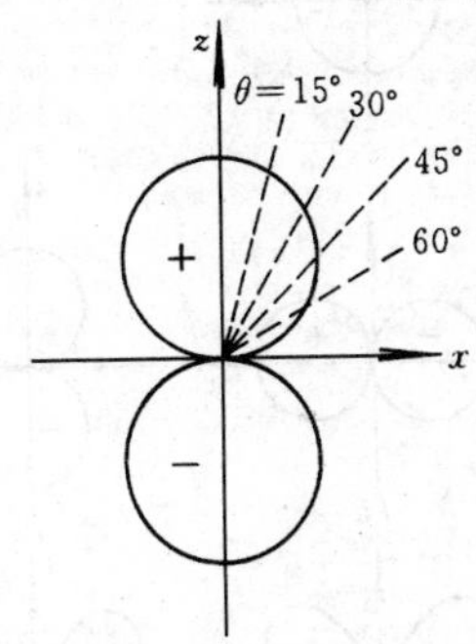

图 3－14　p_z 轨道的角度分布图

表 3－1　不同 θ 角与相应的 Y_{p_z}、$|Y_{p_z}|^2$ 值

θ	$Y=\cos\theta$	$\|Y\|^2=\cos^2\theta$
0°	1.00	1.00
15°	0.97	0.94
30°	0.87	0.75
45°	0.71	0.50
60°	0.50	0.25
90°	0.00	0.00
120°	−0.50	0.25
135°	−0.71	0.50
150°	−0.87	0.75
165°	−0.97	0.93
180°	−1.00	1.00

通过类似的方法可以画出 s，p，d 各种原子轨道的角度分布图，如图 3－15 所示。

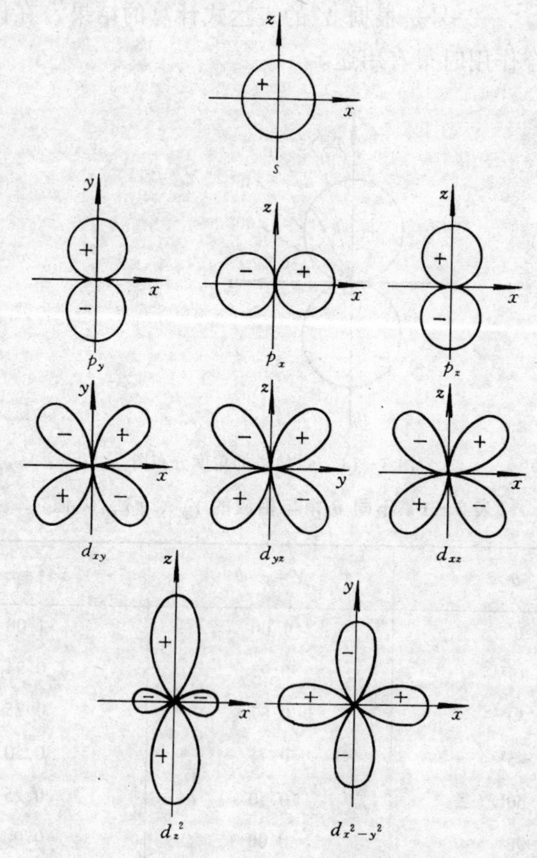

图 3－15　原子轨道的角度分布图

(b) 电子云的角度分布图　与原子轨道的角度部分相对应，也有电子云即几率密度 $|\psi|^2$ 的角度部分 $|Y(\theta,\phi)|^2$，例如 p_z 电子云的角度部则是

$$|Y_{p_z}|^2=\cos^2\theta \qquad (3-35)$$

若将 $|\psi_{p_z}|^2=\cos^2\theta$ 做图，这种图形称为电子云的角度分布图，如图 3－16 所示。它表示半径相同的各点，随角度 θ 和 ϕ 变化时，几率密度大小不同。

电子云的角度分布与原子轨道的角度分布图形是类似的，它们的主要区别有两点：

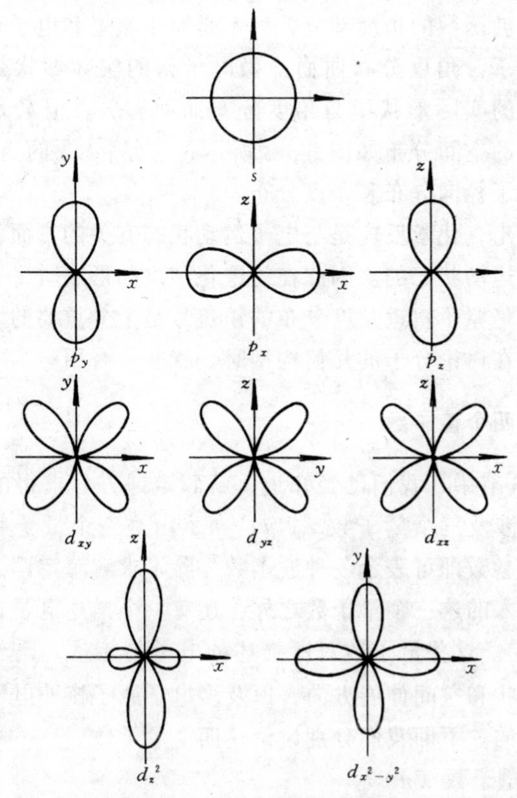

图 3－16　电子云的角度分布图

① 电子云的角度分布图比原子轨道的角度分布图要瘦一

些。例如从图 3-15 和图 3-16 中可以看到，p 电子的原子轨道角度分布图是两个相切的球，而电子云角度分布图则象两个相切的鸡蛋。这是由于 Y 值小于 1，而 $|Y|^2$ 值更小的缘故。

② 原子轨道角度分布图上有正、负号之分，而电子云角度分布图上均为正值。这是因为 Y 值虽有正有负，但 $|Y|^2$ 却都是正值。

应该指出，原子轨道的角度分布图和电子云的角度分布图，都只是反映波函数的角度部分，而不是原子轨道和电子云的实际形状。把电子云角度分布曲面当做电子云的实际形状是不合适的。电子云的实际形状虽与角度分布曲面有关，但又是不相同的。电子云的空间分布如图 3-8 所示，它是 $|\psi|^2$ 的空间分布，它综合考虑了径向分布和角度分布。

还应指出，化学反应是与电子运动状态有关的，而波函数就是描述电子运动状态的。因此在讨论化学键的形成时，波函数的性质，尤其是原子轨道角度分布的正负号是十分重要的，而原子轨道的形状在讨论分子的几何构型时，就非常有用。

1-6 四个量子数

在 1-3 节中，我们已经知道，解薛定谔方程求得的三变量波函数 ψ，涉及三个量子数 n，l，m，由这三个量子数所确定下来的一套参数即可表示一种波函数。除了求解薛定谔方程的过程中直接引入的这三个量子数之外，还有一个描述电子自旋特征的量子数 m_s。这些量子数对所描述的电子的能量，原子轨道或电子云的形状和空间伸展方向，以及多电子原子核外电子的排布是非常重要的。下面我们分别讨论这四个量子数。

(1) 主量子数（n）

主量子数 n 的取值为 1，2，3，…n 等正整数。**用它来描述原子中电子出现几率最大区域离核的远近，或者说它是决定电子层数的**。例如，$n=1$ 代表电子离核最近，属第一电子层；$n=2$

代表电子离核的距离比第一层稍远，属于第二层，余此类推。n越大，电子离核的平均距离越远。

在光谱学上常用大写字母 K，L，M，N，O，P 代表 $n=1$，2，3，4，5，6，等电子层数。

主量子数 n 的另一个重要意义是：**n 是决定电子能量高低的重要因素**。对单电子原子或离子来说，n 值越大，电子的能量越高。例如，氢原子各电子层电子的能量为

$$E_n = -\frac{13.6}{n^2}\text{eV}$$

可见 n 越大，E_n 也越高。但是对于多电子原子来说，由于核外电子的能量除了主要取决于主量子数 n 以外，还同原子轨道或电子云的形状有关。因此，**n 值越大电子的能量越高这句话，只有在原子轨道或电子云的形状相同的条件下，才是正确的。**

(2) 角量子数（l）

电子绕核运动时，不仅具有一定的能量，而且也具有一定的角动量 M。它的大小同原子轨道或电子云的形状有密切的关系。如 $M=0$ 时，说明原子中电子运动情况同角度无关，即原子轨道或电子云的形状是球形对称的。电子绕核运动的角动量也是量子化的，角动量的绝对值和角量子数 l 的关系为

$$|M| = \frac{h}{2\pi}\sqrt{l\ (l+1)} \qquad (3-36)$$

角量子数 l 的取值为 0，1，2，3，…，$(n-1)$，即 l 的可能取值为从 0 到 $n-1$ 的整数。如当 $n=1$ 时，l 只能为 0；而 $n=2$ 时 l 可以为 0，也可以为 1，决不能为 2。按光谱学上的习惯常用下列符号来表示 l：

l	0	1	2	3	4
光谱学符号	s	p	d	f	g

角量子数 l 的一个重要物理意义就是它表示原子轨道或电子

云的形状。如 $l=0$ 的 s 轨道，其轨道或电子云呈球形分布；$l=1$ 的 p 轨道，其轨道或电子云呈哑铃形分布；$l=2$ 的 d 轨道、其轨道或电子云呈花瓣形分布。

从主量子数 n 和角量子数 l 的关系可以看出，对于给定的主量子数 n 来说，可能有 n 个不相同角量子数 l。例如，主量子数 $n=3$，则有 3 个不同的角量子数 $l=0$，$l=1$，$l=2$。如果用主量子数 n 表示电子层时，则**角量子数 l 就表示同一电子层中具有不同状态的分层**。主量子数 n 和角量子数 l 的关系及其相应的电子层、分层列在表 3-2 中。

表 3-2　量子数 n、l 与电子层、分层的关系

n	电子层数	l	分　层
1	1	0	1s
2	2	0 1	2s 2p
3	3	0 1 2	3s 3p 3d
4	4	0 1 2 3	4s 4p 4d 4f

对于单电子体系的氢原子或类氢离子来说，各种状态的电子的能量只与 n 有关。例如当 n 不同，l 相同时，其能量关系为

$$E_{1s}<E_{2s}<E_{3s}<E_{4s}$$

而当 n 相同，l 不同时，其能量关系为

$$E_{ns}=E_{np}=E_{nd}=E_{nf}$$

例如

$$E_{4s}=E_{4p}=E_{4d}=E_{4f}$$

但是对于多电子原子来说，由于原子中各电子之间的相互作

用，当 n 相同，l 不同时，各种状态的电子的能量也不同。一般主量子数 n 相同时，角量子数 l 越大能量越高。例如

$$E_{4s} < E_{4p} < E_{4d} < E_{4f}$$

因此，**角量子数 l 与多电子原子中的电子的能量有关，即多电子原子中电子的能量决定于主量子数 n 和角量子数 l**。这样，由不同的 n 和 l 表示的各分层，如 $2s$、$3p$、$3d$、$4f$ 等，其能量必然不同。从能量角度上看，这些分层也常称为能级。

(3) 磁量子数（m）

线状光谱在外加强磁场的作用下能发生分裂的实验表明，电子绕核运动的角动量 M，不仅其大小是量子化的，而且角动量 M 在空间给定方向 z 轴上的分量 M_z 也是量子化的。分量的大小 M_z 与磁量子数 m 的关系为

$$M_z = m\frac{h}{2\pi} \tag{3-37}$$

磁量子数 m 的取值可以为 0，±1，±2，… ±l，也就是说 m 的取值和 l 有关，对于给定的 l，有 $2l+1$ 个 m 取值。例如 $l=1$ 时，由式（3-36），$|M|=\sqrt{2}\cdot\frac{h}{2\pi}$。角动量 M 在 z 轴上的分量只有 $m=0$，$m=+1$，$m=-1$ 三种。由于 M_z 只有三种取值 $+\frac{h}{2\pi}$，$-\frac{h}{2\pi}$ 和 0，故角动量 M 的方向只能有如图 3-17 中所示的三种取向。

l 和 M 决定了原子轨道或电子云的形状。而由 m 和 M_z 所决定的 M 在空间的取向则表示 l 和 M 一定的原子轨道或电子云在空间的伸展方向。由此可见，**m 决定角动量在空间的给定方向上的分量的大小，即决定原子轨道或电子云在空间的伸展方向。**

l 相同时，虽因 m 不同，原子轨道可能有不同的伸展方向，但并不影响电子的能量，即磁量子数 m 与能量无关。如 $l=1$ 的 p 轨道，因 m 不同，可能有三种不同取向 p_x，p_y，p_z，但三者

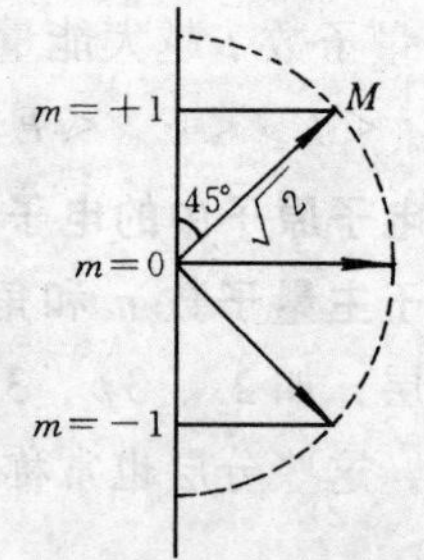

图 3-17　角动量 M 的空间取向

的能量通常是相同的。但在外界强磁场的作用下，由于三者的伸展方向不同，角动量在外磁场方向上的分量大小不同，它们会显示出微小的能量差别。这就是线状光谱在磁场中发生分裂的根本原因。

综上所述，n，l，m 一组量子数可以决定一个原子轨道的离核远近、形状和伸展方向。例如由 $n=2$，$l=0$，$m=0$ 所表示的原子轨道位于核外第二层，呈球形对称分布即 $2s$ 轨道；而 $n=3$，$l=1$，$m=0$ 所表示的原子轨道位于核外第三层，呈哑铃形沿 z 轴方向分布，即 $3p_z$ 轨道。

(4) 自旋量子数（m_s）

若用分辨力较强的光谱仪观察氢原子光谱，会发现每一条谱线又可分为两条或几条线，即氢光谱具有精细结构。例如，在无外磁场时，电子由 $2p$ 轨道跃迁到 $1s$ 轨道得到的不是一条谱线，而是靠得很近的两条谱线。但 $2p$ 和 $1s$ 都只是一个能级，这种跃迁只能产生一条谱线，这是不能用 n，l，m 三个量子数进行解释的。为了解释这些事实，1925 年乌仑贝克（Uhlenbeck）和哥德希密特（Goudsmit）提出了电子自旋的假设。他们认为电子除绕核作高速运动之外，还有自身旋转运动。根据量子力学计算，自旋角动量沿外磁场方向的分量 M_s 为

$$M_s = m_s \frac{h}{2\pi} \tag{3-38}$$

式中 m_s 称自旋量子数，其可能的取值只有两个即 $m_s = \pm \frac{1}{2}$。这说明电子的自旋有两种状态，即自旋角动量有两种不同取向，

表 3-3 电子层、分层、原子轨道、运动状态同量子数之间的关系

电子层	量子数	n	1	2	3	…，n
电子层	符　号		K	L	M	
分层（能级）	量子数	n l	1 0	2 0，1	3 0，1，2	…，n 0，1，2，…，$(n-1)$
分层（能级）	分层数		1	2	3	n
分层（能级）	符　号		$1s$	$2s$，$2p$	$3s$，$3p$，$3d$	ns，np，nd，…
原子轨道（波函数）	量子数	n l m	1 0 0	2 0，1 0；0，±1	3 0　1　2 0；0，±1；0，±1，±2	n 0，1，2，…，$(n-1)$ 0，±1，±2，…，$\pm l$
原子轨道（波函数）	每层轨道数		1	4	9	n^2
原子轨道（波函数）	符　号		$1s$	$2s$，$2p_x$ $2p_y$，$2p_z$	$3p_x$，$3d_{xy}$，$3d_{yz}$ $3s$，$3p_y$，$3d_{xz}$，$3d_{z^2}$ $3p_z$，$3d_{x^2-y^2}$	
运动状态	量子数	n	1	2	3	n
运动状态	量子数	l	0	0，1	0，1，2	0，1，2，…，$(n-1)$
运动状态	量子数	m	0	0；0，±1	0；0，±1；0，±1，±2	0，±1，±2，…，$\pm l$
运动状态	量子数	m_s	$\pm\frac{1}{2}$	$\pm\frac{1}{2}$；$\pm\frac{1}{2}$	$\pm\frac{1}{2}$；$\pm\frac{1}{2}$；$\pm\frac{1}{2}$	$\pm\frac{1}{2}$
运动状态	每层状态数		2	8	18	$2n^2$
运动状态	符号*		$1s^2$	$2s^2$，$2p^6$	$3s^2$，$3p^6$，$3d^{10}$	

* 各符号右上角的数字代表各原子轨道中不同运动状态的数目

一般用向上和向下的箭头“↑”和“↓”来表示。

如上所述，原子中每个电子的运动状态可以用 n，l，m，m_s 四个量子数来描述。四个量子数确定之后，电子在核外空间的运动状态就确定了。

根据量子数相互之间的联系和制约关系可知，每一个电子层中，由于原子轨道形状的不同，可有不同的分层；又由于原子轨道在空间伸展方向不同，每一个分层中可有几个不同的原子轨道；每一个原子轨道中又可有两个电子处于自旋方向不同的运动状态。电子层、分层、原子轨道、运动状态同量子数之间的关系，汇列于表 3－3 中。

§3－2　核外电子的排布和元素周期系

2－1　多电子原子的能级

(1) 鲍林的原子轨道近似能级图

鲍林（L. Pauling）根据光谱实验的结果，提出了多电子原子中原子轨道的近似能级图，见图 3－18。图中的能级顺序是指价电子层填入电子时各能级能量的相对高低。

多电子原子的近似能级图有如下几个特点：

(a) 近似能级图是按原子轨道的能量高低排列的，而不是按原子轨道离核远近顺序排列的。图 3－18 中，能量相近的能级划为一组，称为能级组，通常共分为七个能级组。依 1，2，3，… 能级组的顺序能量逐次增加。能级组之间的能量差较大，而能级组内各能级间的能量差小。

$1s$　　　　　　为第一能级组

$2s$，$2p$　　　　为第二能级组

$3s$，$3p$　　　　为第三能级组

$4s$，$3d$，$4p$　　为第四能级组

$5s$，$4d$，$5p$ 为第五能级组

$6s$，$4f$，$5d$，$6p$ 为第六能级组

$7s$，$5f$，$6d$ $7p$ 为第七能级组

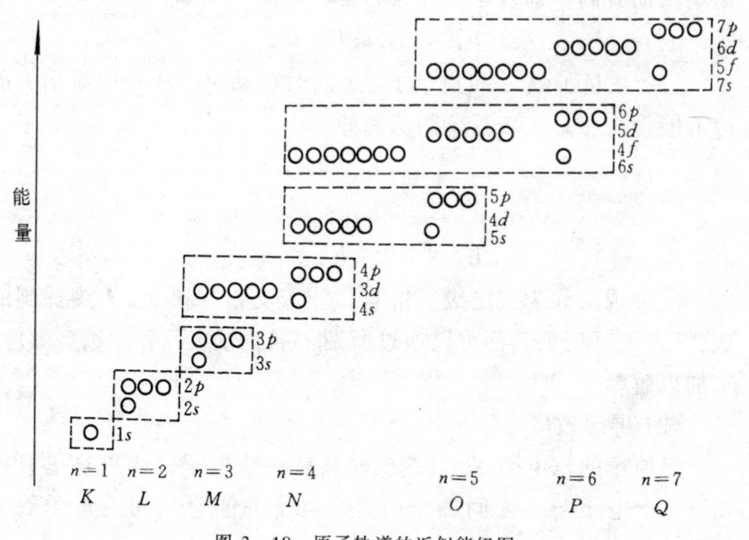

图 3－18 原子轨道的近似能级图

（*b*）在近似能级图中，每个小圆圈代表一个原子轨道。s 分层中有一个圆圈，表示此分层中只有一个原子轨道，p 分层中有三个圆圈，表示此分层中有三个原子轨道。在量子力学中，把能量相同的状态叫做简并状态。由于三个 p 轨道能量相同，所以三个 p 轨道是简并轨道，也叫等价轨道。又把相同能量的轨道的数目称为简并度，所以称 p 轨道是三重简并的。所谓等价轨道是指能量相同只是空间取向不同的轨道而言。同理，d 分层的五个 d 轨道是五重简并的；f 分层的七个 f 轨道是七重简并的。

（*c*）角量子数 l 相同的能级，其能量次序由主量子数 n 决定，n 越大能量越高。例如

$$E_{2p} < E_{3p} < E_{4p} < E_{5p}$$

这是因为 n 越大，电子离核越远，核对电子吸引越弱的缘故。

(d) 主量子数 n 相同，角量子数 l 不同的能级，其能量随 l 的增大而升高，即发生"能级分裂"现象。例如：

$$E_{4s} < E_{4p} < E_{4d} < E_{4f}$$

(e) 主量子数 n 和角量子数 l 同时变动时，从图中看出，能级的能量次序是比较复杂的。例如

$$E_{4s} < E_{3d} < E_{4p}$$

$$E_{5s} < E_{4d} < E_{5p}$$

$$E_{6s} < E_{4f} < E_{5d} < E_{6p}$$

这种现象称为"能级交错"。"能级交错"和（d）中提到的"能级分裂"现象，都可以通过所谓"屏蔽效应"和"钻穿效应"来加以解释。

(2) 屏蔽效应

氢原子的核电荷 $Z = 1$，核外只有一个电子，所以这里只存在着这个电子与核之间的作用力，电子的能量只同主量子数 n 相关。即

$$E = -\frac{13.6 \times Z^2}{n^2}\text{eV} \quad (Z = 1) \tag{3-39}$$

但是在多电子原子中，一个电子不仅受到原子核的引力而且还要受到其它电子的斥力。例如，锂原子核带三个正电荷，核外有三个电子：第一层有两个电子，第二层有一个电子。对第二层的一个电子来说，除了受核对它的引力以外，还受到第一层两个电子对它的排斥力的作用。为了讨论问题方便，我们经常把这种内层电子的排斥作用考虑为对核电荷的抵销或屏蔽，相当于使核有效电荷数的减小。于是有

$$Z^* = Z - \sigma$$

式中 Z^* 为有效核电荷数，Z 为核电荷数，σ 为屏蔽常数，它代表由于电子间的斥力而使原核电荷减小的部分。这样处理之后，

对于多电子原子中的一个电子来说，其能量则可用式（3－39）的类似公式加以讨论了。即

$$E = -\frac{13.6(Z-\sigma)^2}{n^2}\text{eV} \tag{3-40}$$

由式（3－40）可知，如果能求得屏蔽常数 σ，则可求得多电子原子中各能级的近似能量。**由于其它电子对某一电子的排斥作用而抵销了一部分核电荷，从而使有效核电荷降低，削弱了核电荷对该电子的吸引，这种作用称为屏蔽作用或屏蔽效应。**

影响屏蔽常数大小的因素很多，除了同产生屏蔽作用的电子的数目及它所处原子轨道的大小、形状有关外，还同被屏蔽的电子离核的远近和运动状态有关。为了计算屏蔽常数 σ，可用斯莱脱（Slater）提出的规则近似求算。斯莱脱规则简述如下。

将原子中的电子分成如下几组：

(1s)（2s，2p）（3s，3p）（3d）（4s，4p）（4d）（4f）（5s，5p）…余类推。

（a）位于被屏蔽电子右边的各组，对被屏蔽电子的 $\sigma=0$，可以近似地认为，外层电子对内层电子没有屏蔽作用。

（b）1s 轨道上的 2 个电子之间的 $\sigma=0.30$，其它主量子数相同的各分层电子之间的 $\sigma=0.35$。

（c）被屏蔽的电子为 ns 或 np 时，则主量子数为（$n-1$）的各电子对它们的 $\sigma=0.85$，而小于($n-1$)的各电子对它们的 $\sigma=1.00$。

（d）被屏蔽的电子为 nd 或 nf 时，则位于它左边各组电子对它的屏蔽常数 $\sigma=1.00$。

在计算某原子中某个电子的 σ 值时，可将有关屏蔽电子对该电子的 σ 值相加而得。

例 3－1　计算铝原子中其它电子对一个 3p 电子的 σ 值。

解： 铝原子的电子排布情况为

$1s^2 2s^2 2p^6 3s^2 3p^1$

按斯莱脱规则分组：$(1s)^2$ $(2s,\ 2p)^8$ $(3s,\ 3p)^3$.

根据（b）得，$(3s,\ 2p)^3$ 中另外两电子对被屏蔽的一个 $3p$ 电子的 $\sigma = 0.35\times 2$；

根据(c)得，$(2s,2p)^8$ 中的 8 个电子对被屏蔽电子的 $\sigma = 0.85\times 8$；而 $(1s)^2$ 中的 2 个电子对被屏蔽电子的 $\sigma = 1.00\times 2$。

故 $\sigma = 0.35\times 2 + 0.85\times 8 + 1.00\times 2 = 9.50$

例 3－2　计算钪原子中一个 $3s$ 电子和一个 $3d$ 电子各自的能量。

解：电子分组情况为

$(1s)^2(2s,2p)^8(3s,3p)^8(3d)^1(4s,4p)^2$

$3s$ 电子的 $\sigma = 0.35\times 7 + 0.85\times 8 + 1.00\times 2 = 11.25$

$3d$ 电子的 $\sigma = 1.00\times 18 = 18.00$

根据式(3－40)

$$E_{3s} = -\frac{13.6(Z-\sigma)^2}{n^2} = \frac{-13.6\times(21-11.25)^2}{3^2}$$

$$= -143.7(\text{eV})$$

$$E_{3d} = -\frac{13.6(Z-\sigma)^2}{n^2} = \frac{-13.6\times(21-18.00)^2}{3^2}$$

$$= -13.6(\text{eV})$$

从例 2 的计算结果中，可以清楚地看到，屏蔽常数 σ 对各分层的能量有很大的影响。一般来讲，在核电荷 Z 的主量子数 n 相同的条件下，屏蔽常数 σ 越大，有效核电荷（$Z-\sigma$）就越小，核对该分层电子的吸引力就越小，因此该分层电子的能量就升高。例 2 中 $E_{3d} \gg E_{3s}$ 就是这个原因。

从斯莱脱规则中，我们还看到被屏蔽电子是 d 或 f 电子时和是 s，p 电子时，屏蔽常数 σ 不同，即同一个内层电子对 s，p 电子的屏蔽作用小，而对 d，f 电子的屏蔽作用大。这个问题的实质，要归结到电子云的径向分布乃至钻穿效应的影响。

(3) 钻穿效应

可以利用氢原子的电子云径向分布图 3－13 来近似地说明多电子原子中 n 相同时，其它电子对 l 越大的电子屏蔽作用越大的原因。从图 3－13 可以看到，同属第三层的 $3s$，$3p$ 和 $3d$ 电子，其径向分布有很大不同。$3s$ 有三个峰，这表明 $3s$ 电子除有较多机会出现在离核较远的区域外，还可能钻到内层空间而靠近原子核。这种外层电子钻到内层空间而靠近原子核的现象，通常称为钻穿作用。$3p$ 有两个峰，这表明 $3p$ 虽然也有钻穿作用，但小于 $3s$，不过要比只有一个峰的 $3d$ 来得大些。由此可见 $3s$，$3p$，$3d$ 各轨道上的电子的钻穿作用依次减弱。不难理解，电子的钻穿作用越大，它受到其它电子的屏蔽作用就越小，受核引力就越强，因而能量越低。简而言之，**钻穿作用越大的电子的能量越低。由于电子的钻穿作用的不同而使它的能量发生变化的现象，通常称为钻穿效应。**

综上所述，轨道能量次序为 $4s<4p<4d<4f$ 的原因，就是电子云径向分布不同，钻穿效应依 $4s>4p>4d>4f$ 顺序减小的结果。这就比较圆满地解释了 n 相同的各轨道能量次序为 $ns<np<nd<nf$ 的原因。

当 n，l，都不相同时，有可能发生能级交错现象，例如鲍林的轨道近似能级图中，E_{4s} 低于 E_{3d}。这种能级交错现象也可以用钻穿效应来解释。由 $4s$ 和 $3d$ 的电子云的径向分布图（见图 3－19）可知，虽然 $4s$ 电子的最大几率峰比 $3d$ 的离核远得多，本应有 $E_{4s}>E_{3d}$，但由于 $4s$ 电子的内层的小几率峰出现在离核较近处，对降低能量起着很大的作用，因而 E_{4s} 在近似能级图中比 E_{3d} 小些。故按鲍林的轨道近似能级图填充电子时，先填

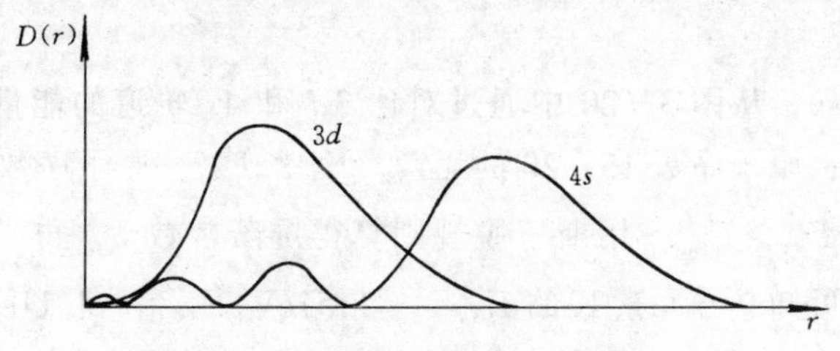

图 3－19　$4s$，$3d$ 电子云的径向分布图

充 $4s$ 电子，而后填充 $3d$ 电子。

(4) 科顿原子轨道能级图

鲍林的原子轨道能级图是一种近似的能级图，它简单明了，基本上反映了多电子原子的核外电子填充的次序。

但是，鲍林能级图表明，所有元素的原子其轨道能级的次序是一样的，同时也反映不出某一能级的能量与元素的原子序数之间的关系。光谱实验结果和量子力学理论证明，随着原子序数的增加，核电荷对电子的吸引增强，所以轨道能量都降低。但由于各轨道能量随原子序数增加时降低的程度各不相同，因此将造成不同元素的原子轨道能级次序不完全一致。

各种元素的原子轨道的能量及轨道能级的相对高低与元素原子序数的关系可用图 3-20 表示出，这种图一般称科顿（F. A. Cotton）原子轨道能级图。

从图 3-20 中，我们可以得到如下几点结论：

(a) 原子序数为 1 的氢元素，其原子轨道的能量只和主量子数 n 有关；n 相同时，l 不同的各轨道能量相等，即 $E_{ns}=E_{np}=E_{nd}=E_{nf}$。

(b) 随着原子序数的增大，各原子轨道的能量逐渐降低。由于增加的内层电子对外层各轨道的屏蔽作用不同，故 l 不同的轨道能量降低的程度不一致。于是引起了能级分裂和能级交错，同时也使得不同元素的原子轨道能级可能具有互不完全一致的排列次序。

例如，从图 3-20 中通过对比 $3d$ 和 $4s$ 轨道的能量变化曲线可知：原子序数 15-20 的元素，$E_{4s}<E_{3d}$，原子序数大于 21 的元素 $E_{4s}>E_{3d}$。用斯莱脱规则算得屏蔽常数 σ，再求得电子的 E，可知 9 号元素 K 的 $E_{3d}=-1.51\text{eV}$, $E_{4s}=-4.11\text{eV}$,而 26 号元素 Fe 的 $E_{3d}=-59.03\text{eV}$, $E_{4s}=-11.95\text{eV}$ 。从图 3-20 中还可以看出在第五能级组和第六能级组中能级交错现象更为复

杂，一些元素的原子轨道能级排列次序比较特殊，即与鲍林的近

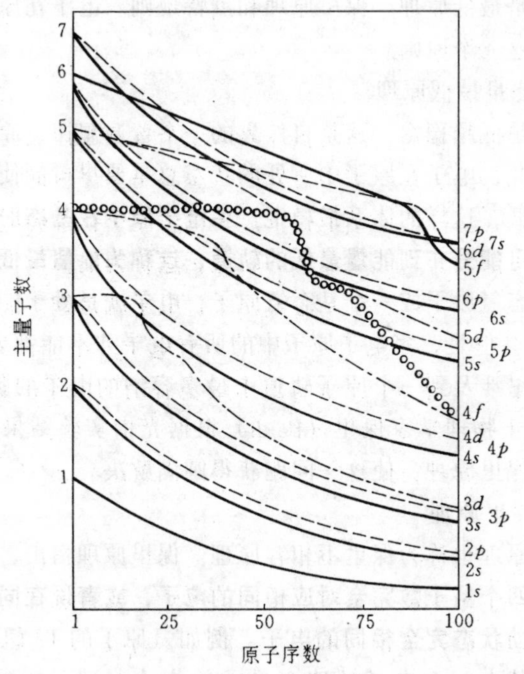

图 3-20　科顿原子轨道能级图

似能级图所反映的次序不一致。

2-2　核外电子排布的原则

通过以上各节的讨论，我们已经了解了原子中核外电子的运动状态，即原子轨道的大小、能量的高低次序及形成的基本原因，原子轨道的形状及在空间的伸展方向，电子自旋等等。但是还没有涉及多电子原子核外电子是怎样分布的问题。它们是分布在某一个可能的状态中，还是分布在各种可能的状态中？是优先占据能量较低的原子轨道，还是优先占据能量较高的轨道？光谱

实验结果对元素周期律的分析得出了原子核外电子排布的三个原则，即能量最低原理、保里原理和洪特规则。电子在原子核外的排布遵循这三个原则。

(1) 能量最低原理

能量越低越稳定，这是自然界的一个普遍规律。原子中的电子也是如此，电子在原子中所处的状态总是要尽可能使整个体系的能量最低，这样的体系最稳定。**多电子原子在基态时，核外电子总是尽可能分布到能量最低的轨道，这称为能量最低原理。**例如一个基态氢原子或一个基态氦原子，电子就是处于能量最低的 1*s* 轨道中。但是，多电子原子中的所有电子并不能都处在 1*s* 轨道中，这里涉及到一个原子轨道中最多容纳的电子的数目问题。1925 年瑞士物理学家保里（Pauli）根据光谱实验结果提出一个假定——保里原理，使这一问题获得圆满解决。

(2) 保里原理

保里原理也称为保里不相容原理。保里原理指出，**在同一原子中没有四个量子数完全对应相同的电子，或者说在同一个原子中没有运动状态完全相同的电子。**例如氦原子的 1*s* 轨道中的两个电子，其中一个电子的四个量子数为 $n=1$，$l=0$，$m=0$，$m_s=+\frac{1}{2}$，而另一个电子则为 $n=1$，$l=0$，$m=0$，$m_s=-\frac{1}{2}$，自旋方式必定不同，否则就违反保里原理。根据保里原理，可以获得以下几个重要结论：

(*a*) 每一种运动状态的电子只能有一个。

(*b*) 由于每一个原子轨道包括两种运动状态，所以每一个原子轨道中最多只能容纳两个自旋不同的电子。

(*c*) 因为 *s*，*p*，*d*，*f* 各分层中的原子轨道数分别为 1，3，5，7 个，所以 *s*，*p*，*d*，*f* 各分层中分别最多能容纳 2，6，10，14 个电子。

(*d*) 每个电子层中原子轨道的总数为 n^2 个，因此，各电子层中电子的最大容量为 $2n^2$ 个。

应当指出，保里原理并不是从量子力学的基础上推导出来的，它只是一个假定，它适合于量子力学，且为实验所证实。

(3) 洪特规则

所谓洪特规则，是洪特（Hund）根据大量光谱实验数据在1925年总结出来的规律。洪特规则指出，**电子分布到能量相同的等价轨道时，总是尽先以自旋相同的方向，单独占据能量相同的轨道。**或者说成在等价轨道中自旋相同的单电子越多，体系就越稳定。洪特规则有时也叫做等价轨道原理。

例如，碳原子核外的6个电子，从能量最低原理和保里原理出发，排布在 $1s$ 中2个，$2s$ 中2个，另外两个电子将处于 $2p$ 轨道中。根据洪特规则，这两个电子不同时占据1个 $2p$ 轨道，而是以自旋相同的方式占据能量相同，但伸展方向不同的两个 $2p$ 轨道。因此，由能量最低原理、保里原理和洪特规则，碳原子核外6个电子的排布形式，如图3-21所示。

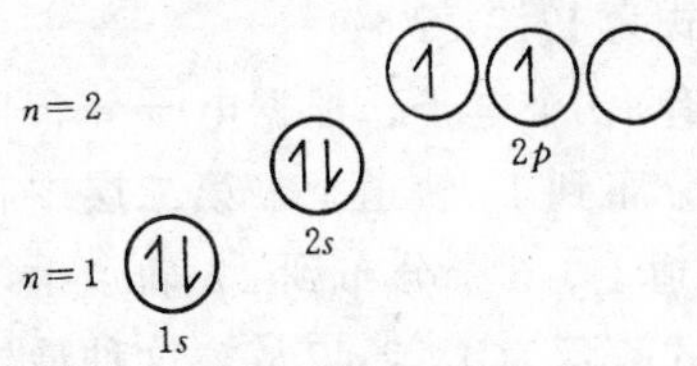

图3-21　碳原子核外电子的排布

图中每一个圆圈代表一个原子轨道，圆圈中每一个箭头代表一个电子，圆圈中两个方向相反的箭头则表示自旋不同的两个电子。如用原子的电子结构式表示，则图3-21所示的碳原子可表示为 $1s^2 2s^2 2p^2$。

洪特规则是一个经验规则，但后来量子力学计算证明，电子按洪特规则分布可使原子体系能量最低、体系最稳定。因为当一个轨道中已占有一个电子时，另一个电子要继续填入而同前一个电子成对，就必须克服它们之间的相互排斥作用，其所需能量叫作电子成对能。因此电子成单地分布到等价轨道中，有利于体系能量降低。

应该指出，作为洪特规则的特例，等价轨道全充满、半充满或全空的状态是比较稳定的。全充满、半充满和全空的结构分别表示如下：

全充满： p^6，d^{10}，f^{14}

半充满： p^3，d^5，f^7

全空 ： p^0，d^0，f^0

下面我们运用核外电子排布的三原则来讨论核外电子排布的几个实例。

氮原子核外有 7 个电子，根据能量最低原理和保里原理，首先有 2 个电子分布到第一层的 $1s$ 轨道中；又有 2 个电子分布到第二层的 $2s$ 轨道中。按洪特规则，余下的 3 个电子将以相同的自旋方式分别分布到 3 个方向不同但能量相同的 $2p$ 轨道中。氮原子的电子结构式为 $1s^2 2s^2 2p^3$。

氖原子核外有 10 个电子，根据电子分布三原则，第一电子层中有 2 个电子分布到 $1s$ 轨道上，第二层中有 8 个电子，其中 2 个分布到 $2s$ 轨道上，6 个分布到 $2p$ 轨道上。因此氖的原子结构可用电子结构式表示为 $1s^2 2s^2 2p^6$。这种最外电子层为 8 电子的结构，通常是一种比较稳定的结构，称为稀有气体结构。

钠原子核外有 11 个电子，第一层 $1s$ 轨道上有 2 个电子，第二层 $2s$、$2p$ 轨道上有 8 个电子，余下的 1 个电子 将填在第三层。在 $n=3$ 的 3 种不同类型的轨道中，$3s$ 的能量最低，电子必然分布到 $3s$ 轨道中。因此钠原子的电子结构式为 $1s^2 2s^2 2p^6 3s^1$。

钾原子核外有 19 个电子，最后一个电子填充到 $4s$ 轨道。其电子结构式为 $1s^2 2s^2 2p^6 3s^2 3p^6 4s^1$。

为了避免电子结构式书写过长，通常把内层电子已达到稀有气体结构的部分写成“原子实”，并以稀有气体的元素符号外加方括号来表示。例如，钾的电子结构式可表示为[Ar]$4s^1$。

铬原子核外有24个电子，最高能级组中有6个电子。铬的电子结构式为[Ar]$3d^5 4s^1$，而不是[Ar]$3d^4 4s^2$。这是因为$3d^5$的半充满结构是一种能量较低的稳定结构。

根据核外电子排布的三原则，基本上可以解决核外电子的排布问题。为了便于记忆，将鲍林原子轨道近似能级图中的轨道填充次序用图3－22的形式表示出来。

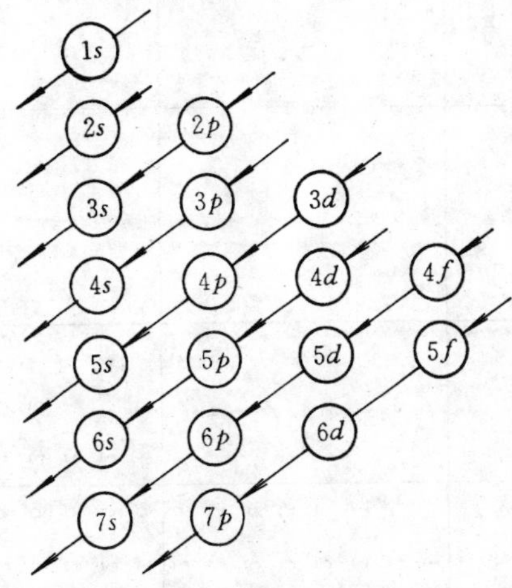

图3－22　电子填入轨道的次序图

核外电子排布的三原则，只是一般规律。随着原子序数的增大、核外电子数目的增多以及原子中电子之间相互作用的复杂化，核外电子排布的例外现象要多些。因此对于某一具体元素的原子的电子排布情况，要以光谱实验的结果为准。

2－3　原子的电子层结构和元素周期系

(1) 原子的电子层结构

根据核外电子排布的原则和光谱实验的结果，可得周期系中各元素的原子的电子层结构，如表3－4所示。下面我们分别讨

表 3-4　周期系中各元素原子的电子层结构

周期	原子序数	元素名称	元素符号	电子层																	
				K	*L*		*M*			*N*				*O*				*P*			*Q*
				1*s*	2*s*	2*p*	3*s*	3*p*	3*d*	4*s*	4*p*	4*d*	4*f*	5*s*	5*p*	5*d*	5*f*	6*s*	6*p*	6*d*	7*s*
1	1	氢	H	1																	
	2	氦	He	2																	
	3	锂	Li	2	1																
	4	铍	Be	2	2																
	5	硼	B	2	2	1															
2	6	碳	C	2	2	2															
	7	氮	N	2	2	3															
	8	氧	O	2	2	4															
	9	氟	F	2	2	5															
	10	氖	Ne	2	2	6															
	11	钠	Na	2	2	6	1														
	12	镁	Mg	2	2	6	2														
	13	铝	Al	2	2	6	2	1													
3	14	硅	Si	2	2	6	2	2													
	15	磷	P	2	2	6	2	3													
	16	硫	S	2	2	6	2	4													
	17	氯	Cl	2	2	6	2	5													
	18	氩	Ar	2	2	6	2	6													

续表

周期	原子序数	元素名称	元素符号	电子层																	
				K	*L*		*M*			*N*				*O*				*P*			*Q*
				1*s*	2*s*	2*p*	3*s*	3*p*	3*d*	4*s*	4*p*	4*d*	4*f*	5*s*	5*p*	5*d*	5*f*	6*s*	6*p*	6*d*	7*s*
	19	钾	K	2	2	6	2	6		1											
	20	钙	Ca	2	2	6	2	6		2											
	21	钪	Sc	2	2	6	2	6	1	2											
	22	钛	Ti	2	2	6	2	6	2	2											
	23	钒	V	2	2	6	2	6	3	2											
	24	铬	Cr	2	2	6	2	6	5	1											
	25	锰	Mn	2	2	6	2	6	5	2											
	26	铁	Fe	2	2	6	2	6	6	2											
4	27	钴	Co	2	2	6	2	6	7	2											
	28	镍	Ni	2	2	6	2	6	8	2											
	29	铜	Cu	2	2	6	2	6	10	1											
	30	锌	Zn	2	2	6	2	6	10	2											
	31	镓	Ga	2	2	6	2	6	10	2	1										
	32	锗	Ge	2	2	6	2	6	10	2	2										
	33	砷	As	2	2	6	2	6	10	2	3										
	34	硒	Se	2	2	6	2	6	10	2	4										
	35	溴	Br	2	2	6	2	6	10	2	5										
	36	氪	Kr	2	2	6	2	6	10	2	6										

续表

周期	原子序数	元素名称	元素符号	电子层																	
				K	L		M			N				O				P			Q
				1s	2s	2p	3s	3p	3d	4s	4p	4d	4f	5s	5p	5d	5f	6s	6p	6d	7s
5	37	铷	Rb	2	2	6	2	6	10	2	6			1							
	38	锶	Sr	2	2	6	2	6	10	2	6			2							
	39	钇	Y	2	2	6	2	6	10	2	6	1		2							
	40	锆	Zr	2	2	6	2	6	10	2	6	2		2							
	41	铌	Nb	2	2	6	2	6	10	2	6	4		1							
	42	钼	Mo	2	2	6	2	6	10	2	6	5		1							
	43	锝	Tc	2	2	6	2	6	10	2	6	5		2							
	44	钌	Ru	2	2	6	2	6	10	2	6	7		1							
	45	铑	Rh	2	2	6	2	6	10	2	6	8		1							
	46	钯	Pd	2	2	6	2	6	10	2	6	10									
	47	银	Ag	2	2	6	2	6	10	2	6	10		1							
	48	镉	Cd	2	2	6	2	6	10	2	6	10		2							
	49	铟	In	2	2	6	2	6	10	2	6	10		2	1						
	50	锡	Sn	2	2	6	2	6	10	2	6	10		2	2						
	51	锑	Sb	2	2	6	2	6	10	2	6	10		2	3						
	52	碲	Te	2	2	6	2	6	10	2	6	10		2	4						
	53	碘	I	2	2	6	2	6	10	2	6	10		2	5						
	54	氙	Xe	2	2	6	2	6	10	2	6	10		2	6						

续表

周期	原子序数	元素名称	元素符号	电子层 K	L		M			N				O				P			Q
				1s	2s	2p	3s	3p	3d	4s	4p	4d	4f	5s	5p	5d	5f	6s	6p	6d	7s
	55	铯	Cs	2	2	6	2	6	10	2	6	10		2	6			1			
	56	钡	Be	2	2	6	2	6	10	2	6	10		2	6			2			
	57	镧	La	2	2	6	2	6	10	2	6	10		2	6	1		2			
	58	铈	Ce	2	2	6	2	6	10	2	6	10	1	2	6	1		2			
	59	镨	Pr	2	2	6	2	6	10	2	6	10	3	2	6			2			
	60	钕	Nd	2	2	6	2	6	10	2	6	10	4	2	6			2			
	61	钷	Pm	2	2	6	2	6	10	2	6	10	5	2	6			2			
	62	钐	Sm	2	2	6	2	6	10	2	6	10	6	2	6			2			
6	63	铕	Eu	2	2	6	2	6	10	2	6	10	7	2	6			2			
	64	钆	Gd	2	2	6	2	6	10	2	6	10	7	2	6	1		2			
	65	铽	Tb	2	2	6	2	6	10	2	6	10	9	2	6			2			
	66	镝	Dy	2	2	6	2	6	10	2	6	10	10	2	6			2			
	67	钬	Ho	2	2	6	2	6	10	2	6	10	11	2	6			2			
	68	铒	Er	2	2	6	2	6	10	2	6	10	12	2	6			2			
	69	铥	Tm	2	2	6	2	6	10	2	6	10	13	2	6			2			
	70	镱	Yb	2	2	6	2	6	10	2	6	10	14	2	6			2			
	71	镥	Lu	2	2	6	2	6	10	2	6	10	14	2	6	1		2			

续表

周期	原子序数	元素名称	元素符号	电子层 K	L		M			N				O				P			Q
				1s	2s	2p	3s	3p	3d	4s	4p	4d	4f	5s	5p	5d	5f	6s	6p	6d	7s
	72	铪	Hf	2	2	6	2	6	10	2	6	10	14	2	6	2		2			
	73	钽	Ta	2	2	6	2	6	10	2	6	10	14	2	6	3		2			
	74	钨	W	2	2	6	2	6	10	2	6	10	14	2	6	4		2			
	75	铼	Re	2	2	6	2	6	10	2	6	10	14	2	6	5		2			
	76	锇	Os	2	2	6	2	6	10	2	6	10	14	2	6	6		2			
	77	铱	Ir	2	2	6	2	6	10	2	6	10	14	2	6	7		2			
6	78	铂	Pt	2	2	6	2	6	10	2	6	10	14	2	6	9		1			
	79	金	Au	2	2	6	2	6	10	2	6	10	14	2	6	10		1			
	80	汞	Hg	2	2	6	2	6	10	2	6	10	14	2	6	10		2			
	81	铊	Tl	2	2	6	2	6	10	2	6	10	14	2	6	10		2	1		
	82	铅	Pb	2	2	6	2	6	10	2	6	10	14	2	6	10		2	2		
	83	铋	Bi	2	2	6	2	6	10	2	6	10	14	2	6	10		2	3		
	84	钋	Po	2	2	6	2	6	10	2	6	10	14	2	6	10		2	4		

续表

周期	原子序数	元素名称	元素符号	电子层																	
				K	*L*		*M*			*N*				*O*				*P*			*Q*
				1*s*	2*s*	2*p*	3*s*	3*p*	3*d*	4*s*	4*p*	4*d*	4*f*	5*s*	5*p*	5*d*	5*f*	6*s*	6*p*	6*d*	7*s*
6	85	砹	At	2	2	6	2	6	10	2	6	10	14	2	6	10		2	5		
	86	氡	Rn	2	2	6	2	6	10	2	6	10	14	2	6	10		2	6		
7	87	钫	Fr	2	2	6	2	6	10	2	6	10	14	2	6	10		2	6		1
	88	镭	Ra	2	2	6	2	6	10	2	6	10	14	2	6	10		2	6		2
	89	锕	Ac	2	2	6	2	6	10	2	6	10	14	2	6	10		2	6	1	2
	90	钍	Th	2	2	6	2	6	10	2	6	10	14	2	6	10		2	6	2	2
	91	镤	Pa	2	2	6	2	6	10	2	6	10	14	2	6	10	2	2	6	1	2
	92	铀	U	2	2	6	2	6	10	2	6	10	14	2	6	10	3	2	6	1	2
	93	镎	Np	2	2	6	2	6	10	2	6	10	14	2	6	10	4	2	6	1	2
	94	钚	Pu	2	2	6	2	6	10	2	6	10	14	2	6	10	6	2	6		2
	95	镅	Am	2	2	6	2	6	10	2	6	10	14	2	6	10	7	2	6		2
	96	锔	Cm	2	2	6	2	6	10	2	6	10	14	2	6	10	7	2	6	1	2
	97	锫	Bk	2	2	6	2	6	10	2	6	10	14	2	6	10	9	2	6		2

续表

周期	原子序数	元素名称	元素符号	电子层																	
				K	*L*		*M*			*N*				*O*				*P*			*Q*
				1*s*	2*s*	2*p*	3*s*	3*p*	3*d*	4*s*	4*p*	4*d*	4*f*	5*s*	5*p*	5*d*	5*f*	6*s*	6*p*	6*d*	7*s*
	98	锎	Cf	2	2	6	2	6	10	2	6	10	14	2	6	10	10	2	6		2
	99	锿	Es	2	2	6	2	6	10	2	6	10	14	2	6	10	11	2	6		2
	100	镄	Fm	2	2	6	2	6	10	2	6	10	14	2	6	10	12	2	6		2
	101	钔	Md	2	2	6	2	6	10	2	6	10	14	2	6	10	13	2	6		2
	102	锘	No	2	2	6	2	6	10	2	6	10	14	2	6	10	14	2	6		2
	103	铹	Lr	2	2	6	2	6	10	2	6	10	14	2	6	10	14	2	6	1	2
7	104	钅卢	Rf	2	2	6	2	6	10	2	6	10	14	2	6	10	14	2	6	2	2
	105	钅罕	Ha	2	2	6	2	6	10	2	6	10	14	2	6	10	14	2	6	3	2
	106		Unh	2	2	6	2	6	10	2	6	10	14	2	6	10	14	2	6	4	2
	107		Uns	2	2	6	2	6	10	2	6	10	14	2	6	10	14	2	6	5	2
	108		Uno	2	2	6	2	6	10	2	6	10	14	2	6	10	14	2	6	6	2
	109		Une	2	2	6	2	6	10	2	6	10	14	2	6	10	14	2	6	7	2

（表中单框中的元素是过渡元素，双框中的元素是镧系或锕系元素）

论周期系中各元素原子的电子层结构。

从表3－4可知，第1号元素氢，它有1个核外电子，在正常状态下，电子填充到第一电子层上，电子结构式为$1s^1$。第2号元素氦，它有2个核外电子，并都填在第一电子层上，电子结构式为$1s^2$，这两个电子自旋相反。根据保里原里，$1s$轨道最多能容纳2个电子。因此，第一电子层电子已充满，所以第一周期只有氢和氦两种元素。

第3号元素锂，它的核外有3个电子，其中2个电子填到$1s$上，第3个电子填充到第二电子层中，因此开始了第二周期。它的电子结构式为$1s^2 2s^1$。第二电子层共有4个轨道，最多能容纳8个电子，所以第二周期从锂到氖共8种元素，其电子依次填充到$2s$和$2p$轨道。由$2s^1$开始到$2p^6$结束，完成了第二周期。

第11号元素钠，它的核外有11个电子，其中2个电子填充到第一电子层上，8个电子填充到第二电子层上，最后1个电子填充到第三电子层上，因此开始了第三周期。它的电子结构式为$1s^2 2s^2 2p^6 3s^1$。从11号元素钠到18号元素氩，电子填充的次序与第二周期相似，依次由$3s^1$开始到$3p^6$结束。氩的电子结构式为$1s^2 2s^2 2p^6 3s^2 3p^6$，到氩完成了第三周期。但是第三电子层的电子最大容量为18，因此第三电子层尚未填满，$3d$轨道空着，未填入电子。

第19号元素钾，它的核外有19个电子，前18个电子依次填充成$1s^2 2s^2 2p^6 3s^2 3p^6$形式，最后一个电子是填充到$3d$轨道还是填充到$4s$轨道呢？根据鲍林的近似能级图可知，$3d$与$4s$出现能级交错现象，$E_{4d} > E_{4s}$。因此，钾的最后一个电子应填充到$4s$轨道上，故钾的电子结构式为$1s^2 2s^2 2p^6 3s^2 3p^6 4s^1$。从19号元素钾开始到36号元素氪结束，共18种元素，构成第四周期。在这个周期中，钾和钙的最后一个电子填充到$4s$轨道上，从21号元素钪开始，它的最后一个电子填充到$3d$轨道上，直到Zn，共10种元素，将$3d$轨道填充满。这10种元素是第四周期的过渡元素，也常称为第一过渡元素，在表 3-4 中单框内的元素为过渡元素。它们的电子结构式通常为[Ar]$3d^{1-10}4s^2$，但其中也有例外，铬的电子结构式不是[Ar]$3d^4 4s^2$，而是[Ar]$3d^5 4s^1$，铜的电子结构式不是[Ar]$3d^9 4s^2$，而是[Ar]$3d^{10}4s^1$。这是由于半充满的 d^5 和全充满的 d^{10} 结构，根据洪特规则，是比较稳定的。在锌以后，从镓到氪，新增电子依次填充到 $4p$ 轨道上，即从 $4p^1$ 开始到 $4p^6$ 结束。

第五周期与第四周期类似。从第 37 号元素铷开始到第 54 号元素氙结束，共 18 种元素，构成第五周期。其中铷和锶的最后一个电子填充到 $5s$ 轨道上。从第 39 号元素钇到 48 号元素镉，最后一个电子填充到 $4d$ 轨道上。这 10 种元素是第五周期的过渡元素，也称为第二过渡元素。它们的电子结构式通常为[Kr] $4d^{1-10}5s^2$。但例外较多，例如铌是 $4d^4 5s^1$，钼是 $4d^5 5s^1$，钌是 $4d^7 5s^1$，铑是 $4d^8 5s^1$，钯是 $4d^{10}5s^0$，银是 $4d^{10}5s^1$。其中钼和银的排布方式可以用洪特规则中的半充满和全充满来解释。对于钌和铑的电子排布方式，则很难用排布原则完满地解释，在第六周期和第七周期中还将遇到此类问题。我们既要承认光谱实验测得的排布事实，又不必因理论的某些不足而加以全盘否定。任何理论都需要在实践中不断完善，科学研究的任务就是通过实践不断发展理论，并用理论指导实践工作。镉以后，从铟到氙，新增加的电子依次填充到 $5p$ 轨道上，从 $5p^1$ 开始到 $5p^6$ 结束。

第六周期从第 55 号元素铯到第 86 号元素氡共 32 种元素。铯和钡的最后一个电子填充到 $6s$ 轨道上，从 57 号元素到 80 号元素汞为过渡元素，它们的新增电子依次填充到 $5d$ 轨道，但其中第 58 号元素铈到 71 号元素镥，它们的新增电子基本填充到 $4f$ 轨道上，这 14 种元素和镧共 15 种元素习惯上统称为镧系元素。在表 3-4 中将镧系元素放在双框内。从结构上看镧应属于过渡元素，它和从铪到汞一起，共 10 种元素列为第三过渡元素。这个周期中的元素，其原子的电子结构式，例外情况较少，如铂和金等。汞以后从铊到氡，新增电子依次填充到 $6p$ 轨道上，即从 $6p^1$ 开始到 $6p^6$ 结束。

第七周期从第 87 号元素钫到第 109 号元素共 23 种，是不完全周期。钫和镭的最后一个电子填充到 $7s$ 轨道上。从第 90 号元素钍到第 103 号元素铹，它们的新增电子基本填充到 $5f$ 轨道上。这 14 种元素和锕共 15 种统称为锕系元素。从 104 号元素起，新增电子开始填充 $6d$ 轨道。

(2) 原子的电子层结构与元素的分区

根据元素原子的核外电子排布的特点，可将周期表中的元素分为五个区。如图 3－23 所示。

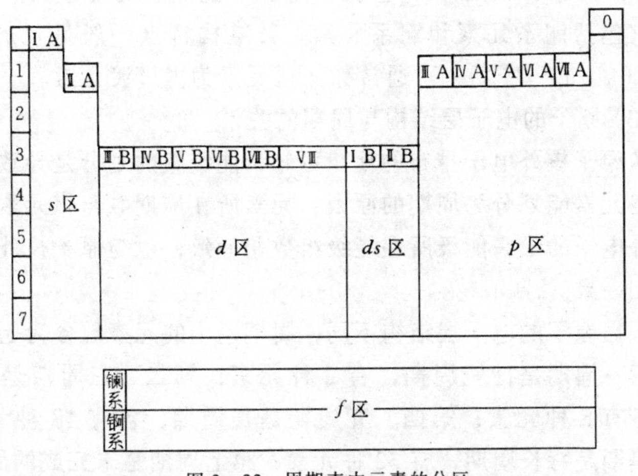

图 3－23　周期表中元素的分区

s 区元素：最后一个电子填充在 s 能级上的元素为 s 区元素。它包括ⅠA 族和ⅡA 族元素。其结构特点是 ns^1 和 ns^2。s 区元素属活泼金属。

p 区元素：最后一个电子填充在 p 能级上的元素为 p 区元素。它包括ⅢA—ⅦA 族和零族元素。除 He 以外它们的结构特点是 $ns^2 np^{1-}$。p 区元素大部分是非金属。

d 区元素：最后一个电子填充在 d 能级上的元素为 d 区元素。它包括ⅢB—ⅦB族和第Ⅷ族元素。其结构特点一般是 $(n-1)d^{1-9}ns^{1-2}$。

ds 区元素：最后一个电子填充在 d 能级并且使 d 能级达到全充满结构和最后一个电子填充在 s 能级上并且具有内层 d 全充满结构的元素为 ds 区元素。它包括ⅠB族和ⅡB族元素。其结构特点一般是 $(n-1)d^{10}ns^{1-2}$。通常将 ds 区元素和 d 区元素合在一起，统称过渡元素。从电子层结构上讲，过渡元素完成了从 d 分层电子填充不完全到电子填充完全的过渡。过渡元素都是金属，也叫做过渡金属。

f 区元素：最后一个电子填充在 f 能级上的元素为 f 区元素。它包括镧系元素和锕系元素。其结构特点一般是 $(n-2)f^{1-14}(n-1)d^{0-2}ns^2$。通常称 f 区元素为内过渡元素。

(3) 原子的电子层结构与周期的关系

从原子核外电子排布的规律可知，能级组的划分是导致周期系中各元素能划分为周期的原因，元素所在周期数与该元素的原子核外电子的最高能级所在能级组数相一致，也与原子核外电子层数相一致。

根据原子的电子层结构不同，周期系中的元素划分为七个周期：第一周期是特短周期，有 2 种元素；第二、三周期是短周期，各有 8 种元素；第四、五周期是长周期，各有 18 种元素；第六周期是特长周期，有 32 种元素；第七周期是未完成的周期，现有 20 种元素。各周期中元素的数目等于相应能级组中原子轨道所能容纳的电子的总数。各周期与相对应的能级组的关系如表 3-5 所示。

根据原子核外电子排布的规律，还可以预测未来的第八、九周期是有 50 种元素的超长周期。

元素周期律的具体表现形式是元素周期表。元素周期表的样式很多，目前使用得最普遍的是长式元素周期表（见本书附录）。

把元素按原子序数递增的顺序依次排列成表时，每一横行上的元素原子最外层的电子数由 1 增到 8（第一横行除外），呈现出明显的周期性变化，这就是各周期元素原子的电子层结构重复 s^1 到 s^2p^6 的变化。所以每一周期元素都是从碱金属开始，以稀有

表 3－5　周期与相对应的能级组的关系

周　期	能级组	能级组内各原子轨道	元素数目
1	Ⅰ	$1s$	2
2	Ⅱ	$2s2p$	8
3	Ⅲ	$3s3p$	8
4	Ⅳ	$4s3d4p$	18
5	Ⅴ	$5s4d5p$	18
6	Ⅵ	$6s4f5d6p$	32
7	Ⅶ	$7s5f6d$	20 未完

气体元素结束。而每一次重复，都意味着一个新周期的开始，一个旧周期的结束。由于元素的性质主要取决于原子的电子层结构尤其是最外层电子数，故周期表很明确地体现了元素的性质随原子序数递增呈周期性变化的客观规律。

(4) 原子的电子层结构与族的关系

按长周期表，把元素划分为 16 个族：七个 A 族和七个 B 族，还有零族和Ⅷ族。A 族包括短周期中的元素，也叫主族；B 族只包含长周期的元素，也叫副族。

各主族元素的族数与该族元素原子的最外层电子数相等，也与该族元素的最高化合价相一致。（氧、氟除外）在同一族中，虽然不同元素的原子的电子层数不相同，但它们最外层电子数目却一样，因此它们彼此之间性质非常相似。例如，碱金属元素的最外电子层结构为 ns^1，易于失去这个电子而形成正离子，因此碱金属都显很强的金属性。又如卤素原子的最外层电子为 ns^2np^5，易于得到一个电子而形成负离子，因此卤素都显很强的非金属性。

副族元素则不同，一般副族元素的最外层只有 1—2 个电子，

显然最外层电子数并不等于副族元素的族数。对于 d 区元素来讲，它的族数通常等于最高能级组中的电子总数。例如钪的电子结构式为[Ar]$3d^1 4s^2$，属 d 区元素，最高能级组中的电子总数为3，所以钪元素是ⅢB族元素。又如铁的电子结构式为[Ar]$3d^6 4s^2$，也是 d 区元素，最高能级组中的电子总数为 8，所以铁是第Ⅷ族元素。若最高能级组中的电子总数大于8，也属于第Ⅷ族，比如钴和镍。

对于 ds 区元素来说，它们的族数等于最外层电子数。例如铜，电子结构式为[Ar]$3d^{10} 4s^1$，最外电子层中有一个电子，铜属于ⅠB族。

属于 f 区的元素分为两个系列，镧系和锕系。

原子的电子层结构与元素周期系有着密切的关系。若已知元素的原子序数，便可写出该元素的电子层结构，并能判断出该元素所在的周期和族；反之若已知元素所在的周期和族，也可以推知它的原子序数，并写出其原子的电子结构式。

例 3－3　已知某元素的原子序数是 25，写出该元素原子的电子结构式，并指出该元素的名称、符号以及所属的周期和族。

解：根据原子序数为 25，可知该元素的原子核外有 25 个电子，其排布为[Ar]$3d^5 4s^2$，属 d 区过渡元素。最高能级组数为 4，其中有 7 个电子，故该元素是第四周期ⅦB 族的锰，元素符号为 Mn。

例 3－4　已知某元素在周期表中位于第五周期、ⅥA 族位置上。试写出该元素的基态原子的电子结构式、元素的名称、符号和原子序数。

解：元素位于第五周期，故电子的最高能级组是第五能级组，即 $5s4d5p$；元素是ⅥA 族的，故最外层电子数应为 6，故有 $5s^2 5p^4$，这时 $4d$ 一定是全充满的。电子结构式为[Kr]$4d^{10} 5s^2 5p^4$，元素名称是碲，符号 Te，核外共有 52 个电子，原子序数为 52。

§3－3　元素基本性质的周期性

由于原子的电子层结构的周期性，因此与电子层结构有关的元素的基本性质，如原子半径、电离能、电子亲合能、电负性等，也呈现明显的周期性。

3-1 原子半径

除零族元素外，其它任何元素的原子总是以键合形式存在于单质或化合物中。原子在形成化学键时，总要有一定程度的轨道重叠，而且某原子在与不同几种原子分别成化学键时，原子轨道重叠的程度又各有不同。同样是A元素的原子和B元素的原子成键，又因键级的不同，原子轨道的重叠程度也不相同。同一种元素，形成不同单质时，原子轨道的重叠程度也不相同。因此单纯地把原子半径理解成最外层电子到原子核的距离是不严格的。而且要给出在任何情况下都适用的原子半径也是不可能的。经常用到的原子半径有三种，共价半径、金属半径和范德华半径。

同种元素的两个原子以共价单键连接时，它们核间距离的一半叫做**原子的共价半径**。

把金属晶体看成是由球状的金属原子堆积而成的，假定相邻的两个原子彼此互相接触，它们核间距离的一半就是该**原子的金属半径**

当两个原子之间没有形成化学键而只靠分子间作用力互相接近时，例如稀有气体在低温下形成单原子分子的分子晶体时，两个原子之间的距离的一半，就叫做**范德华半径**。

一般说来原子的金属半径比共价半径大些，这是因形成共价键时，轨道的重叠程度大些；而范德华半径的值总是较大，因为分子间力不能将单原子分子拉得很紧密。

在讨论原子半径的变化规律时，我们采用的是原子的共价半径，但稀有气体只能用范德华半径代替之。周期系中各元素的原子半径如表3-6所示。

(1) 原子半径在周期中的变化

在短周期中，从左到右随着原子序数的增加，原子核的电荷数增大，对核外电子的吸引力增强，使原子半径有变小的趋势；

表 3-6　原子半径(pm)

ⅠA	ⅡA	ⅢB	ⅣB	ⅤB	ⅥB	ⅦB		Ⅷ		ⅠB	ⅡB	ⅢA	ⅣA	ⅤA	ⅥA	ⅦA	0
H																	He
32																	93
Li	Be											B	C	N	O	F	Ne
123	89											82	77	70	66	64	112
Na	Mg											Al	Si	P	S	Cl	Ar
154	136											118	117	110	104	99	154
K	Ca	Sc	Ti	V	Cr	Mn	Fe	Co	Ni	Cu	Zn	Ga	Ge	As	Se	Br	Kr
203	174	144	132	122	118	117	117	116	115	117	125	126	122	121	117	114	169
Rb	Sr	Y	Zr	Nb	Mo	Tc	Ru	Rh	pd	Ag	Cd	In	Sn	Sb	Te	I	Xe
216	191	162	145	134	130	127	125	125	128	134	148	144	140	141	137	133	190
Cs	Ba		Hf	Ta	W	Re	Os	Ir	Pt	Au	Hg	Tl	Pb	Bi	Po	At	Rn
235	198		144	134	130	128	126	127	130	134	144	148	147	146	146	145	22

镧系元素：

La	Ce	Pr	Nd	Pm	Sm	Eu	Gd	Tb	Dy	Ho	Er	Tm	Yb	Lu
169	165	164	164	163	162	185	162	161	160	158	158	158	170	158

同时由于新填充的电子增大了电子间的排斥作用，使原子半径有变大的趋势，这是相互矛盾的因素。在外层电子未达到8电子的饱和结构之前，核电荷的增加占主导地位，故在同一周期中从左向右原子半径逐渐变小，只是最后一个稀有气体的原子半径大幅度增加，这主要是因为稀有气体的原子半径为范德华半径的缘故。在短周期中相邻元素的原子半径的减小幅度平均是10pm左右。

长周期中的主族元素的原子半径变化情况和短周期的情况相似，但其中的过渡元素的情况则有所不同。过渡元素原子中新增加的电子填充在次外层的 d 轨道上，对于决定原子半径大小的最外层电子来说，新增加的电子对其屏蔽作用较大。增加的核电荷被增加的电子中和掉的成分较大。因此，过渡元素的原子半径从左向右虽然也因核电荷的增大而减小，但减小的幅度却不同于短周期中的情况，相邻元素的原子半径的减小幅度平均是4pm左右。由于 d^{10} 电子分层对外层电子的斥力较大，对核电荷的屏蔽作用较强，所以电子充满 d 轨道时，原子半径又有所增加，类似的情况在超长周期的内过渡元素中也有，例如 f^7 和 f^{14} 时，原子半径有所增加。

在超长周期中，内过渡元素的原子半径的减小幅度更小，原因是新增加的电子填充在（$n-2$）f 分层中，使有效核电荷增加的更为缓慢。

(2) 镧系收缩

内过渡元素随着原子序数的增加，原子半径减小的幅度很小，例如镧系元素，从镧到镥半径共减小11pm，我们把这一现象称为镧系收缩。镧系收缩的存在，使镧系后面的各过渡元素的原子半径都相应缩小，致使第三过渡元素的原子半径没因电子层的增加而大于第二过渡元素的原子半径。这就决定了Zr与Hf、Nb与Ta、Mo与W等在性质上极为相似，分离很困难。镧系各元素之间，原子半径也极相近，故性质相似，分离也非常困难。

(3) 原子半径在同族中的变化

在同一主族中，从上到下虽然核电荷的增加有使原子半径减小的作用，但电子层的增加，电子数的增加是主要的因素，致使从上到下原子半径递增。副族元素的情况和主族有所不同。从上到下本应递增，但由于镧系收缩的影响，第六周期过渡元素的原子半径基本与第五周期过渡元素的原子半径相等。

3-2 电离能

使原子失去电子变成正离子，要消耗一定的能量以克服核对电子的引力。**使某元素一个基态的气态原子失去一个电子形成正一价的气态离子时所需要的能量，叫做这种元素的第一电离能。** 常用符号 I_1 表示元素的第一电离能。

从正一价离子再失去一个电子形成正二价离子时，所需要的能量叫做元素的第二电离能，元素也可以依次地有第三、第四、……电离能，分别用 I_2，I_3，I_4，……表示。元素的电离能可以从元素的发射光谱实验测得。

元素的第一电离能较为重要，I_1 越小表示元素的原子越容易失去电子，金属性越强。因此，I_1 是衡量元素金属性的一种尺度。表 3-7 中列出了周期表中各元素的第一电离能的数据。元素的第一电离能随着原子序数的增加呈明显的周期性变化，如图 3-24 所示。

电离能的大小，主要取决于原子核电荷、原子半径，以及原子的电子层结构。一般说来，如果电子层数相同（同一周期）的元素，核电荷越多，半径越小，原子核对外层的引力越大，因此不易失去电子，电离能就大；如果电子层数不同、最外层电子数相同（同一族）的元素，则原子半径越大，原子核对电子的引力越小，越易失去电子，电离能就小；电子层结构对电离能也有很大的影响，如各周期末尾的稀有气体的电离能最大，其部分原因是由于稀有气体元素的原子具有相对稳定的 8 电子结构的

表 3－7　元素的第一电离能($kJ \cdot mol^{-1}$)

ⅠA	ⅡA	ⅢB	ⅣB	ⅤB	ⅥB	Ⅶ		Ⅷ		ⅠB	ⅡB	ⅢA	ⅣA	ⅤA	ⅥA	ⅦA	0
																	He
H																	
																	2372
1312																	
Li	Be											B	C	N	O	F	Ne
520	900											801	1086	1402	1314	1681	2081
Na	Mg											Al	Si	P	S	Cl	Ar
496	738											578	787	1012	1000	1251	1521
K	Ca	Sc	Ti	V	Cr	Mn	Fe	Co	Ni	Cu	Zn	Ga	Ge	As	Se	Br	Kr
419	590	631	658	650	653	717	759	758	737	746	906	579	762	944	941	1140	1351
Rb	Sr	Y	Zr	Nb	Mo	Tc	Ru	Rh	Pd	Ag	Cd	In	Sn	Sb	Te	I	Xe
403	550	616	660	664	685	702	711	720	805	731	868	558	709	832	869	1008	1170
Cs	Ba	La	Hf	Ta	W	Re	Os	Ir	Pt	Au	Hg	Tl	Pb	Bi	Po	At	Rn
376	503	538	654	761	770	760	840	880	870	890	1007	589	716	703	812	912	1037

La	Ce	Pr	Nd	Pm	Eu	Gd	Tb	Dy	Ho	Er	Tm	Yb	Lu
538	528	523	530	536	547	592	564	572	581	589	597	603	524

(数据录自:James E，Huheey，Inorganic Chemistry：Principles of structure and reactivity，Second edition.)

缘故。

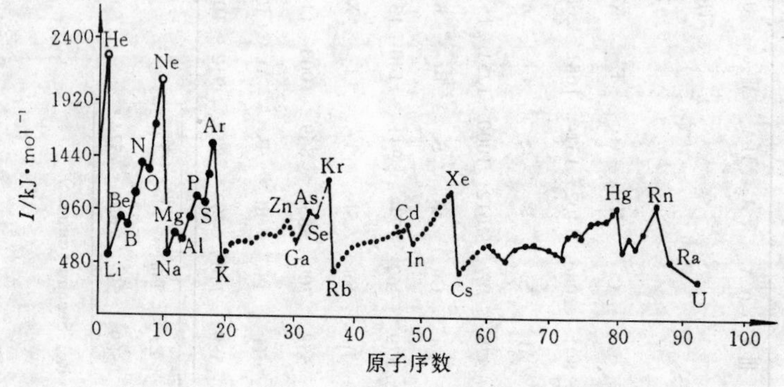

图 3－24　元素第一电离能的周期性变化

由表 3－7 可知，同一主族元素，从上到下随着原子半径的增大，元素的第一电离能依次减小。由此可知，各主族元素的金属性由上向下依次增强。副族元素的电离能变化幅度较小，而且不大规则。这是由于它们新增加的电子填入（$n-1$）d 轨道且（$n-1$）d 与 ns 轨道能量比较接近的缘故。副族元素中除ⅢB 族外，从上到下金属性一般有逐渐减小的趋势。

同一周期中，从左向右元素的第一电离能在总趋势上依次增加，其原因是原子半径依次减小而核电荷依次增大，因而原子核对外层电子的约束力变强。但是有些反常现象，从第二周期看，硼的第一电离能反而比铍的小些，氧的电离能又比氮的小些。这是由于硼的电子结构式为 $1s^2 2s^2 2p^1$，易失去 1 个 p 电子而达到 $2s^2$ 的稳定结构的缘故；同样氧的最外层有 $2s^2 2p^4$ 结构，易失去 1 个 p 电子而达到 $2p^3$ 的半充满的稳定结构。

电离能数据除了可以说明元素的金属活泼性之外，也可以说明元素呈现的氧化态。例如钠的第一电离能较小，为 496 kJ·mol^{-1}，而其第二电离能扩大数倍，为 4 562kJ·mol^{-1}，这说明钠只易于形成＋1 氧化态。镁的第一和第二电离能较低且相近，分别为 738kJ·mol^{-1}和 1451kJ·mol^{-1}，而第三电离能和第二电离能相比扩大了数倍，为 7733kJ·mol^{-1}，这表明镁易于形成+2氧化态。这一点可以清楚地从表 3-8 中看出。但是不管变化的幅度大小，总有第二电离能大于第一电离能，第三电离能大于第二电

离能，……。这一规律很容易从静电引力角度去理解。

表 3-8 短周期元素的电离能

原子序	元素符号	$\frac{I_1}{kJ\cdot mol^{-1}}$	$\frac{I_2}{kJ\cdot mol^{-1}}$	$\frac{I_3}{kJ\cdot mol^{-1}}$	$\frac{I_4}{kJ\cdot mol^{-1}}$	$\frac{I_5}{kJ\cdot mol^{-1}}$	$\frac{I_6}{kJ\cdot mol^{-1}}$
1	H	1312					
2	He	$\underline{2372}$	5250				
3	Li	520	$\underline{7298}$	11815			
4	Be	900	1757	$\underline{14849}$	21007		
5	B	801	2427	3660	$\underline{25026}$	32827	
6	C	1086	2353	4621	6223	$\underline{37830}$	47277
7	N	1402	2856	4578	7475	9445	$\underline{53266}$
8	O	1314	3388	5300	7469	10990	13326
9	F	1681	3374	6050	8408	11023	15164
10	Ne	$\underline{2081}$	3952	6122	9370	12178	15238
11	Na	496	$\underline{4562}$	6912	9544	13353	16610
12	Mg	738	1451	$\underline{7733}$	10540	13628	17995
13	Al	578	1817	2745	$\underline{11578}$	14831	18378
14	Si	787	1577	3232	4356	$\underline{16091}$	19785
15	P	1012	1903	2912	4957	6274	$\underline{21269}$
16	S	1000	2251	3361	4564	7013	8496
17	Cl	1251	2297	3822	5158	6540	9362
18	Ar	1521	2666	3931	5771	7238	8781

（数据录自：James E. Huheey，Inorgamic Chemistry：Principles of str-ucture and reactivity，second edition.）

3-3 电子亲合能

某元素的一个基态的气态原子得到一个电子形成气态负离子时所放出的能量叫该元素的电子亲合能。电子亲合能常用 E 表示，上述亲合能的定义实际上是元素的第一电子亲合能 E_1。与此相类似，可以得到第二电子亲合能 E_2 以及第三电子亲合能 E_3 的定义。非金属元素一般有较大的电离能，难于失去电子，但它有明显的得电子倾向。非金属元素的电子亲合能越大，表示其得电子的倾向越大即变成负离子的可能性越大。

电子亲和能的单位和电离能的单位一样，一般用 $kJ \cdot mol^{-1}$ 表示。例如

$$F(g) + e^- \longrightarrow F^-(g) \qquad E_1 = 322 kJ \cdot mol^{-1}$$

它表示 1mol 气态 F 原子得到 1mol 电子转变为 1mol 气态 F^- 时所放出的能量为 322kJ。

一般元素的第一电子亲合能为正值，表示得到一个电子形成负离子时放出能量，也有的元素的 E_1 为负值，表示得电子时要吸收能量，这说明这种元素的原子变成负离子很困难。元素的第二电子亲合能一般均为负值，说明由负一价的离子变成负二价的离子也是要吸热的。碱金属和碱土金属元素的电子亲合能都是负的，说明它们形成负离子的倾向很小，非金属性相当弱。电子亲合能是元素非金属活性的一种衡量标度。元素的电子亲合能的数据在表 3-9 中给出，电子亲合能难于测得，故表中数据不全，有的是计算值。

一般说来，电子亲合能随原子半径的减小而增大，因为半径小时，核电荷对电子的引力增大。因此，电子亲合能在同周期元素中从左向右呈增加趋势，而同族中从上到下呈减小的趋势。

从表 3-9 看到，ⅥA 族和ⅦA 族的第一种元素氧和氟的电子亲合能并非最大，而比同族中第二种元素的要小些。这种现象

表 3-9　元素的电子亲合能($kJ \cdot mol^{-1}$)

H															He
72.9															(-21)
Li	Be									B	C	N	O	F	Ne
59.8	(-240)									23	122	-58 -800* -1290**	141 -780*	322	(-29)
Na	Mg									Al	Si	P	S	Cl	Ar
52.9	(-230)									44	120	74	200.4 -590*	348.7	(-35)
K	Ca	Ti	V	Cr	Fe	Co	Ni	Cu	Zn	Ga	Ge	As	Se	Br	Kr
48.4	(-156)	(37.7)	(90.4)	63	(56.2)	(90.3)	(123.1)	123	(-87)	36	116	77	195 -420*	324.5	(-39)
Rb				Mo					Cd	In	Sn	Sb	Te	I	Xe
46.9				96					(-58)	34	121	101	190.1	295	(-40)
Cs	Ba	Ta		W	Re	Pt	Au			Tl	Pb	Bi	Po	At	Rn
45.5	(-52)	80		50	15	205.3	222.7			50	100	100	(180)	(270)	(-40)
Fr															
44.0															

未加括号的数据为实验值,加括号的数据为理论值,未带 * 的数据为第一电子亲合能,带 * 、* * 者分别为第二、第三电子亲合能。

(数据录自:James E. Huheey, Inorgamic chemistry: principles of structure and reactivity, second edition.)

的出现是因为氧和氟原子半径过小，电子云密度过高，以致当原子结合一个电子形成负离子时，由于电子间的互相排斥使放出的能量减少。而硫和氯原子半径较大，接受电子时，相互之间的排斥力较小，故电子亲合能在同族中是最大的。

3-4　元素的电负性

元素的电离能和元素的电子亲合能分别从一个方面反映了某

表 3-10　元素

H 2.2 2.20								
Li 0.98 0.97	Be 1.57 1.47							
Na 0.93 1.01	Mg 1.31 1.23							
K 0.82 0.91	Ca 1.00 1.04	Sc 1.36 1.20	Ti 1.54 1.32	V 1.63 1.45	Cr 1.66(Ⅱ) 1.56	Mn 1.55 1.6	Fe 1.83(Ⅱ) 1.96(Ⅲ) 1.64	Co 1.38(Ⅱ) 1.70
Rb 0.82 0.89	Sr 0.95 0.99	Y 1.22 1.1	Zr 1.33 1.22	Nb 1.6 1.23	Mo 2.16(Ⅱ) 2.24(Ⅳ) 2.35(Ⅵ) 1.30	Te 1.9 1.36	Ru 2.2 1.42	Rh 2.28 1.45
Cs 0.79 0.86	Ba 0.89 0.97	La 1.10—1.27 1.08—1.14	Hf 1.3 1.23	Ta 1.5 1.33	W 2.36 1.40	Re 1.9 1.46	Os 2.2 1.52	Ir 2.20 1.55

注：第一行数据是鲍林的电负性，第二行数据是阿莱-罗周的电负性数据。

（数据录自：James E. Huheey, Inorganic Chemistry: Principles of

元素的原子得失电子的能力，但在形成化合物时，元素的原子经常是既不失去电子，又不得到电子，如碳、氢等元素，电子只是在它们的原子间发生偏移。故只从电离能和电子亲合能的大小来判断元素的金属活性及非金属活性是有一定局限性的，应该把原子失去电子的难易与原子结合电子的难易统一起来考虑，这才能较好地说明在化合物中原子拉电子的能力的大小。**通常把原子在分子中吸引电子的能力叫做元素的电负性**。电负性概念首先是由

的电负性

							H 2.2 2.20	He 3.2
			B 2.04 2.01	C 2.55 2.50	N 3.04 3.07	O 3.44 3.50	F 3.98 4.20	N 5.1
			Al 1.61 1.47	Si 1.90 1.74	P 2.19 2.06	S 2.58 2.44	Cl 3.16 2.83	Ar 3.3
Ni 1.91(Ⅱ) 1.75	Cu 1.9(Ⅰ) 2.0(Ⅲ) 1.75	Zn 1.65 1.66	Ga 1.81 1.82	Ge 2.01 2.02	As 2.18 2.20	Se 2.55 2.48	Br 2.96 2.74	Kr 2.9 3.1
Pd 2.20 1.35	Ag 1.93 1.42	Cd 1.69 1.46	In 1.78 1.49	Sn 1.8(Ⅱ) 1.96(Ⅳ) 1.72	Sb 2.05 1.82	Te 2.1 2.01	I 2.66 2.21	Xe 2.6 2.4
Pt 2.28 1.44	Au 2.54 1.42	Hg 2.00 1.44	Tl 1.62(Ⅰ) 2.04(Ⅲ) 1.44	Pb 1.87(Ⅱ) 2.33(Ⅳ) 1.55	Bi 2.02 1.67	Po 2.0 1.76	At 2.2 1.90	Rn

structure and reactivity, second edition.)

鲍林在1932年提出的，电负性通常用 χ 表示。鲍林指定氟的电负性为4.0左右，依此通过对比求出其它元素的电负性，因此电负性是一个相对的数值。

1934年密立根（Mulliken）从元素的电离能 I 和电子亲合能 E 综合考虑，提出电负性的新的求法，

$$\chi = \frac{1}{2}(I + E)$$

这样计算所得的电负性数值为绝对的电负性数值。但由于电子亲合能的数据不完全，致使密立根的电负性在应用中受到一定限制。

1957年阿莱－罗周（Allred－Rochow）根据原子核对电子的静电引力计算出一套电负性数据。用 Z^* 表示有效核电荷，则原子核对电子的引力 F 为 $F = \frac{Z^* e^2}{r^2}$，电负性 χ 表示为

$$\chi = \frac{0.359 Z^*}{r^2} + 0.744$$

式中引入了两个常数。计算结果，电负性的值与鲍林的电负性数值吻合得很好。鲍林的电负性数据和阿莱－罗周的电负性数据汇列于表3－10中。本书讨论问题时一般采用鲍林的电负性数据。

根据电负性的大小，可以衡量元素的金属性和非金属性的强弱。一般说来，非金属的电负性大于金属的电负性。非金属元素的电负性一般在2.0以上，而金属的电负性一般在2.0以下。应注意的是元素的金属性与非金属性之间并没有严格的界限，因此电负性2.0做为金属元素与非金属元素的分界也不是绝对的。

由表3－10可以知道，元素的电负性也是呈周期性变化的。在同一周期中，从左到右电负性递增，元素的非金属性也逐渐增强；在同一主族中，从上到下电负性递减，元素的非金属性依次减弱。但是副族元素的电负性没有明显的变化规律，而且第三过渡元素比第二过渡元素的电负性大些。在周期表中，右上方的元

素氟，是电负性最大的元素，而左下方的铯则是电负性最小的元素。氟的非金属性最强而铯的金属性最强。

此外，还应指出，同一元素的不同氧化态可有不同的电负性值，例如 Fe^{2+} 和 Fe^{3+} 的电负性值分别为1.8 和 1.9，Cu^{+} 和 Cu^{2+} 的电负性值分别为1.9 和 2.0 等等。

习　题

1. 原子中电子的运动有何特点？几率与几率密度有何区别与联系？

2. 什么是屏蔽效应和钻穿效应？怎样解释同一主层中的能级分裂及不同主层中的能级交错现象？

3. 写出原子序数为 24 的元素的名称、符号及其基态原子的电子结构式，并用四个量子数分别表示每个价电子的运动状态。

4. 已知 M^{2+} 离子 $3d$ 轨道中有 5 个电子，试推出：(1) M 原子的核外电子排布；(2) M 原子的最外层和最高能级组中电子数；(3) M 元素在周期表中的位置。

5. 按斯莱脱规则计算 K，Cu，I 的最外层电子感受到的有效核电荷及相应能级的能量。

(2.20，3.70，7.60；-4.11eV，-11.64，-31.42eV)

6. 根据原子结构的知识，写出第 17 号、23 号、80 号元素的基态原子的电子结构式。

7. 画出 s，p，d 各原子轨道的角度分布图和径向分布图，并说明这些图形的含意。

8. 描述原子中电子运动状态的四个量子数的物理意义各是什么？它们的可能取值是什么？

9. 下列各组量子数哪些是不合理的，为什么？

(1) $n=2, l=1, m=0$　　(2) $n=2, l=2, m=-1$

(3) $n=3, l=0, m=0$　　(4) $n=3, l=1, m=1$

(5) $n=2, l=0, m=-1$　　(6) $n=2, l=3, m=2$

10. 下列说法是否正确？不正确的应如何改正？

(1) s 电子绕核运动，其轨道为一圆周，而 p 电子是走∞形的；

(2) 主量子数 n 为1时，有自旋相反的两条轨道；

(3) 主量子数 n 为 4 时，其轨道总数为 16，电子层电子最大容量为 32；

(4) 主量子数 n 为 3 时，有 $3s$，$3p$，$3d$ 三条轨道。

11. 将氢原子核外电子从基态激发到 $2s$ 或 $2p$，所需能量是否相等？若是氦原子情况又会怎样？

12. 通过近似计算说明，12 号、16 号、25 号元素的原子中，$4s$ 和 $3d$ 哪一能级的能量高？

13. 根据原子轨道近似能级图，指出下表中各电子层中的电子数有无错误，并说明理由。

元　素	K	L	M	N	O	P
19	2	8	9			
22	2	10	8	2		
30	2	8	18	2		
33	2	8	20	3		
60	2	8	18	18	12	2

14. 说明在同周期和同族中元素的原子半径的变化规，并讨论其原因。

15. 说明下列各对原子中哪一种原子的第一电离能高，为什么？

S 与 P　Al 与 Mg　Sr 与 Rb　Cu 与 Zn　Cs 与 An　Rn 与 At

16. 电子亲合能与原子半径之间有何规律性的关系？为什么有些非金属元素（如 F，O 等）却显得反常？

17. 什么是元素的电负性？电负性在同周期、同族元素中各有怎样的变化规律？

18. 若磁量子数 m 的取值有所变化，即 m 可取 0，1，2，…l 共 $l+1$ 个值，其余不变。那么周期表将排成什么样？按新周期表写出前 20 号元素中最活泼的碱金属元素，第一个稀有气体元素，第一个过渡元素的原子序数、元素符号及名称。

第四章　化学键与分子结构

从结构的观点来看，除稀有气体以外，其它原子都不是稳定的结构，因此，它们不可能以孤立的原子存在，而是以可以独立存在的分子形式存在。分子是参与化学反应的基本单元，物质的性质主要决定于分子的性质，而分子的性质又是由分子的内部结构所决定的。因此探索分子的内部结构就成为结构化学研究的重要课题，它对于了解物质的性质和化学反应规律具有重要的意义。

所谓分子的结构包含如下的内容：分子中原子间的强相互作用力（大于 $40kJ\cdot mol^{-1}$）即化学键问题；分子（或晶体）的空间构型（即几何形状）问题；分子与分子之间存在的一种较弱的相互作用力，即分子间力（或范德华力）问题；分子的结构与物质的物理、化学性质的关系等。

物质的分子是由原子组成的，原子之间所以能结合成分子，说明原子之间存在着相互作用力。通常把分子中的两个（或多个）原子之间的强相互作用，称为化学键。19 世纪初原子分子学说的建立，人们已经了解到 2 个氢原子能结合成 1 个氢分子，1 个氢原子与 1 个氯原子能结合成 1 个氯化氢分子，1 个氧原子与 2 个氢原子能结合成一个水分子，而且原子之间的化合总是按一定的比例进行的。那么这些元素的原子间为什么能化合？为什么总是按一定的比例化合？促使各元素的原子相互化合的作用力（即化学键）的本性是什么？当时人们是不清楚的。直至 19 世纪末，电子的发现和近代原子结构理论的建立以后，对化学键的本质才获得较好的阐明。

1916年德国化学家科塞尔（Kossel），根据稀有气体具有稳定结构的事实提出了离子键理论，他认为不同的原子间相互化合时，它们都有达到稀有气体稳定结构的倾向，首先形成正、负离子，并通过静电吸引作用结合而形成化合物。离子键理论比较简单明了，它能说明离子型化合物如NaCl等的形成，但它不能说明H_2，O_2，N_2等由相同原子组成的分子的形成。1916年美国化学家路易斯（G. N. Lewis）提出了共价键理论，他认为分子的形成是由原子间共享电子对的结果。路易斯的共价理论成功地解释了由相同原子组成的分子如H_2，O_2，N_2等的形成。但是根据当时的电磁知识，还很难解释为什么两个原子共享一对（或几对）电子就能结合成稳定的分子。直到1927年海特勒（Heitler）和伦敦（London）把量子力学的成就应用到最简单的H_2分子上时，才使这个问题获得初步的解答。

本章将在原子结构的基础上，重点讨论分子的形成过程以及有关化学键理论，如离子键理论、共价键理论（包括：电子配对法、杂化轨道理论，价层电子对互斥理论、分子轨道理论）以及金属键能带理论等。同时对分子间作用力、氢键以及分子的结构与物质的性质之间的关系等也作简略的介绍。

§4-1 离子键理论

活泼金属原子与活泼的非金属原子所形成的化合物如NaCl，KCl，CsCl，MgO，CaO等，通常都是离子型化合物。它们的特点是：在一般情况下，主要以晶体的形式存在，它们具有较高的熔点和沸点，在熔融状态或溶于水后其水溶液均能导电。为了说明这类化合物的键合情况，从而阐明结构和性质的关系，人们提出了离子键理论。

1-1 离子键的形成

根据近代观点，离子型化合物之所以在熔融或溶解状态下能导电，这是因为这类化合物中存在电荷相反的正、负离子。离子键理论认为：

(1) 当电负性小的活泼金属原子与电负性大的活泼非金属原子相遇时，它们都有达到稳定结构的倾向，由于两个原子的电负性相差较大，因此它们之间容易发生电子的得失而产生正、负离子。

(2) 所谓稳定结构，对于主族元素来讲它们所生成的离子多数都具有稀有气体结构，即 p 轨道为全充满状态。如钠和氯原子相遇时，钠（$3s^1$）失去一个电子而成带一个正电荷的钠离子 Na^+（$2s^2 2p^6$），氯（$3s^2 3p^5$）获得一个电子而成带一个负电荷的氯离子 Cl^-（$3s^2 3p^6$）。对于过渡元素来讲，它们所生成的离子 d 轨道一般都处于半充满状态。如在 FeF_3、MnF_2 中 Fe^{3+} 离子和 Mn^{2+} 离子的 $3d$ 轨道都处于半充满（$3d^5$）状态。但是过渡元素的 s 和 d 轨道能量相近例外者很多。

(3) 原子间发生电子的转移而形成具有稳定结构的正、负离子时，从能量的角度上看，一定会有能量的吸收和放出，而且新体系的能量一般也是最低的。如 1mol 气态钠原子失去电子，形成 1mol 气态钠离子时，要吸收能量，即 I_1 为 $496 kJ \cdot mol^{-1}$；1mol 气态氯原子结合电子，形成 1mol 气态氯离子时，会释放能量，即 E 为 $348.7 kJ \cdot mol^{-1}$。氯原子获得电子所释放的能量并不能补偿钠原子失去电子时所需要的能量，似乎钠原子同氯原子反应是一种吸热过程。事实上，气态钠原子和气态氯原子生成气态 NaC 时，放出能量为 $-450 kJ \cdot mol^{-1}$。这说明钠离子（Na^+）和氯离子（Cl^-）之间存在相当强的作用力。这种作用力既包含正负离子间的引力也有外层电子之间和原子核间的排斥力。根据库仑定律，两个距离为 R 的电荷相反的正负离子的势能 V 为：

$$V_{吸引} = \frac{-q^+ \cdot q^-}{4\pi\varepsilon_0 R} \tag{4-1}$$

式中 q^+，q^- 分别为 1 个正电荷和负电荷所带的电量（即为 1.60×10^{-19} C)。但由于当正负离子相当接近时，它们电子云之间将产生排斥作用，这种排斥作用在 R 较大时可忽略不计，（因为 R 较大时，主要表现为吸引作用）；当 R 达到小于平衡距离 R_0 后，则排斥作用的势能迅速增大。波恩与梅尔从量子力学观点指出这种排斥作用的势能可用指数形式表示：

$$V_{\text{排斥}} = Ae^{-R/\rho} \tag{4-2}$$

式中 A 和 ρ 为常数。因此正、负离子间的总势能与距离 R 的关系如下：

$$V_{\text{总势能}} = V_{\text{吸收}} + V_{\text{排斥}} = \frac{-q^{+}q^{-}}{4\pi\varepsilon_0 R} + Ae^{-R/\rho} \tag{4-3}$$

正负离子间的总势能与 R 的关系也可用势能曲线（如图 4－1)表示。

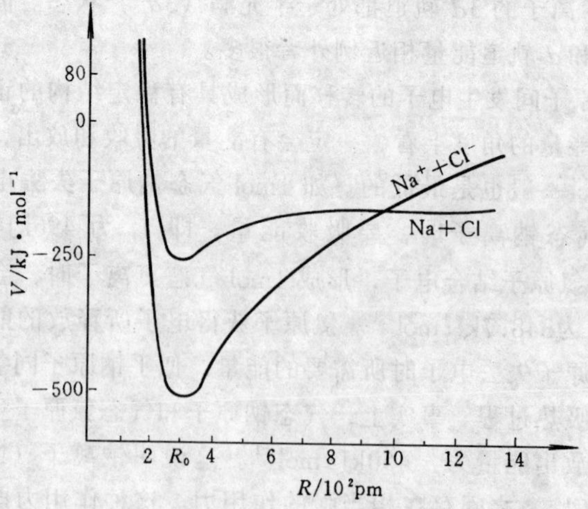

图 4－1　NaCl 的势能曲线

由图 4－1NaCl 的势能曲线可知，当正、负离子相互接近时，在 R 较大时，由于电子云之间的排斥作用可忽略，这时主要表现为吸引作用，所以体系的能量随着 R 的减小而降低。当正负离子接近到小于平衡距离 R_0，即 $R < R_0$ 时，电子云之间

的排斥作用上升为主要作用，这时体系的能量突然增大。只有当正、负离子接近到平衡距离 R_0（即 $R=R_0$）时，吸引作用与排斥作用才达到暂时的平衡，这时正、负离子处于平衡位置附近振动，体系的能量降到最低点。这说明正负离子之间，形成了稳定的化学键（即离子键）。

以 NaCl 为例离子键形成的过程可简单表示如下：

$$n\mathrm{Na}\ (3s^1) \xrightarrow{-ne^-} n\mathrm{Na}^+\ (2s^2 2p^6) \searrow$$

$$n\mathrm{NaCl}$$

$$n\mathrm{Cl}\ (3s^2 3p^5) \xrightarrow{+ne^-} n\mathrm{Cl}^-\ (3s^2 3p^6) \nearrow$$

这种由原子间发生电子的转移，形成正、负离子，并通过静电作用而形成的化学键就叫离子键。生成离子键的条件是原子间电负性相差较大，一般要大于 2.0 左右。由离子键形成的化合物叫做离子型化合物。例如碱金属和碱土金属（Be 除外）的卤化物是典型的离子型化合物。

1-2　离子键的特点

(1) 离子键的本质是静电作用力

离子键是由原子得失电子后，形成的正、负离子之间通过静电吸引作用而形成的化学键。在离子键的模型中，可以近似地将正、负离子的电荷分布看为球形对称的。根据库仑定律，两种带相反电荷（q^+ 和 q^-）的离子间的静电引力 f 与离子电荷的乘积成正比，而与离子间距离 R 的平方成反比。

$$f=\frac{q^+ q^-}{R^2} \tag{4-4}$$

由此可见，当离子的电荷越大，离子间的距离越小（在一定的范围内），则离子间的引力越强。离子键的强度一般用晶格能 U 来表示（见 1-5 节）。

(2) 离子键没有方向性

由于离子键是由正、负离子通过静电吸引作用结合而成，而离子是带电体，它的电荷分布是球形对称的，因此只要条件许可，它可以在空间各个方向上施展其电性作用，也就是说，它可以在空间任何方向与带有相反电荷的离子互相吸引。例如在氯化钠晶体中，每个 Na^+ 离子周围等距离地排列着 6 个 Cl^- 离子，每个 Cl^- 离子也同样等距离地排列着 6 个 Na^+ 离子。这说明离子并非只在某一方向，而是在所有方向上都可与带相反电荷的离子发生电性吸引作用。所以说离子键是没有方向性的。

(3) 离子键没有饱和性

由于每一个离子可以同时与多个带相反电荷的离子互相吸引，那么，在氯化钠晶体中，在钠离子（或氯离子）的周围只排列着 6 个相反电荷的氯离子（或钠离子）是否意味着它们的电性作用达到饱和了呢？实际上在氯化钠晶体中，钠离子（或氯离子）周围只排列了 6 个最接近的带相反电荷的氯离子（或钠离子），这是由正、负离子半径的相对大小、电荷多少等因素决定的，但这并不说明每个被 6 个 Cl^-（或 Na^+）离子包围的 Na^+（或 Cl^-）离子的电场已达饱和，因为在这 6 个 Cl^-（或 Na^+）离子之外，无论是在什么方向上或什么距离处，如果再排列有 Cl^-（或 Na^+）离子，则它们同样还会感受到该相反电荷的 Na^+（或 Cl^-）离子的电场的作用，只不过是距离较远，相互作用较弱罢了。所以离子键是没有饱和性的。

(4) 键的离子性与元素的电负性有关

离子键形成的重要条件是相互作用的原子的电负性差值较大。一般元素的电负性差越大，它们之间键的离子性也就越大。在周期表中，碱金属的电负性较小，卤素的电负性较大，它们之间相化合时形成的化学键是离子键。但是近代实验表明，即使电负性最小的铯与电负性最大的氟形成的最典型的离子型化合物氟化铯中，键的离子性也不是百分之百的，而只有 92% 的离子性。也就是说，它们离子间也不是纯粹的静电作用，而仍有部分原子轨道的重叠，即正、负离子之间的键仍约有 8% 的共价性。通常我们可以用离子性百分数来表示键的离子性和共价性的相对大小。对于AB型化合物单键离子性百分数和两原子电负性差值($\chi_A-\chi_B$)之间的关系如表4-1所示。

表4-1 单键的离子性百分数与电负性差值之间的关系

$\chi_A-\chi_B$	离子性百分比(%)	$\chi_A-\chi_B$	离子性百分比(%)
0.2	1	1.8	55
0.4	4	2.0	63
0.6	9	2.2	70
0.8	15	2.4	76
1.0	22	2.6	82
1.2	30	2.8	86
1.4	39	3.0	89
1.6	47	3.2	92

数据引自：L. Pauling. &. P. Pauling, Chemistry, Freemanand Company, San Francisco, (1975).

从表4-1可知，当两个原子电负性差值为1.7时，单键约具有50%的离子性，这是一个重要的参考数据。若两个原子电负性差值大于1.7时，可判断它们之间形成离子键，该物质是离子型化合物，如果两个原子电负性差值小于1.7，则可判断它们之间主要形成共价健，该物质为共价化合物。例如钠的电负性为0.93,氯的电负性为3.16,两原子的电负性差值为2.23，当它们互相结合成NaCl时，其键的离子性百分数约为71%。因此可判断氯化钠中钠离子与氯离子之间主要是形成离子键，氯化钠为离子型化合物。

1-3 离子的特征

离子型化合物的性质与离子键的强度有关，而离子键的强度又与正、负离子的性质有关，因此离子的性质在很大程度上决定着离子型化合物的性质。一般离子具有三个重要的特征：离子的电荷、离子的电子层构型和离子半径。

(1) 离子的电荷

从离子键的形成过程可知，正离子的电荷数就是相应原子失去的电子数；负离子的电荷数就是相应原子获得的电子数。那么究竟原子能失掉或获得几个电子呢?

实验数据和理论计算表明：稀有气体的原子结构是比较稳定的。例如 Na 原子的电子层构型为 $1s^2 2s^2 2p^6 3s^1$，它失去一个电子变为 Na^+ 离子，这时只需花费 496kJ·mol^{-1} 的能量。而 Na^+ 离子的电子层构型（$1s^2 2s^2 2p^6$）是稳定的稀有气体氖的结构，若要再失去 1 个电子变成 $1s^2 2s^2 2p^5$，则需要消耗能量高达 4 562kJ·mol^{-1}。因此 Na 原子通常易失去 1 个电子形成带 1 个正电荷的 Na^+ 离子。一般在周期系中ⅠA 和ⅡA 族的典型金属元素与ⅦA 族典型的非金属元素都有达到稳定的稀有气体原子结构的倾向。例如，第ⅠA 族的碱金属元素，它们最外电子层的构型是 ns^1，在化合时易失去 1 个电子达到稳定的 8 电子构型（或氦原子的 2 电子构型），从而形成带 1 个正电荷的 M^+ 离子。第ⅡA 族的碱土金属元素，它们最外电子层的构型是 ns^2。在化合时易失去 2 个电子达到稳定的 8 电子构型（或氦原子的 2 电子构型），从而形成带 2 个正电荷的 M^{2+} 离子。第ⅦA 族的卤族元素，它们最外层的电子构型是 $ns^2 np^5$，只要接受 1 个电子就达到稳定的 8 电子构型。因此，卤素在化合时易形成带 1 个负电荷的 X^- 离子。在离子型化合物中，正离子的电荷通常多为 +1，+2，最高为 +3或 +4，更高电荷的正离子是不存在的；负离子的电荷为 -3 或 -4 的多数为含氧酸根或配合离子。

(2) 离子的电子层构型

原子究竟能形成何种电子层构型的离子，除决定于原子本身的性质和电子层构型本身的稳定性外，还与其相作用的其它原子或分子有关。一般简单的负离子（如 F^-，Cl^-，O^{2-} 等）其最外层都具有稳定的 8 电子结构，然而对于正离子来说，情况比较复杂，除了8电子结构外，还有其它多种构型。离子的电子层构型大致有如下几种：

① 2电子构型：最外层为2个电子的离子，如 Li^+，Be^{2+} 等。

② 8电子构型：最外层为8个电子的离子，如 Na^+，Cl^-，O^{2-} 等。

③ 18电子构型：最外层为18个电子的离子，如 Zn^{2+}，Hg^{2+}，Cu^+，Ag^+ 等。

④ (18+2) 电子构型：次外层为18电子、最外层为2个电子的离子，如 Pb^{2+} 和 Sn^{2+} 等。

⑤ 8—18电子构型：最外层的电子为8—18之间的不饱和结构的离子，如 Fe^{2+}，Cr^{3+}，Mn^{2+} 等。

离子的电子层构型同离子间的作用力，即同离子键的强度有密切的关系。一般来讲，在离子的电荷和半径大致相同的条件下，不同构型的正离子对同种负离子的结合力的大小可有如下经验规律：

8电子层构型的离子 < 8—17电子层构型的离子 < 18或18+2电子层构型的离子

这是因为内层电子（d 电子）比 s 和 p 电子对原子核正电荷有较大的屏蔽作用的缘故，这种关系必影响到化合物的性质。例如，碱金属和铜分族，它们最外层有1个电子，都能形成+1价离子，如 Na^+，K^+，Cu^+，Ag^+，但由于它们的电子层构型不同，Na^+ 和 K^+ 为8电子层构型的离子，而 Cu^+ 和 Ag^+ 为18电子层构型的离子，因此它们的化合物（如氯化物）的性质就有明显的差别。NaCl 易溶于水，而 CuCl 和 AgCl 则难溶于水。

(3) 离子半径

离子半径是离子的重要特征之一。从电子云分布情况看，每种原子或离子中的电子，一方面相当集中地分布在靠近原子核的区域内，同时又几乎分散在整个原子核外的空间，因此严格地讲，原子半径和离子半径这个概念没有确定的含义。由于原子核外电子不是沿固定的轨道运动，因此原子或离子的半径是无法严格确定的。但是当正离子 A^+ 和负离子 B^- 通过离子键而形成 AB 型离子晶体时，正、负离子间存在静电吸引力和核外的电子与电子之间以及原子核与原子核之间的排斥力。当这种吸引作用和排斥作用达平衡时，使正、负离子间保持着一定的平衡距离，这个距离叫核间距，结晶学上常以符号 d 表示。核间距可用 X－射线衍射法测得，从这个数值可计算离子（或原子）半径的大小，更确切地说是离子（或原子）的作用范围的大小。

如果近似地将构成 AB 型离子晶体的质点 A^+ 和 B^- 看作是两个互相接触的球体，则核间距 d 就等于两个球体的半径之和。如图 4－2 所示。

$$d = r_1 + r_2$$

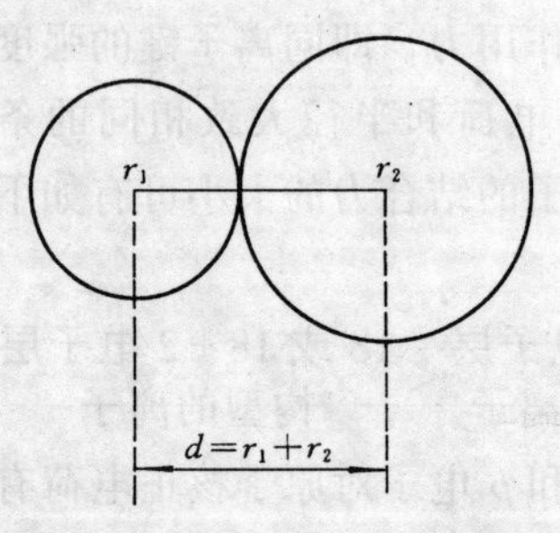

图 4－2　正负离子半径与核间距的关系

若已测知核间距 d，又知其中一种离子的半径 r_1，则可求得 r_2。

$$r_2 = d - r_1$$

但是，实际上如何划分核间距 d 为两个离子的半径，这是一个很复杂的问题，因为在晶体中正负离子并不是相互接触的，而是保持着一定的距离的。因此这样测得的半径应看作是有效的离子半径，即 A^+ 与 B^- 在相互作用时所表现的半径。通常简称为离子半径。

1926 年哥德希密特（Goldschmidt）以瓦萨斯耶那（Wasastjerna）用光学法测得的 F^- 离子的半径（133pm）和 O^{2-} 离子的半径（132pm）为基础，根据测得的各种离子晶体的核间距数据，用上述方法推算出 80 多种离子的半径。例如，用 X－射线衍射法测得 MgO 晶体的核间距 d 为 210pm，NaF 晶体的核间距 $d = 231$pm，从而可求得 Mg^{2+} 和 Na^+ 离子的半径。

$$r_{Mg^{2+}} = d_{MgO} - r_{O^{2-}} = 210\text{pm} - 132\text{pm} = 78\text{pm}$$

$$r_{Na^+} = d_{NaF} - r_{F^-} = 231pm - 133pm = 98pm$$

推算离子半径的方法很多，目前最常用的方法是1927年鲍林从核电荷数和屏蔽常数推算出的一套离子半径。鲍林考虑到离子的大小取决于最外层电子的分布，对于相同电子层构型的离子其半径大小与作用于这些最外层电子上的有效核电荷成反比。即：

$$r = \frac{c_n}{Z - \sigma} \tag{4-5}$$

式中 Z 为核电荷、σ 为屏蔽常数，$Z-\sigma$ 为有效核电荷数，c_n 为一取决于最外电子层的主量子数 n 的常数。

鲍林同时考虑到配位数（离子周围直接联结的异电荷的离子数）、几何构型等其它因素的影响，他认为配位数为6的 O^{2-} 离子的半径为140pm更合理些。哥德希密特和鲍林的离子半径数据如表4-2所示。本书主要采用鲍林的离子半径数据。

应该指出，一般离子半径数据是以配位数为6的NaCl型为标准，但随着晶体构型的不同、配位数不同，正负离子中心距离也将不同，因此对于其它构型的离子半径应作一定的校正。当配位数为12，8，4时，这些数据应分别乘以1.12，1.03和0.94。

桑诺（R. D. Shanon）等归纳整理实验测定的上千个氧化物、氟化物中正、负离子核间距的数据，并假定正、负离子半径之和等于离子间的距离，同时考虑配位数、几何构型和电子自旋等对离子半径的影响，他们以鲍林提出的配位数为6的 O^{-2} 离子的半径为140pm和 F^- 离子的半径为133pm为出发点，用哥德希密特方法划分离子间距离为离子半径，经过多次修正，又提出了一套较完整的离子半径数据。（参看R. D. Shanon，Acta Cryst. 1976，A32，751.）

离子半径大致有如下的变化规律：

（*a*）在周期表各主族元素中，由于自上而下电子层数依次增多，所以具有相同电荷数的同族离子的半径依次增大。例如

$$Li^+ < Na^+ < K^+ < Rb^+ < Cs^+;$$

表 4-2 哥德希密德（Goldschmidt）和鲍林（Pauling）离子半径

离　子	G，r/pm	P，r/pm	离　子	G，r/pm	P，r/pm
H^-	—	208	Mn^{2+}	91	80
Li^+	70	60	Mn^{4+}	52	—
Be^{2+}	34	31	Mn^{7+}	—	46
B^{3+}	—	20	Fe^{2+}	83	75
C^{4-}	—	260	Fe^{3+}	67	60
C^{4+}	20	15	Co^{2+}	82	72
N^{3-}	—	171	Co^{3+}	65	—
N^{3+}	16	—	Ni^{2+}	78	70
N^{5+}	15	11	Cu^+	—	96
O^{2-}	132	140	Cu^{2+}	72	—
F^-	133	136	Zn^{2+}	83	74
Na^+	98	95	Ga^{3+}	62	62
Mg^{2+}	78	65	Ge^{2+}	65	—
Al^{3+}	55	50	Ge^{4+}	55	53
Si^{4-}	198	271	As^{3-}	191	222
Si^{4+}	40	41	As^{3+}	69	47
P^{3-}	186	212	Se^{2-}	193	198
P^{3+}	44	—	Se^{6+}	35	42
P^{5+}	35	34	Br^-	196	195
S^{2-}	182	184	Br^{5+}	47	—
S^{4+}	37	—	Br^{7+}	—	39
S^{6+}	30	29	Rb^+	149	148
Cl^-	181	181	Sr^{2+}	118	113
Cl^{5+}	34	—	Y^{3+}	95	93
Cl^{7+}	—	26	Zr^{4+}	80	80
K^+	133	133	Nb^{5+}	—	70
Ca^{2+}	105	99	Mo^{6+}	65	62
Sc^{3+}	83	81	Tc^{7+}	56	—
Ti^{3+}	75	69	Ru^{4+}	65	—
Ti^{4+}	64	68	Rh^{4+}	65	—
V^{2+}	88	66	Pd^{2+}	80	—
V^{5+}	—	59	Pd^{4+}	65	—
Cr^{3+}	65	64	Ag^+	113	126
Cr^{6+}	36	52	Ag^{2+}	89	—

续表

离子	G，r/pm	P，r/pm	离子	G，r/pm	P，r/pm
Cd^{2+}	99	97	Os^{4+}	88	—
In^{3+}	92	81	Os^{6+}	69	—
Sn^{2+}	102	—	Ir^{4+}	66	—
Sn^{4+}	74	71	Pt^{2+}	106	—
Sb^{3-}	208	245	Pt^{4+}	92	—
Sb^{3+}	90	—	Au^{+}	—	137
Sb^{5+}	—	62	Au^{3+}	85	—
Te^{2-}	212	221	Hg_2^{2+}	127	—
Te^{4+}	89	—	Hg^{2+}	112	110
Te^{3+}	—	56	Tl^{+}	149	144
I^{-}	220	216	Tl^{3+}	105	95
I^{5+}	94	—	Pb^{2+}	132	121
I^{7+}	—	50	Pb^{4+}	84	84
Cs^{+}	170	169	Bi^{3+}	120	—
Ba^{2+}	138	135	Bi^{5+}	—	74
La^{3+}	115	—	Po^{6+}	67	—
Hf^{4+}	86	—	At^{7+}	62	—
Ta^{5+}	73	—	Fr^{+}	180	—
W^{6+}	65	—	Ra^{2+}	142	—
Re^{7+}	56	—			

数据引自：①物质结构简明教程，高等教育出版社，1965年版。

②Weast：Handbook of Chemistry and Physics，1970—1971，第51版。

$$F^- < Cl^- < Br^- < I^-。$$

(*b*) 在同一周期中主族元素随着族数递增，正离子的电荷数增大，离子半径依次减小。如：$Na^+ > Mg^{2+} > Al^{3+}$。

(*c*) 若同一元素能形成几种不同电荷的正离子时，则高价离子的半径小于低价离子的半径。例如：

$$r_{Fe^{3+}}\ (60pm) < r_{Fe^{2+}}\ (75pm)$$

(*d*) 负离子的半径较大，约为130—250pm，正离子的半径较小，约为10—170pm。

（*e*）周期表中处于相邻族的左上方和右下方斜对角线上的正离子半径近似相等。例如：

Li^+ （60pm）～Mg^{2+} （65pm）；

Sc^{3+} （81pm）～Zr^{4+} （80pm）；

Na^+ （95pm）～Ca^{2+} （99pm）。

由于离子半径是决定离子间引力大小的重要因素，因此离子半径的大小对离子化合物性质有显著影响。离子半径越小离子间的引力越大，要拆开它们所需的能量就越大，因此离子化合物的熔沸点也就越高。

1-4 离子晶体

由离子键形成的化合物叫做离子型化合物。离子型化合物虽然在气态可以形成离子型分子，如 LiF 蒸气中存在由一个 Li^+ 离子和一个 F^- 离子组成的独立 LiF 分子，但离子型化合物主要还是以晶体状态出现，如氯化铯和氯化钠晶体，它们都是由正离子与负离子通过离子键结合而成的晶体，统称为离子晶体。

(1) 离子晶体的特性

应用 X-射线研究晶体的结构表明：在离子晶体中，组成晶体的正负离子在空间呈有规则的排列，而且隔一定距离重复出现，有明显的周期性。这种排列情况在结晶学上称为结晶格子，简称为晶格。图 4-3（*a*）是氯化铯晶格的示意图，由图可见每个铯离子被八个氯离子所包围，同样每个氯离子也被八个铯离子所包围。晶体中最小的重复单位（平行六面体）叫晶胞，图4-3（*b*）是氯化铯晶胞的示意图。(参看第二章§2-3)

在离子晶体中，质点间的作用力是静电作用力，即正负离子是通过离子键结合在一起的，由于正负离子间的静电作用力较强，所以离子晶体一般具有较高的熔点、沸点和硬度，如表4-3所示。

由表4-3的数值可知，离子的电荷愈高、半径愈小（核间

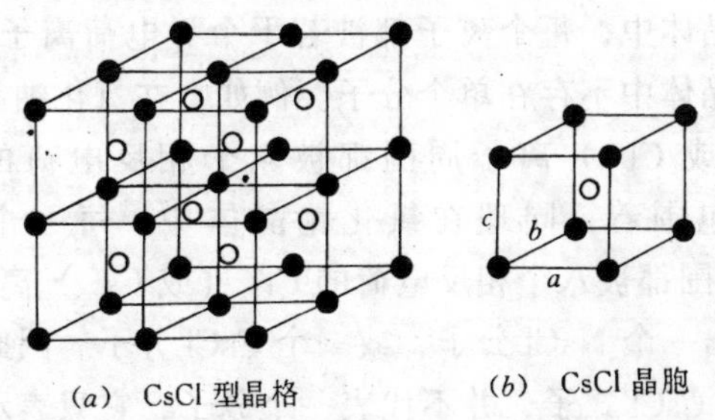

图 4-3 氯化铯型晶格和晶胞示意图（● 代表 Cl^-，○ 代表 Cs^+）

表 4-3 一些离子化合物的熔点和沸点

物 质	NaCl	KCl	CaO	MgO
熔点/K	1074	1041	2845	3073
沸点/K	1686	1690	3123	3873

距愈小）静电作用力越强，熔点也就愈高。

离子晶体的硬度虽大，但比较脆，延性展性较差。这是由于在离子晶体中，正、负离子交替地规则排列，当晶体受到冲击力时，各层离子位置发生错动，使吸引力大大减弱而易破碎。如图 4-4 所示。

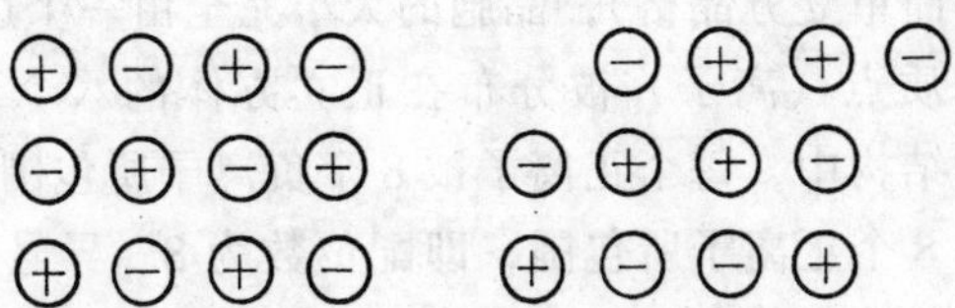

图 4-4 离子晶体的错动

离子晶体不论在熔融状态或在水溶液中都具有优良的导电性，但在固体状态，由于离子被限制在晶格的一定位置上振动，因此几乎不导电。

在离子晶体中，每个离子都被若干个异电荷离子所包围着，因此在离子晶体中不存在单个分子。例如，在氯化钠晶体中，每一个 Na^+（或 Cl^-）离子周围都被六个相反电荷的 Cl^-（或 Na^+）离子包围着，同理在氯化铯晶体中，每一个 Cs^+（或 Cl^-）离子周围都被八个相反电荷的 Cl^-（或 Cs^+）离子包围着，并不能划分出一个 NaCl 分子，或一个 CsCl 分子。因此，通常书写的 NaCl 或 CsCl 式子，并不代表一个分子，它只表示在氯化钠或氯化铯晶体中，Na^+ 与 Cl^- 离子或 Cs^+ 与 Cl^- 离子的个数比例为 1∶1。所以严格说来 NaCl 或 CsCl 式子不能叫分子式，而只能叫化学式（或最简式）。如果一定要保留“分子”概念，那么可以认为整个晶体就是一个巨型分子。

(2) 离子晶体的类型

离子晶体中，正、负离子在空间的排布情况不同，离子晶体的空间结构也不同。晶体的结构可用 X－射线衍射法分析测定。由于晶胞是晶体结构的基本重复单位，因此了解晶胞的状态、大小和组成（离子种类及位置分布），也就可了解相应晶体的空间结构。对于最简单的 AB 型离子化合物来说，它有如下几种典型的晶体结构类型：

(*a*) CsCl 型晶体如图 4－5（*a*）所示，它的晶胞的形状是正立方体（属简单立方晶格），晶胞的大小完全由一个边长来确定，组成晶体的质点（离子）被分布在正立方体的八个顶点和中心上。在这种结构中，每个正离子被 8 个负离子所包围，同时每个负离子也被 8 个正离子所包围，即配位数为 8。异号离子间的距离（d）可根据几何位置计算，即 $d = 0.5\,a\sqrt{3} = 0.866a$（$a$ 是立方体的边长），对于 CsCl 晶体来说，$a = 411\text{pm}$，$d = 356\text{pm}$。此外，CsBr（$a = 429\text{pm}$），CsI（$a = 456\text{pm}$）等晶体都属于 CsCl 型。

(*b*) NaCl 型晶体，如图 4－5（*b*）所示，它是 AB 型离子化合物中最常见的晶体构型。它的晶胞形状也是立方体（属立方面

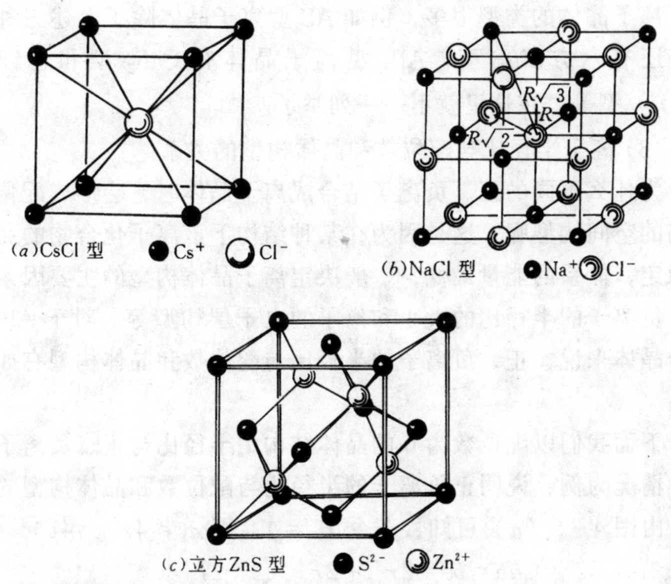

图 4-5　AB 型离子化合物的三种晶体结构类型

心晶格），但质点的分布与 CsCl 型不同，每个离子被 6 个相反电荷的离子以最短的距离（$d = 0.5a$）包围着，即配位数为 6。对于 NaCl 晶体来说，a = 562pm，d = 281pm。此外，LiF（a = 402pm），CsF（a = 601pm），NaI（a = 646pm）等晶体都属于 NaCl 型。

（c）立方 ZnS 型　（闪锌矿型），如图 4-5（c）所示。它的晶胞形状也是立方体（属立方面心晶格），但质点的分布更复杂些。由图 4-5（c）可看出，负离子（S^{2-}）是按面心立方密堆积排布，而 Zn^{2+} 离子均匀地填充在一半四面体的空隙中，正负离子的配位数都是 4，异号离子间的距离 $d = 0.433\,a$。对于 ZnS 晶体来说，a = 539pm，d = 233pm。此外 ZnO 和 HgS 等晶体也都属于 ZnS 型。

离子晶体的类型很多，例如AB型离子晶体除了上述三种构型外还有六方ZnS型，AB_2型离子晶体有CaF_2型和金红石（TiO_2）型等，在这里就不一一列举了。

(3) 离子半径比与配位数和晶体构型的关系

为什么不同的正、负离子结合成离子晶体时，会形成配位数不同的空间构型呢？这是因为在某种结构下该离子化合物的晶体最稳定，体系的能量最低，一般决定离子晶体构型的主要因素有正、负离子的半径比的大小和离子的电子层构型等。对于AB型离子晶体来说，正、负离子的半径比与配位数和晶体构型有如下关系。

下面我们以配位数为6的晶体结构中半径比与正、负离子的接触情况为例，说明正负离子的半径比与配位数和晶体构型的关系。由图4-6（a）可知，若令$r^-=1$，则$ac=4r^-=4$；

$$ab=bc=2r^-+2r^+=2+2r^+。$$

表4-4　AB型化合物的离子半径比与配位数和晶体构型的关系

半径比 r^+/r^-	配位数	晶体构型	实　例
0.225—0.414	4	ZnS型	ZnS, ZnO, BeO, BeS, CuCl, CuBr等。
0.414—0.732	6	NaCl型	NaCl, KCl, NaBr, LiF, CaO, MgO, CaS, BaS等。
0.732—1	8	CsCl型	CsCl, CsBr, CsI, Tl NH_4Cl, TlCN等。

又因为△abc为直角三角形，所以

$$\overline{ac^2}=\overline{ab^2}+\overline{bc^2}$$

$$4^2 = 2(2 + 2r^+)^2$$

$$r^+ = 0.414$$

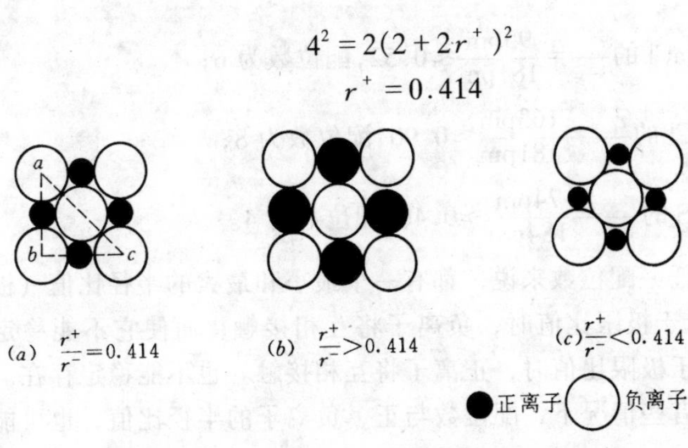

图 4-6　正负离子半径比与配位数的关系

即当$\frac{r^+}{r^-}=0.414$时，正、负离子间是直接接触的，负离子也是相互接触的。

当$\frac{r^+}{r^-}>0.414$时（如图 4-6（b）），负离子之间接触不良，而正、负离子之间相互接触吸引作用较强。这种结构较为稳定，这是配位数为 6 的情况。但当$\frac{r^+}{r^-}>0.732$时，正离子相对地增大，它有可能接触更多的负离子，因此有可能使配位数成为 8。

当$\frac{r^+}{r^-}<0.414$时（如图 4-6（c）），负离子之间互相接触。而正、负离子之间接触不良，由于离子间排斥作用较大，这种结构不易稳定存在，故使晶体中离子的配位数降低，即配位数变为 4。

正、负离子的半径比与配位数和晶体构型的关系还应注意几点：

（a）对于离子化合物中离子的任一配位数来说，都有一相应的正、负离子半径比值。

例如，NaCl 的$\frac{r^+}{r^-}=\frac{95\text{pm}}{181\text{pm}}\approx 0.52$，配位数为 6；

CsCl 的$\frac{r^+}{r^-}=\frac{163\text{pm}}{181\text{pm}}\approx 0.90$，配位数为 8；

ZnS 的$\frac{r^+}{r^-}=\frac{74\text{pm}}{184\text{pm}}\approx 0.40$，配位数为 4。

而且对任一配位数来说，都有一个最小和最大的半径比值（极限值）。低于极限比值时，负离子将互相接触，而使它不能稳定存在。高于极限比值时，正离子将互相接触。也不能稳定存在。

在有些情况下，配位数与正、负离子的半径比值，也可能不一致。例如在氯化铷中，Rb^+ 离子与 Cl^- 离子的半径比$\frac{r^+}{r^-}=\frac{1.48}{1.81}\approx 0.82$，理论上配位数应为 8，实际上它为氯化钠型，配位数为 6。

（b）当一个化合物中的正、负离子半径比处于接近极限值时，则该化合物可能同时具有两种晶体构型。例如在二氧化锗中正、负离子的半径比$\frac{r^+}{r^-}=\frac{0.53}{1.40}=0.38$，此值与 ZnS 型（配位数为 4）变为 NaCl 型（配位数为 6）的转变值0.414 很接近，因此实际上二氧化锗可能存在上述两种构型的晶体。

（c）离子晶体的构型除了与正、负离子的半径比有关外，还与离子的电子层构型、离子的数目及外界条件等因素有关。例如，CsCl 晶体在常温下是 CsCl 型，但在高温下离子有可能离开其原来晶格的平衡位置而进行重新排列，因此，它可以转变为 NaCl 型。

（d）离子型化合物的正、负离子半径比规则，只能应用于离子型晶体，而不能用它判断共价型化合物的结构。

1－5　晶格能

离子键的强度通常用晶格能 U 的大小来度量，所谓晶格能，是指相互远离的气态正离子和负离子结合成离子晶体时所释放的能量，以符号 U 表示。如 NaCl 的晶格能 $U = 786 \text{kJ} \cdot \text{mol}^{-1}$，MgO 的晶格能 $U = 3916 \text{kJ} \cdot \text{mol}^{-1}$。严格地讲，晶格能的数据是指在 0K 和 100 kPa 条件下上述过程的能量变化。如果上述过程是在 298K 和 101325Pa 条件下进行时，则释放的能量为该化合物的晶格焓。例如，NaCl 的晶格焓为 $-788 \text{kJ} \cdot \text{mol}^{-1}$。晶格能和晶格焓通常只差几 $\text{kJ} \cdot \text{mol}^{-1}$，所以在作近似计算时，可忽略不计。但习惯上通常使用晶格能这一概念，而且常用释放能量的绝对值表示晶格能。例如对于以下晶体生成反应，焓变 ΔH 的负值就是晶格能 U：

$$m\text{M}^{n+}\ (\text{g}) + n\text{X}^{m-}\ (\text{g}) \rightleftharpoons \text{M}_m\text{X}_n\ (\text{s}) \qquad -\Delta H = U$$

晶格能可用玻恩－哈伯（Born－Haber）循环法通过热化学计算求得。现以 NaCl 为例来说明这一问题。

在 298K 和标准状况（$1.013\,25 \times 10^5 \text{Pa}$）下，由固态金属钠和氯气分子直接化合，生成固态 NaCl 释放出的能量，叫氯化钠的生成热。通常体系吸收的能量为正值，放出的能量为负值，所以 NaCl 的生成热 $\Delta_f H^{\ominus} = -411 \text{kJ} \cdot \text{mol}^{-1}$。但是形成固体氯化钠时，实际上涉及到许多过程，其中包括气态 Na^+ 离子和气态 Cl^- 离子结合成 NaCl（固体）的过程。这些过程是：

① 固态金属钠升华成气态钠原子，其升华能 S 为 $109 \text{kJ} \cdot \text{mol}^{-1}$；

② 氯分子离解为气态氯原子，其离解能 $\frac{1}{2}D$ 为 $121 \text{kJ} \cdot \text{mol}^{-1}$；

③ 气态钠原子电离成气态钠离子，其电离能 I 为 $496 \text{kJ} \cdot \text{mol}^{-1}$；

④ 气态氯原子结合电子，形成气态氯离子，其电子亲合能 E 为 $349 \text{kJ} \cdot \text{mol}^{-1}$；

⑤ 气态钠离子和气态氯离子结合形成固态氯化钠释放出的能量，即氯化钠晶体的晶格能 U。

这些过程如图 4－7 所示。根据能量守恒定律，由固态金属钠和氯气直接生成固态 NaCl 的生成热 $\Delta_f H^{\ominus}$ 应等于各分步的能量变化的总和。即：

$$\Delta_f H^{\ominus} = S + \frac{1}{2}D + I + (-E) + (-U)$$

式中 $\Delta_f H^{\ominus}$ 可通过热化学实验加以测定，而 S，D，I 和 E 一般有标准热化学数据可查，因此可以由热化学实验间接测定离子型晶体的晶格能 U，即：

$$U = -\Delta_f H^{\ominus} + S + \frac{1}{2}D + I - E \qquad (4-6)$$

以 NaCl 为例

$$U = [-(-411) + 109 + 121 + 496 - 349]\ \text{kJ}\cdot\text{mol}^{-1}$$
$$= 788\text{kJ}\cdot\text{mol}^{-1}$$

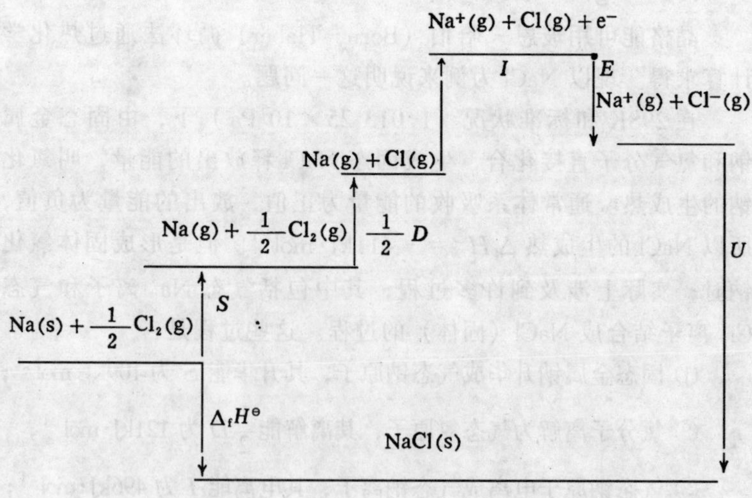

图 4-7　形成离子型晶体时的能量变化

这种按分过程能量变化来分析总过程能量变化的方法是由玻恩-哈伯首先提出来的，由于分过程的能量变化和总过程能量变化构成了一个循环，所以这种方法叫做“玻恩－哈伯循环法”。离子型晶体的晶格能既可以用玻恩－哈伯法通过热化学实验数据计算求得，也可根据晶体的构型和离子电荷进行理论推算，两者的结果相当接近，这说明离子键理论基本上是正确的。

根据晶格能的大小可以解释和预言离子型化合物的某些物理化学性质。对于相同类型的离子晶体来说，离子电荷越高，正、负离子的核间距越短，晶格能的绝对值就越大。这也表明离子键越牢固，因此反映在晶体的物理性质上有较高的熔点、沸点和硬度。晶格能与物理性质的对应关系，如表4－5所示。

表4－5　晶格能与离子型化合物的物理性质

NaCl 型晶体	NaI	NaBr	NaCl	NaF	BaO	SrO	CaO	MgO	BeO
离子电荷	1	1	1	1	2	2	2	2	2
核间距/pm	318	294	279	231	277	257	240	210	165
晶格能/kJ·mol^{-1}	686	732	786	891	3 041	3 204	3 476	3 916	—
熔点/K	933	1 013	1 074	1 261	2 196	2 703	2 843	3 073	2 833
硬度（莫氏标准）	—	—	—	—	3.3	3.5	4.5	6.5	9.0

§4－2　共价键理论

离子键理论能很好地说明离子化合物的形成和特性。但它不能说明由相同原子组成的单质分子（如：H_2，Cl_2，N_2 等）的形成，也不能说明由化学性质相近的元素所组成的化合物分子（如 HCl，H_2O 等）的形成。1916年美国化学家路易斯（G. N. Lewis）为了说明分子的形成，提出了共价键理论，他认为分子中每个原子应具有稳定的稀有气体原子的电子层结构。但这种稳定结构不是靠电子的转移，而是通过原子间共用一对或若干对电子来实现。这种分子中原子间通过共用电子对结合而成的化学键称为共价键。例如：

$$H\cdot + \cdot H = H:H$$

$$:\ddot{Cl}\cdot + \cdot\ddot{Cl}: = :\ddot{Cl}:\ddot{Cl}:$$

$$:\dot{N}\cdot + \cdot\dot{N}: = :N\vdots\vdots N:$$

$$H\cdot + \cdot\ddot{Cl}: = H:\ddot{Cl}:$$

路易斯共价键理论虽能成功地解释了由相同原子组成的分子(如 H_2,O_2,N_2 等)以及性质相近的不同原子组成的分子(如 HCl,H_2O 等)的形成,并初步揭示了共价键与离子键的区别。但是路易斯理论也有局限性,它不能解释为什么有些分子的中心原子最外层电子数虽然少于 8(如 BF_3 等)或多于 8(如 PCl_5,SF_6 等),但这些分子仍能稳定存在,也不能解释共价键的特性(如方向性、饱和性)以及存在单电子键(如 H_2^+)和氧分子具有磁性等问题。同时,它也不能阐明为什么"共用电子"就能使两个原子结合成分子的本质原因。直至 1927 年海特勒(Heitler)和伦敦(Londen)把量子力学的成就应用于最简单的 H_2 分子结构上,才使共价键的本质,获得初步的解答。后来,鲍林等人发展了这一成果,建立 了现代价键理论(即电子配对理论)、杂化轨道理论、价层电子对互斥理论。1932 年美国化学家密立根和德国化学家洪特提出了分子轨道理论。下面我们将简要地介绍这些理论。

2-1 价键理论

价键理论，又称电子配对法，简称 VB 法。它是海特勒和伦敦处理 H_2 问题所得结果的推广，它假定分子是由原子组成的，原子在未化合前含有未成对的电子，这些未成对的电子，如果自旋是相反的话，可以俩俩偶合构成"电子对"，每一对电子的偶合就形成一个共价键。这种方法与路易斯的电子配对法不同，它是以量子力学为基础的。价键理论的基本论点如下：

(1) 共价键的本质

以 H_2 分子为例说明形成共价键的本质，海特勒和伦敦用量子力学处理氢原子形成氢分子时，得到 H_2 分子的能量（E）与核间距离（R）关系曲线，如图 4-8 所示。如果 A，B 两个氢原子的成单电子自旋方向相反，当这两个原子相互接近时，A 原子的电子不但受 A 原子核的吸引，而且也要受到 B 原子核的吸

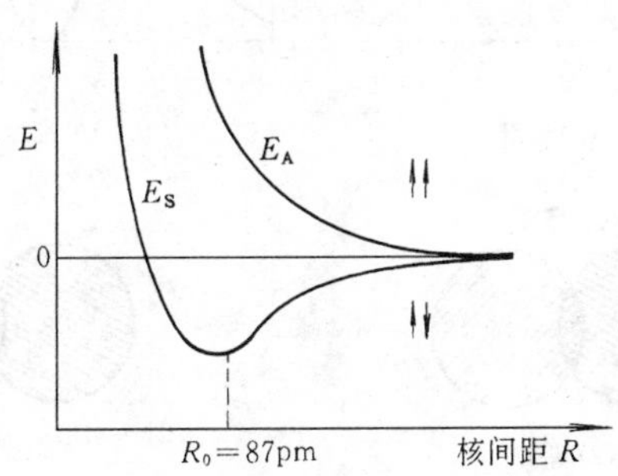

图 4-8　氢分子的能量与核间距的关系曲线

E_A：推斥态的能量曲线　E_S：基态的能量曲线

引；同理 B 原子的电子也同时受到 B 原子核和 A 原子核的吸引。整个体系的能量要比两个氢原子单独存在时低，在核间距离达到平衡距离 $R_0=87$pm（实验值约为 74pm）时，体系能量达到最低点。然而如果两个原子进一步靠近，由于核之间的斥力逐渐增大又会使体系能量升高。这说明两个氢原子在平衡距离 R_0 处形成了稳定的化学键，这种状态称为氢分子的基态（如图 4-8E_S）。如果两个氢原子的电子自旋平行，它们相互靠近时，将会产生相互排斥作用，使体系能量高于两个单独存在的氢原子能量之和，它们越靠近能量越升高，说明它们不能形成稳定的 H_2 分子（如图 4-8E_A）。这种不稳定的状态称为氢分子的排斥态。基态分子和排斥态分子在电子云的分布上也有很大差别。计算表明基态分子中两核之间的电子几率密度 $|\psi|^2$ 远远大于排斥态分

子中核间的电子几率密度$|\psi|^2$（图4-9)。由图可见，在稳态H_2分子中，氢原子所以能形成共价键，是因为自旋相反的两个电子的电子云密集在两个原子核之间，从而使体系的能量降低。推斥

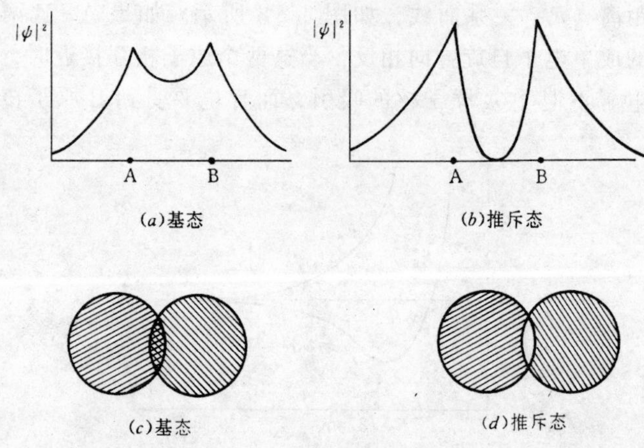

图4-9　H_2分子的两种状态的$|\psi|^2$和原子轨道重叠的示意图

态之所以不能成键，是因为自旋相同的两个电子的电子云在核间稀疏（即几率密度几乎为零)，使体系的能量升高。这表明共价键的本质也是电性的，但这是经典的静电理论无法解释的。因为静电理论不能说明为什么互相排斥的电子，在形成共价键时反而会密集在两个原子核之间。然而根据量子力学原理，从分子成键前后原子轨道变化情况看，氢分子的基态所以能成键，这是因为两个氢原子轨道（1s）互相叠加时，由于两个ψ_{1s}都是正值，叠加后使两个核间的几率密度有所增加，在两核间出现了一个几率密度最大的区域。这一方面降低了两核间的正电排斥，另一方面增添了两个原子核对核间负电荷区域的吸引，这都有利于体系势能的降低，有利于共价键的形成。对不同的双原子分子来说，两个原子轨道重叠的部分越大，键越牢固，分子也越稳定。而H_2分子的推斥态则相当于两个轨道重叠部分互相抵消，在两核间出

现了一个空白区，从而增大了两个核的排斥能，故体系的能量升高而不能成键〔图 4-9（*b*）（*d*）〕。

（2）成键的原理

根据量子力学理论处理氢分子成键的方法，1930 年鲍林（pauling）和斯莱脱（Slater）等人又加以发展从而建立了近代价键理论。

（*a*）电子配对原理：A、B 两个原子各有一个自旋相反的未成对的电子，它们可以互相配对形成稳定的共价单键，这对电子为两个原子所共有。如果 A、B 各有两个或三个未成对的电子，则自旋相反的单电子可两两配对形成共价双键或叁键。

例如，氮原子有 3 个成单的 $2p$ 电子，因此两个氮原子上自旋相反的成单电子可以配对，形成共价叁键并结合为氮分子：

$$:\dot{\underset{\cdot}{N}}\cdot + \cdot\dot{\underset{\cdot}{N}}: = :N\,\vdots\,\vdots\,N:$$

如果 A 原子有两个成单电子，B 原子有一个成单电子，那么一个 A 原子就能与两个 B 原子结合形成 AB_2 型分子。例如氧原子有两个成单 $2p$ 电子，氢原子有一个成单的 $1s$ 电子，因此一个氧原子能与两个氢原子结合成 H_2O 分子：

$$H\cdot + \cdot\ddot{\underset{\cdot\cdot}{O}}\cdot + \cdot H = H:\ddot{\underset{\cdot\cdot}{O}}:H$$

如果两原子中没有成单的电子或两原子中虽有成单电子但自旋方向相同，则它们都不能形成共价键，例如氦原子有 2 个 $1s$ 电子，它不能形成 He_2 分子。

（*b*）能量最低原理：在成键的过程中，自旋相反的单电子之所以要配对或偶合，主要是因为配对以后会放出能量，从而使体系的能量降低。电子配对时放出能量越多形成的化学键就越稳定。例如形成一个 C—H 键放出 $411kJ\cdot mol^{-1}$ 的能量，形成H—H键时放出 $432kJ\cdot mol^{-1}$ 的能量。

（*c*）原子轨道最大重叠原理：键合原子间形成化学键时，成键电子的原子轨道一定要发生重叠，从而使键合原子中间形成电子云较密集的区域。原子轨道重叠部分越大，两核间电子几率密度越大，所形成的共价键也越牢固，分子也越稳定。因此，成键时成键电子的原子轨道尽可能按最大程度的重叠方式进行，即要遵循原子轨道最大重叠原理。根据量子力学原理，成键的原子轨道重叠部分波函数 ψ 的符号（正或负）必须相同。

综上所述，价键理论认为共价键是通过自旋相反的电子配对和原子轨道的最大重叠而形成的，使体系达到能量最低状态。

(3) 共价键的特点

在形成共价键时，互相结合的原子既未失去电子，也没有得到电子而是共用电子，在分子中并不存在离子而只有原子，因此共价键又叫原子键。共价键与离子键有着显著的差别，共价键具有如下的特点：

(*a*) 共价键结合力的本质是电性的，但不能认为纯粹是静电的。因为共价键的结合力是两个原子核对共用电子对形成的负电区域的吸引力，而不是正负离子间的库仑引力。共价键的结合力的大小决定于原子轨道重叠的多少，而重叠的多少又与共用电子数目和重叠方式有关。一般地说，共用电子数越多结合力也愈大。例如，共价叁键（C≡C）、双键（C═C）、单键（C—C）的结合力依次减小。共价键的强度一般用键能表示。

(*b*) 形成共价键时，组成原子的电子云发生了很大的变化。由于两个原子轨道发生最大重叠，使两核间几率密度最大，但这并不意味着共用电子对仅存在于两核之间，事实上共用电子是绕两个原子核运动的，只不过这对电子在两核之间出现的几率较大罢了。

(*c*) 共价键的饱和性。共价键的形成条件之一是原子中必须有成单电子，而且成单电子的自旋方向必须相反。由于一个原子的一个成单电子只能与另一个成单电子配对，形成一个共价单键，因此一个原子有几个成单的电子（包括激发后形成的单电子）便可与几个自旋相反的成单电子配对成键。例如氢原子 1*s* 轨道的 1 个电子与另一个氢原子 1*s* 轨道上的 1 个电子配对，形成 H_2 分子后，每个氢原子就不再具有成单电子了，若再有第三个氢原子与 H_2 分子靠近，也不可能再成键，故不能结合为 H_3 分子。又如氮原子最外层有三个成单的 2*p* 电子它只能同三个氢原子的 1*s* 电子配对可形成三个共价单键，结合为 NH_3 分子，所以说共价键有饱和性。**所谓饱和性是指每个原子成键的总数或以单键联接的原子数目是一定的。这是因为共价键是由原子间轨道重叠和共用电子形成的，而每个原子能提供的轨道和成单电子数目是一定的缘故。**

（*d*）共价键的方向性。根据原子轨道最大重叠原理，在形成共价键时，原子间总是尽可能沿着原子轨道最大重叠的方向成键。轨道重叠越多，电子在两核间的几率密度越大，形成的共价键也就愈稳定。由于原子轨道在空间有一定取向，除了 *s* 轨道呈球形对称之外，*p*，*d*，*f* 轨道在空间都有一定的伸展方向。在形成共价键时，除了 *s* 轨道和 *s* 轨道之间可以在任何方向上都能达到最大程度的重叠外，*p*，*d*，*f* 原子轨道的重叠，只有沿着一定的方向才能发生最大程度的重叠，因此共价键是有方向性的。例如，在形成氯化氢分子时，氢原子的 1*s* 电子与氯原子的一个未成对的 $2p_x$ 电子形成一个共价键，但 *s* 电子只有沿着 p_x 轨道的对称轴（如 *x* 轴）方向才能发生最大程度的重叠如图 4－10（*a*），即才能形成稳定的共价键，而图 4－10（*b*）和图

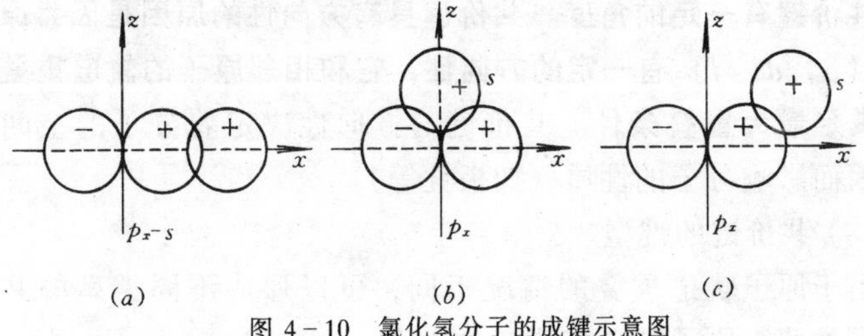

图 4－10　氯化氢分子的成键示意图

4-10 (c)表示原子轨道不重叠或很少重叠。

又例如在形成 H_2S 分子时，因为硫原子的最外层电子结构为 $3s^2 3p_x^1 3p_y^1 3p_z^2$，两个 $3s$ 电子和 $3p_z$ 电子都已成对，另外两个成单电子分布在 $3p_x$ 和 $3p_y$。所以当两个氢原子与一个硫原子结合成 H_2S 分子时，两个氢原子的 $1s$ 轨道，只有分别沿 x 轴和 y 轴方向接近硫原子的 $3p_x$ 和 $3p_y$ 轨道，才能使原子轨道之间发生最大程度的重叠（图 4-11），即才能形成稳定的共价键，所以说共价键是有方向性的。由于 p_x，p_y 轨道互相垂直，对称轴间的夹角为 90°，因此在 H_2S 分子中两个 S—H 键间的夹角也应近似等于 90°。但实际测定两个 S—H 键间夹角为 92°。

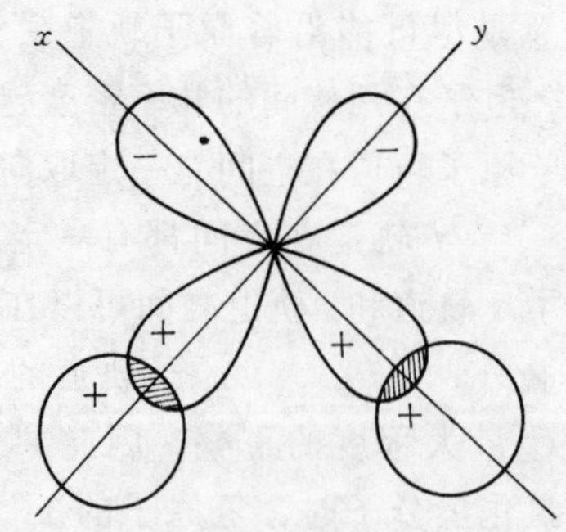

图 4-11　H_2S 分子的形成示意图

由此可见，**所谓共价键的方向性，是指一个原子与周围原子形成共价键有一定的角度。共价键具有方向性的原因是因为原子轨道（p，d，f）有一定的方向性，它和相邻原子的轨道重叠成键要满足最大重叠条件。**共价键的方向性决定着分子的空间构型，因而影响分子的性质（如极性等）。

(e) 共价键的键型

由于原子轨道重叠的情况不同，可以形成不同类型的共价键。例如两个原子都含有成单的 s 和 p_x，p_y，p_z 电子，当它们

沿 x 轴接近时，能形成共价键的原子轨道有：$s-s$、p_x-s、p_x-p_x、p_y-p_y、p_z-p_z。这些原子轨道之间可以有两种成键方式：一种是沿键轴的方向，以“头碰头”的方式发生轨道重叠，如 $s-s$（H_2 分子中的键）、p_x-s（如 HCl 分子中的键）、p_x-p_x（如 Cl_2 分子中的键）等，轨道重叠部分是沿着键轴呈圆柱型而分布的，这种键称为 σ 键（图 4-12a）。另一种是原子轨道以“肩并肩”（或平行）的方式发生轨道重叠，如 p_z-p_z，p_y-p_y，轨道重叠部分对通过一个键轴的平面（这个平面上几率密度几乎为零）具有镜面反对称性，这种键称为 π 键（图 4-12b）。

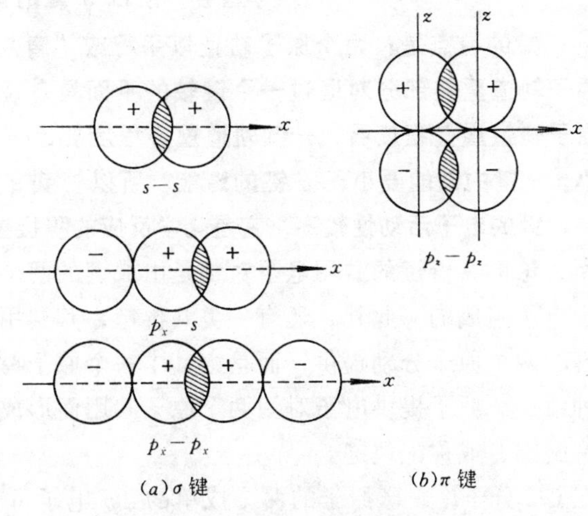

图 4-12　σ 键和 π 键示意图

例如，在氮分子的结构中，就含有一个 σ 键和二个 π 键。氮原子的电子层结构为 $1s^2 2s^2 2p_x^1 2p_y^1 2p_z^1$。当两个氮原子相化合时，如果两个 N 原子的 p_x 轨道沿 x 轴方向“头碰头”重叠（即形成一个 σ 键），而两个 N 原子 p_y-p_y 和 p_z-p_z 轨道就不能再沿 x 轴方向“头碰头”重叠了，而只能以相互平行或“肩并肩”方式重叠，即形成两个 π 键（图 4－13）。

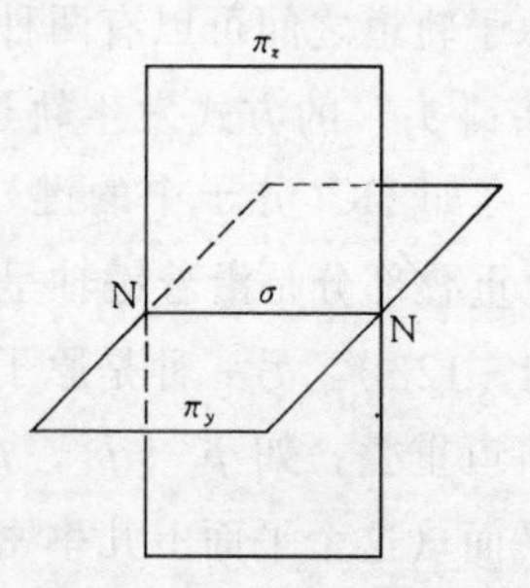

图 4－13　氮分子结构示意图

综上所述，σ 键的特点是：**两个原子的成键轨道沿键轴的方向以“头碰头”的方式重叠；原子轨道重叠部分沿着键轴呈圆柱对称；由于成键轨道在轴向上重叠，故形成键时原子轨道发生最大程度的重叠，所以 σ 键的键能大、稳定性高。π 键的特点是：两个原子轨道以平行或“肩并肩”方式重叠；原子轨道重叠部分对通过一个键轴的平面具有镜面反对称性；从原子轨道重叠程度看，π 键轨道重叠程度要比 σ 键轨道重叠程度小，π 键的键能要小于 σ 键的键能，所以 π 键的稳定性低于 σ 键，π 键的电子活动性较高，它是化学反应的积极参加者。**

前面所讨论的共价键的共用电子对都是由成键的两个原子分别提供一个电子组成的。此外，还有一类共价键，其共用电子对不是由成键的两个原子分别提供，而是由其中一个原子单方面提供的。这种由一个原子提供电子对为两个原子共用而形成的共价键称为共价配键，或称配位键。

例如在 CO 分子中，碳原子的两个成单的 $2p$ 电子可与 O 原子的两个成单的 $2p$ 电子形成 1 个 σ 键和一个 π 键，除此之外，O 原子的一对已成对的 $2p$ 电子还可与 C 原子的一个 $2p$ 空轨道形成一个配位键。配位键通常以一个指向接受电子对的原子的箭头“→”来表示。如 CO 分子的结构式可写为：$C\overset{\leftarrow}{=}O$。

由此可见，配位键的形成条件是：**其中一个原子的价电子层有孤电子对（即未共用的电子对）；另一个原子的价电子层有可接受孤电子对的空轨道。**一般含有配位键的离子或化合物是相当普遍的，例如：NH_4^+，$Cu(NH_3)_4^{2+}$，$Ag(NH_3)_2^+$，$Fe(CN)_6^{4-}$，$Fe(CO)_5$等离子或化合物中均存在配位键。

2-2 杂化轨道理论

价键理论比较简明地阐明了共价键的形成过程和本质，并成功地解释了共价键的方向性、饱和性等特点。但在解释分子的空间结构方面却遇到了一些困难。例如近代实验测定结果表明：甲烷（CH_4）分子的结构是一个正四面体结构（图 4-14），碳原子位于四面体的中心，四个氢原子占据四面体的四个顶点。CH_4 分

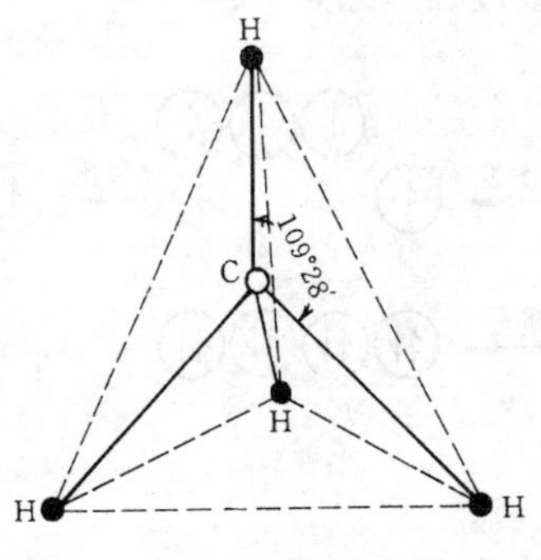

图 4-14 CH_4 分子的空间结构

子中形成四个稳定的 C—H 键，键角∠HCH 为 109°28′，四个 C—H 键的强度相同，键能为 411kJ·mol^{-1}。

但是根据价键法，由于碳原子的电子层结构为 $1s^22s^22p_x^12p_y^1$，只有两个未成对的电子，所以它只能与两个氢原子形成两个共价单键。如果考虑将碳原子的 1 个 $2s$ 电子激发到 $2p$ 轨道上去，则有四个成单电子（1 个 s 电子和 3 个 p 电子），它可与四个氢原子的 $1s$ 电子配对形成四个 C—H 键。由于碳原子的 $2s$ 电子与 $2p$ 电子的能量是不同的，那么这四个 C—H 键应当不是等同的，这与实验事实不符，这是价键法不能解释

的。为了解释多原子分子的空间结构，鲍林于 1931 年在价键法的基础上，提出了杂化轨道理论。下面我们就杂化的概念、杂化轨道的类型、等性与不等性杂化以及杂化轨道理论的基本要点作一简单介绍。

(1) 杂化与杂化轨道的概念

所谓杂化是指在形成分子时，由于原子的相互影响，若干不同类型能量相近的原子轨道混合起来，重新组合成一组新轨道。这种轨道重新组合的过程叫做杂化，所形成的新轨道就称为杂化轨道。杂化轨道与其它原子的原子轨道重叠形成化学键。例如 CH_4 分子形成的大致过程示意如下：

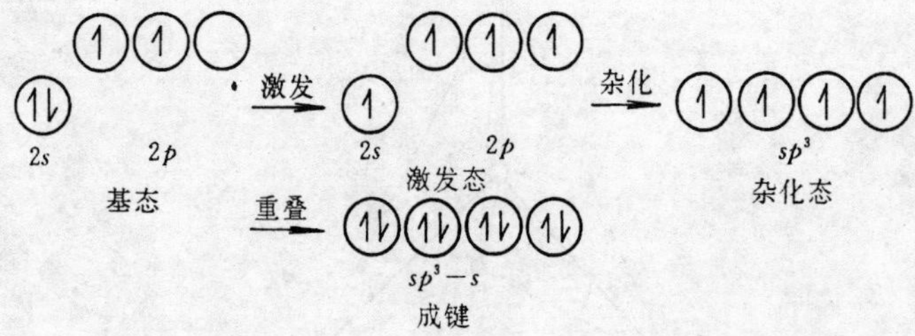

在形成 CH_4 分子时，由于碳原子的一个 $2s$ 电子可被激发到 $2p$ 空轨道，一个 $2s$ 轨道和三个 $2p$ 轨道杂化形成四个能量相等的 sp^3 杂化轨道。四个 sp^3 杂化轨道分别与四个 H 原子的 $1s$ 轨道重叠成键，形成 CH_4 分子，所以四个 C—H 键是等同的。

杂化轨道理论认为：在形成分子时，通常存在激发、杂化、轨道重叠等过程。但应注意，原子轨道的杂化，只有在形成分子的过程才会发生，而孤立的原子是不可能发生杂化的。同时只有能量相近的原子轨道（如 $2s$，$2p$ 等）才能发生杂化，而 $1s$ 轨道与 $2p$ 轨道由于能量相差较大，它是不能发生杂化的。

(2) 杂化轨道的类型

根据原子轨道的种类和数目的不同，可以组成不同类型的杂化轨道：

（a）sp 杂化　sp 杂化轨道是由一个 ns 轨道和一个 np 轨道组合而成的。它的特点是每个 sp 杂化轨道含有 $\frac{1}{2}s$ 和 $\frac{1}{2}p$ 的成分。sp 杂化轨道间的夹角为 180°，呈直线型。例如，气态的二氯化铍 $BeCl_2$ 分子的结构。Be 原子的电子结构是 $1s^2 2s^2$。从表面上看基态的 Be 原子似乎不能形成共价键，但是在激发状态下，Be 的一个 $2s$ 电子可以进入 $2p$ 轨道，使 Be 原子的电子结构成为 $1s^2 2s^1 2p^1$。由于有两个成单电子，故可以与其它原子形成两个共价键。杂化轨道理论认为 Be 原子的一个 $2s$ 轨道和一个 $2p$ 轨道发生杂化，可形成两个 sp 杂化轨道，杂化轨道间的夹角为 180°。另外 2 个未杂化的空的 $2p$ 轨道与 sp 杂化轨道互相垂直。Be 原子的两个 sp 杂化轨道分别与氯原子中的 $3p$ 轨道重叠，形成两个 $p—p$ 的 σ 键。由于杂化轨道间的夹角为 180°，所以形成的 $BeCl_2$ 分子的空间结构是直线型的（图 4－15）。

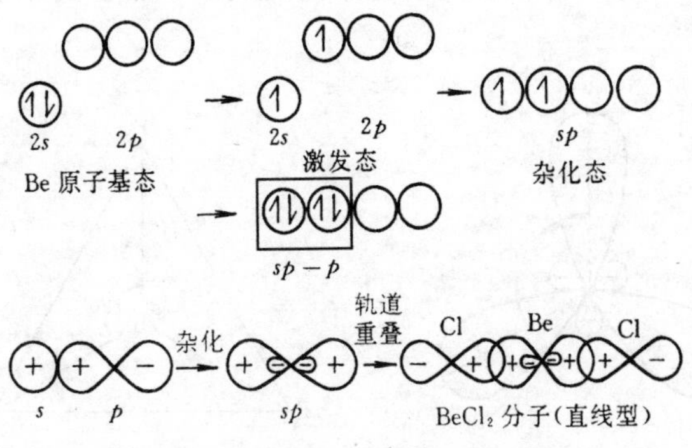

图 4－15　$BeCl_2$ 分子形成示意图

（b）sp^2 杂化　sp^2 杂化轨道是由一个 ns 轨道和两个 np 轨道组合而成的。它的特点是每个 sp^2 杂化轨道都含有 $\frac{1}{3}s$ 和 $\frac{2}{3}p$ 的成分，杂化轨道间的夹角为 120°，呈平面三角形。例如三氟

化硼 BF_3 分子的结构，硼原子的电子层结构为 $1s^2 2s^2 2p_x^1$。当硼与氟反应时，硼原子的一个 $2s$ 电子激发到一个空的 $2p$ 轨道中，使硼原子的电子层结构为 $1s^2 2s^1 2p_x^1 2p_y^1$。硼原子的 $2s$ 轨道和两个 $2p$ 轨道杂化组合成三个 sp^2 杂化轨道，硼原子的三个 sp^2 杂

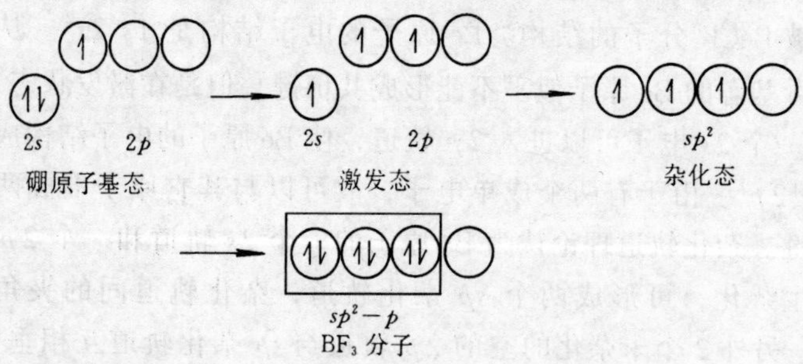

化轨道分别与三个 F 原子的各一个 $2p$ 轨道重叠形成三个 sp^2-p 的 σ 键。由于三个 sp^2 杂化轨道在同一平面上，而且夹角为 120°（如图 4－16），所以 BF_3 分子具有平面三角形的结构（如图 4－17）。

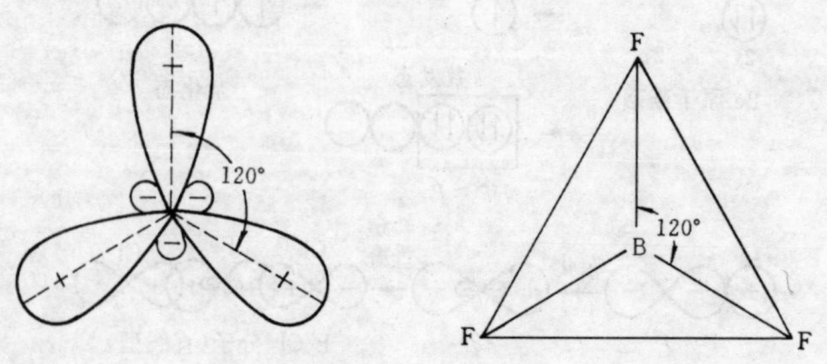

图 4－16 sp^2 杂化轨道示意图　　图 4－17 BF_3 分子的结构示意图

实验结果表明，在 BF_3 分子中，三个 B—F 键是等同的，所有的四个原子都处在同一个平面上，硼原子位于平面三角形的中央，三个 F 原子占据三角形的三个顶点，键角∠FBF 等于 120°。

(c) sp^3 杂化　sp^3 杂化轨道是由一个 ns 轨道和三个 np 轨道组合而成。它的特点是每个 sp^3 杂化轨道都含有 $\frac{1}{4}s$ 和 $\frac{3}{4}p$ 的成分，sp^3 杂化轨道间的夹角为 109.28′。空间构型为四面体形。例如 CH_4 分子的结构。碳原子的电子结构为 $1s^22s^22p_x^12p_y^1$。杂

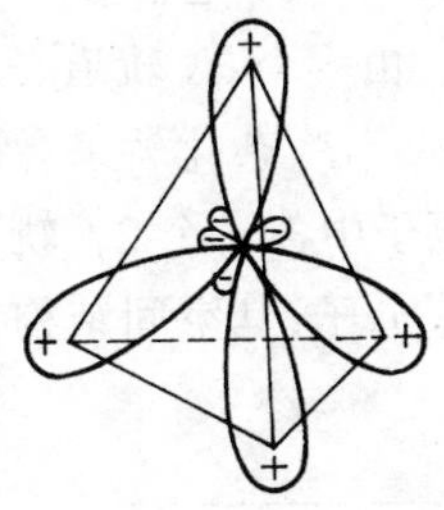

图 4－18　sp^3 杂化轨道示意图

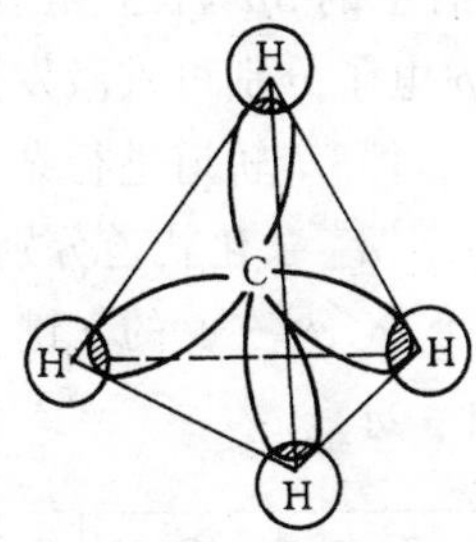

图 4－19　CH_4 分子的空间结构

化轨道理论认为：在形成 CH_4 分子时，碳原子的 $2s$ 轨道中的一个电子激发到空的 $2p_z$ 轨道，使碳原子的电子层结构成为 $1s^22s^12p_x^12p_y^12p_z^1$。电子激发时所需的能量可以由成键时释放出来的能量予以补偿。碳原子的一个 $2s$ 轨道和三个 $2p$ 轨道杂化，组成四个新的能量相等、成分相同的杂化轨道。四个 sp^3 杂化轨道分别指向正四面体的四个顶角，杂化轨道间的夹角为 109.5°(图 4－18)。

碳原子的四个 sp^3 杂化轨道与四个氢原子的 $1s$ 轨道发生轨道重叠，形成四个 sp^3-s 的 σ 键，由于杂化后电子云分布更为集中，可使成键的原子轨道间的重叠部分增大，成键能力增强，因此碳原子与 4 个氢原子能结合成稳定的 CH_4 分子。由于 sp^3 杂化轨道间的夹角为 109°28′，所以 CH_4 分子具有正四面体的空间结构(图 4－19)。同时由于每个 sp^3 杂化轨道的能量相等、成分相同，所以在 CH_4 分子中四个 C—H 键是完全等同的。两个 C—H

键间的夹角∠HCH 等于 109°28′，这与实验测定的结果完全相符。

(*d*) sp^3d^2 杂化　sp^3d^2 杂化轨道是由一个 *ns*、三个 *np* 和二个 *nd* 轨道组合而成。它的特点是六个 sp^3d^2 轨道指向正八面体的六个顶点(图 4－20)，sp^3d^2 轨道间的夹角为 90°或 180°。例如 SF_6 分子中，硫原子的电子层结构为 $1s^22s^22p^63s^23p^4$。由于硫原子有空的 3*d* 轨道，在激发条件下，一个 3*s* 电子和一个已成对的 3*p* 电子分别可被激发到 3*d* 轨道。由一个 3*s* 轨道、三个 3*p* 轨道和二个 3*d* 轨道进行杂化形成六个 sp^3d^2 杂化轨道。硫原子的六个 sp^3d^2 杂化轨道分别与六个 F 原子中各一个 2*p* 轨道重叠形成六个 sp^3d^2-p 的 σ 键，组合成 SF_6 分子，其空间结构为八面体(图 4－21)。

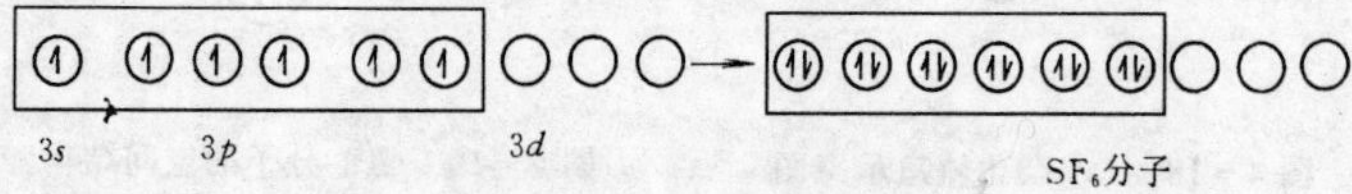

硫原子 sp^3d^2 杂化态

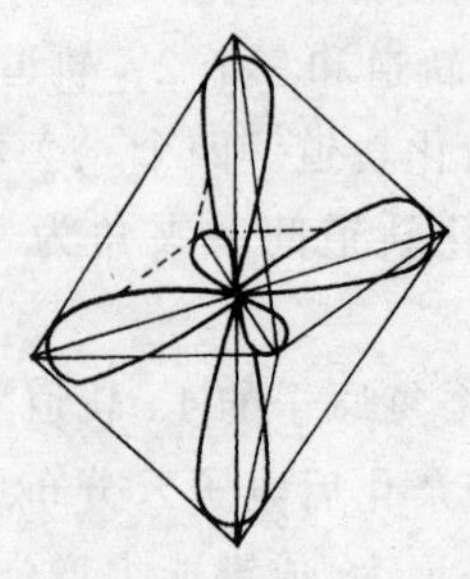

图 4－20　sp^3d^2 杂化轨道示意图

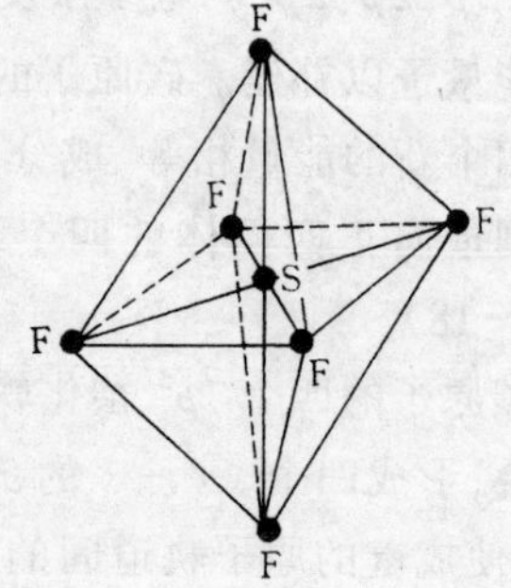

图 4－21　SF_6 分子的空间结构

(3) 等性杂化与不等性杂化

同种类型的杂化轨道(如 sp^3 等)又可分为等性杂化和不等性

杂化两种。例如在 CH_4 分子中，C 原子采取 sp^3 杂化，每个 sp^3 杂化轨道是等同的，它们都含有 $\frac{1}{4}s$ 和 $\frac{3}{4}p$ 的成分。这种杂化叫做等性杂化。又如在 H_2O 分子中，O 原子的电子结构式为 $1s^2 2s^2 2p^4$，氧原子中 $2s$ 电子和两个 $2p$ 电子已成对（称孤电子对）不参加成键，另外两个未偶合的 $2p$ 电子与两个 H 原子的 $1s$ 电子配对可形成两个共价单键，其键角似乎应为 90°，但实际测定 H_2O 分子的键角为 104.5°，这是电子配对理论不能满意解释的。杂化轨道理论认为：在形成水分子时，氧原子的一个 $2s$ 轨道和三个 $2p$ 轨道也采取 sp^3 杂化。在四个 sp^3 杂化轨道中，有四个杂化轨道被两对孤电子对所占据，剩下的两个杂化轨道为两个成单电子占据，故只能与两个 H 原子的 $1s$ 电子形成两个共价单键。那么根据 sp^3 杂化轨道的空间取向，似乎 H_2O 分子中 OH 键间的夹角应为 109°28′，这与实际事实仍不相符合。这是因为占据两个 sp^3 杂化轨道的两对孤电子对，由于它们不参加成键作用，电子云较密集于氧原子的周围，因此孤电子对对成键电子对所占据的杂化轨道有排斥作用，以致使两个 OH 键间的夹角不是 109°28′，而是 104.5°（图 4－22）。这种由于孤电子对的存在而造成不完全等同的杂化，叫不等性杂化。例如 H_2O，NH_3，PCl_3 等分子中的 O，N，P 原子都是采取不等性杂化。

（4）杂化轨道理论的基本要点

（*a*）在形成分子时，由于原子间的相互作用，若干不同类型的、能量相近的原子轨道混合起来，重新组成一组新的轨道，这种重新组合的过程叫杂化，所形成的

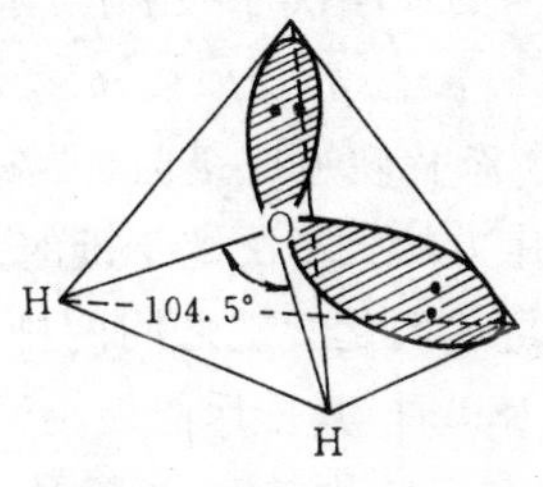

图 4－22 水分子的杂化结构

新轨道称为杂化轨道。

(*b*) 杂化轨道的数目与组成杂化轨道的各原子轨道的数目相等。如在 CH_4 分子形成时,碳原子的一个 $2s$ 原子轨道和三个 $2p$ 原子轨道进行杂化,形成四个 sp^3 杂化轨道。

(*c*) 杂化轨道又可分为等性和不等性杂化轨道两种。凡是由不同类型的原子轨道混合起来,重新组合成一组完全等同(能量相等、成分相同)的杂化轨道。这种杂化叫等性杂化。例如 CH_4 分子中碳原子就是采取等性的 sp^3 杂化的。在等性杂化中,组成杂化轨道的原子轨道对每个杂化轨道的贡献都是相等的。如每个 sp^3 杂化轨道中都含有$\frac{1}{4}s$ 和$\frac{3}{4}p$ 的成分。凡是由于杂化轨道中有不参加成键的孤电子对的存在,而造成不完全等同的杂化轨道,这种杂化叫不等性杂化。例如 H_2O 分子中氧原子就是采取不等性的 sp^3 杂化的。在氧原子的不等性 sp^3 杂化中,由于两个杂化轨道被两对孤电子对所占有,因此每个 sp^3 杂化轨道中所含 s 成分并不相同。

(*d*) 杂化轨道成键时,要满足原子轨道最大重叠原理。即原子轨道重叠愈多,形成的化学键愈稳定。一般杂化轨道成键能力比各原子轨道的成键能力强(因为杂化轨道电子云分布更集中),因而形成的分子也更稳定。对于各不同类型的杂化轨道来说,其成键能力的大小次序如下:

$$sp < sp^2 < sp^3 < dsp^2 < sp^3d < sp^3d^2$$

(*e*) 杂化轨道成键时,要满足化学键间最小排斥原理。键与键间排斥力的大小决定于键的方向,即决定于杂化轨道间的夹角。由于键角越大化学键之间的排斥能越小,例如对 sp 杂化来说,当键角为 180°时,其排斥能最小,所以 sp 杂化轨道成键时分子呈直线型;对 sp^2 杂化来说,当键角为 120°时,其排斥能最小,所以 sp^2 杂化轨道成键时,分子呈平面三角形。由于杂化轨道类型不同,杂化轨道间夹角也不相同,其成键时键角也就不相同,故杂化轨道的类型与分子的空间构型有关，如表4-6所示。

表 4-6 杂化轨道类型、空间构型以及成键能力之间的关系

杂化类型	sp	sp^2	sp^3	dsp^2	sp^3d	sp^3d^2
用于杂化的原子轨道数	2	3	4	4	5	6
杂化轨道的数目	2	3	4	4	5	6
杂化轨道间的夹角	180°	120°	109.5°	90°,180°	120°,90°,180°	90°,180°
空间构型	直线	平面三角形	四面体	平面正方形	三角双锥形	八面体
成键能力	依次增强 →					
实例	$BeCl_2$ CO_2 $HgCl_2$ $Ag(NH_3)_2^+$	BF_3 BCl_3 $COCl_2$ NO_3^- CO_3^{2-}	CH_4 CCl_4 $CHCl_3$ SO_4^{2-} ClO_4^- PO_4^{3-}	$Ni(H_2O)_4^{2+}$ $Ni(NH_3)_4^{2+}$ $Cu(NH_3)_4^{2+}$ $CuCl_4^{2-}$	PCl_5	SF_6 SiF_6^{2-}

2-3 价层电子对互斥理论

价键理论和杂化轨道理论都可以解释共价键的方向性，特别是杂化轨道理论在解释和预见分子的空间构型是比较成功的。但是一个分子究竟采取哪种类型的杂化轨道，有些情况下是难以确定的。最近30年来，又发展起来一种新理论叫价层电子对互斥理论，这个理论最初是由西奇威克(Sidgwick)等在1940年提出的，60年代初吉来斯必(R. J. Gillespie)等发展了这一理论。价层电子对互斥理论，简称VSEPR法，它比较简单，不需要原子轨道的概念，而且在解释、判断和预见分子的结构的准确性方面比杂化轨道理论毫不逊色。现将价层电子对互斥理论的基本要点和判断共价分子结构的一般规则作一简单介绍。

(1) 价层电子对互斥理论的基本要点

(a) 在 AX_m 型分子中,**中心原子 A 的周围配置的原子或原子团的几何构型,主要决定于中心原子价电子层中电子对**(包括成键电子对和未成键的孤电子对)**的互相排斥作用,分子的几何构型总是采取电子对相互排斥最小的那种结构**。例如 BeH_2 分子中 Be 的价电子层只有两对成键的电子,这两对成键电子将倾向于远离,使彼此间排斥力为最小,因此这两对电子只有处于 Be 原子核的两侧,才能使它们之间的斥力最小。这两对电子可有如下的排布。

:—Be—:

因此 Be 原子与两个 H 原子结合而成的 BeH_2 分子的结构应是直线型的。

(b) 对于 AX_m 型共价分子来说,其分子的几何构型主要决定于中心原子 A 的价层电子对的数目和类型(是成键电子对还是孤电子对),根据电子对之间相互排斥最小的原则,分子的几何构型同电子对的数目和类型的关系如图 4-23 所示。

(c) 如果在 AX_m 分子中,A 与 X 之间是通过两对电子或三对电子(即通过双键或叁键)结合而成的,则价层电子对互斥理论仍适用,这时可把双键或叁键作为一个电子对来看待。

例如氰$(CN)_2$ 分子,其成键情况为:

:N ⋮⋮ C : C ⋮⋮ N:

如果把 N≡C 之间的叁键作一个电子对看待时,则 C 的周围相当于 2 对电子对。根据价层电子对互斥理论这两组电子对将分布在 C 原子的相对的两侧,因此$(CN)_2$ 分子结构应是直线型的。

(d) 价层电子对相互排斥作用的大小,决定于电子对之间的夹角和电子对的成键情况。一般规律为:

(i) 电子对之间的夹角越小排斥力越大;

(ii) 由于成键电子对受两个原子核的吸引,所以电子云比较紧缩,而孤电子对只受到中心原子的吸引,电子云较“肥大”,对邻近电子对的斥力较大,所以电子对之间斥力大小的顺序如下:

孤电子对 - 孤电子对 > 孤电子对 - 成键电子 > 成键电子 - 成键电子

(iii) 由于重键(叁键、双键)比单键包含的电子数目较多,所以其斥力大小的次序为:

叁键 > 双键 > 单键

因此,对于含有双键(或叁键)的分子来说,虽然其 π 键电子不能改变分子的基本形状,但对键角有一定影响,一般单键的键角较小,而含双键的键角较大。例如在 HCHO 和 $COCl_2$ 中的∠HCO 和∠ClCO 都大于 120°

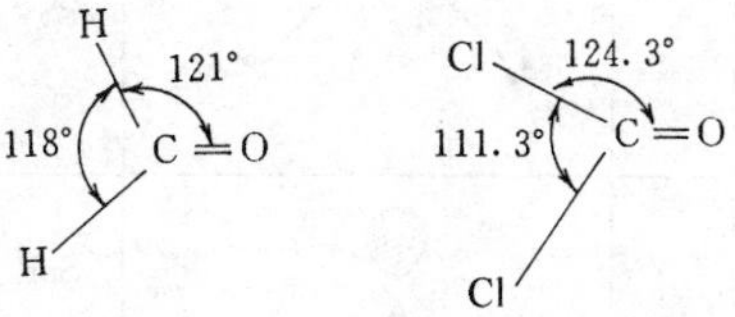

(2) 判断共价分子结构的一般规则

(a) 确定在中心原子(A)的价电子层中的总电子数,即中心原子(A)的价电子数和配位体(X)供给的电子数的总和。然后被 2 除,即为分子的中心原子(A)价电子层的电子对数。

在这里应注意几种情况,在正规的共价键中,氢与卤素每个原子各提供一个共用电子(如 CH_4、CCl_4 等);在形成共价键时,作为配位体的氧族原子可认为不提供共用电子(如 PO_4^{3-}、AsO_4^{3-} 中氧原子不提供共用电子),当氧族原子作为分子的中心原子时,则可以认为它们提供所有的 6 个价电子,(如 SO_2 中的 S 原子);卤族原子作为分子的中心原子时,将提供出 7 个价电子(如 ClF_3 中的 Cl 原子);如果所讨论的物种是一个离子的话,则应加上或减去与电荷相应的电子数,例如 PO_4^{3-} 离子中的 P 的价层电子数应加上 3 个电子,而 NH_4^+ 离子中的 N 的价层电子数则应减去 1 个电子。

图 4-23　中心原子 A 价层电子对的排列方式

A的电子对数	成键电子对数	孤电子对数	几何构型	中心原子 A 价层电子对的排列方式	分子的几何构型实例
2	2	0	直线形	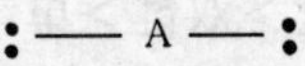 : —— A —— :	BeH_2 $HgCl_2$　(直线形) CO_2
3	3	0	平面三角形	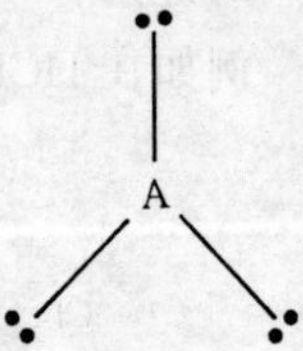	BF_3 (平面三角形) BCl_3
	2	1	三角形	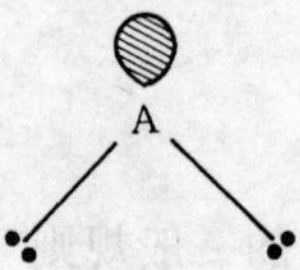	$SnBr_2$ (V 形) $PbCl_2$
4	4	0	四面体	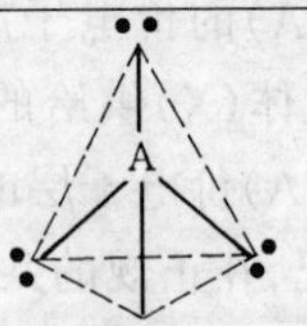	CH_4 (四面体) CCl_4
	3	1	四面体	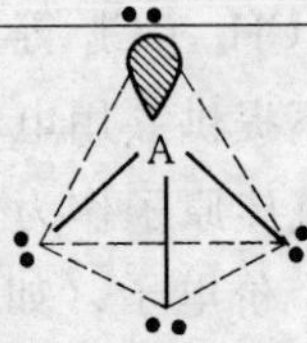	NH_3(三角锥)
	2	2	四面体	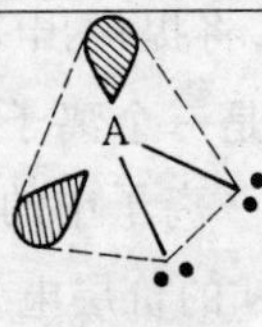	H_2O (V 形)

续表

A的电子对数	成键电子对数	孤电子对数	几何构型	中心原子A价层电子对的排列方式	分子的几何构型实例
5	5	0	三角双锥	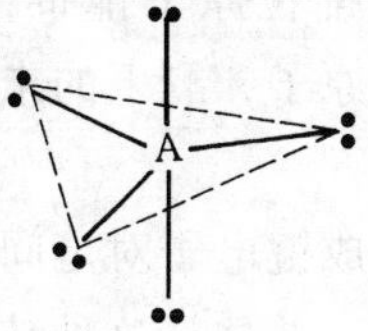	PCl_5（三角双锥）
	3	2	三角双锥	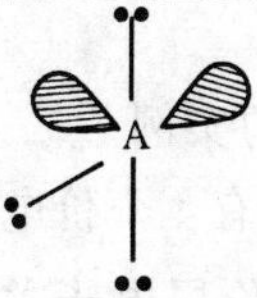	ClF_3（T形）
6	6	0	八面体	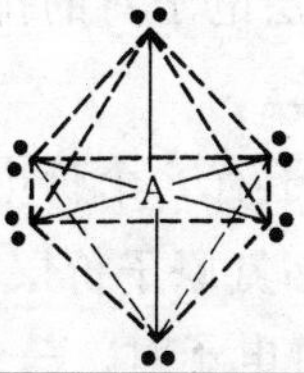	SF_6（八面体）
	5	1	八面体	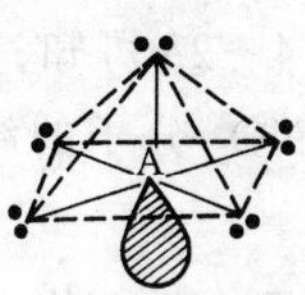	IF_5（四角锥）
	4	2	八面体	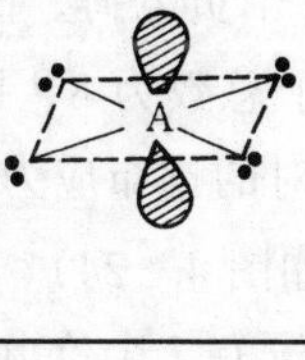	ICl_4^- XeF_4（平面正方形）

最后用 2 除总电子数，即可得到中心原子价电子层的电子对数。

(*b*) 根据中心原子 A 周围的电子对数，从图 4－23 中找出相对应的理想几何结构图形。如果出现有奇电子（有一个成单电子）可把这个单电子当作电子对来看待。

(*c*) 画出结构图，把配位原子排布在中心原子（A）周围，每一对电子联结 1 个配位原子，剩下的未结合的电子对便是孤电子对。

(*d*) 根据孤电子对，成键电子对之间相互排斥力的大小，确定排斥力最小的稳定结构，并估计这种结构对理想几何构型的偏离程度。

(3) 判断共价分子结构的实例

在 CCl_4 分子中，碳原子有 4 个价电子，4 个氯原子提供 4 个电子，因此中心原子碳原子价层电子总数为 8，即有 4 对电子。由图4－23可知，碳原子价层电子对的排布为正四面体，故 CCl_4 分子的空间结构为正四面体。

在 NO_2 分子中，氮原子有 5 个价电子，根据上述规则，氧原子不提供电子，因此中心氮原子价层电子总数为 5。相当于 3 对电子对。其中有两对成键电子对，一个成单电子（这个单电子应作孤电子对看待)。由图 4－23 可知，氮原子价层电子对的排布应为平面三角形。所以 NO_2 分子的结构为 V 形，∠ONO 为 120°。

在 PO_4^{3-} 离子中，磷原子有 5 个价电子，每个氧原子不提供电子，因为 PO_4^{3-} 离子带 3 个负电荷，故需要从外部获得 3 个电子。所以磷原子价层的电子总数为 8，即有 4 对电子，由图 4－23 可知，磷原子价层电子对的排布应为四面体。因此 PO_4^{3-} 离子的空间结构为四面体型（如图 4－24)。

在 ClF_3 分子中，氯原子有 7 个价电子，3 个氟原子提供 3 个电子，使氯原子价层电子的总数为 10，即有 5 对电子。这 5 对电子将分别占据一个三角双锥的 5 个顶角，其中有 2 个顶角为孤电子对所占据，3 个顶角为成键电子对占据，因此配上 3 个氟原子时，共有 3 种可能的结构（如图 4－25）。

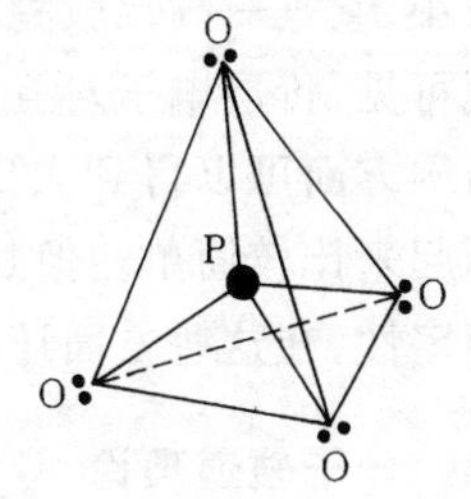

图 4－24 PO_4^{3-} 离子的结构

为了确定这三种结构中哪一种是最可能的结构，可以找出上述(a)，(b)，(c)三角锥结构中最小角度(90°)的三种电子对之间排斥作用的数目。例如：

ClF_3 的结构	(a)	(b)	(c)
90°孤电子对－孤电子对排斥作用数	0	1	0
90°孤电子对－成键电子对排斥作用数	4	3	6
90°成键电子对－成键电子对排斥作用数	2	2	0

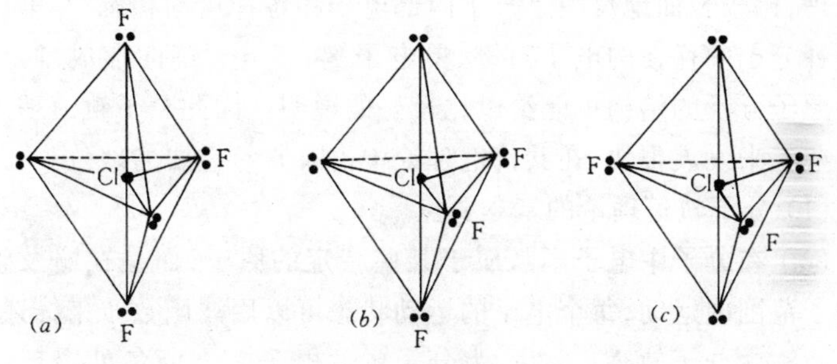

图 4－25 ClF_3 的三种可能结构

由于结构(a)和(c)都没有 90°角的孤电子对－孤电子对的排斥作用，而且在这种结构中，结构(a)又只有较少数目的孤电子对－成键电子对的排斥作用,因此在上述三种可能结构中,结构(a)的排斥作用最小,它是一种比较稳定的结构。

由此可见,价层电子对互斥理论和杂化轨道理论在判断分子的几何结构方面可以得到大致相同的结果,而且价层电子对互斥理论应用起来比较简单。但是它不能很好说明键的形成原理和键的相对稳定性,在这些方面还要依靠价键理论和分子轨道理论。

2-4 分子轨道理论

前面介绍了价键理论、杂化轨道理论和价层电子对互斥理论,这些理论比较直观,并能较好地说明共价键的形成和分子的空间构型,但它们也有局限性。例如由于价键理论认为形成共价键的电子只局限于两个相邻原子间的小区域内运动,缺乏对分子作为一个整体的全面考虑,因此它对有些多原子分子,特别是有机化合物分子的结构不能说明,同时它对氢分子离子 H_2^+ 中的单电子键、氧分子中的三电子键以及分子的磁性等也无法解释。分子轨道理论(简称 MO 法),着重于分子的整体性,它把分子作为一个整体来处理,比较全面地反映了分子内部电子的各种运动状态,它不仅能解释分子中存在的电子对键、单电子键、三电子键的形成,而且对多原子分子的结构也能给以比较好的说明。因此分子轨道理论在近些年来发展很快,在共价键理论中占有非常重要的地位。

(1) 分子轨道理论的基本要点

(a) 在分子中电子不从属于某些特定的原子,而是在遍及整个分子范围内运动,每个电子的运动状态可以用波函数 ψ 来描述,这个 ψ 称为分子轨道。$|\psi|^2$ 为分子中的电子在空间各处出现的几率密度或电子云。

(b) 分子轨道是由原子轨道线性组合而成的,而且组成的分子轨道的数目同互相化合原子的原子轨道的数目相同。例如,如果两个原子组成一个双原子分子时,两个原子的 2 个 s 轨道可组合成 2 个分子轨道;两个原子的 6 个 p 轨道可组合成 6 个分子轨道等。

(c) 每一个分子轨道 ψ_i 都有一相应的能量 E_i 和图象,分子的能量 E 等于分子中电子的能量的总和,而电子的能量即为被它们占据的分子轨道的能量。根据分子轨道的对称性不同,可分为 σ 键和 π 键等,按着分子轨道的能量大小,可以排列出分子轨道的近似能级图。

(d) 分子轨道中电子的排布也遵从原子轨道电子排布的同样原则。即:

保里原理:每个分子轨道上最多只能容纳两个电子,而且自旋方向必须相反。

能量最低原理:在不违背保里原理的原则下,分子中的电子将尽先占有能量最低的轨道。只有在能量较低的每个分子轨道已充满 2 个电子后,电子才开始占有能量较高的分子轨道。

洪特规则:如果分子中有两个或多个等价或简并的分子轨道(即能量相同的轨道),则电子尽先以自旋相同的方式单独分占这些等价轨道,直到这些等价轨道半充满后,电子才开始配对。

(2) 原子轨道线性组合的类型

当两个原子轨道(ψ_a 和 ψ_b)组合成两个分子轨道(ψ_1 和 ψ_2)时,由于波函数 ψ_a 和 ψ_b 符号有正、负之分,因此波函数 ψ_a 和 ψ_b 有两种可能的组合方式:即两个波函数的符号相同或两个波函数的符号相反。

同号的波函数(均为正,或均为负)可以认为它们代表的波处在同一相位内,它们互相组合时,两个波峰叠加起来将得到振幅更大的波。异号的波函数可以认为它们代表的波处在不同的相位内,它们互相组合由于干涉作用,有一部分互相抵消了。这两种组合可以下式表示:

$$\psi_1 = c_1(\psi_a + \psi_b) \tag{4-7}$$

$$\psi_2 = c_2(\psi_a - \psi_b) \tag{4-8}$$

式中 c_1、c_2 为常数。通常由两个符号相同的波函数的叠加(即原子轨道相加重叠)所形成的分子轨道(如 ψ_1),由于在两核间几率密度增大,其能量较原子轨道的能量低,称为成键分子轨道;而由两个符号相反的波函数的叠加(或原子轨道相减重叠)所形成的分子轨道(如 ψ_2),由于在两核间几率密度减小,其能量较原子轨道的能量高,称为反键分子轨道。由不同类型的原子轨道线性组合可得不同种类的分子轨道,原子轨道的线性组合主要有下列几种类型:

(*a*) $s-s$ 重叠

两个氢原子的 1*s* 轨道相组合,可形成两个分子轨道,两个 1*s* 轨道相加重叠所得到的分子轨道的能量比氢原子的 1*s* 轨道能量低,称为成键分子轨道,通常以符号 σ_{1s} 表示。若两个 1*s* 轨道相减重叠,所得到的分子轨道的能量比氢原子的 1*s* 轨道的能量高,称反键分子轨道,以符号 σ_{1s}^* 表示。如图 4-26 所示。

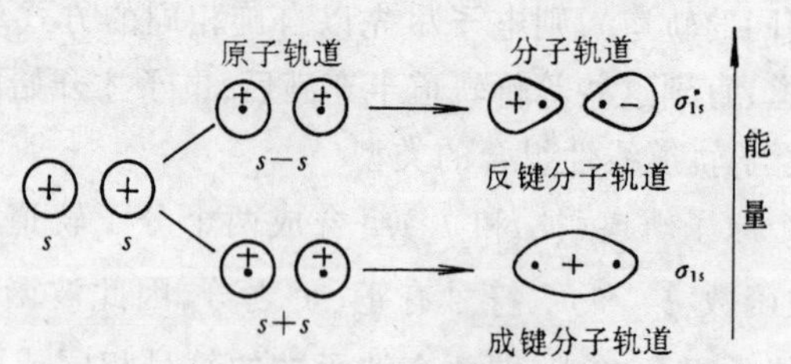

图 4-26　$s-s$ 轨道重叠形成的 σ_s 分子轨道

(*b*) $s-p$ 重叠

当一个原子的 *s* 轨道和一个原子的 *p* 轨道沿两核的联线发生重叠时,如果两个相重叠的波瓣具有相同的符号,则增大了两核间的几率密度,因而产生了一个成键的分子轨道 σ_{sp};若两个相重叠的波瓣具有相反的符号时,则减小了核间的几率密度,因而产生了一个反键的分子轨道 σ_{sp}^*(图 4-27),这种 $s-p$ 重叠出现在卤化氢 HX 分子中。

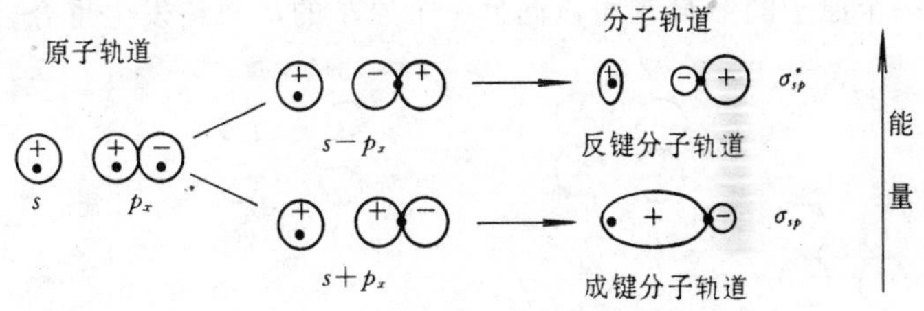

图 4-27　$s-p$ 轨道重叠形成 σ_{sp} 分子轨道

(*c*) $p-p$ 重叠

两个原子的 p 轨道可以有两种组合方式:即"头碰头"和"肩并肩"两种重叠方式。

当两个原子的 p_x 轨道沿 x 轴(即键轴)以"头碰头"的形式发生重叠时,产生了一个成键的分子轨道 σ_p 和一个反键的分子轨道 σ_p^*(图 4-28),这种 $p-p$ 重叠出现在单质卤素分子 X_2 中。

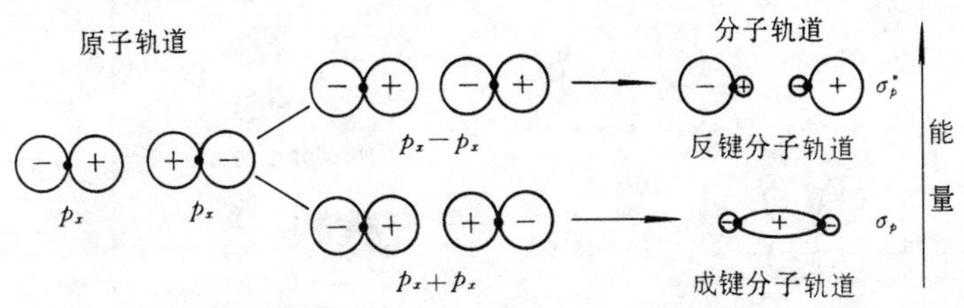

图 4-28　$p-p$ 轨道重叠形成的 σ_p 分子轨道

当两个原子的 p 轨道(如 p_y-p_y 或 p_z-p_z),垂直于键轴,以肩并肩的形式发生重叠,这样产生的分子轨道叫做 π 分子轨道——成键的分子轨道 π_p 和反键的分子轨道 π_p^*(图 4-29)。这种 $p-p\pi$ 组合出现在 N_2 分子中。(有 2 个 π 键和 1 个 σ 键)。

(*d*) $p-d$ 重叠

一个原子的 p 轨道可以同另一个原子的 d 轨道发生重叠，但

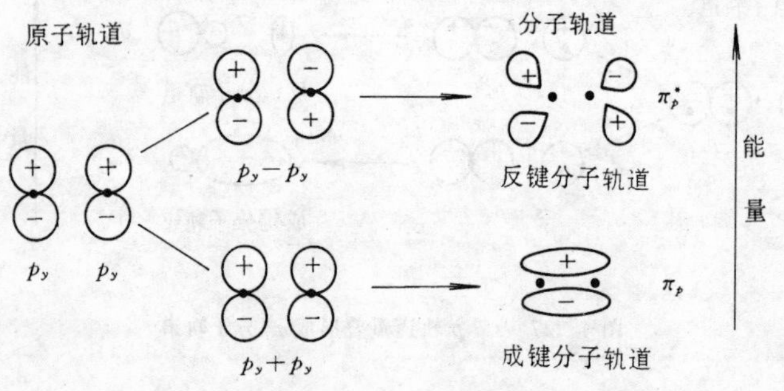

图 4-29　$p-p$ 轨道重叠形成 π_p 分子轨道

由于这两类原子轨道并不是沿着键轴而重叠的，所以 $p-d$ 轨道重叠也可形成 π 分子轨道——成键的分子轨道 π_{p-d} 和反键的分子轨道 π^*_{p-d}（图 4-30）。这种 $p-d$ 重叠出现在一些过渡金属化合物中，也出现在磷、硫等的氧化物和含氧酸中。

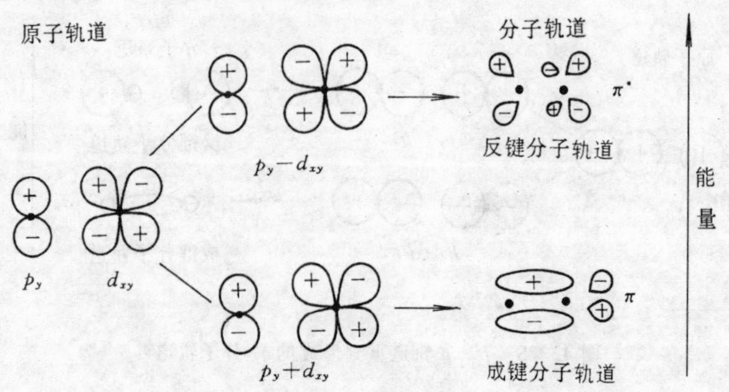

图 4-30　$p-d$ 轨道重叠形成的 π_{p-d} 分子轨道

(e) $d-d$ 重叠

两个原子的 d 轨道（如 $d_{xy}-d_{xy}$）也可按图 4-31 方式重叠产生成键的分子轨道 π_{d-d} 和反键的分子轨道 π^*_{d-d}。

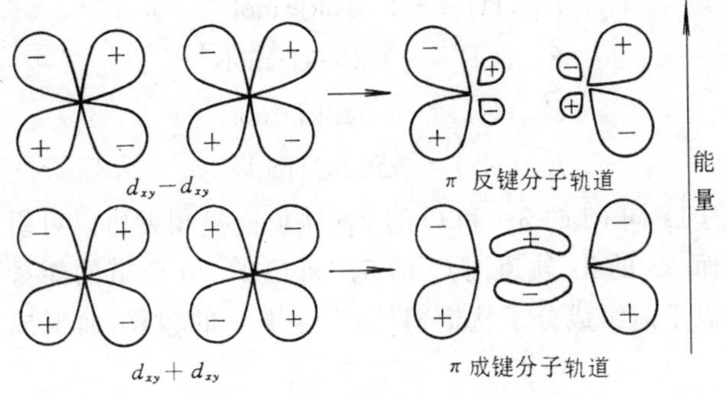

图 4-31　$d-d$ 重叠组成 π_{d-d} 分子轨道

由此可见,若以 x 轴为键轴,$s-s$,$s-p_x$,p_x-p_x 等原子轨道互相重叠可以形成 σ 分子轨道。σ 分子轨道的主要特征是它对于键轴呈圆柱型对称。即沿键轴旋转时,轨道形状和符号不变。当 p_y-p_y,p_z-p_z,以及 $d_{xy}-p_y$,$d_{xy}-d_{xy}$ 等原子轨道重叠时则形成 π 分子轨道。π 分子轨道的主要特征是它对通过一个键轴的平面具有反对称性,若把 π 分子轨道沿键轴旋转 180°,它的符号将会发生改变。在通过键轴的平面上几率密度几乎为 0,这个平面称为节面,π 分子轨道有一个通过键轴的节面。

(3) 原子轨道线性组合的原则

分子轨道是由原子轨道线性组合而得,但并不是任意两个原子轨道都能组合成分子轨道。在确定哪些原子轨道可以组合成分子轨道时,应遵循下列三条原则。

(a) 能量近似原则:如果有两个原子轨道能量相差很大,则不能组合成有效的分子轨道,只有能量相近的原子轨道才能组合成有效的分子轨道,而且原子轨道的能量愈相近愈好,这就叫能量近似原则。这个原则对于确定两种不同类型的原子轨道之间能否组成分子轨道是很重要的。

例如 H,Cl,O,Na 各原子的有关原子轨道的能量分别为:

$$E_{1s}(\mathrm{H}) = -1\ 318\mathrm{kJ \cdot mol^{-1}}$$
$$E_{3p}(\mathrm{Cl}) = -1\ 259\mathrm{kJ \cdot mol^{-1}}$$
$$E_{2p}(\mathrm{O}) = -1\ 322\mathrm{kJ \cdot mol^{-1}}$$
$$E_{3s}(\mathrm{Na}) = -502\mathrm{kJ \cdot mol^{-1}}$$

由于 H 的 $1s$ 同 Cl 的 $3p$ 和 O 的 $2p$ 轨道能量相近所以可组成分子轨道，而 Na 的 $3s$ 轨道同 Cl 的 $3p$ 和 O 的 $2p$ 轨道的能量相差甚大，所以不能组成分子轨道，只会发生电子的转移，而形成离子键。

(b) 最大重叠原则：原子轨道发生重叠时，在可能的范围内重叠程度愈大，成键轨道能量相对于组成的原子轨道的能量降低得愈显著，成键效应愈强，即形成的化学键愈牢固，这就叫最大重叠原则。例如当两个原子轨道各沿 x 轴方向相互接近时，由于 p_y 和 p_z 轨道之间没有重叠区域，所以不能组成分子轨道；s 与 s 之间以及 p_x 与 p_x 之间有最大重叠区域，可以组成分子轨道；而 s 轨道和 p_x 轨道之间，只要能量相近的话，也可相互组成分子轨道。

(c) 对称性原则：只有对称性相同的原子轨道才能组成分子轨道，这就叫做对称性原则。所谓对称性相同，实际上是指重叠部分的原子轨道的正、负号相同。由于原子轨道均有一定的对称性(如 s 轨道是球形对称的；p 轨道是对于中心呈反对称的)，为了有效组成分子轨道，原子轨道的类型、重叠方向必须对称性合适，使成键轨道都是由原子轨道的同号区域互相重叠形成的。

在有些情况下，从表面上看重叠区域虽然不小，但成键效能并不好，例如当两个原子各沿 x 轴方向接近时，s 轨道或 p_x 轨道分别与 p_z(或 p_y)轨道重叠时，就是如此。如图 4－32 所示。

这是由于两个原子轨道对键轴($a-b$ 联线)的对称性不同所致，s 轨道和 p_x 轨道以键轴为轴旋转 180°时，形状和符号都不变化，故 s 轨道和 p_x 轨道对键轴是呈对称的。而 p_z 和 p_y 轨道以键轴为轴旋转 180°时，形状不变但符号相反，故 p_z 和 p_y 轨道对键轴

是呈反对称的。由于对称性不同，所以在 $s-p_z$ 以及 p_x-p_z 原子

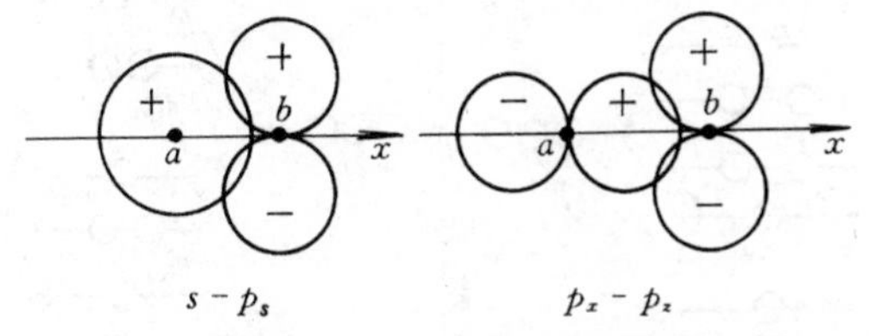

图 4-32 原子轨道的非键组合

轨道组合中，s 和 p_x 轨道的正区域与 p_z 轨道的正区域重叠所产生的稳定化作用，被等量的 s 和 p_x 轨道的正区域与 p_z 轨道的负区域重叠所产生的不稳定化作用抵消了。因而实际上体系的总能量没有发生任何变化，这种组合叫原子轨道的非键组合，所产生的分子轨道叫非键分子轨道。

由此可见，在由原子轨道组成分子轨道的三原则中，对称性原则是首要的，它决定原子轨道能否组成分子轨道的问题，而能量近似原则和最大重叠原则只是决定组合的效率问题。

(4) 同核双原子分子的分子轨道能级图

每个分子轨道都有相应的能量，分子轨道的能级顺序目前主要是从光谱实验数据来确定的。如果把分子中各分子轨道按能级高低排列起来，可得分子轨道能级图，如图 4-33 所示。对于第二周期元素形成的同核双原子分子的能级顺序有如下两个情况。当组成原子的 2s 和 2p 轨道能量差较大时，不会发生 2s 和 2p 轨道之间的相互作用，形成分子轨道时分子轨道的能级顺序如图 4-33(a)所示($\pi_{2p}>\sigma_{2p}$)，但当 2s 与 2p 能量差较小时，两个相同原子互相靠近时，不但会发生 $s-s$ 和 $p-p$ 重叠，而且也会发生 $s-p$ 重叠，以至改变了能级顺序如图 4-33(b)所示($\pi_{2p}<\sigma_{2p}$)。

对于同核双原子分子的分子轨道能级图应注意下列几点：

(a) 对于 O 和 F 等原子来说，由于 2s 和 2p 原子轨道能级相差较大(大于 15eV)，如表 4-7 所示，故可不必考虑 2s 和 2p 轨道

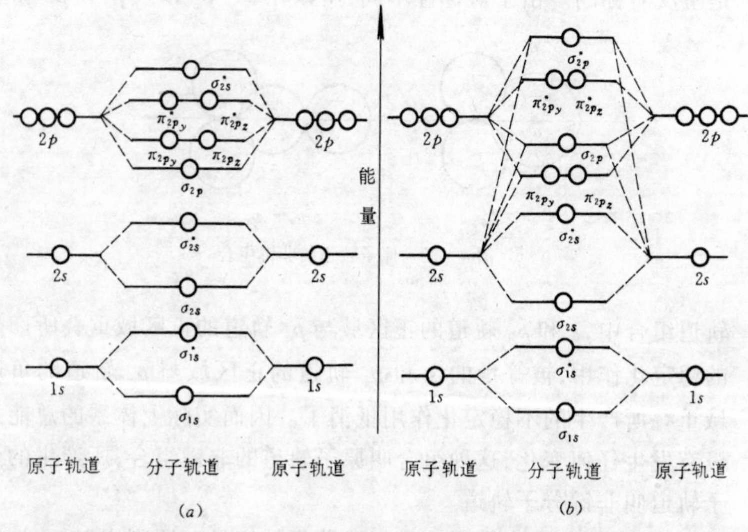

图 4－33　同核双原子分子的分子轨道能级图

（a）2s 和 2p 能级相差较大；（b）2s 和 2p 能极相差较小。

间的相互作用，因此 O_2 和 F_2 的分子轨道能级是按图 4－33(a) 的能级顺序排列的。对于 N，C，B 等原子来说，由于 2s 和 2p 原子轨道能级相差较小（一般 10eV 左右），必须考虑 2s 和 2p 轨道之间的相互作用，以致造成 σ_{2p} 能级高于 π_{2p} 能级的颠倒现象，故 N_2，C_2，B_2 等的分子轨道能级是按图 4－33(b) 的能级顺序排列的。

（b）如果两个原子轨道重叠，则形成的成键分子轨道的能

表 4－7　一些元素的 2p 轨道和 2s 轨道的能量差

$$\Delta E = E_{2p} - E_{2s}$$

	Li	Be	B	C	N	O	F
ΔE/eV	1.85	2.73	4.60	5.3	5.8	14.9	20.4
ΔE/kJ·mol^{-1}	178	263	444	511	560	1438	1968

量一定比原子轨道能量低某一数量，而其反键分子轨道的能量则较原子轨道能量高这一相应的数量。而这一对成键和反键分子轨道都填满电子时，则能量基本上互相抵消。

（c）分子轨道的能量受组成分子轨道的原子轨道的影响，而原子轨道的能量与原子的核电荷有关，由此可推知，由不同原子的原子轨道所形成的同类型的分子轨道的能量是不相同的，如图4－34所示。

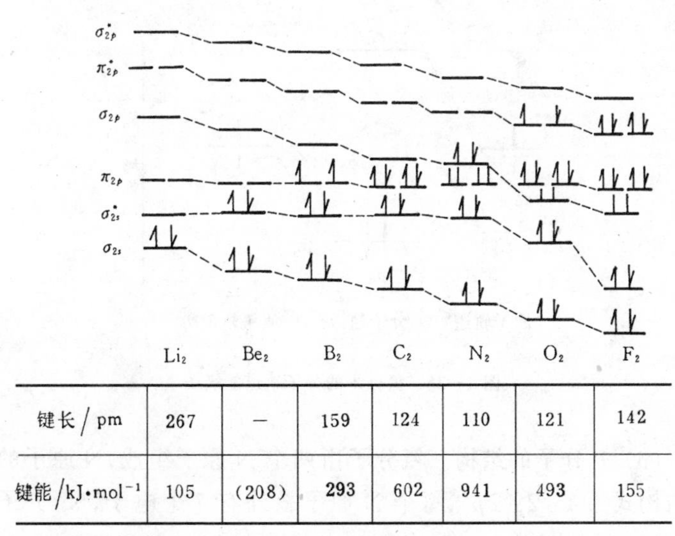

	Li_2	Be_2	B_2	C_2	N_2	O_2	F_2
键长/pm	267	—	159	124	110	121	142
键能/$kJ \cdot mol^{-1}$	105	(208)	293	602	941	493	155

图4－34　第二周期元素的同核双原子分子的能量变化

从图4－34可以看出，随原子序数的增加，同核双原子分子同一类型的分子轨道能量有所降低。但 O_2 和 N_2 分子的 σ_{2p} 与 π_{2p} 能量出现颠倒情况，其原因前已说明在此不再重复。

（d）分子轨道能级图中每一个圆圈代表一个分子轨道。π_{2p_y} 和 π_{2p_z} 两个成键分子轨道的形状相同和能量相等，这种分子轨道称简并轨道，所以 π_{2p} 轨道是二重简并的。同样，$\pi_{2p_y}^*$ 和 $\pi_{2p_z}^*$ 两个反键分子轨道也是形状相同和能量相等的，所以 π_{2p}^* 轨道也是二重简并的。

下面举几个同核双原子分子的实例说明分子轨道法的应用：

(i) 氢分子的结构。氢分子是由两个氢原子组成的。每个氢原子在 1s 分子轨道中有一个电子，两个氢原子的 1s 原子轨道互相重叠可组成反键和成键的分子轨道。两个电子将先填入能量最低的 σ_{1s} 成键分子轨道，如图 4－35 所示。H_2 的分子轨道式为：$(\sigma_{1s})^2$。

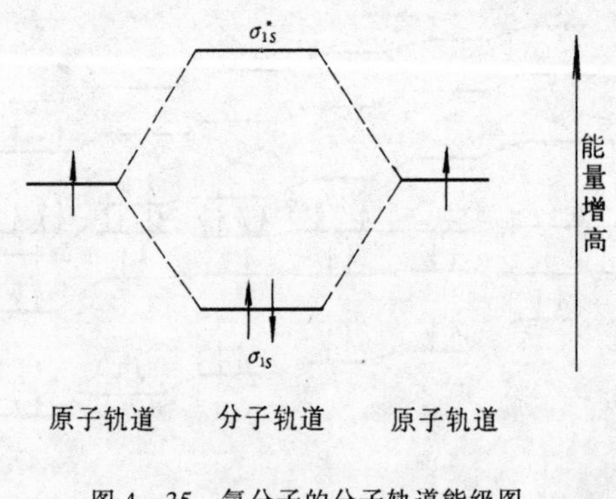

图 4－35　氢分子的分子轨道能级图

(ii) 氮分子的结构。氮分子由两个 N 原子组成，N 原子的电子结构式为 $1s^2 2s^2 2p^3$，每个 N 原子核外有 7 个电子，N_2 分子中共有 14 个电子，电子填入分子轨道时，也遵从最低能量原理、保里原理和洪特规则。N_2 分子的分子轨道能级图如图 4－36 所示（内层的 σ_{1s} 和 σ_{1s}^* 未画出。）

氮分子的分子轨道式为：$(\sigma_{1s})^2(\sigma_{1s}^*)^2(\sigma_{2s})^2(\sigma_{2s}^*)^2(\pi_{2p_y})^2(\pi_{2p_z})^2(\sigma_{2p_x})^2$。$\sigma_{1s}$ 与 σ_{1s}^* 中各两个电子，由于它们是内层电子，所以在写分子轨道式时也可以不写出，或以 KK 代替。成键轨道 σ_{2s} 与反键轨道 σ_{2s}^*，各填满 2 个电子，由于能量降低和升高互相抵消，对成键没有贡献。实际对成键有贡献的只是 $(\pi_{2p_y})^2$ $(\pi_{2p_z})^2$

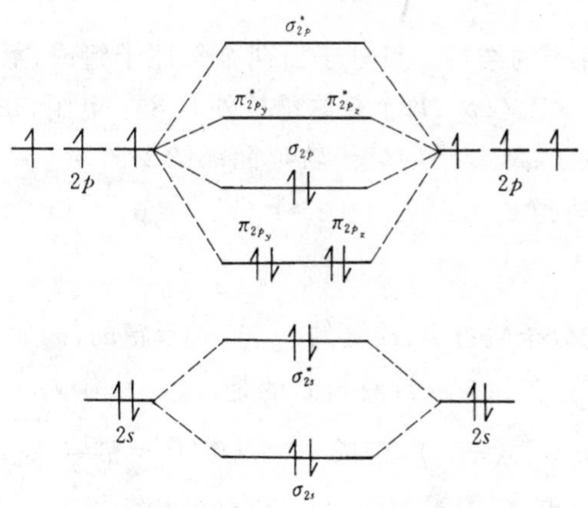

图 4－36　N_2 分子的分子轨道能级图

$(\sigma_{2p_x})^2$ 三对电子，即形成两个 π 键和一个 σ 键。应当指出：这是一种简化的看法，实际情况是比较复杂的，我们将在 14 章中详细介绍。由于氮分子中存在叁键 N≡N，所以 N_2 分子具有特殊的稳

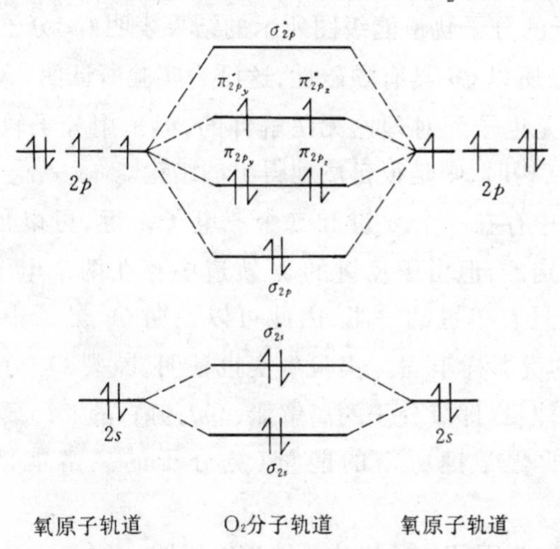

图 4－37　O_2 分子的分子轨道能级图

定性。

(iii)氧分子的结构。氧分子由两个氧原子组成,氧原子的电子结构式为 $1s^2 2s^2 2p^4$,每个氧原子核外有 8 个电子,在氧分子中共有 16 个电子,氧分子的分子轨道能级图如图 4-37 所示。O_2 分子的分子轨道式为:$(\sigma_{1s})^2(\sigma_{1s}^*)^2(\sigma_{2s})^2(\sigma_{2s}^*)^2(\sigma_{2p_x})^2(\pi_{2p_y})^2(\pi_{2p_z})^2(\pi_{2p_y}^*)^1(\pi_{2p_z}^*)^1$。

在 O_2 的分子轨道中,成键的 $(\sigma_{2s})^2$ 和反键的 $(\sigma_{2s}^*)^2$ 对成键的贡献互相抵消,实际对成键有贡献的是 $(\sigma_{2p_x})^2$ 构成 O_2 分子中的一个 σ 键;$(\pi_{2p_y})^2(\pi_{2p_y}^*)^1$ 构成一个三电子 π 键;$(\pi_{2p_z})^2(\pi_{2p_z}^*)^1$ 构成另一个三电子 π 键。所以氧分子的结构式为:

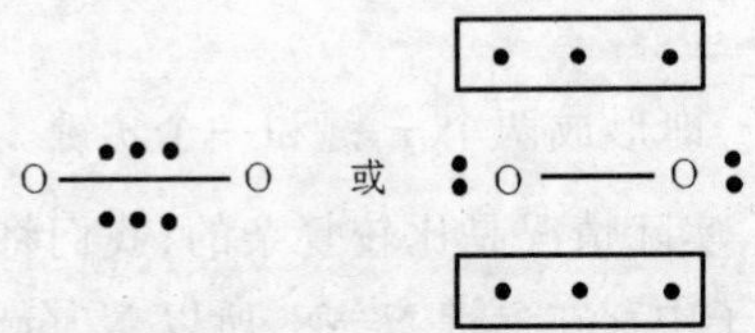

O_2 分子的分子轨道能级图所示的结果表明 O_2 分子中存在两个成单电子,所以 O_2 具有顺磁性,这已为实验所证明。O_2 分子具有顺磁性这是电子配对理论无法解释的,但是用分子轨道理论处理 O_2 分子结构时,则是很自然地得出的结论。

氧分子中存在一个 σ 键和二个三电子 π 键,可以预期 O_2 分子是比较稳定的,但由于反键的 π 轨道中存在两个电子,三电子 π 键的键能只有单键的一半,因此可以预期 O_2 分子中的键没有 N_2 分子中的键那样牢固。实验事实也证明,断裂 O_2 分子中的化学键所需的能量(即氧分子的离解能,$497.9\text{kJ}\cdot\text{mol}^{-1}$)要小于断裂 N_2 分子中的化学键所需的能量(氮分子的离解能,$949.8\text{kJ}\cdot\text{mol}^{-1}$)。

(5) 异核双原子分子的分子轨道能级图

当两个不同原子结合成分子时,用分子轨道法处理在原则上与同核双原子分子一样，应遵循能量相近、最大重叠和对称性相同三原则，只有在这些条件下两个原子才能发生有效的组合。下面我们以 CO 为例来说明异核双原子分子的分子轨道的形成。

碳原子核外有 6 个电子，碳原子的电子结构式为 $1s^2 2s^2 2p^2$，氧原子核外有 8 个电子，氧原子的电子结构式为 $1s^2 2s^2 2p^4$。由于碳和氧原子的相应的原子轨道（如 $2s$ 或 $2p$）能量相近，可以互相重叠形成 CO 分子的分子轨道。CO 分子轨道的能级与 N_2 的分子轨道能级顺序类似（$\pi_{2p} < \sigma_{2p}$），但不同的是 C 和 O 的原子轨道

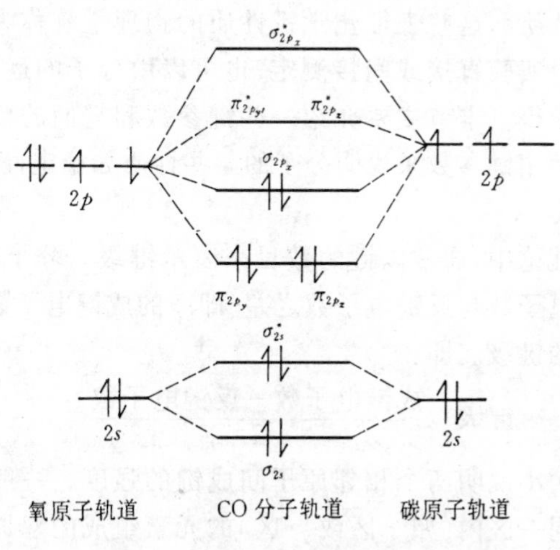

图 4-38　CO 分子的分子轨道能级图

能级高低不同，电负性较高的氧原子的原子轨道能级低于碳原子的相应的轨道能级。CO 分子的分子轨道能级如图 4-38 所示。

CO 分子的分子轨道式为：$(\sigma_{1s})^2(\sigma^*_{1s})^2(\sigma_{2s})^2(\sigma^*_{2s})^2(\pi_{2p_y})^2(\pi_{2p_z})^2(\sigma_{2p_x})^2$。在 $(\sigma_{1s})^2$ 和 $(\sigma^*_{1s})^2$ 以及 $(\sigma_{2s})^2$ 和 $(\sigma^*_{2s})^2$ 分子轨道中成键的与反键的轨道互相抵销，对成键有贡献的是 $(\pi_{2p_y})^2(\pi_{2p_z})^2(\sigma_{2p_x})^2$。所以 CO 分子中有两个 π 键和一个 σ 键。

由图 4-38 和图 4-36 可知，尽管碳原子和氧原子是异核原

子，但所形成的 CO 分子的分子轨道结构和 N_2 分子的分子轨道结构相似（能量有差别），它们的分子中都有 14 个电子，并都占据同样的分子轨道，这样的分子叫做等电子体。等电子体分子间的性质非常相似。

2-5　键参数与分子的性质

一般可以通过分子的价键结构和表征价键性质的某些物理量如键级、键能、键角、键长、键的极性等数据，定性或半定量地解释分子的某些性质。这些表征化学键性质的物理量统称为键参数。键参数可以由实验直接或间接测定，也可以由分子的运动状态通过理论计算求得。本节主要介绍一些键参数和它们的含义，并用实例说明如何用键参数来说明分子的某些性质如稳定性，极性等。

(1) 键级

在价键理论中，通常以键的数目来表示键级。分子轨道理论中则以成键电子数与反键电子数之差（即净的成键电子数）的一半来表示分子的键级。即：

$$\text{键级}=\frac{\text{成键电子数}-\text{反键电子数}}{2}$$

键级的大小说明两个相邻原子间成键的强度。一般来说，在同一周期和同一区内（如 s 区或 p 区）的元素组成的双原子分子，键级越大，键愈牢固，分子也愈稳定。

H_2 分子的分子轨道式为 $(\sigma_{1s})^2$，所以键级 $=\frac{2-0}{2}=1$，说明 H_2 分子能稳定存在。

He_2 分子的分子轨道式为 $(\sigma_{1s})^2(\sigma_{1s}^*)^2$，所以键级 $=\frac{2-2}{2}=0$，这说明 He_2 分子不能存在。

N_2 分子的分子轨道式为 $(\sigma_{1s})^2(\sigma_{1s}^*)^2(\sigma_{2s})^2(\sigma_{2s}^*)^2(\pi_{2p_y})^2$ $\cdot(\pi_{2p_z})^2(\sigma_{2p})^2$，所以键级 $=\frac{10-4}{2}=3$（若不考虑内层电子，只考

虑价电子，则键级 $=\frac{8-2}{2}=3$ ），这说明 N_2 分子是比较稳定的。

(2) 键能

在绝对零度下，将处于基态的双原子分子 AB 拆开成也处于基态的 A 原子和 B 原子时，所需要的能量叫 AB 分子的键离解能常用符号 $D(\text{A—B})$ 来表示。例如 H_2 的离解能 $D(\text{H—H})=432\text{kJ}\cdot\text{mol}^{-1}$。对双原子分子来讲，离解能就是键能 E，即 $E(\text{H—H})=D(\text{H—H})=432\text{kJ}\cdot\text{mol}^{-1}$。如果在标准气压和 298K 下，将理想气态分子 AB 拆开成为理想气态的 A 原子和 B 原子，所需要的能量叫做 AB 分子的键离解焓，如 H_2 的键离解焓 $436\text{kJ}\cdot\text{mol}^{-1}$。在表示共价分子的键强时，键离解能和键离解焓两个概念都在使用，请注意区别。

对多原子分子来说，键能和离解能在概念上是有区别的。例如，NH_3 分子有三个等价的 N—H 键，但每个键的离解能是不一样的：

$$NH_3(g) \xlongequal{\quad} NH_2(g)+H(g) \qquad D_1=427\text{kJ}\cdot\text{mol}^{-1}$$

$$NH_2(g) \xlongequal{\quad} NH(g)+H(g) \qquad D_2=375\text{kJ}\cdot\text{mol}^{-1}$$

$$NH(g) \xlongequal{\quad} N(g)+H(g) \qquad D_3=356\text{kJ}\cdot\text{mol}^{-1}$$

$$NH_3(g)=N(g)+3H(g) \qquad D_{总}=D_1+D_2+D_3 =1\ 156\text{kJ}\cdot\text{mol}^{-1}$$

在 NH_3 分子中 N—H 键的键能就是三个等价键的平均离解能：

$$E(\text{N—H})=\frac{D_1+D_2+D_3}{3}=\frac{1\ 156}{3}=386(\text{kJ}\cdot\text{mol}^{-1})$$

在表 4 - 8(a)中列出了一些键的键能数值，表 4 - 8(b)中列出一些键的键能和键焓的数值。一般说来，键能或键焓越大，化学键越牢固，含有该键的分子就越稳定。通常键能或键焓数据是通过热化学法(或光谱法)测定的。

表 4-8

（*a*） 某些键的键能数据（$kJ \cdot mol^{-1}$）

H—H	432.0	B—B	293	N—F	283
F—F	154.8	F—H	565	P—F	490
Cl—Cl	239.7	Cl—H	428.02	As—F	406
Br—Br	190.16	Br—H	362.3	Sb—F	402
I—I	148.95	I—H	294.6	O—Cl	218
O—O	~142	O—H	458.8	S—Cl	255
O═O	493.59	S—H	363.5	N—Cl	313
S—S	268	Se—H	276	P—Cl	326
Se—Se	172	Te—H	238	As—Cl	321.7
Te—Te	126	N—H	386	C—Cl	327.2
N—N	167	P—H	~322	Si—Cl	381
N═N	418	As—H	~247	Ge—Cl	348.9
N≡N	941.69	C—H	411	N—O	201
P—P	201	Si—H	318	N═O	607
As—As	146	Ge—H	—	C—O	357.7
Sb—Sb	1 217	Sn—H	—	C═O	798.9
Bi—Bi	—	B—H	—	Si—O	452
C—C	345.6	C—F	485	C═N	615
C═C	602	Si—F	318	C≡N	887
C≡C	835.1	B—F	613.1	C═S	573
Si—Si	222	O—F	189.5		

（*b*） 某些键的键能 ***D*** 和键焓 ΔH_E

	$\frac{D}{kJ \cdot mol^{-1}}$	$\frac{\Delta H_E}{kJ \cdot mol^{-1}}$		$\frac{D}{kJ \cdot mol^{-1}}$	$\frac{\Delta H_E}{kJ \cdot mol^{-1}}$		$\frac{D}{kJ \cdot mol^{-1}}$	$\frac{\Delta H_E}{kJ \cdot mol^{-1}}$
H_2	432	436	HF	562	567	CO	1072	1077
F_2	154	159	HCl	428	431	N_2	942	946
Cl_2	240	242	HBr	363	366	O_2	494	498
Br_2	190	193	HI	295	298	OH	424	428
I_2	149	151	CN	750	754	P_2	483	486

(3) 键长

分子中两个原子核间的平衡距离叫做键长（或核间距）。理论上用量子力学近似方法可以算出键长，实际上对于复杂分子往往是通过光谱或衍射等实验方法来测定键长。表 4－9 列出了一些化学键的键长数据。一般说来，两个原子之间形成的键越短，表示键越强、越牢固。

表 4－9　单键、双键、叁键的键能与键长

	键　数	键能/kJ·mol^{-1}	键长/pm
C—C	1	345.6	154
C＝C	2	602	134
C≡C	3	835.1	120
N—N	1	167	145
N＝N	2	418	125
N≡N	3	941.69	110

(4) 键角

在分子中键和键之间的夹角叫做键角。键角是反映分子空间结构的重要因素之一，例如水分子中 2 个 O—H 键之间的夹角是 104.5°，这就决定了水分子是 V 形结构。从原则上说来，键角也可以用量子力学近似方法算出，但对于复杂分子目前也仍然通过光谱、衍射等结构实验测定来求出键角。表 4－10 列出了一些分子的键长和键角的数据。

一般说来，如果已经知道了一个分子中的键长和键角数据，那么这个分子的几何构型就确定了。例如已知 CO_2 分子的键长是 116.2pm，O—C—O 键角等于 180°，我们就可以知道 CO_2 分子是一个直线形的非极性分子，它的一些物理性质就可以预测。又例如，已知 NH_3 分子 H—N—H 键角是 107°18′，N—H 键长是 101.9pm，就可以断定 NH_3 分子是一个三角锥形的极性分子。因此，键长和键角是确定分子的空间构型的重要因素。

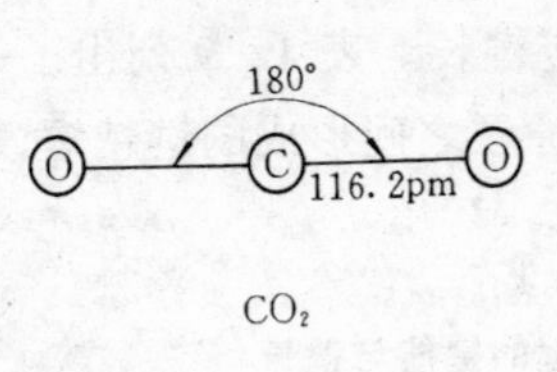

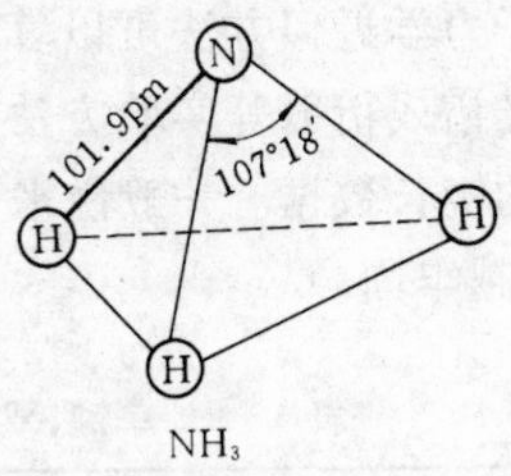

表 4-10　某些分子的键长和键角数据(实验值)

分子式	键长/pm	键　角
CO_2	116.2	180°
H_2O	98	104°45′
NH_3	101.9	107°18′
CH_4	109.3	109°28′

(5) 键的极性

在共价键中,根据键的极性又分为非极性共价键和极性共价键。在单质中,同种原子形成的共价键,原子双方吸引电子的本领(即电负性)相同,所以共用电子对均匀地出现在两个原子之间,也就是说,电子对恰好在键的中央出现的几率最大。由于两个原子核正电荷重心和分子中负电荷重心恰好重合。这种键叫做非极性共价键。例如 H_2,O_2,N_2,Cl_2 分子中和巨分子单质如金刚石、晶态硅、晶态硼等的共价键,便是非极性共价键。

在化合物分子中,不同原子间形成的共价键,由于不同原子吸引电子的本领(电负性)不一样,使共用电子对偏向电负性大的原子一方,这时对成键的两个原子来说,电荷分布是不对称的。电负性较大的原子一端带部分负电荷,电负性较小的原子一端带部分正电荷,由于分子中正电荷重心和负电荷重心不重合,这样形成的键有极性,即在键的两端出现了电的正极和负极,这种键叫做极性共价键。例如在 HCl 分子中 Cl 原子把电子对拉向自己一边的本领比 H 原子强，成键的电子云偏向 Cl 原子一边，使 Cl 原子带了部分负电荷，H 原子带了部分正电荷，所以 H—Cl 键是一个极性共价键。

通常从成键原子的电负性值就可以大致判断共价键的极性大小。如果成键的两个原子的电负性相等，则形成的键应该是非极性共价键，如 H—H 和 Cl—Cl 等。如果成键的两个原子的电负性相差不很大时，就形成极性键，正极靠近电负性小的原子，而负极靠近电负性大的原子。例如 H 原子和 Cl 原子的电负性分别是 2.2和 3.16，差值是 0.96，所以共用电子对偏向 Cl 原子一边，因而形成 H—Cl 极性键。

在极性共价键中，成键原子的电负性差越大，键的极性也越大。在卤化氢分子中键的极性对比如表 4－11 所示。

表 4－11　卤化氢分子的极性

卤化氢中的键	H—I	H—Br	H—Cl	H—F
电负性差值	0.46	0.76	0.96	1.78
极性大小	极　性　增　大 →			

当两个原子的电负性相差很大时，可以认为生成的电子对完全转移到电负性大的原子上，这就形成了离子键。例如 Na 原子和 Cl 原子的电负性分别是 0.93 和 3.16，差值是 2.23，这比上列卤化氢的电负性差值都来得大，结果形成了 $Na^{+}Cl^{-}$ 离子键。因此从键的极性来看，可以认为离子键是最强的极性键，极性共价键是由离子键到非极性共价键之间的一种过渡状态。此外还可以指出，在许多化合物中有时既存在离子键，也存在着极性共价键，例如 NaOH，在 Na^{+} 和 OH^{-} 之间的键是离子键，而 O 和 H 之间的键是极性共价键。

2-6 分子晶体和原子晶体

在共价化合物和单质中，就晶体的类型来说，它们可分为分子晶体和原子晶体。

(1) 分子晶体

一些共价型非金属单质和化合物分子，例如卤素、氢、卤化氢、二氧化碳、水、氨、甲烷等，它们都是由一定数目的原子通过共价键结合而成的(极性的或非极性的)共价分子。这类非金属单质和化合物是由小分子组成的，即它们的分子是由有限数目的原子所组成，它们的分子量是可以测定的，并且有恒定的数值，在一般情况下，它们常以气体、易挥发的液体或易溶化易升华的固体存在，它们的晶体属分子晶型(如图 4-39 和图 4-40 所示)。

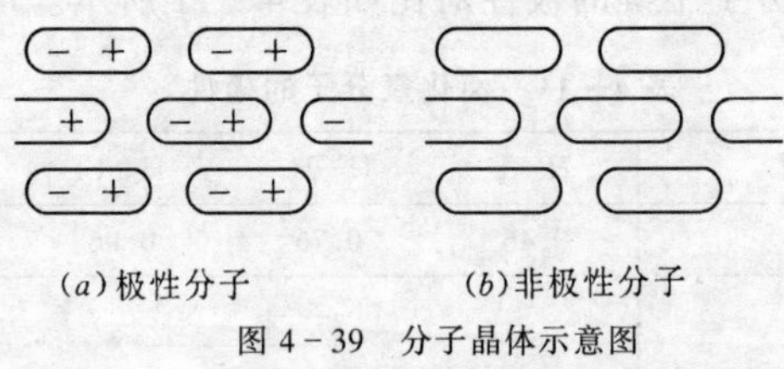

图 4-39 分子晶体示意图

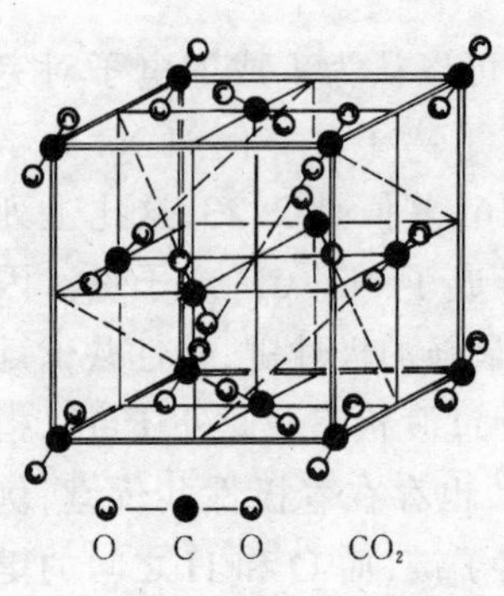

图 4-40 CO_2 分子晶体

分子晶体的主要特点是：在晶体中，组成晶格的质点是分子(包括极性的或非极性的)，例如 CO_2、HCl、I_2 等；分子晶体中，质点间的作用力是分子与分子之间的作用力(即分子间力)。每个分子内部的原子之间是借共价键结合的。例如 CO_2 分子之间的作用力是分子间力，而每个 CO_2 分子内部 C 与 O 原子之间是通过共价键结合的。由于分子间作用力比共价键、离子键弱得多，所以分子型晶体一般具有较低的熔点、沸点和较小的硬度。这类固体一般不导电，熔化时也不导电（如 CO_2 等），只有那些极性很强的分子型晶体（如 HCl 等）溶解在极性溶剂（如水）中，由于发生电离而导电。

(2) 原子晶体

另有一类共价型非金属单质和化合物例如碳（金刚石）、硅、硼以及碳化硅(SiC)、二氧化硅（SiO_2）、氮化硼（BN）等，它们在常况下是由“无限”数目的原子所组成的晶体，这类晶体通常称为原子晶体（如图 4－41 和图 4－42 所示）。

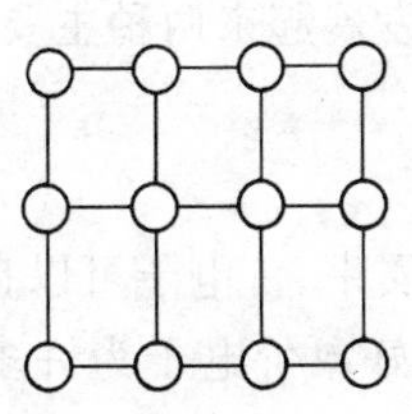

图 4－41　原子晶体示意图

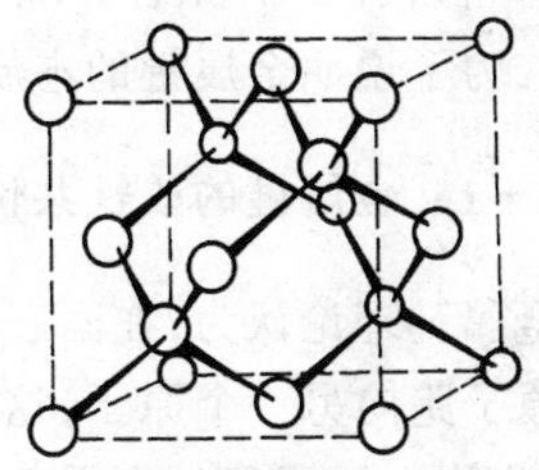

图 4－42　金刚石原子晶体

原子晶体的主要特点是：在这类晶体中，占据在晶格结点上的质点是原子；原子间是通过共价键相互结合在一起的。由于在各个方向上这种共价键是相同的，因此在这类晶体中，不存在独立的小分子，而只能把整个晶体看成是一个大分子，晶体有多大，分子也就有多大，没有确定的分子量。在这类晶体中由于原子之间的共价键比较牢固，即键的强度较高，要拆开这种原子晶体中的共价键需要消耗较大的能量，所以原子晶体一般具有较高的熔点、沸点和硬度。例如金刚石的熔点为 3 849K。这类晶体在通常的情况下不导电，也是热的不良导体，熔化时也不导电。但硅、碳化硅等具有半导体的性质，可以有条件地导电。

§4－3　金属键理论

非金属元素的原子都有足够多的价电子，彼此互相结合时可以共用电子。例如两个 Cl 原子共用 1 对电子形成 Cl_2 分子；两个 N 原子共用 3 对电子形成 N_2 分子，然后靠分子间作用力在一定温度下凝聚成液体或固体；金刚石晶体中每个碳原子同 4 个相邻原子共用 4 对电子等等。大多数金属元素的价电子都少于 4 个(多数只有 1 或 2 个价电子)，而在金属晶格中每个原子要被 8 或 12 个相邻原子所包围。以钠为例，它在晶格中的配位数是 8(体心立方)，它只有 1 个价电子，很难想象它怎样同相邻 8 个原子结合起来。为了说明金属键的本质，目前已发展起来两种主要的理论。

3－1　金属键的改性共价理论

金属键理论认为，在固态或液态金属中，价电子可以自由地从一个原子跑向另一个原子，这样一来就好象价电子为许多原子或离子(指每个原子释放出自己的电子便成为离子)所共有。这些共用电子起到把许多原子(或离子)粘合在一起的作用，形成了所谓的金属键。这种键可以认为是改性的共价键，这种键是由多个原子共用一些能够流动的自由电子所组成的。对于金属键有两种形象化的说法：一种说法是在金属原子(或离子)之间有电子气在自由流动；另一种说法是"金属离子浸沉在电子的海洋中"。

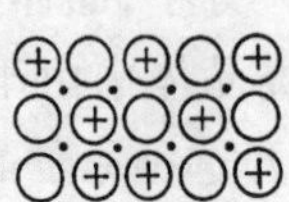

图 4－43　金属晶体示意图
(○原子；⊕离子；·电子)

在金属晶体中(如图 4－43所示)，由于自由电子的存在和晶体的紧密堆积结构，使金属获得了共同的性质，例如具有较大的密度、有金属光泽、良好的导电性、导热性和机械加工性等。

金属中自由电子可以吸收可见光，然后又把各种波长的光大部分再发射出来,因而金属一般显银白色光泽和对辐射能有良好的反射性能。金属的导电性也同自由流动的电子有关,在外加电场的影响下,自由电子就沿着外加电场定向流动而形成电流。不过在晶格内的原子和离子不是静止的,而是在晶格结点上作一定幅度的振动,这种振动对电子的流动起着阻碍的作用,加上阳离子对电子的吸引,构成了金属特有的电阻。加热时原子和离子的振动加强,电子的运动便受到更多的阻力,因而一般随着温度升高,金属的电阻加大。金属的导热性也决定于自由电子的运动,电子在金属中运动,会不断地和原子或离子碰撞而交换能量。因此,当金属的某一部分受热而加强了原子或离子的振动时,就能通过自由电子的运动而把热能传递到邻近的原子和离子,使热运动扩展开来,很快使金属整体的温度均一化。金属紧密堆结构允许在外力下使一层原子在相邻的一层原子上滑动而不破坏金属键,这是金属有良好的机械加工性能的原因。

3-2 金属键的能带理论

金属键的量子力学模型叫做能带理论。能带理论的基本论点如下:

(1) 为使金属原子的少数价电子(1,2 或 3 个)能够适应高配位数结构的需要,成键时价电子必须是“离域”的(即不再从属于任何一个特定的原子),所有的价电子应该属于整个金属晶格的原子所共有。

(2) 金属晶格中原子很密集,能组成许多分子轨道,而且相邻的分子轨道间的能量差很小。以金属锂为例,Li 原子起作用的价电子是 $2s^1$,锂原子在气态下形成双原子分子 Li_2。用分子轨道法处理时,该分子中可以有两个分子轨道,一个是低能量的成键分子轨道 σ_{2s},另一个是高能量的反键分子轨道 σ_{2s}^*,Li_2 的两个价电子都进入 σ_{2s},如图 4-44 所示。如果设想有一个假想分子 Li_n,那么将会有 n 个分子轨道,而且相邻两个分子轨道间的能量差将变得很小(因为当原子互相靠近时,由于原子间相互作用,能级发生分裂)。在这些分子轨道里,有一半$\left(\frac{n}{2}\right)$分子轨道将为成对电子所充满,有一半$\left(\frac{n}{2}\right)$分子轨道是空的。此外各相邻分子轨道能级之间的差值将很小,一个电子从低能级向邻近高能级跃迁时并不需要很多的能量。图 4－45 中绘出了由许多等距离能级所组成的能带,这就是金属的能带模型。

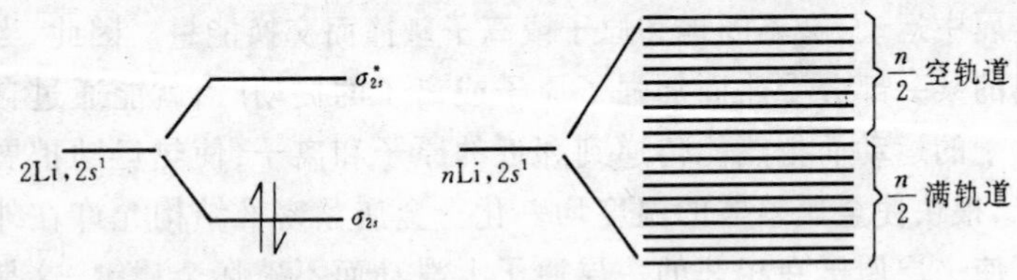

图 4－44　Li_2 分子轨道图　　　　图 4－45　Li 金属晶格的分子轨道图

(3) 从上述分子轨道所形成的能带,也可以看成是紧密堆积的金属原子的电子能级发生的重叠,这种能带是属于整个金属晶体的。例如金属锂中锂原子的 1s 能级互相重叠形成了金属晶格中的 1s 能带;原子的 2s 能级互相重叠组成了金属晶格的 2s 能带,等等。每个能带可以包括许多相近的能级,因而每个能带会包括相当大的能量范围。

(4) 依原子轨道能级的不同,金属晶体中可以有不同的能带(例如金属锂中的 1s 能带和 2s 能带)。由充满电子的原子轨道能级所形成的低能量能带,叫做满带;由未充满电子的能级所形成的高能量能带,叫做导带。从满带顶到导带底之间的能量差通常很大,以致低能带中的电子向高能带跃迁几乎是不可能的,所以把满带顶和导带底之间的能量间隔叫做“禁带”。例如金属锂中,1s 能带是个满带,而 2s 能带是个导带,二者之间的能量差比较悬殊,它们之间的间隔是个禁带,是电子不能逾越的(电子不易从 1s 能带

跃迁到 $2s$ 能带)，但 $2s$ 能带中由于电子未充满，故电子可以在接受外来能量的情况下，在带内相邻能级中自由运动，如图 4-46。

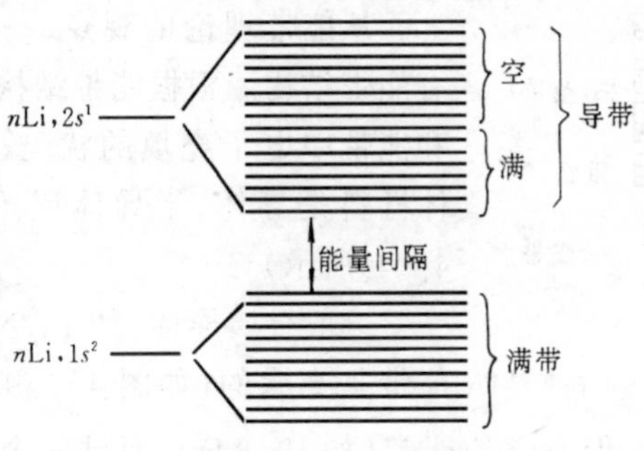

图 4-46　金属导体的能带模型

(5) 金属中相邻近的能带有时可以互相重叠。例如铍的电子层结构为 $1s^2 2s^2$，它的 $2s$ 能带应该是满带，似乎铍应该是一个非导体。但是由于铍的 $2s$ 能带和空的 $2p$ 能带能量比较接近，同时当铍原子间互相靠近时，由于原子间的相互作用，使 $2s$ 和 $2p$ 轨道能级发生分裂，而且原子越靠近，能级分裂程度增大(如图

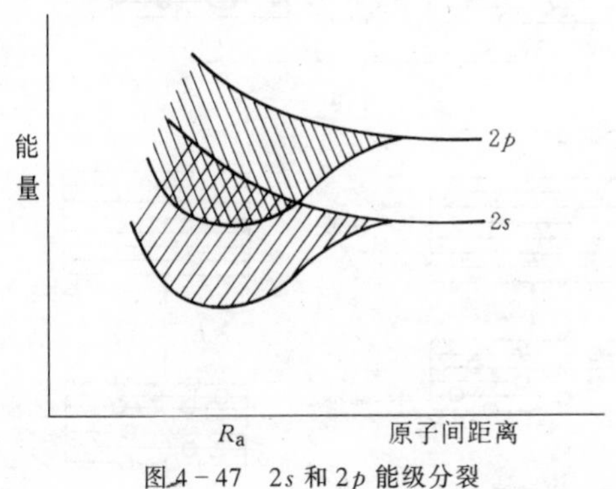

图 4-47　$2s$ 和 $2p$ 能级分裂

4-47)，以致使 $2s$ 和 $2p$ 能带有部分互相重叠，它们之间没有禁带。同时由于 $2p$ 能带是空的，所以 $2s$ 能带中的电子很容易跃迁

到空的 $2p$ 能带中去(图 4－48),故铍依然是一种具有良好导电性的金属,并显有一切金属的通性。

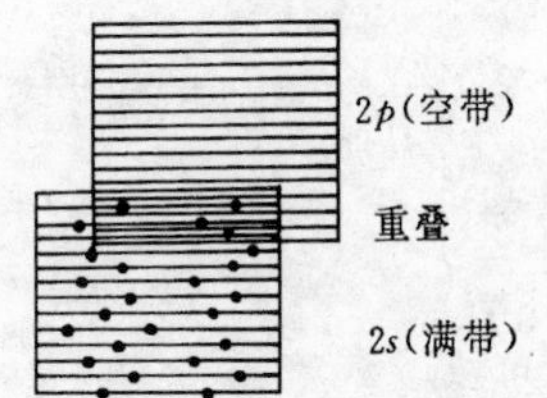

图 4－48　金属铍的能带结构

从能带理论的观点,一般固体都具有能带结构。根据能带结构中禁带宽度和能带中电子充填的状况,可以决定固体材料是导体、半导体或绝缘体(如图 4－49所示)。

一般金属导体(如 Li,Na)的价电子能带是半满的(如图 4－49*a*)或价电子能带虽是全满,但有空的能带(如 Be,Mg),而且两个能带能量间隔很小,彼此能发生部分重叠(如图 4－49*b*)。当外电场存在时,*a* 的情况由于能带中未充满电子,很容易导电,而 *b* 的情况,由于满

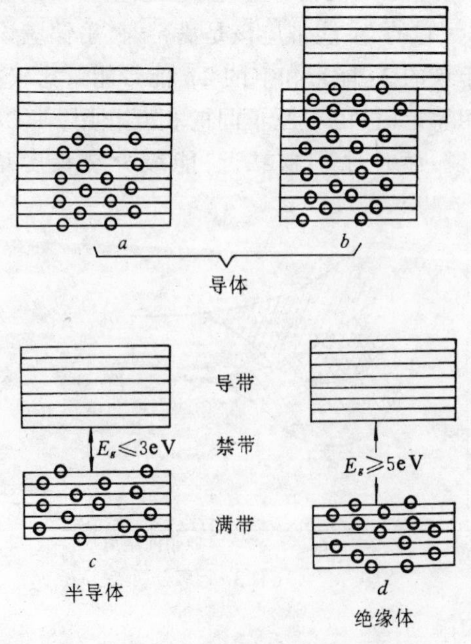

图 4－49　固体的能带结构

带中的价电子可以部分进入空的能带，因而也能导电。

绝缘体（如金刚石）不导电，因为它的价电子都在满带，导带是空的，而且满带顶与导带底之间的能量间隔（即禁带宽度）大，$E_g \geqslant 5eV$（如图 4－49d 所示）。所以在外电场作用下，满带中的电子不能越过禁带跃迁到导带，故不能导电。

半导体（如 Si，Ge 等）的能带结构如图 4－49c 所示。满带被电子充满，导带是空的，但这种能带结构中，禁带宽度很窄（$E_g \leqslant 3eV$）。在一般情况下，完整的（无杂质、无缺陷的）Si 和 Ge 晶体，一般是不导电的（尤其是在低温下），因为满带上的电子不能进入导带。但当光照或在外电场作用下，由于 E_g 很小，使满带上的电子，很容易跃迁到导带上去，使原来空的导带充填部分电子，同时在满带上留下空位（通常称为空穴），因此使导带与原来的满带均未充满电子，故能导电。

能带理论能很好地说明金属的一些物理性质。向金属施以外加电场时，导带中的电子便会在能带内向较高能级跃迁，并沿着外加电场方向通过晶格产生运动，这就说明了金属的导电性；能带中的电子可以吸收光能，并也能将吸收的能量又发射出来，这就说明了金属的光泽和金属是辐射能的优良反射体；电子也可以传输热能，表现金属有导热性；给金属晶体施加机械应力时，由于在金属中电子是“离域”（即不属于任何一个原子而属于金属整体）的，一个地方的金属键被破坏，在另一个地方又可以生成新的金属键，因此机械加工根本不会破坏金属结构，而仅能改变金属的外形。这也就是为什么金属有延性、展性、可塑性等共同的机械加工性能的原因。

金属原子对于形成能带所贡献的不成对价电子越多，金属键应越强，反映在物理性质上应该是熔点和沸点越高，密度和硬度越大。例如第 6 周期金属的成单价电子数和一些物理性质有大致对应关系（如表 4－12）。

表 4-12　元素成键时不成对价电子数和物理性质的对应关系

金　属	价电子层结　　构	不成对价电子数	熔点/K	沸点/K	密度/ $g\cdot cm^{-3}$	硬　度（莫氏标准）
Cs	$6s^1$	1	301.5	958	1.88	0.2
Ba	$6s^2$	0	998	1 913	3.51	—
La	$6s^2 5d^1$	1	1 194	3 730	6.15	—
Hf	$6s^2 5d^2$	2	2 500	4 875	13.31	—
Ta	$6s^2 5d^3$	3	3 269	5 698	16.6	—
W	$6s^2 5d^4$	4	3 683	5 933	19.35	7
Re	$6s^2 5d^5$	5	3 453	5 900	20.53	—
Os	$6s^2 5d^6$	4	3 318	5 300	22.48	7
Ir	$6s^2 5d^7$	3	2 683	4 403	22.4	6.5
Pt	$6s^2 5d^9$	1	2 045	4 100	21.45	4.3
Au	$6s^1 5d^{10}$	1	1 336	2 980	19.3	2.5
Hg	$6s^2$	0	234.1	629.95	13.6	0

3-3　金属晶体

金属原子只有少数的价电子能用于成键，这样少的价电子不足以使金属晶体中原子间形成正规的共价键或离子键，因此金属在形成晶体时倾向于组成极为紧密的结构，使每个原子拥有尽可能多的相邻原子（通常是 8 或 12 个原子），这样，电子的能级可以尽可能多的重叠，从而形成“少电子多中心”键，金属的这种结构形式，已为金属的 X－射线衍射研究所证实。在金属中最常见的三种晶格是：(1) 配位数为 8 的体心立方晶格；(2) 配位数为 12 的面心立方紧堆晶格；(3) 配位数为 12 的六方紧堆晶格。这些晶格如图 4-50 所示。

所谓紧堆晶格是指金属晶体以圆球状的金属原子一个挨一个地紧密堆积在一起而组成的。这些圆球形原子在空间的排列形式是使在一定体积的晶体内含有最多数目的原子，这种结构形式就是紧堆结构，图 4-50 中的(b)和(c)都是紧堆结构，是晶体的最

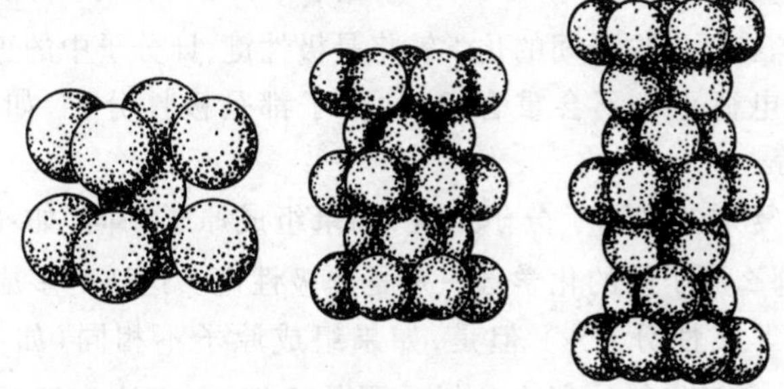

图 4-50　金属晶格示意图

紧密的结构形式,圆球在全部体积中占 74%,其余为晶体空隙。在体心立方晶格[图 4-50(*a*)]中,圆球在全部体积中仅占 68%,所以可认为它不是紧堆结构。一些金属所属的晶格类型如下:

体心立方晶格:K,Rb,Cs,Li,Na,Cr,Mo,W,Fe 等;

面心立方紧堆晶格:Sr,Ca,Pb,Ag,Au,Al,Cu,Ni 等;

六方紧堆晶格:La,Y,Mg,Zr,Hf,Cd,Ti,Co 等。

§4-4　分子间作用力

4-1　极性分子与非极性分子

在任何一个分子中都可以找到一个正电荷重心和一个负电荷重心,根据正电荷重心和负电荷重心重合与否的情况,可以把分子分为极性分子和非极性分子。正电荷重心和负电荷重心不互相重合的分子叫做极性分子,两个电重心互相重合的分子叫做非极性分子。

在简单双原子分子中,如果是两个相同的原子,由于电负性相同,两个原子之间的化学键是非极性键,即分子中的正电荷重心和负电荷重心互相重合,这种分子都是非极性分子。单质分子如

H_2,O_2,Cl_2 等属于这一类型。如果是两个不相同的原子,由于电负性不等,在两个原子间的化学键将是极性键,即分子中的正电荷重心和负电荷重心不会重合,这种分子都是极性分子,如 HCl,HF,CO 等。

对于复杂的多原子分子来说,如果组成原子相同(如:S_8,P_4 等分子)那么原子间的化学键一定是非极性键。这样的多原子分子无疑是非极性分子①。但是,如果组成原子不相同(如:SO_2,CO_2,CCl_4,$CHCl_3$ 等),那么这样分子的极性,不仅决定于元素的电负性(或键的极性)而且还决定于分子的空间构型。例如,在 SO_2 和 CO_2 分子中,虽然都有极性键(SO_2 中有 S ═O 键;CO_2 中有 C ═O 键),但是,因为 CO_2 分子具有直线型结构,键的极性互相抵消,它的正负电荷重心互相重合,所以 CO_2 是一个非极性分子。相反,SO_2 分子具有三角形结构,键的极性不能抵消,它的正负电荷重心没有重合,因而 SO_2 是一个极性分子。

在极性分子中,正电荷重心同负电荷重心的距离称为偶极长,通常以 d 表示。极性分子的极性强弱显然同偶极长和正(或负)电荷重心的电量有关,一般用偶极矩 μ 来衡量。分子的偶极矩定义为分子的偶极长 d 和偶极上一端电荷 q 的乘积。即:

$$\mu = q \cdot d$$

因为一个电子所带的电荷为 1.602×10^{-19} C(库伦),而偶极长 d 相当于原子间距离,其数量级为 10^{-10} m,因此偶极矩 μ 的数量级在 10^{-30} C·m 范围,通常就把 3.33×10^{-30} C·m 作为偶极矩 μ 的单位,称为"德拜",以 D 表示,即 $1D = 3.33 \times 10^{-30}$ C·m。例如 HCl 的偶极矩是 1.03D,H_2O 的偶极矩是 1.85D。它们都是强极性分子。偶极矩 $\mu = 0$ 的分子,其 d 必等于 0,所以它是非极性分子。一些物质的偶极矩列于表 4-13。

① O_3 分子有微弱的极性,是一个例外,原因尚不清楚。

表 4-13　一些分子的偶极矩

分　子	μ/D	分　子	μ/D
H_2	0	H_2O	1.85
N_2	0	HCl	1.03
BCl_2	0	HBr	0.79
CO_2	0	HI	0.38
Cs_2	0	NH_3	1.66
H_2S	1.1	CO	0.12
SO_2	1.6	HCN	2.1

偶极矩 μ 常被用来判断一个分子的空间结构。例如，NH_3 和 BCl_3 都是四原子分子，这类分子的空间结构一般有两种：平面三角形和三角锥形。实验测得这两个分子的偶极矩分别为 $\mu_{NH_3}=1.66D$ 和 $\mu_{BCl_3}=0$，即 NH_3 分子是极性分子而 BCl_3 是非极性分子，由此可断定 BCl_3 分子一定是平面三角形的构型，而 NH_3 分子为三角锥形的构型。

偶极矩 μ 虽可用实验方法测定，但偶极长 d 和偶极上电荷 q 却无法测定。有些书中有时也能列出一些偶极长 d 和偶极上电荷 q 的数据，如 HCl 分子的偶极长 $d=21\text{pm}$，偶极上的电荷 $q=0.27\times10^{-19}\text{C}$。应当指出：这些数据并非实验值而是在一定假设条件下的计算值。即：若假定偶极上电荷 q 为一个电子电荷（$q=1.602\times10^{-19}\text{C}$）时，于是根据 HCl 偶极矩 $\mu=1.03D$，可得：

$$1.03\times3.33\times10^{-30}\,\text{C·m}=d\times1.602\times10^{-19}\,\text{C}$$

$$d=21\times10^{-12}\,\text{m}=21\,\text{pm}$$

另外若假定偶极长 d 为核间距离（127pm）时，同样根据 $\mu=1.03D$ 可求得：

$$1.03\times3.33\times10^{-30}\,\text{C·m}=127\times10^{-12}\,\text{m}\times q$$

$$q=0.27\times10^{-19}\,\text{C}$$

偶极矩是一个矢量，既有数量又有方向性，在化学上规定其方向是从正到负（物理学上恰好相反）。

由于极性分子的正、负电荷重心不重合，因此分子中始终存在着一个正极和一个负极，**极性分子的这种固有的偶极叫做永久偶极**。但是一个分子有没有极性或者极性的大小，并不是固定不变的。非极性分子和极性分子中的正、负电荷重心在外电场的影响下会发生变化，变化情况如图 4－51 所示。

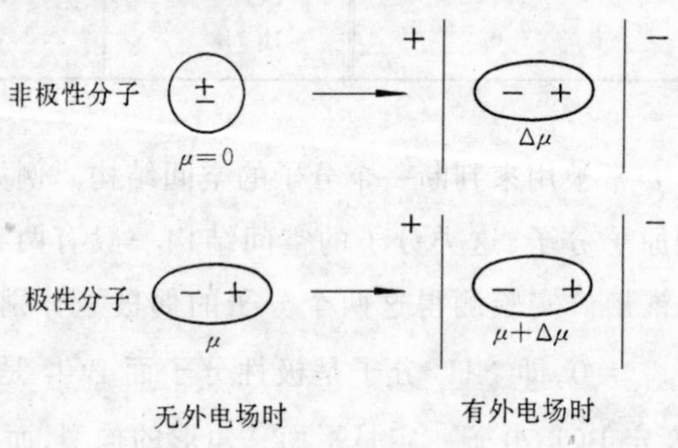

图 4－51　外电场对分子极性的影响示意图

从图 4－51 可见，非极性分子在外电场的影响下可以变成具有一定偶极的极性分子，而极性分子在外电场的影响下其偶极增大，这种在**外电场影响下所产生的偶极叫诱导偶极**。其偶极矩叫诱导偶极矩，通常用 $\Delta\mu$ 表示。诱导偶极的大小同外界电场的强度成正比。当取消外电场时，诱导偶极随即消失。分子越容易变形，它在外电场影响下产生的诱导偶极也越大。

非极性分子中的正、负电荷重心在外电场的作用下，固然可以发生变化而产生诱导偶极，即使没有外电场存在，正、负电荷重心也可能发生变化。这是因为分子内部的原子核和电子都在不停地运动着，不断地改变它们的相对位置。**在某一瞬间，分子的正电荷**

重心和负电荷重心会发生不重合现象，这时所产生的偶极叫做瞬间偶极，其偶极矩叫瞬间偶极矩。瞬间偶极的大小同分子的变形性有关，分子越大，越容易变形，瞬间偶极也越大。

4－2　分子间作用力(范德华力)

离子键、金属键和共价键，这三大类型化学键都是原子间比较强的相互作用，键能约为 100—800kJ·mol^{-1}。除了这种原子间较强的作用之外，在分子之间还存在着一种较弱的相互作用，其结合能大约只有几到几十 kJ·mol^{-1}，比化学键能约小一二个数量级。气体分子能凝聚成液体和固体，主要就靠这种分子间作用。因为范德华第一个提出这种相互作用，通常把分子间作用力叫做范德华力。分子间的范德华力是决定物质熔点、沸点、溶解度等物理化学性质的一个重要因素，对于范德华力本质的认识也是随着量子力学的出现而逐步深入的。

范德华力一般包括三个部分：

(*a*) 取向力　取向力发生在极性分子和极性分子之间。由于极性分子具有偶极，而偶极是电性的，因此两个极性分子相互接近时，同极相斥，异极相吸，使分子发生相对的转动。这就叫做取向。在已取向的偶极分子之间，由于静电引力将互相吸引，当接近到一定距离后，排斥和吸引会达到相对平衡，从而使体系能量达到最小值。**这种靠永久偶极而产生的相互作用力叫做取向力**(图 4－52)。

由于取向力的本质是静电引力，因此根据静电理论可以具体求出取向力的大小。取向力与下列因素有关：取向力与分子的偶极矩平方成正比，即分子的极性越大，取向力越大，取向力与绝对温度成反比，温度越高，取向力就越弱。此外，取向力与分子间距离的 7 次方成反比，即随分子间距离变大，取向力递减得非常之快。

(*b*) 诱导力　在极性分子和非极性分子之间以及极性分子和

极性分子之间都存在诱导力。

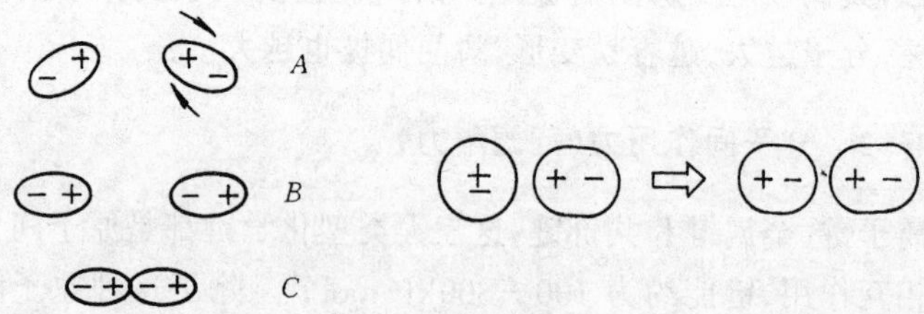

图 4－52　两个极性分子相互作用的示意图

图 4－53　极性分子和非极性分子相互作用示意图

非极性分子由于受到极性分子偶极电场的影响，可以使正、负电荷重心发生位移，从而产生诱导偶极。**诱导偶极同极性分子的永久偶极间的作用力叫做诱导力**。如图 4－53 所示。

同样，在极性分子和极性分子之间，除了取向力外，由于极性分子的相互影响，每个分子也会发生变形，产生透导偶极，其结果是使极性分子的偶极矩增大，从而使分子之间出现了除取向力外的额外吸引力——诱导力。透导力也会出现在离子和分子以及离子和离子之间。

诱导力的本质是静电引力，因此根据静电理论可以定量求出诱导力的大小。诱导力和下列因素有关：

诱导力与极性分子偶极矩的平方成正比；诱导力与被诱导分子的变形性成正比，通常分子中各组成原子的半径越大，它在外来静电力作用下越容易变形；诱导力也与分子间距离的 7 次方成反比，因而随距离增大，诱导力减弱得很快；最后，诱导力与温度无关。

(*c*) 色散力　非极性分子间也存在相互作用力。例如室温下苯是液体，碘、萘是固体。在低温下 Cl_2，N_2，O_2，甚至稀有气体也能液化。此外，对于极性分子来说由前两种力算出的分子间作用力也比实验值小得多,说明还存在第三种力,这种力必须根据近代量子力学原理才能正确理解它的来源和本质。由于从量子力学导出的这种力的理论公式与光色散公式相似,因此把这种力叫做色散力。任何一个分子,由于电子的运动和原子核的振动可以发生瞬间的相对位移,从而产生"瞬间偶极"。这种瞬间偶极也会诱导邻近的分子产生瞬间偶极,于是两个分子可以靠瞬间偶极相互吸引在一起。**这种由于存在"瞬间偶极"而产生的相互作用力称为色散力**。量子力学计算表明,色散力和下列因素有关:色散力和相互作用分子的变形性有关,变形性越大,色散力越大;色散力和分子间距离的 7 次方成反比;此外,色散力和相互作用分子的电离势有关。

总之,分子间的范德华引力有下面的一些特点:

(i) 它是永远存在于分子或原子间的一种作用力。

(ii) 它是吸引力,其作用能约比化学键能小一至二个数量级。例如从晶态的氩表面分离氩原子需要 7.87kJ·mol^{-1} 能量,而从 Cl_2 分子中解离出 Cl 原子则需要 239.3kJ·mol^{-1}能量。

(iii) 与共价键不同,范德华引力一般没有方向性和饱和性。

(iv) 范德华引力的作用范围约只有几 pm。

(v) 范德华力有三种。静电力和诱导力只存在于极性分子间,色散力则存在于任何分子(极性和非极性)之间,而且对大多数分子来说,(除 H_2O 分子外)色散力却是主要的。表 4-14 列出一些分子的三种分子间作用能的分配。

4-3 离子的极化

分子间范德华力的概念可以推广于离子体系,因为离子之间除了起主要作用的静电引力之外,也还可能会有其他的作用力,例如诱导力和色散力。此外,有些复杂离子具有不对称结构,例如 OH^- 和 CN^- 等离子,在这些离子内部必然存在着偶极,因此在这些复杂离子和其他离子之间也还会有取向力。

表 4-14 分子间作用能的分配

分　子	取向力 $kJ \cdot mol^{-1}$	诱导力 $kJ \cdot mol^{-1}$	色散力 $kJ \cdot mol^{-1}$	总　和
Ar	0.000	0.000	8.49	8.49
CO	0.002 9	0.008 4	8.74	8.75
HI	0.025	0.113 0	25.86	25.98
HBr	0.686	0.502	21.92	23.09
HCl	3.305	1.004	16.82	21.13
NH_3	13.31	1.548	14.94	29.58
H_2O	36.38	1.929	8.996	47.28

离子间除了静电引力外，诱导力起着很重要的作用，因为阳离子具有多余的正电荷，一般半径较小，而且在外壳上缺少电子，它对相邻的阴离子会起诱导作用，这种作用通常称做离子的极化作用；阴离子半径一般较大，在外壳上有较多的电子容易变形，在被诱导过程中能产生临时的诱导偶极。这种性质通常称为离子的变形性。阴离子中产生的诱导偶极又会反过来诱导阳离子，阳离子如果是易变形的话（18 电子层、18+2 电子层或不饱和电子层半径大的离子），阳离子中也会产生偶极，这样使阳离子和阴离子之间发生了额外的吸引力。当两个离子更靠近时，甚至有可能使两个离子的电子云互相重叠起来，趋向于生成极性较小的键。换句话说，有可能使两个离子结合成共价极性分子（图 4-54）。从这个观点也可以看出，离子键和共价键之间并没有严格的界限，在两者之间有一系列过渡。因此极性键可以看成是离子键向共价键过渡的一种形式（如图 4-55 所示）。

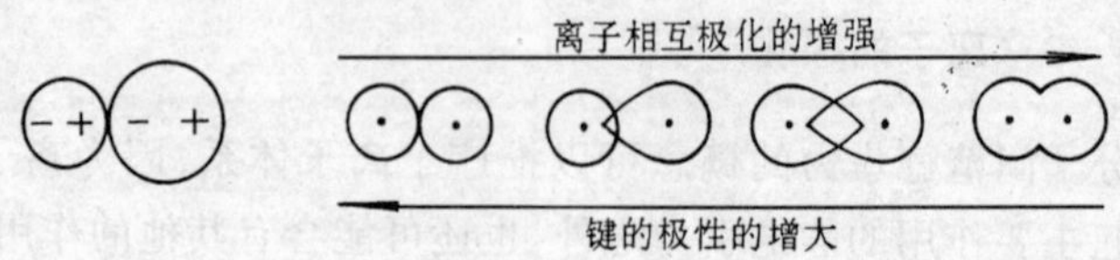

图 4-54　离子的相互极化　　图 4-55　由离子键向共价键的过渡

对于阳离子来说，极化作用应占主要地位，而对阴离子来说，变形性应占主要地位，下面分别作一些讨论。

(1) 离子的极化作用

(a) 电荷高的阳离子有强的极化作用。

(b) 对于不同电子层结构的阳离子来说，它们的极化作用大小如下：

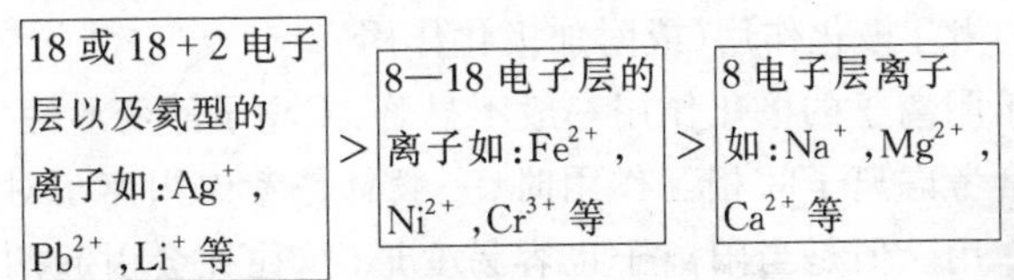

这是因为 18 电子层的离子，其最外电子层中的 d 电子对原子核有较小的屏蔽作用的缘故。

(c) 电子层相似电荷相等时，半径小的离子有较强的极化作用。例如极化作用大小次序：$Mg^{2+} > Ba^{2+}$；$Al^{3+} > La^{3+}$；$F^- > Cl^-$ 等等。

(d) 复杂阴离子的极化作用通常是较小的，但电荷高的复杂阴离子也是有一定极化作用的，如 SO_4^{2-} 和 PO_4^{3-}。

(2) 离子的变形性

(a) 18 电子层和不规则电子层的离子，其变形性比相近半径的稀有气体型离子大得多(指阳离子)。例如变形性大小次序：$Ag^+ > K^+$；$Hg^{2+} > Ca^{2+}$ 等等。

(b) 对于结构相同的离子来说，正电荷越高的阳离子变形性越小，例如下列离子的变形顺序是：

$$O^{2-} > F^- > Ne > Na^+ > Mg^{2+} > Al^{3+} > Si^{4+}$$

(c) 对于电子层结构相同的离子来说，电子层数越多(或半径越大)，变形性越大，例如

$$Li^+ < Na^+ < K^+ < Rb^+ < Cs^+ ; F^- < Cl^- < Br^- < I^-$$

(d) 复杂阴离子的变形性通常不大，而且复杂阴离子中心原子氧化数越高，变形性越小。例如常见的一些复杂阴离子和简单阴离子的变形性对比如下：

$$ClO_4^- < F^- < NO_3^- < OH^- < CN^- < Cl^- < Br^- < I^-$$

从上面几点可以归纳如下：最容易变形的离子是体积大的阴离子和 18 电子层或不规则电子层的少电荷阳离子（如 Ag^+，Pb^{2+}，Hg^{2+} 等）；最不容易变形的离子是半径小电荷高的稀有气体型阳离子，如 Be^{2+}，Al^{3+}，Si^{4+} 等。

(3) 相互极化作用（或附加极化作用）

由于阴离子的极化作用一般不显著，阳离子的变形性又较小，所以通常考虑离子间相互作用时，一般总是考虑阳离子对阴离子的极化作用。但是当阳离子也容易变形时，往往会引起两种离子之间相互的附加极化效应，这就加大了离子间引力，因而会影响到由离子间引力所决定的许多化合物的性质。

(*a*) 18 电子层的阳离子容易变形，容易引起相互的附加极化作用。

(*b*) 在周期系的同族中，自上而下，18 电子层离子的附加极化作用递增，这就加强了这类离子同阴离子的总极化作用。例如在锌，镉，汞的碘化物中总极化作用按 $Zn^{2+} < Cd^{2+} < Hg^{2+}$ 的顺序加强，这就解释了这些化合物的性质为什么有如下变化的原因。

性　质	ZnI_2	CdI_2	HgI_2
颜　色	无　色	黄　绿	红色（α 型）
在水中的溶解度，(g/1 000g 水)	432(298K)	86.2(298K)	难　溶

(*c*) 在一种含有 18 电子层阳离子的化合物中，阴离子的变形性越大，相互极化作用越强。例如 $CuCl_2$ 浅绿色，$CuBr_2$ 深棕色（颜色加深表示极化加强），CuI_2 不存在（强烈极化发生氧化还原反应）。又例如 AgCl，AgBr 和 AgI 化合物，颜色逐次加深，在水中的溶解度逐次变小，等等。

(4) 离子极化学说在晶体化学中的应用

离子极化观点，把一切化学结合首先看成是离子的结合，然后从离子的电荷、半径和构型的特点出发，来判断阳离子和阴离子之间的相互作用，借以说明部分化合物的性质。下面我们只举离子极化观点在解释离子型化合物的晶体构型方面的应用，来说明离子极化观点在无机化学中的实际意义。

在本章表 4－4 中介绍了离子半径比和晶体构型的关系。但表中所列数据关系是有条件的，即只有在阴阳离子没有强烈的相互极化作用时，表 4－4 数据关系才是正确的。如果阴阳离子间有强烈的相互极化，晶体构型便会偏离表 4－4 中的一般规律。例如 AgCl，AgBr 和 AgI，按离子半径的理论计算，它们的晶体都应该是 NaCl 晶格(配位数 6)，但是 AgI 却由于离子间很强的相互极化，离子互相强烈靠近，向较小的配位数方向变化，以至存在为 ZnS 晶格(配位数 4)。表 4－15 从数据上说明了这个问题。

表 4－15　卤化银的晶格类型

	AgCl	AgBr	AgI
理论核间距/pm	126 + 181 = 307	126 + 195 = 321	126 + 216 = 342
实测核间距/pm	277	288	281
变形靠近值/pm	30	33	61
理论晶体构型	NaCl	NaCl	NaCl
实际晶体构型	NaCl	NaCl	ZnS
配位数	6	6	4

离子极化学说在无机化学中有多方面的应用，它是离子键理论的重要补充。但是由于在无机化合物中，离子型的化合物毕竟只是一部分，所以在应用这个观点时，应注意这个观点的局限性。

4－4　氢键

我们知道，水的一些物理性质有些反常现象，例如水的比热容特别大;水的密度在 277.13K 最大;水的沸点比氧族同类氢化物的沸点高等。为什么水有这些奇异的性质呢?显然这与水分子的缔合现象有关,人们为了说明分子缔合的原因,提出了氢键学说。下面我们就氢键的形成、氢键的特点及氢键对物质性质的影响简述如下:

(1) 氢键的形成

水的物理性质反常现象,说明水分子之间有一种作用力,能使简单的水分子聚合为缔合分子,而分子缔合的主要原因是由于水分子间形成了氢键。我们知道,水分子是强极性分子,氧的电负性(3.44)比氢的电负性(2.2)大得多,因此在水分子中 O—H 键的共用电子对强烈偏向于氧原子一边,因而氢原子带了部分的正电荷,氧原子带了部分的负电荷。同时由于氢原子核外只有一个电子,其电子云偏移氧原子的结果,使它几乎成为赤裸的质子。这个半径很小,又带正电性的氢原子与另一个水分子中含有弧电子对并带部分负电荷的氧原子充分靠近产生吸引力,这种吸引力就叫氢键(如图 4-56 所示)。

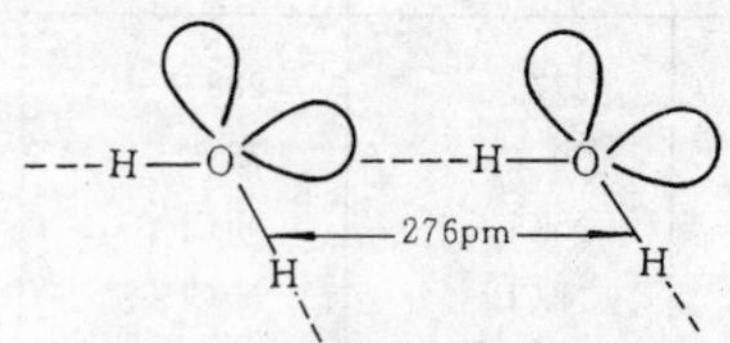

图 4-56 水分子间的氢键

氢键通常可用 X—H···Y 表示。X 和 Y 代表 F,O,N 等电负性大,而且原子半径较小的原子。氢键中 X 和 Y 可以是两种相同的元素(例如 O—H···O,F—H···F 等),也可以是两种不同的元素(如 N—H···O 等)

氢键的强度可以用键能来表示,表 4-16 列出一些常见氢键的键能和键长。

氢键的键能是指 X—H…Y—R 分解成 X—H 和 Y—R 所需的能量。而氢键的键长是指在 X—H…Y 中，由 X 原子中心到 Y 原子中心的距离。

表 4-16　氢键和键能和键长

氢　键	键能/kJ·mol^{-1}	键长/pm	化合物
F—H…F	28.0	255	(HF)$_n$
O—H…O	18.8	276	冰
N—H…F	20.9	266	NH_4F
N—H…O	—	286	CH_2CONH_2
N—H…N	5.4	358	NH_3

除了分子间的氢键外，某些物质的分子也可以形成分子内氢键，例如邻硝基苯酚分子中便可形成一个分子内氢键（如图 4-57 所示）。

一般分子形成氢键必须具备两个基本条件：

(a) 分子中必须有一个与电负性很强的元素形成强极性键的氢原子。因为氢原子的特点是原子半径小，结构简单，核外只有一个电子，无内层电子，这个原子与电负性大的元素形成共价键后，电子对强烈偏向电负性大的元素一边，使氢几乎成为赤裸的质子，它呈现相当强的正电性，因此它易与另一分子中电负性大的元素接近，并产生静电吸引作用，从而形成氢键。

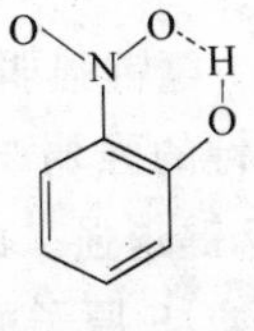

图 4-57　邻-硝基苯酚分子内氢键

(b) 分子中必须有带孤电子对，电负性大，而且原子半径小的元素（如 F,O,N 等）。因为氢键有方向性，一般在可能的范围内，氢键的方向要与 Y 中孤电子对的对称轴相一致，这样可使 Y 原子中负电荷分布得最多的部分最接近于氢原子。只有那些电负性大、原子半径小的元素才能形成氢键。

(2) 氢键的特点

(*a*) 氢键具有方向性

氢键的方向性是指 Y 原子与 X—H 形成氢键时,在尽可能的范围内要使氢键的方向与 X—H 键轴在同一个方向,即使 X—H…Y 在同一直线上。因为这样成键,可使 X 与 Y 的距离最远,两原子电子云之间的斥力最小,因而形成的氢键愈强、体系愈稳定。

(*b*) 氢键具有饱和性

氢键的饱和性是指每一个 X—H 只能与一个 Y 原子形成氢键。由于氢原子的半径比 X 和 Y 的原子半径小很多,当 X—H 与一个 Y 原子形成氢键 X—H…Y 后,如果再有一个极性分子的 Y 原子靠近它们,则这个原子的电子云受 X—H…Y 上的 X 和 Y 原子电子云的排斥力,比受带正电性的 H 的吸引力大,因此,X—H…Y上的这个氢原子不可能与第二个 Y 原子再形成第二个氢键。

(*c*) 氢键强弱与元素电负性有关

氢键的强弱与 X 和 Y 的电负性大小有关,它们的电负性越大,则氢键越强。此外氢键的强弱也与 X 和 Y 的原子半径大小有关。例如:F 原子的电负性最大,半径又小,形成的氢键最强。Cl 原子的电负性虽大,但原子半径较大因而形成的氢键很弱。C 原子的电负性较小,一般不易形成氢键。根据元素电负性大小,形成氢键的强弱次序如下:

$$F—H\cdots F > O—H\cdots O > O—H\cdots N > N—H\cdots N$$

(*d*) 氢键的本性

关于氢键本质的讨论,直至目前尚没有统一的认识。一般认为氢键主要是静电作用力,但又不能认为氢键完全是由静电作用力产生的,因为氢键有方向性和饱和性,这是静电作用的观点不能解释的。那么,氢键是否属于共价键呢?氢键也不同于共价键,因为从量子力学观点看,氢原子只有一个成单电子,它与一个电负性大的原子形成一个共价键后,就不能再与其它原子形成新的共价键。另外,从键能看,氢键的键能比共价键的键能小得多。例如,在水分子中,O —H 键的键能为 462.8 $kJ \cdot mol^{-1}$,而在 O —H…O 中氢键的键能为 18.8 $kJ \cdot mol^{-1}$。由于氢键的键能与分子间作用力较为接近,因此有人认为氢键属于分子间力范畴。因为氢键有方向性,这又是有别于分子间力的,故可把氢键看作为是有方向性的分子间力。

(3) 氢键对化合物性质的影响

分子间形成氢键时,使分子间产生了较强的结合力,因而使化合物的沸点和熔点显著升高(如图 4-58),这是由于要使液体气化或使固体熔化,必须给予额外的能量去破坏分子间的氢键。

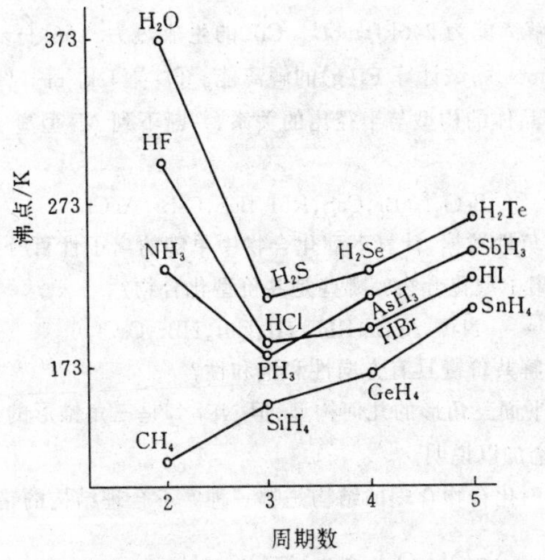

图 4-58 氢化物的沸点

从图 4-58 可看出,在分子间没有氢键形成的情况下(如第四主族元素的氢化物),化合物的沸点随分子量的增加而升高,这是由于随分子量的增大，分子间力（主要是色散力）依次增大。但在分子间有较强的氢键时（如 HF，H_2O，NH_3），化合物的沸点和熔点与同族同类化合物相比则显著升高。

习　题

1．试用离子键理论说明由金属钾和单质氯反应，形成氯化钾的过程？如何理解离子键没有方向性和饱和性？

2．用下列数据求氢原子的电子亲和能：

$$K(s) \longrightarrow K(g) \qquad \Delta H_1 = 83 kJ \cdot mol^{-1}$$

$$K(g) \longrightarrow K^+(g) \qquad \Delta H_2 = 419 kJ \cdot mol^{-1}$$

$$\frac{1}{2}H_2(g) \longrightarrow H(g) \qquad \Delta H_3 = 218 kJ \cdot mol^{-1}$$

$$K^+(g) + H^-(g) \longrightarrow KH(s) \qquad \Delta H_4 = -742 kJ \cdot mol^{-1}$$

$$K(s) + \frac{1}{2}H_2(g) \longrightarrow KH(s) \qquad \Delta H_5 = -59 kJ \cdot mol^{-1}$$

3．ClF 的解离能为 $246kJ \cdot mol^{-1}$，ClF 的生成热为 $-56kJ \cdot mol^{-1}$ Cl_2 的解离能为 $238kJ \cdot mol^{-1}$，试计算 $F_2(g)$的解离能。（$D = 142kJ \cdot mol^{-1}$）

4．试根据晶体的构型与半径比的关系，判断下列 AB 型离子化合物的晶体构型：

BeO，NaBr，CaS，RbI，BeS，CsBr，AgCl。

5．试从电负性数据，计算下列化合物中单键的离子性百分数各为多少？并判断哪些是离子型化合物？哪些是共价型化合物？

NaF，AgBr，RbF，HI，CuI，HBr，CsCl。

6．如何理解共价键具有方向性和饱和性？

7．BF_3 是平面三角形的几何构型，但 NF_3 却是三角锥形的几何构型，试用杂化轨道理论加以说明。

8．指出下列化合物合理的结构是哪一种？不合理结构的错误在哪里？

（*a*）N_2O　　N═N═O　　:N—N≡O:　　:N≡N—O:

N—N═O:

:N═N═O　　:N═N═O:

(b) SCN^-　　$:\ddot{\underset{..}{S}}-C\equiv N:^-$　　$:\ddot{S}=C=\ddot{N}:^-$　　$\ddot{S}=C=\ddot{N}^-$

$:S\equiv C-\ddot{\underset{..}{N}}:^-$

(c) $(PNCl_2)_3$.

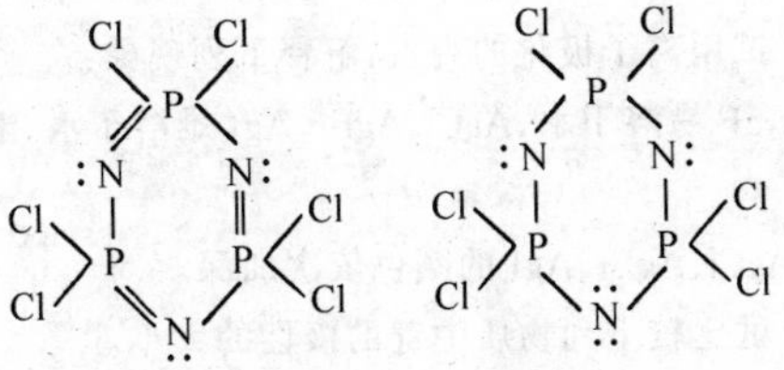

9. 在下列各组中,哪一种化合物的键角大? 说明其原因。

(a) CH_4 和 NH_3　　(b) OF_2 和 Cl_2O

(c) NH_3 和 NF_3　　(d) PH_3 和 NH_3

10. 试用价层电子对互斥理论判断下列分子或离子的空间构型。说明原因。

$HgCl_2$　BCl_3　$SnCl_2$　NH_3　H_2O　PCl_5　$TeCl_4$　ClF_3

ICl_2^-　SF_6　IF_5　FCl_4　CO_2　$COCl_2$　SO_2　$NOCl$

SO_2Cl_2　$POCl_3$　SO_3^{2-}　ClO_2^-　$IO_2F_2^-$

11. 试用价键法和分子轨道法说明 O_2 和 F_2 分子的结构。这两种方法有何区别?

12. 今有下列双原子分子或离子

$Li_2, Be_2, B_2, N_2, HF, F_2, CO^+$

① 写出它们的分子轨道式。

② 计算它们的键级,判断其中哪个最稳定? 哪个最不稳定?

③ 判断哪些分子或离子是顺磁性。哪些是反磁性?

13. 写出 $O_2^{2-}, O_2, O_2^+, O_2^-$ 分子或离子的分子轨道式。并比较它们的稳定性?

14. 已知 NO_2, CO_2, SO_2 分子其键角分别为 132°,180°,120°,判断它们的中心原子轨道的杂化类型?

15. 写出 NO^+, NO, NO^- 分子或离子的分子轨道式,指出它们的键级,其中哪一个有磁性?

16. 举例说明金属导体、半导体和绝缘体的能带结构有何区别?

17. 简单说明 σ 键和 π 键的主要特征是什么？

18. 试比较如下两列化合物中正离子的极化能力的大小：

① $ZnCl_2$，$FeCl_2$，$CaCl_2$，KCl。

② $SiCl_4$，$AlCl_3$，PCl_5，$MgCl_2$，NaCl。

19. 试用离子极化的观点，解释下列现象：

① AgF 易溶于水，AgCl，AgBr，AgI 难溶于水，溶解度由 AgF 到 AgI 依次减小。

② AgCl，AgBr，AgI 的颜色依次加深。

20. 试比较下列物质中键的极性的大小。

NaF，HF，HCl，HI，I_2。

21. 何谓氢键？氢键对化合物性质有何影响？

22. 下列化合物中哪些存在氢键？并指出它们是分子间氢键还是分子内氢键？

C_6H_6，NH_3，C_2H_6，（邻羟基苯甲醛：OH，CHO），（邻硝基苯酚：NO_2，OH），（对硝基苯酚：OH，NO_2），H_3BO_3（固）

23. 判断下列各组分子之间存在着什么形式的分子间作用力？

① 苯和 CCl_4； ② 氨和水； ③ CO_2 气体； ④ HBr 气体；

⑤ 甲醇和水。

24. 试判断 Si 和 I_2 晶体哪种熔点较高，为什么？

第五章　氢和稀有气体

§5-1　氢

1-1　氢在自然界中的分布

氢是宇宙中最丰富的元素，除大气中含有少量自由态的氢以外，绝大部分的氢都是以化合物的形式存在。氢在地球的地壳外层的三界(大气、水和岩石)里以原子百分比计占 17%，仅次于氧而居第二位。

氢是太阳大气的主要组成部分，以原子百分比计，它占 81.75%。近年来，人们发现木星大气中也含有 82% 的氢。可以说，在整个宇宙空间到处都有氢的出现。

氢有三种同位素：$^{1}_{1}H$(氕、符号 H)，$^{2}_{1}H$(氘、符号 D)和 $^{3}_{1}H$(氚，符号 T)。它们的质量数分别为 1,2,3。自然界中普通氢内$^{1}_{1}H$的丰度最大，原子百分比占 99.98%，$^{2}_{1}H$ 具有可变的天然丰度，平均原子百分比为 0.016%。$^{3}_{1}H$ 是一种不稳定的放射性同位素：

$$^{3}_{1}H \longrightarrow ^{3}_{2}He + \beta \qquad \text{半衰期 } t_{1/2} = 12.4 \text{ 年}$$

在大气上层，宇宙射线裂变产物中每 10^{21} 个 H 原子中仅有一个$^{3}_{1}H$原子。然而人造同位素增加了$^{3}_{1}H$ 的量，利用来自裂变反应器内的中子与 Li 靶作用可制得$^{3}_{1}H$：

$$^{1}_{0}n + ^{6}_{3}Li \longrightarrow ^{3}_{1}H + ^{4}_{2}He$$

氢的同位素因核外均含 1 个电子，所以它们的化学性质基本相同，由于它们质量相差较大，导致了它们的单质和化合物在物理性质上的差异(见表 5-1)。

表 5-1 H_2、D_2 及其化合物的物理性质

	H_2	D_2	H_2O	D_2O
沸点/K	20.2	23.3	373.0	374.2
平均键焓/kJ·mol^{-1}	436.0	443.3	463.5	470.9

1-2 氢的成键特征

氢原子的价电子层构型为 $1s^1$，电负性为 2.2。因此，当氢同其它元素的原子化合时，其成键特征如下：

(1) 形成离子键

当它与电负性很小的活泼金属(Na,K,Ca 等)形成氢化物时，它将获得一个电子形成 H^- 离子。这个离子因有较大的半径(208pm)，仅存在于离子型氢化物的晶体中。

(2) 形成共价键

(*a*) 形成一个非极性的共价单键，如 H_2 分子。

(*b*) 当氢原子同非金属元素的原子化合时，形成极性共价键，键的极性随非金属元素原子的电负性增大而增强。

(3) 独特的键型

(*a*) 氢原子可以间充到许多过渡金属晶格的空隙中，形成一类非整比化合物，一般称之为金属氢化物，例如 $ZrH_{1.30}$ 和 $LaH_{2.87}$ 等。

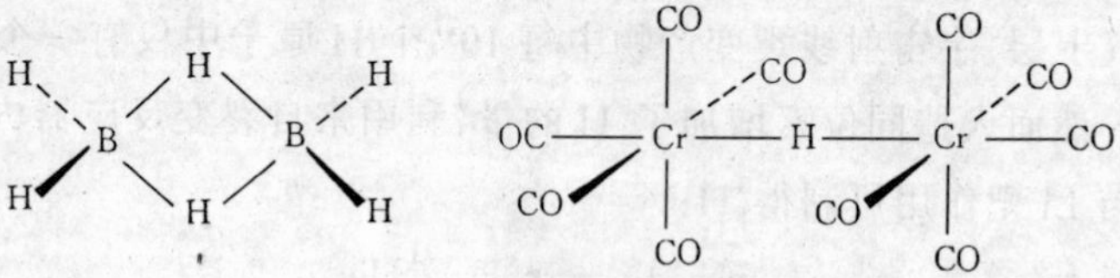

图 5-1 B_2H_6 和 $H[Cr(CO)_5]_2$ 的立体结构

(虚线表示在后部，实线表示在前部)

(b) 在硼氢化合物(如 B_2H_6)和某些过渡金属配合物(如 $H[Cr(CO)_5]_2$)中均存在氢桥键(见图 5-1)。

(c) 氢键　在含有强极性键的共价氢化物中,近乎裸露的氢原子核可以定向吸引邻近电负性高的原子(如 F,O,N)上的孤电子对而形成分子间或分子内氢键。

1-3　氢的性质和用途

(1) 单质氢

单质氢是由二个氢原子以共价单键的形式结合成双原子分子,其键长为 74pm。常温下氢是无色无臭的气体,273K 时 $1dm^3$ 的水仅能溶解 $0.02dm^3$ 的氢。氢在所有分子中分子质量最小,分子间作用力很弱,很难液化,只有冷却到 20K 时,气态氢才被液化。液态氢可把除氦外的其它气体冷却转变成固体。同温同压下,氢气密度最小,常用来填充气球。

氢分子中 H—H 键的离解能($436kJ \cdot mol^{-1}$)比一般单键高很多,同一般双键的离解能相近。因此常温下分子氢相对来说具有一定程度的惰性,与许多其它元素反应很慢(常温下),但在特殊条件下,某些反应也能迅速进行:氢同单质氟在暗处能迅速反应,在 23K 下也能同液态或固态氟反应,但低温下同其它卤素或氧不发生反应。

氢气同卤素或氧的混合物经引燃或光照都会猛烈地互相化合,同时放出热量。例如,298K 时 H_2 和 O_2 反应生成水时放热为 $285.7kJ \cdot mol^{-1}$;H_2 和 Cl_2 反应生成 HCl(g)放热为 $92kJ \cdot mol^{-1}$。H_2 和 O_2 体积比为 2∶1 的混合物遇火花会猛烈地爆炸,含氢量在 6%~67%的氢气和空气的混合物也是爆炸性混合物。

氢气在氧气或空气中燃烧时,火焰可以达到 3273K 左右。工业上利用此反应切割和焊接金属。

高温下,氢能还原许多金属氧化物或金属卤化物。例如:

$$CuO + H_2 \longrightarrow Cu + H_2O$$

$$Fe_3O_4 + 4H_2 \longrightarrow 3Fe + 4H_2O$$

$$WO_3 + 3H_2 \longrightarrow W + 3H_2O$$

$$TiCl_4 + 2H_2 \longrightarrow Ti + 4HCl$$

这类氢的还原反应多用来制备纯金属。

在适当的温度、压力和加入相应催化剂的条件下，H_2 可与 CO 反应而合成一系列的有机化合物，也可以使不饱和碳氢化合物加氢而成饱和的碳氢化合物。这构成了有机合成工业的一部分。例如：

$$CO(g) + 2H_2(g) \xrightarrow{Cu/ZnO} CH_3OH(g)$$

氢气同活泼金属在高温下反应，生成金属氢化物。

$$H_2 + 2Na \xrightarrow{653K} 2NaH$$

$$H_2 + Ca \xrightarrow{423 \sim 573K} CaH_2$$

这是制备离子型氢化物的基本方法。

从原子结构观点来观察 H_2 的化学性质和化学反应，无疑 H_2 的化学性质以还原性为其主要特征，氢的许多用途也都基于这一点。

(2) 原子氢

将氢分子加热，特别是通过电弧或者进行低压放电，皆可得到原子氢。所得之原子氢仅能存在半秒钟，随后，便重新结合成分子氢，并放出大量的热。若将原子氢气流通向金属表面，则原子氢结合成分子氢的反应热足以产生高达 4273K 的高温，这就是常说的原子氢焰。可利用此反应来焊接高熔点金属。

原子氢是一种较分子氢更强的还原剂。它可同锗、锡、砷、锑、硫等直接作用生成相应的氢化物，例如：

$$As + 3H \longrightarrow AsH_3$$

$$S + 2H \longrightarrow H_2S$$

它还能把某些金属氧化物或氯化物迅速还原成金属，例如：

$$CuCl_2 + 2H \longrightarrow Cu + 2HCl$$

它甚至能还原某些含氧酸盐,例如:

$$BaSO_4 + 8H \longrightarrow BaS + 4H_2O$$

1-4 氢的制备

在实验室里,常利用稀盐酸(硫酸)与锌或铁等活泼金属作用或电解水的方法制备氢气。化学法没有电解法所制得的氢气纯。因为金属锌中常含有Zn_3P_2,Zn_3As_2,ZnS等杂质,它们与酸反应生成PH_3,AsH_3,H_2S等气体混杂在氢气中,经纯化后才能得到纯净的氢气。在电解法中,常采用质量分数为25%的NaOH或KOH溶液作为电解液。电极反应如下:

阴极 $2H_2O + 2e^- \longrightarrow H_2\uparrow + 2OH^-$

阳极 $4OH^- \longrightarrow O_2\uparrow + 2H_2O + 4e^-$

在氯碱工业中,氢气是电解食盐水溶液制取苛性钠的副产物,电极反应如下:

阴极 $2H_2O + 2e^- \longrightarrow H_2\uparrow + 2OH^-$

阳极 $2Cl^- \longrightarrow Cl_2\uparrow + 2e^-$

在工业生产中,主要利用碳还原水蒸气以及烃类裂解或水蒸气转化法来获得氢气,反应如下:

$$C_{(\text{赤热})} + H_2O(g) \xrightarrow[\triangle]{1273K} \underbrace{H_2(g) + CO(g)}_{\text{水煤气}}$$

$$CH_4(g) \xrightarrow[\text{催化剂}]{1273K} C + 2H_2(g)$$

$$CH_4(g) + H_2O(g) \xrightarrow[\text{催化剂}]{1073\sim1173K} CO(g) + H_2(g)$$

水煤气可用做工业燃料,此时不必分离H_2与CO,但为了制备H_2,必须分离出CO。具体方法是将水煤气连同水蒸气一起通过红热的氧化铁催化剂,CO转变成CO_2,然后在2×10^6Pa下用水洗涤CO_2和H_2的混合气体,使CO_2溶于水而分离出H_2。

$$CO + H_2 + H_2O(g) \xrightarrow[>723K]{Fe_2O_3} CO_2 + 2H_2$$

在石油化学工业中，烷烃脱氢制取烯烃的副产物氢气直接用于合成氨或石油精细加工等生产中，如：

$$C_2H_6(g) \xrightarrow{\triangle} CH_2{=}CH_2(g) + H_2(g)$$

在野外工作时，可利用硅等两性金属与碱液反应制备氢气。如欲制取 $1m^3$ 的氢气仅消耗 0.63kg 的 Si，比酸法消耗金属量少，而且所需碱液浓度不高，携带较酸方便，很适于野外工作的需要。也可以用含硅百分比高的硅铁粉末与干燥 $Ca(OH)_2$ 和 NaOH 的混合物反应制取氢：

$$Si + 2NaOH + H_2O \longrightarrow Na_2SiO_3 + 2H_2(g)$$

$$Si + Ca(OH)_2 + 2NaOH \longrightarrow Na_2SiO_3 + CaO + 2H_2(g)$$

综上所述，除烃类热裂解制取氢气外，其它以酸、碱、水为原料的方法中，无一不是使其中的 +1 氧化态的氢获得电子而变成氢气：

$$H^+ + e^- \longrightarrow \frac{1}{2}H_2(g)$$

制取氢气的关键问题是选择合适的还原剂及适宜的反应条件。

1-5 氢化物

氢同其它元素形成的二元化合物叫做氢化物。除稀有气体外，大多数的元素几乎都能同氢结合而成氢化物。依据元素电负性的不同，氢与其它元素化合可以生成离子型或类盐型氢化物，分子型或共价型氢化物，金属型或过渡型氢化物。

(1) 离子型氢化物

氢同电负性很小的碱金属和碱土金属直接化合时，它倾向于获得一个电子，成为 H^- 离子。氢的这种性质类似于卤素。但是，H_2 变成 H^- 离子的倾向远比卤素分子 X_2 变成卤素离子离子 X^- 为小。氢同碱金属和碱土金属只有在较高的温度下作用才能生成含有 H^- 离子的氢化物。

对这类氢化物的晶体结构研究表明，第一主族氢化物具有 NaCl 型结构，第二主族氢化物具有类似于某些重金属卤化物的晶体结构（见表 5-2）。这类氢化物具有离子型化合物的共性。它们都是白色盐状晶体，常因含少量金属而显灰色。除 LiH 和 BaH_2 具有较高的熔点（965K，1473K）外，其它氢化物均在熔化前就分解成单质。离子型氢化物不溶于非溶剂，但能溶解在熔融碱金属卤化物中。电解这种融盐溶液，阳极产生氢气，这一事实是 H^- 离子存在的证据。

$$2H^-_{(融化)} \longrightarrow H_2(g) + 2e^-$$

表 5-2　*s* 区金属氢化物的晶体结构

化合物	晶体结构
LiH，NaH，KH，RbH，CsH	NaCl 型
MgH_2	金红石型
CaH_2，SrH_2，BaH_2	歪曲的 $PbCl_2$ 型

离子型氢化物可与水发生强烈反应，放出氢气，如

$$NaH(s) + H_2O(l) \longrightarrow H_2(g) + NaOH(aq)$$

根据这一特性，有时利用离子型氢化物，如 CaH_2 除去气体或溶剂中微量的水分。但水量较多时不能使用此法，因为这是一个放热反应，能使产生的氢气燃烧。这个反应的实质是 $H^- + H^+ \longrightarrow H_2(g)$。

离子型氢化物是良好的强还原剂，在高温下可还原金属氯化物、氧化物和含氧酸盐。

$$TiCl_4 + 4NaH = Ti + 4NaCl + 2H_2(g)$$

$$UO_2 + CaH_2 = U + Ca(OH)_2$$

若 CO_2 与热的金属氢化物接触也能被还原。

$$2CO_2 + BaH_2(热) \longrightarrow 2CO + Ba(OH)_2$$

离子型氢化物的又一特性是它们在非水极性溶剂中能同一些缺电子化合物结合成复合氢化物，例如：

$$2LiH + B_2H_6 \xrightarrow{\text{乙醚}} 2LiBH_4$$

$$4LiH + AlCl_3 \xrightarrow{\text{乙醚}} LiAlH_4 + 3LiCl$$

类似的氢化物还有很多,它们被广泛用于无机和有机合成中作还原剂和负氢离子的来源,或在野外用作生氢剂,十分方便,但价格昂贵。

$$LiAlH_4 + 4H_2O \longrightarrow Al(OH)_3 + LiOH + 4H_2(g)$$

(2) 金属型氢化物

d 区从第三到第五副族的金属元素都能形成氢化物,而第六副族仅有 Cr 能形成氢化物。第八副族 Pd 在适当压力下,可与氢形成稳定松散相,其化合物组成为 PdH_x ($x<1$),Ni 只有在高压下才能形成氢化物(图 5-2)。虽然 Pt 在任何条件下都不能形成

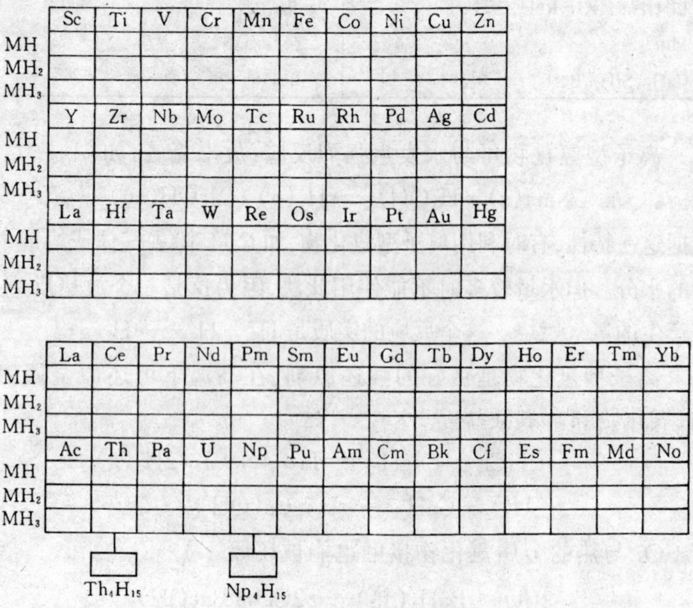

	Sc	Ti	V	Cr	Mn	Fe	Co	Ni	Cu	Zn
MH										
MH_2										
MH_3										
	Y	Zr	Nb	Mo	Tc	Ru	Rh	Pd	Ag	Cd
MH										
MH_2										
MH_3										
	La	Hf	Ta	W	Re	Os	Ir	Pt	Au	Hg
MH										
MH_2										
MH_3										

	La	Ce	Pr	Nd	Pm	Sm	Eu	Gd	Tb	Dy	Ho	Er	Tm	Yb
MH														
MH_2														
MH_3														
	Ac	Th	Pa	U	Np	Pu	Am	Cm	Bk	Cf	Es	Fm	Md	No
MH														
MH_2														
MH_3														
		Th_4H_{15}			Np_4H_{15}									

图 5-2 *d*、*f* 区元素形成的氢化物

分子式是在结构的基础上有限的化学计量比,多数情况达不到计量值

氢化物,但氢可在Pt(Ni)表面上形成化学吸附氢化物,从而使Pt在加氢作用中有广泛的催化作用。

这些氢化物从组成上看,有的是整比化合物,如CrH_2,NiH,CuH和ZaH_2,有的则是非整比化合物,如$VH_{0.56}$,$TaH_{0.76}$和$ZrH_{1.75}$等。

从物理性质上看,金属氢化物基本上保留着金属外观特征,有金属光泽,具有导电性。金属氢化物的导电性随氢含量的改变而改变。金属氢化物的另一个显著性质是在温度稍有提高时,H原子通过固体迅速扩散。普通氢通过Pd-Ag合金管扩散后而得超纯氢就是利用H原子这一特性。

(3) 分子型氢化物

当氢同*p*区元素的单质(稀有气体以及铟、铊除外)结合形成共价型氢化物时,根据它们的路易斯(Lewis)结构中电子数和键数的差异,有三种存在形式。一是缺电子氢化物,如B_2H_6,它的中心原子B未满足8电子构型,在这个分子内,二个硼原子通过氢桥键连在一起,形成一个三中心二电子键。二是满电子氢化物,中心原子价电子全部参与成键,没有剩余的非键电子对,例如正四面体CH_4及同族元素氢化物。三是富电子氢化物,中心原子成键后,有剩余未成键的孤电子对,例如:NH_3,H_2O和HF及对应同族氢化物。富电子氢化物的分子构型可利用价层电子对互斥(VSEPR)规则预测。例如NH_3是三角锥形,H_2O是V型。

*p*区氢化物属于分子型晶体,这类氢化物具有分子型化合物熔沸点低的特点,通常条件下多为气体。由于分子型氢化物共价键的极性差别较大,所以它们的化学行为比较复杂。例如,它们在水中有的不发生任何作用(碳、锗、锡、磷、砷、锑等的氢化物),有的则同水作用。在同水相作用的氢化物中,其作用的情况也不一样,像硅、硼的氢化物同水作用时放出氢气:

$$SiH_4 + 4H_2O = H_4SiO_4 + 4H_2$$

NH_3 在水中溶解并发生加合作用而使溶液显弱碱性：

$$NH_3 + H_2O \rightleftharpoons NH_4^+ + OH^-$$

H_2S,H_2Se,H_2Te,HF 等在水中除发生溶解作用外,还将发生弱的酸式电离而使溶液显弱酸性：

$$H_2S \rightleftharpoons H^+ + HS^-$$

$$HS^- \rightleftharpoons H^+ + S^{2-}$$

至于 HCl,HBr,HI 等在水中则发生强的酸式电离从而使溶液显强酸性：

$$HX = H^+ + X^- \quad (X^- = Cl^-, Br^-, I^-)$$

这些氢化物都具有还原性,同族氢化物随原子序数增加还原能力增强。

1-6　氢能源

我们知道,氢气是可以燃烧的,并且在燃烧时产生大量的热。如果按每公斤燃料所能放出的热量进行计算,氢气为 120918kJ,戊硼烷(B_5H_9)为 64183kJ,戊烷(C_5H_{12})为 45367kJ。相比之下,氢可算高能燃料。

有关氢能源的研究,目前面临三大课题：氢气的发生；氢的储存；氢的利用。

关于氢气的发生,从能量观点来看,利用太阳能来光解水是最适宜的,因为太阳能取之不尽,而水又用之不竭。光解水的工作现在正在研究之中,大都以过渡金属配合物为催化剂,现在远未达到生产性规模。

关于氢气的储存问题,因其密度小,装运不便,并且不够安全,也有一定的难度。目前都用液态氢的高压容器储存法,但现在众多的人正在研究利用氢与某些金属生成金属型氢化物的储氢法。

将过渡金属同氢在一定条件下作用,即可得到金属型氢化物；在另一条件下,这类氢化物即分解成相应的金属和氢气。实质上,

这是一个金属吸收氢和放氢的可逆过程,因此叫做可逆储氢。例如:

$$2Pd + H_2 \xrightleftharpoons[\text{减压 373K}]{\text{常况}} 2PdH$$

$$U + \frac{3}{2}H_2 \xrightleftharpoons[\text{573K}]{\text{523K}} UH_3$$

钯和铀是贵金属,从实用的观点来看是不经济的。近来人们比较注意多组分金属合金氢化物。我国稀土资源丰富,现正在研究金属互化物五镍化镧 $LaNi_5$ 的储氢问题:

$$LaNi_5 + 3H_2 \xrightleftharpoons[\text{微热}]{(2-3)\times10^5\,Pa} LaNi_5H_6$$

由于 $LaNi_5$ 合成简便,价格较便宜,在空气中稳定,储氢量大,在吸氢和放氢反复进行后性能不变,是很有希望的储氢材料。

§5-2 稀有气体

2-1 历史的回顾

周期表中零族的六种稀有气体元素是在 1894～1900 年间被陆续发现的。发现稀有气体的主要功绩应归于英国物理学家莱姆赛(Ramsay),由于他敏锐的观察力和高超的实验技术,使他和他的合作者一起在几年内连续发现了从 He 到 Xe 这五种元素。他们发现从空气得来的每升氮气重 1.257g,而从氮的化合物分解得来的每升氮气重 1.251g。这第三位小数上的差别,引起了他们的密切注意和细致研究。他们设法从空气中除去氮气和氧气后,还得到了很少的剩余气体,约占总体积的 1%。这种剩余气体不同任何物质发生化学反应,但在放电管中发生特殊的辉光,有特征的波长。于是,莱姆赛宣布他在空气中发现了一种新元素,命名为“氩”(拉丁文名的原意是“不活泼”)。这一发现惊动了当时的科学界，因为那时人们普遍认为空气已研究得够清楚了，所以莱姆赛的工作具有划时代的历史意义。1895 年，他们又从中发现了氦，本来人们认为它只是存在于太阳中的元素。在 1898 年，莱姆赛等人最后鉴定了他们从空气中连续分离出来的氖、氪和氙。1900 年在某些放射性矿物中又发现了氡。至此，周期表中零族元素已全部发现，由于它们的惰性，被命名为“惰性气体元素”。

人类的认识是永无休止的，经过实践的检验，理论的相对真理性会得到发展和完善。由于加拿大青年化学家巴特列脱(N. Bartlett)的工作，使人们的认识又提高了一步，认识到“惰气”也不是绝对惰性的，他的工作为开拓“惰气”元素的化学打下了基础。巴特列脱曾使 O_2 分子同六氟化铂反应而生成一种新的化合物 $O_2^+[PtF_6]^-$，当时他联想到“惰气”氙 Xe 的第一电离能(1 171.5kJ·mol^{-1})同氧分子 O_2 的第一电离能(1 175.7kJ·mol^{-1})相近，可能 PtF_6 也能氧化 Xe。此外，他又估算了 $XePtF_6$ 的晶格能，发现只比 O_2PtF_6 的晶格能小 41.84kJ·mol^{-1}。这说明 $XePtF_6$ 一旦制得，尚能稳定存在。他按此理论分析进行了实验，把等体积的 PtF_6 蒸汽和 Xe 混合起来，使之在室温下反应，结果获得一种红色晶体，化学式为 $Xe^+[PtF_6]^-$。这是“惰气”的第一种真正的化合物(水合物除外)。这个发现又一次震动了科学界，动摇了长期禁锢人们思想的“绝对惰性”的形而上学观念。“惰性气体”也随之改名为“稀有气体”。后来由于稀有气体元素在化合状态时可达 +8 氧化态，所以有人建议把稀有气体元素列为周期表中的第八主族元素(ⅧA)，把原铁系元素作为第八副族元素(ⅧB)，但目前仍按零族元素对待。从此，稀有气体元素化学揭开了新篇章。

2-2 通性和用途

稀有气体是单原子分子，现将它们的价电子层结构和基本性质汇列于表 5-3 中。

表 5-3 稀有气体的基本性质

性　质	氦	氖	氩	氪	氙	氡
元素符号	He	Ne	Ar	Kr	Xe	Rn
原子序数	2	10	18	36	54	86
相对原子质量	4.003	20.18	39.95	83.80	131.3	222.0
价电子层结构	$1s^2$	$2s^2 2p^6$	$3s^2 3p^6$	$4s^4 4p^6$	$5s^2 5p^6$	$6s^2 6p^6$
原子半径/pm	93	112	154	169	190	220
第一电离能/$kJ \cdot mol^{-1}$	2372	2081	1521	1351	1170	1037
蒸发热/$kJ \cdot mol^{-1}$	0.09	1.8	6.3	9.7	13.7	18.0
熔点/K	0.95	24.48	83.95	116.55	161.15	202.15
沸点/K	4.25	27.25	87.45	120.25	166.05	208.15
临界温度/K	5.25	44.45	153.15	210.65	289.75	377.65
临界压强/$10^5 Pa$	2.29	27.25	48.94	55.01	58.36	63.23
在水中的溶解度/$cm^3 \cdot dm^{-3}$	8.8	10.4	33.6	62.6	123	222

稀有气体的外电子层都有相对饱和的结构,除氦有 2 个电子外,其余皆有 8 个电子。这种电子结构是相当稳定的。稀有气体的电子亲合能都接近于零;而与其它元素相比较,它们都有很高的电离能。因此,相对说来,稀有气体原子在一般条件下不易得到或失去电子而形成化学键。通常,由于稀有气体以单原子状态存在,原子之间仅存在着微弱的范德华力(主要是色散力)。它们的蒸发热和在水中的溶解度都很小,随着原子序数的增加而逐渐升高。

氦是所有气体中最难液化的,大约 2.2K 时液氦会由一种液态转变到另一种液态。温度在 2.2K 以上的液氦具有一般液体的通性,但温度在 2.2K 以下的液氦则是一种超导体,具有许多反常的性质,例如超导性、低粘滞性等。氦不能在常压下固化,这也是一种特性。

稀有气体现已广泛应用到光学、冶金和医学等领域中。

氦：在生产氦多的地方，可用它来代替氢气充填气球。这是由于它不燃烧，比氢安全得多且密度小。氦的沸点是现在已知物质中最低的，常被用于超低温技术中。在血液里氦的溶解度比氮小得多，所以可以利用"氦空气"（He 占 79%，O_2 占 21%）代替空气供潜水员呼吸，以便防止潜水员出水时因压力猛然下降使原先溶在血液中的氮气迅速逸出阻塞血管而造成的"气塞病"。此外，氦的光谱线可被用做划分分光器刻度的标准，还可制作氦、氖气体激光器。

氖：因为在电场作用下氖可产生美丽的红光，所以它被广泛地用来制造氖灯（俗称霓虹灯）或仪器中的小氖泡（作指示灯）。

氩：由于氩在空气中含量最高，再加上它的热传导系数小和惰性，被广泛用于充填电灯泡（在高压灯泡中充填的氩气中只须含有15%的氮气，可以防止产生电弧）。在冶炼或焊接极易被空气氧化的金属时，或在拉制半导体硅、锗单晶时均需提供氩保护气氛。

氪和氙：氪和氙的热传导系数比氩还小，故也用来填充灯泡。氙在电场的激发下能放出强烈的白光，高压长弧氙灯便是利用氙的这一特性制成的。这种氙灯特别亮，有"人造小太阳"之称，可用于电影摄影，舞台照明、运动场照明等。氙灯能放出紫外线，在医疗上有所应用。氪和氙的同位素在医学上被用来测量脑血流量和研究肺功能、计算胰岛素分泌量等。

2-3　稀有气体在自然界的分布和从空气中分离稀有气体

在接近地球表面的空气中，每 $1000dm^3$ 空气中约含 $9.3dm^3$ 氩，$18cm^3$ 氖，$5cm^3$ 氦，$1cm^3$ 氪和 $0.8cm^3$ 氙，所以液化空气是提取稀有气体的主要原料。

天然气中有时含有低于 1% 体积的氦，可以用液态空气把其它组分气体液化而把不液化的氦分离出来。

氡是镭等放射性元素蜕变的产物，本身也具有放射性，所以吸入体内是很危险的。有关蜕变反应如下：

$$^{226}_{88}\text{Ra} \xrightarrow{-\alpha} {}^{222}_{86}\text{Rn}(\text{氡})$$

(镭) $\quad \xrightarrow{-\alpha} {}^{218}_{84}\text{Po}$(钋的同位素) $\longrightarrow$

$$^{232}_{90}\text{Th} \xrightarrow{-3\alpha-2\beta} {}^{220}_{86}\text{Rh}(\text{钍射气、氡的同位素})$$

(钍) $\quad \xrightarrow{-\alpha} {}^{216}_{84}\text{Po}$(钋的同位素)

$$^{227}_{89}\text{Ac} \xrightarrow{-\beta,-2\alpha} {}^{219}_{86}\text{Rn}(\text{锕射气,氡的同位素})$$

(锕) $\quad \xrightarrow{-\alpha} {}^{215}_{84}\text{Po}$(钋的同位素) $\longrightarrow$

这里简单介绍一下从液态空气中提取和分离各种稀有气体的方法。将液态空气分馏除去极大部分氮气以后,稀有气体就富集在液氧之中(还含有少量氮气)。继续分馏,可以把稀有气体和氙气分离出来。使这种气体通过氢氧化钠塔柱除去 CO_2,再通过赤热的铜丝除去微量的氧气,最后通过灼热的镁屑除去氮气 N_2(形成氮化镁 Mg_3N_2),剩下的就是以氩为主的稀有气体了。

进一步分离各种稀有气体,主要依靠它们分子间作用力的不同,利用稀有气体吸附能力和沸点的差别来完成。在低温下,较容易液化的稀有气体(即原子序数愈大的)越容易被活性炭所吸附。例如在 373K 时,氩,氪和氙被吸附而氦和氖不被吸附,这时可把稀有气体分成两组。在 83K 下,氖被吸附而氦不被吸附,两者又借此分离。在不同的温度下,使活性炭对各种稀有气体进行吸附和解吸,便可将稀有气体一一分离开来。

2-4 化合物

自从 1962 年巴特列脱合成出第一种稀有气体化合物后,明斯特大学鲁道夫(Rudolf. Hoppe)的研究小组对稀有气体的研究也有新发现。一年后,世界上对稀有气体的研究工作纷纷兴起。在不多的几年内就合成出了氙的几种氟化物(XeF_2,XeF_4,XeF_6),许多氙的络合氟化物,氙的氟氧化物和氙的含氧化合物(XeO_3,XeO_4)

及氙的含氧酸盐($Na_2XeO_6 \cdot 8H_2O$)等。迄今为止,在稀有气体中主要研究了以氙为主的含氟、含氧的化合物(最近有报导说发现了含 Xe—N 键的化合物),氪和氡的个别化合物也已制得。现将若干种氙的主要化合物及其性质示于表 5-4 中。

表 5-4　氙的主要化合物及特性

氧化态	化合物	形式	熔点/K	分子构型	附注
Ⅱ	XeF_2	无色晶体	402	直线形	水解为 Xe 和 O_2,
	$XeF_2 \cdot 2SbF_5$	黄色固体	336		溶于液体 HF 中
Ⅳ	XeF_4	无色晶体	390	平面四方形	稳定
	$XeOF_2$	无色晶体	304		勉强稳定
	XeF_6	无色晶体	322.6	变形八面体	稳定
	$CsXeF_7$	无色固体	–		>323K 分解
Ⅵ	Cs_2XeF_8	黄色固体	–		稳定至 673K
	$XeOF_4$	无色液体	227	四方锥	稳定
	XeO_3	无色晶体	–	三角锥	易爆炸,吸湿;在溶液中稳定
	$nK^+[XeO_3F^-]_n$	无色晶体		正方锥(下搭桥)	很稳定
Ⅷ	XeO_4	无色气体	–	四面体	易爆炸
	XeO_6^{4-}	无色盐	–	八面体	也以 $HXeO_6^{3-}$, $H_2XeO_6^{2-}$, $H_3XeO_6^-$ 等阴离子形式存在

(1) 氙的氟化物的合成和性质

氙的氟化物是由元素直接反应而得到的。一般是在镍反应器内进行,首先使镍反应器直接暴露于氟气氛中,这样处理不但除去了镍表面的氧化物,而且形成了一个薄的 NiF_2 保护层。合成条件表示在下面方程式中:

$$(a)\ Xe(g) + F_2(g) \xrightarrow{673K,1.03\times10^5Pa} XeF_2(g)$$

(Xe 过量)

$$(b)\ Xe(g) + 2F_2(g) \xrightarrow{873K,6.18\times10^5Pa} XeF_4(g)$$

($Xe:F_2 = 1:5$)

(c) $Xe(g)+3F_2(g)\xrightarrow{573K,6.18\times10^6 Pa}XeF_6(g)$

$(Xe:F_2=1:20)$

在 523K 时,上述三个反应的平衡常数分别为:

$$K(1)=8.79\times10^4$$

$$K(2)=1.07\times10^8$$

$$K(3)=1.01\times10^8$$

简单的"Windowsill"合成也是可能的。这种方法是将氙和氟放置在一个玻璃管中(预先经严格干燥以防止形成 HF),将此管暴露在日光下,F_2 分子经光照产生光化学分解而成原子态的 F,F 原子与 Xe 原子缓慢反应形成美丽的 XeF_2 晶体。

氙的氟化物都是强氧化剂,它能将许多物质氧化。例如:

$$XeF_2+2I^-=\!=\!=Xe+I_2+2F^-$$

$$XeF_2+H_2=\!=\!=Xe+2HF$$

$$XeF_4+2H_2=\!=\!=Xe+4HF$$

$$XeF_4+4Hg=\!=\!=Xe+2Hg_2F_2$$

$$XeF_4(s)+Pt(s)=\!=\!=Xe(g)+PtF_4(s)$$

它们还可以将 Cl^- 氧化成 Cl_2,将 Ce(Ⅲ)氧化成 Ce(Ⅳ),将Co(Ⅱ)氧化成 Co(Ⅲ)。这些氟化物都能同水反应,XeF_2 溶于水,在稀酸中缓慢地水解,而在碱性溶液中迅速分解生成氙。

$$XeF_2+H_2O=\!=\!=Xe+\frac{1}{2}O_2+2HF$$

XeF_4 遇水也能发生歧化反应

$$6XeF_4+12H_2O=\!=\!=2XeO_3+4Xe+24HF+3O_2$$

XeF_6 遇水猛烈反应,低温水解比较平稳。XeF_6 不完全水解时,其产物为 $XeOF_4$。

$$XeF_6+H_2O=\!=\!=XeOF_4+2HF$$

完全水解可得到 XeO_3

$$XeF_6 + 3H_2O \xlongequal{\quad} XeO_3 + 6HF$$

这几种氟化物还是优良且温和的氟化剂。例如：

$$XeF_6 + C_6H_6 \xlongequal{\quad} C_6H_5F + HF + Xe$$

$$XeF_2 + IF_5 \xlongequal{\quad} IF_7 + Xe$$

$$XeF_4 + 2CF_3CF{=}CF_2 \xlongequal{\quad} 2CF_3CF_2CF_3 + Xe$$

$$XeF_4 + 2SF_4 \xlongequal{\quad} 2SF_6 + Xe$$

$$2XeF_6 + SiO_2 \xlongequal{\quad} 2XeOF_4 + SiF_4$$

这最后一个反应说明盛氟化氙的容器不能用玻璃或石英制品，要用镍制容器。

此外，氙的氟化物与互卤化物一样可与路易斯酸反应形成阳离子氙的氟化物：

$$XeF_2(s) + SbF_5(l) \xlongequal{\quad} [XeF]^+[SbF_6]^-(s)$$

这些阳离子通过 F^- 阴离子桥与带相反电荷离子缔合。

(2) 含氧化合物

目前已知氙的含氧化合物有 XeO_3，XeO_4 以及氙酸盐和高氙酸盐等。它们的制备方法和转变关系如下所示：

$$XeO_3 \xrightarrow{XeOF_6} XeOF_4$$

$$XeF_4(\text{或 } XeF_6) \xrightarrow{H_2O} XeO_3 \xrightarrow[OH^-]{O_3} XeO_6^{4-} \xrightarrow{C,\ H_2SO_4} XeO_4$$

$$XeO_3 \xrightarrow{OH^-} HXeO_4^- \qquad HXeO_4^- \xrightarrow{OH^-} XeO_6^{4-} \qquad XeO_6^{4-} \xrightarrow{H^+} HXeO_4^-$$

反应式如下：

$$XeO_3 + 2XeF_6 \xlongequal{\quad} 3XeOF_4 \xrightarrow{XeO_3} XeO_2F_2$$

$$XeO_3 + OH^- \xlongequal{pH>10.5} HXeO_4^- \qquad K = 1.5\times10^{-3}$$

$$HXeO_4^- \xrightarrow{OH^-} XeO_6^{4-} + Xe + O_2 + H_2O$$

$$H_2XeO_6^{2-} + H^+ \xlongequal{\quad} HXeO_4^{2-} + \frac{1}{2}O_2 + H_2O$$

$$O_3 + XeO_3 + 4OH^- = XeO_6^{4-} + O_2 + 2H_2O$$

$$H_4XeO_6 \xrightarrow[\text{脱水}]{\text{浓 } H_2SO_4} XeO_4 + 2H_2O$$

三氧化氙是一种白色、易潮解、易爆炸的固体。XeO_3 的水溶液浓度最高可达 $4mol \cdot dm^{-3}$。这种溶液不导电，表明 XeO_3 在水中以分子状态存在。XeO_3 具有很强的氧化性，能将盐酸氧化成氯气，把 Fe^{2+} 氧化成 Fe^{3+}，把 Br^- 氧化成 BrO_3^-，把 Mn^{2+} 氧化成 MnO_4^-，它还可以把有机物(醇羧酸)氧化成 CO_2，把 NH_3 氧化成氮气。

在 XeO_3 水溶液中加入 $Ba(OH)_2$ 溶液，可以得到 $Ba_2XeO_6 \cdot 1.5H_2O$沉淀。在 XeO_3 水溶液中通入 O_3，并用碱中和，可制得 IA 及 ⅡA 族金属的高氙酸盐，如 $Na_4XeO_6 \cdot 6H_2O$，$Na_4XeO_6 \cdot 8H_2O$ 和 $K_4XeO_6 \cdot 9H_2O$。在室温下干燥 $Na_4XeO_6 \cdot 8H_2O$ 时，可获得 $Na_4XeO_6 \cdot 2H_2O$，它在水中的溶解度约为 $0.025mol \cdot dm^{-3}$。高氙酸盐是一种既强力又快速的氧化剂。

含有 Xe—N 和 Xe—C 键的化合物，如 $Xe(CF_3)_2$ 也被合成出来了，但后者不稳定。

(3) 其它稀有气体化合物

氡(Rn)比 Xe 的离子化能还小，可以预料，它能较迅速地与氟形成化合物。同其它稀有气体化合物一样，已有证据说明氡可以形成 RnF_2，但由于氡的强放射性，以及它的半衰期很短，对氡的化合物研究较少。

氪(Kr)比 Xe 的离子化能高，它所形成的化合物稳定性是极其有限的。氪的二氟化物是通过放电或在低温下(469K)，使氟和氪混合物电离辐射得到的。象 XeF_2 一样氪的化合物是无色易挥发的固体。其分子为线形结构，因它是一种高活性化合物，必须在低温下储存。

2-5　稀有气体化合物的结构

自从合成出稀有气体化合物以后,这些化合物的结构问题就引起了学者们的关注,但目前还存在着不同的理论解释和一些矛盾,因而稀有气体化合物的结构还未完全解决。下面我们应用不同的理论对某些稀有气体化合物的成键情况和空间构型作一简单介绍:

(1) 杂化轨道法

稀有气体各原子的价电子层都已充满 8 个电子,即 ns^2np^6,因此它们不易得失电子,也不易形成共价键。但是当它们同电负性很大的原子作用时,有可能使 np 轨道中的电子激发到较高的 nd 轨道上去,从而出现单电子,这些单电子便同其它原子形成共价键。例如,在 XeF_2,XeF_4 和 XeF_6 中的 Xe 分别由 np 向 nd 激发 1 个、2 个和 3 个电子随后以 sp^3d,sp^3d^2 和 sp^3d^3 杂化轨道与 F 形成化学键(图 5-3)。

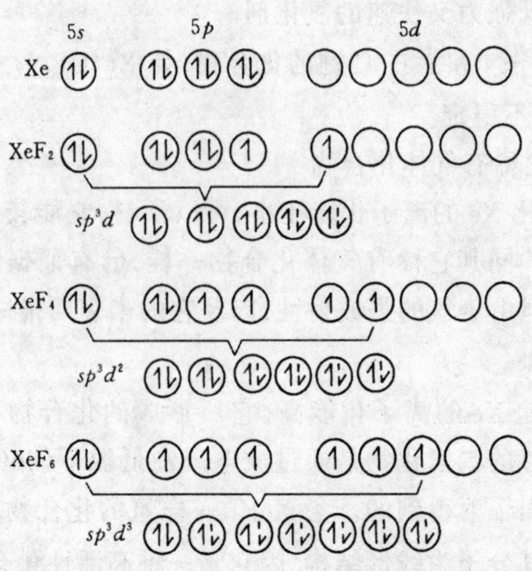

图 5-3　氙和氟化氙的电子分布,用虚线箭头代表氟提供的电子

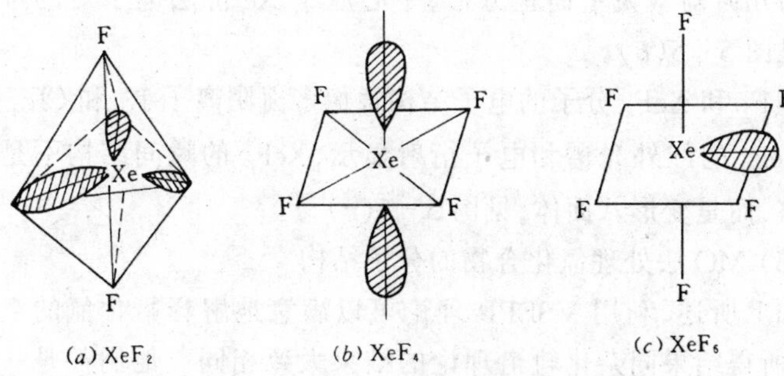

图 5-4 三种氟化氙的空间结构,斜线为孤电子对

XeF_2 中的 sp^3d 杂化轨道为三角双锥形,如图 5-4(a),三对孤电子对指向等边三角形的三个顶角,F—Xe—F 在垂直于该平面的直线上。

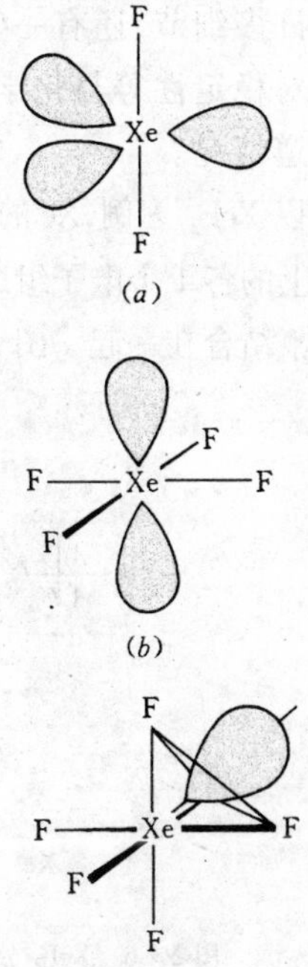

图 5-5 XeF_2, XeF_4, XeF_6 价层电子对排列方式

XeF_4 中的 sp^3d^2 杂化轨道为正八面体,如图 5-4(b),四个 F 原子同 Xe 在一个平面上,两个孤电子对垂直于这个平面。

XeF_6 中的 sp^3d^3 杂化轨道为变形八面体,如图 5-4(c),六个 F 原子位于八面体的六个顶点,而另一个孤电子对伸向一个棱边的中点或一个面的中心。

(2) 价层电子对互斥理论

根据价层电子对互斥理论可知,XeF_2 分子构型为直线形,分子中共有五对电子对,中心原子 Xe 价层电子对的排列方式见图 5-5(a)。

XF_4 分子中有 6 对电子对,其中有四对成键电子对和两对孤电子对,分子的几何构型为平面正方形，中心原子 Xe 价层电子对的排列方式见图 5-5(*b*)。

XeF_2 和 XeF_4 分子的电子结构很像多卤阴离子 I_3^- 和 ClF_4^-。

XeF_6 的红外光谱和电子衍射显示，XeF_6 的瞬间结构不是正八面体，而是变形八面体，见图 5-5(*c*)。

(3) MO 法处理氙化合物的分子结构

如上所述，利用 VSEPR 理论可以满意地解释氟化氙的空间结构，所得结果同杂化轨道理论的结果大致相同。他们都是一种近似模型，是从不同的角度看问题。价层电子对互斥理论应用起来很简单，但只能得到定性的结果。由于它没有考虑到原子间成键的许多细节，还有一些与事实不符的例子，并且它也不能预示键的相对稳定性等与化学键有关问题。在此，我们简单介绍一点分子轨道情况。

以 XeF_2 为例，Xe 的 $5p_x$ 轨道上的 2 个电子与 2 个 F 原子的 $2p_x$ 轨道上的各 1 个电子组成三中心四电子的 σ 键，此离域 σ 键有效地将氙和氟结合在一起。图 5-6 是 XeF_2 分子的分子轨道能级图。

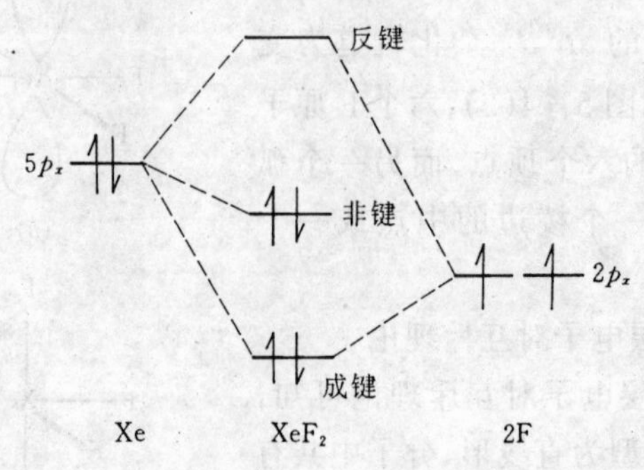

图 5-6　XeF_2 分子的分子轨道能级图(以 x 轴为分子键轴)

习　题

1. 说出 BaH_2，SiH_4，NH_3，AsH_3，$PdH_{0.9}$ 和 HI 的名称和分类？室温下各

呈何种状态？哪种氢化物是电的良导体？

2. 如何利用路易斯结构和价层电子对互斥理论判断 H_2Se, P_2H_4, H_3O^+ 的结构？

3. 写出工业制氢的三个主要化学方程式和实验室中制备氢气最简便的办法？

4. He 在宇宙中丰度居第二位，为什么在大气中 He 含量却很低？

5. 哪种稀有气体可用作低温致冷剂？哪种稀有气体离子势低，可做放电光源需要的安全气？哪种稀有气体最便宜？

6. 何为盐型氢化物？什么样的元素能形成盐型氢化物？怎样证明盐型氢化物内存在 H^- 负离子？

7. 为什么合成金属氢化物时总是要用干法？38kg 的氢化铝同水作用可以产生多少 dm^3 的氢气($298K$, 1.03×10^5Pa)？

($93\times10^3dm^3$)

8. 怎样纯化由锌同酸反应所制得的氢气？写出反应方程式。

9. 试用化学方程式表示氙的氟化物 XeF_6 和氧化物 XeO_3 的合成方法和条件？

10. 写出 XeO_3 在酸性介质中被 I^- 离子还原得到 Xe 的化学方程式。

11. 巴特列脱用 Xe 气和 PtF_6 作用，制得了 Xe 的第一种化合物。在某次实验中，PtF_6 的起始压力为 $9.1\times10^{-4}Pa$，加入 Xe 直至压力为 $1.98\times10^{-3}Pa$，反应后剩余 Xe 的压力为 $1.68\times10^{-4}Pa$，计算产物的化学式。

12. XeO_3 水溶液与 $Ba(OH)_2$ 溶液作用生成一种白色固体。此白色固体中各成分的质量分数分别为：71.75％的 BaO、20.60％的 Xe 和 7.05％的 O。求此化合物的化学式。

13. 比较 VB 法和 MO 法对 XeF_2 分子结构的处理。

14. 完成并配平下列反应方程式：

(1) $XeF_4 + ClO_3^- \longrightarrow$

(2) $XeF_4 + Xe \longrightarrow$

(3) $Na_4XeO_6 + MnSO_4 + H_2SO_4 \longrightarrow$

(4) $XeF_4 + H_2O \longrightarrow$

(5) $XeO_3 + Ba(OH)_2 \longrightarrow$

(6) $XeF_6 + SiO_2 \longrightarrow$

第六章 化学热力学初步

热力学是在研究提高热机效率的实践中发展起来的,十九世纪建立起来的热力学第一、第二两个定律奠定了热力学的基础,使热力学成为研究热能和机械能以及其它形式的能量之间的转化规律的一门科学。二十世纪初建立的热力学第三定律使得热力学臻于完善。

用热力学的理论和方法研究化学,则产生了化学热力学。化学热力学可以解决化学反应中能量变化问题,同时可以解决化学反应进行的方向和进行的限度等问题。这些问题正是化学工作者极其关注的问题。

化学热力学在讨论物质的变化时,着眼于宏观性质的变化,不需涉及物质的微观结构,即可得到许多有用的结论。运用化学热力学方法研究化学问题时,只需知道研究对象的起始状态和最终状态,而无需知道变化过程的机理,即可对许多过程的一般规律加以探讨。这是化学热力学最成功的一面。应用化学热力学讨论变化过程,没有时间概念,因此不能解决变化进行的速度及其它和时间有关的问题。这又使得化学热力学的应用有一定的局限性。

化学热力学涉及的内容既广且深,在无机化学中只能介绍化学热力学的最基本的概念、理论、方法和应用,因此本章题目为化学热力学初步。

§6-1 热力学第一定律

1-1 基本概念

(1) 体系和环境

热力学中称研究的对象为体系,称体系以外的其它部分为环境。

例如,我们要研究杯中的水,则水是体系;水面以上的空气,盛水的杯子,乃至放杯子的桌子等都是环境。又如,某容器中充满空气,我们要研究其中的氧气,则氧气是体系,其它气体如氮气、二氧化碳及水蒸气等均为环境,容器也是环境,容器以外的一切都可以认为是环境。但我们所说的环境,经常指那些和体系之间有密切关系的部分。

从上面的例子中我们看到,体系和环境之间有时有实际的界面,如水和水面以上的空气之间、水和盛水的杯子之间就是这样;有时两者之间又没有实际的界面,如氧气和氮气混合气中作为研究体系的氧气和作为环境的氮气之间就属于这种情况。为了研究问题方便,可以设计一个假想的界面,如从分体积的概念出发,认为 V_{O_2} 以内是体系,外面则是环境,于是相当于有了体系与环境的界面。体系和环境合起来,在热力学上称为宇宙。

按照体系与环境之间的物质和能量的交换关系,通常将体系分为三类:

敞开体系　体系与环境之间既有能量交换又有物质交换。

封闭体系　体系与环境之间有能量交换但没有物质交换。

孤立体系　体系与环境之间既无能量交换,又无物质交换。

例如,在一敞口杯中盛满热水,以热水为体系则是一敞开体系。降温过程中体系向环境放出热能,又不断地有水分子变为水蒸气逸出。若在杯上加一个不让水蒸发出去的盖子,则避免了与环境间的物质交换,于是得到一个封闭体系。若将杯子换成一个理想的保温瓶,杜绝了能量交换,于是得到一个孤立体系。

在热力学中,我们主要研究封闭体系。

(2) 状态和状态函数

由一系列表征体系性质的物理量所确定下来的体系的存在形式称为体系的状态。

藉以确定体系状态的物理量称为体系的状态函数

例如,某理想气体是我们研究的体系,其物质的量 $n = \text{mol}$,压强 $p = 1.013 \times 10^5 \text{Pa}$,体积 $V = 22.4\text{L}$,温度 $T = 273\text{K}$,我们说它处于标准状况。这里的 n, p, V 和 T 就是体系的状态函数,理想气体的标准状况就是由这些状态函数确定下来的体系的一种状态。

体系的状态是由一系列状态函数确定下来的,状态一定则体系的各状态函数有一定的值。体系的一个状态函数或几个状态函数发生了改变,则体系的状态发生变化。

体系发生变化前的状态称为始态,变化后的状态称为终态。显然,体系变化的始态和终态一经确定,各状态函数的改变量也就确定了。状态函数的改变量经常用希腊字母 Δ 表示,如始态的温度为 T_1,终态的温度为 T_2,则状态函数 T 的改变量 $\Delta T = T_2 - T_1$。同样我们可以理解状态函数的改变量 ΔV 和 Δn 的含意。

有些状态函数,如 V 和 n 等所表示的体系的性质具有加和性,如某体系的体积 $V = 5\text{dm}^3$,它等于体系的各部分的体积之和。体系中具有加和性的某些性质,称为体系的量度性质或广延性质。

也有些状态函数,如 p 和 T 等所表示的体系的性质,不具有加和性,不能说体系的温度等于各部分的温度之和。体系的这类性质,称为强度性质。

(3) 过程和途径

体系的状态发生变化,从始态变到终态,我们说体系经历了一个热力学过程,简称过程。有一些过程是在特定的条件下进行的,如恒压过程就是体系的始态、终态和外界压强保持恒定的过程,恒温过程、恒容过程也都具有各自的特定条件。若过程中体系和环境没有热量传递,我们称之为绝热过程。

体系经历一个过程,由始态变化到终态。**这种变化过程可以采取许多种不同的方式,我们把这每一种具体的方式称为一种途径。**

例如，某理想气体由始态 $p=1\times10^5\,\mathrm{Pa}$, $V=2\times10^{-3}\,\mathrm{m}^3$ 经一恒温过程变到终态 $p=2\times10^5\,\mathrm{Pa}$, $V=1\times10^{-3}\,\mathrm{m}^3$，可以由下面两种或更多种具体方式来实现。

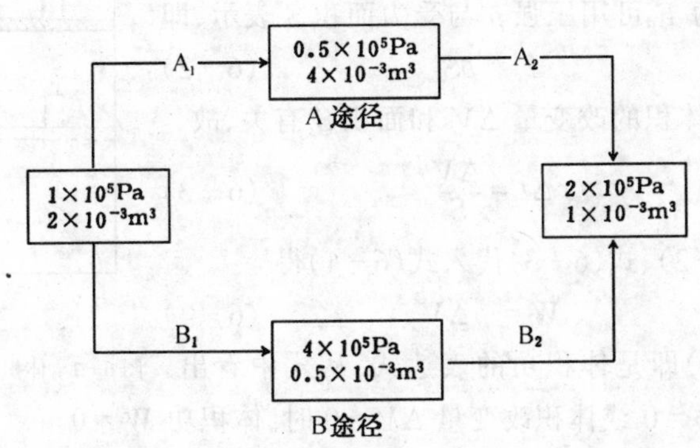

状态函数的改变量决定于过程的始、终态，与采取哪种途径来完成这个过程无关。如上述过程中状态函数 V 的改变量 ΔV，和途径 A 或途径 B 无关，

$$\Delta V = V_{终} - V_{始}$$

过程的着眼点是始终态，而途径则是具体方式。在为数众多的途径中，可逆途径是极为重要的一种，在后面我们将详细讨论。

(4) 体积功和 $p-V$ 图

在许多过程中，体系的体积发生变化，体系在反抗外界压强发生体积变化时，有功产生。这种功称为体积功。由于液体和固体在变化过程中体积变化较小，因此体积功的讨论经常是对气体而言的。我们用下面的图示和推理来说明气体反抗外压膨胀时的体积功。

用活塞将气体密封在截面积为 S 的圆柱形筒内，如图 6-1 所示。若忽略活塞自身的质量及其与筒壁间的摩擦力，以活塞上面放置的砝码在活塞上面造成的压强代表外压。膨胀过程中,气体将活塞从Ⅰ位推到Ⅱ位,位移为 Δl。按着传统的功的概念,功 W 应等于力 F 与力作用方向上位移 Δl 的乘积,即

$$W = F \cdot \Delta l \qquad (6-1)$$

式中的力 F 可用压强 p 与受力面积 S 表示,即

$$F = pS \qquad (6-2)$$

Δl 又与体积的改变量 ΔV 和面积 S 有关,故

$$\Delta l = \frac{\Delta V}{S} \qquad (6-3)$$

将式(6-2)、式(6-3)代入式(6-1)得

$$W = p\Delta V \qquad (6-4)$$

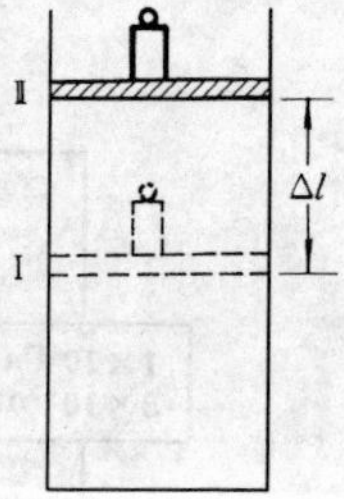

图 6-1　体积功示意图

式(6-4)即是体积功的表达式,从式中看出,若外压 $p=0$ 或体积改变量 $\Delta V=0$ 时,体积功 $W=0$。

在本章中,我们研究的体系及过程都是不做非体积功的,即体系变化过程所做的功全是体积功。

例 6-1　某温度下一定量的理想气体,从压强 $p_1=16\times10^5\,\mathrm{Pa}$,体积 $V_1=1.0\times10^{-3}\,\mathrm{m}^3$,在恒外压 $p_{外}=1.0\times10^5\,\mathrm{Pa}$ 下恒温膨胀至压强 $p_2=1.0\times10^5\,\mathrm{Pa}$,体积 $V_2=16\times10^{-3}\,\mathrm{m}^3$。求过程中体系所做的体积功 W。

解:体系膨胀,反抗外压做功,故

$$\begin{aligned} W &= p_{外}\,\Delta V \\ &= 1.0\times10^5\,\mathrm{Pa}\times(16\times10^{-3}-1.0\times10^{-3})\mathrm{m}^3 = 15\times10^2\,\mathrm{J} \end{aligned}$$

体积功还可以用 $p-V$ 图法求算。例 6-1 所描述的过程可图示于图 6-2。a 表示始态,$V_1=1.0\times10^{-3}\,\mathrm{m}^3$,压强 $p_1=16\times10^5\,\mathrm{Pa}$,与外压平衡。$b$ 表示外压减至 $p_{外}=1.0\times10^5\,\mathrm{Pa}$,体积尚未改变的不平衡状态,于是在外压 $p_{外}=1.0\times10^5\,\mathrm{Pa}$ 下体系开始膨胀。c 表示终态,$V_2=16\times10^{-3}\,\mathrm{m}^3$,$p_2=1.0\times10^5\,\mathrm{Pa}$,与外压平衡。

外压 $p_{外}$ 对体系的体积 V 做图,得到的曲线叫 $p-V$ 线,例 6-1的过程的 $p-V$ 线如图 6-3 所示。A 点表示始态,即图 6-

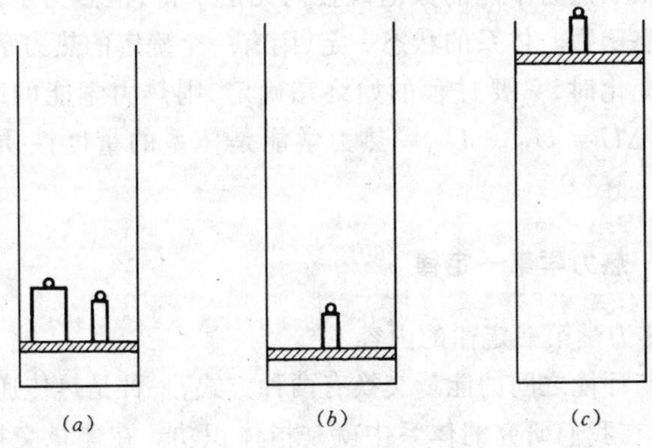

图 6－2　理想气体恒温恒外压膨胀过程

2*a* 所示的状态，*B* 点表示图 6－2*b* 所示的不平衡状态，*c* 点表示终态，即图 6－2*c* 所示的状态。折线 *ABC* 即是过程的 $p-V$ 线。

从图 6－3 中两轴上的单位可以看出图中的单位面积代表 1.0×10^2 J体积功。故 $p-V$线下覆盖的面积，即图中阴影部分的面积代表 15×10^2 J 体积功。与例 6－1 的计算结果相符合。

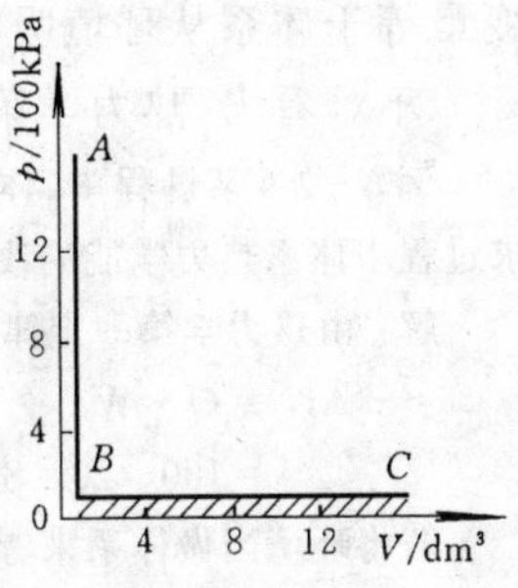

图 6－3　理想气体恒温恒外压膨胀的 $p-V$ 图

$p-V$ 线下覆盖的面积可用以表示体积功 *W* 的数值。

(5) 热力学能①

体系内一切能量的总和叫做体系的热力学能，通常用 *U* 表示。它包括体系内各种物质的分子或原子的位能、振动能、转动能、平动能、电子的动能以及核

① 按国家标准将"内能"称为"热力学能"。

能等等。虽然热力学能的数值现在尚无法求得，但热力学能却是体系的状态函数。体系的状态一定，则有一个确定的热力学能值，体系发生变化时，只要过程的始终态确定，则热力学能的改变量 ΔU 一定，$\Delta U = U_{终} - U_{始}$。热力学能是体系的量度性质，有加和性。

1-2 热力学第一定律

(1) 热力学第一定律的内容

体系与环境之间的能量交换有两种方式，一种是热传递，另一种是做功，在我们研究的体系中就是指体积功。在能量交换过程中，体系的热力学能将发生变化。

热力学第一定律指出，若某体系由状态Ⅰ变化到状态Ⅱ，在这一过程中体系吸热为 Q，并做体积功 W，用 ΔU 表示体系热力学能的改变量，则有关系式

$$\Delta U = Q - W \tag{6-5}$$

这就是热力学第一定律的表达式，可以说体系热力学能的改变量等于体系从环境吸收的热量减去体系对环境所做的功。

不难看出，热力学第一定律的实质就是能量守恒。

例 6-2 某过程中，体系从环境吸收热量 100J 对环境做体积功 20J。求过程中体系热力学能的改变量和环境热力学能的改变量。

解：由热力学第一定律的数学表达式(6-5)可知

$$\Delta U = Q - W$$
$$= 100 - 20 = 82(\text{J})$$

若将环境当做体系来考虑，则有 $Q' = -100$
$W' = -20\text{J}$，故环境热力学能改变量 $\Delta U' = Q' - W'$

$$\Delta U' = -100 - (-20) = -80(\text{J})$$

对例 6-2 进一步讨论，体系与环境的总和是热力学中的宇宙。体系的热力学能 U 增加了 80J，环境的热力学能 U 减少了 80J。做为量度性质的热力学能，对宇宙来说其改变量当然是零。这一讨论的结果更加说明了热力学第一定律的能量守恒的实质。

(2) 功和热

热力学第一定律讨论了热力学能 U 的改变量、热量 Q 和功 W 三者的关系。热力学能 U 是体系的状态函数，前面已进行过讨论。下面要对体系与环境之间能量交换的两种方式，传热和做功的问题进行略深入的探讨。

(a) 功和热的符号的规定

热力学中规定，体系在变化过程中吸收的热量为 Q，就是说体系若吸收了 30J 的热量，则表示为 $Q = 30\text{J}$；同理若 $Q = -40\text{J}$，则表示体系在变化过程中放热 40J。

热力学中的功是指体系对环境所做的功，故 $W = 20\text{J}$ 表示体系对环境做功 20J，如理想气体膨胀时就属于这种情况；若环境对体系做功 10J，则表示成 $W = -10\text{J}$。

(b) 功和热与途径的关系

当体系经历一个热力学过程，由状态Ⅰ变化到状态Ⅱ时，体系的所有状态函数的改变量都是定值，就是说过程确定了，不论具体途径如何，状态函数的改变量就确定了。可见状态函数的改变量和途径无关。

当以不同的途径完成过程时，体系所做的功是不是相同呢？体系吸收的热是不是相同呢？下面我们以理想气体的恒温膨胀过程为例加以探讨。

我们仍然从例 6-1 的理想气体的始态 $p_1 = 16\times10^5\text{Pa}$，$V_1 = 1.0\times10^{-3}\text{m}^3$ 出发，在例题中我们计算了体系在 $p'_{外} = 1.0\times10^5\text{Pa}$ 下一步膨胀至终态 $p_2 = 1.0\times10^5\text{Pa}$，$V_2 = 16\times10^{-3}\text{m}^3$ 时所做的体积功。一次膨胀，我们用膨胀次数 $N=1$ 表示，它的意义在于表明除始态外体系在这种途径中只经历一种平衡状态——终态。

下面我们来讨论 $N=2$，$N=3$，…等各种途径的体积功。在这些途径中，体系将分别经历 2，3，…种平衡状态。这里说的平衡状态是指外压 $p_{外}$ 与体系的内压 p 相等。平衡时理想气体的体积

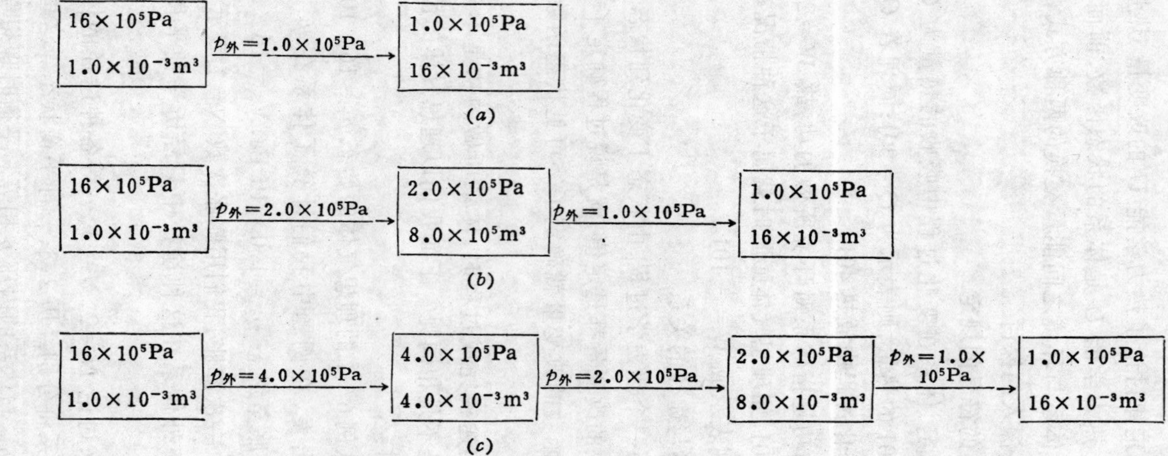

图 6-4　理想气体恒温膨胀的不同途径

$(a)(b)(c)$分别表示 $N=1, N=2, N=3$ 的途径

与压强之间满足 $pV = nRT$，故在 $p - V$ 图中若表示体系状态的点在 $pV = nRT$ 曲线上，则表示体系处于平衡状态；不平衡时，气体将膨胀，应当有 $p_{外} < p$，故表示不平衡状态的点势必位于 $pV = nRT$ 曲线的下方。

图 6-4 分别表示了上述的各种途径。

图 6-4 中，方框内数据所表示的状态均为体系在每种途径中所经历的平衡状态。

N 的数值相当大时，即膨胀过程中体系经历相当多次平衡的途径，可以采用图 6-5 所示的方法来讨论。用一堆细砂放在活塞上，以保持外压与圆柱形容器内的理想气体的压强平衡。取下一粒砂，使 $p > p_{外}$，体系则膨胀，达到平衡后，再取下一粒砂，体系又膨胀，再达到平衡后，又取下一粒砂，…… 直到终态。

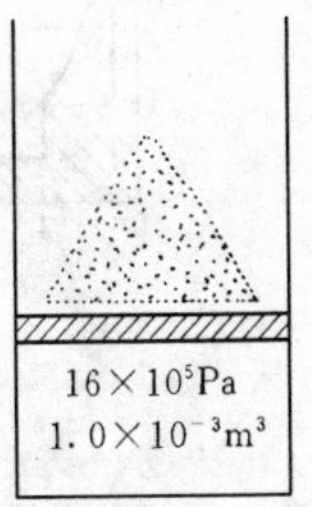

图 6-5 体系经历相当多次膨胀的途径

这些途径体系所做的体积功分别表示在图 6-6 中的 $p - V$ 图上。$p - V$ 图上的虚线是 $pV = nRT$ 曲线。

从图 6-6 中，我们清楚地看到，同一过程若以不同的途径完成，体系所做的体积功不相同。

理想气体的热力学能 U 只是温度的函数，在我们讨论的理想气体恒温膨胀过程中，显然有 $\Delta U = 0$，由公式 $\Delta U = Q - W$，可得 $Q = W$。故途径不同时，不仅体系所做的体积功不同，而且体系吸收的热量也不同。

功 W 和热量 Q 都不是体系的状态函数，不能谈体系在某种状态下具有多少功或具有多少热量。功和热只有在能量交换时才会有具体的数值，且随着途径的不同，功和热的数值都有变化。

1-3 可逆途径

我们对图 6-6 做进一步的研究。

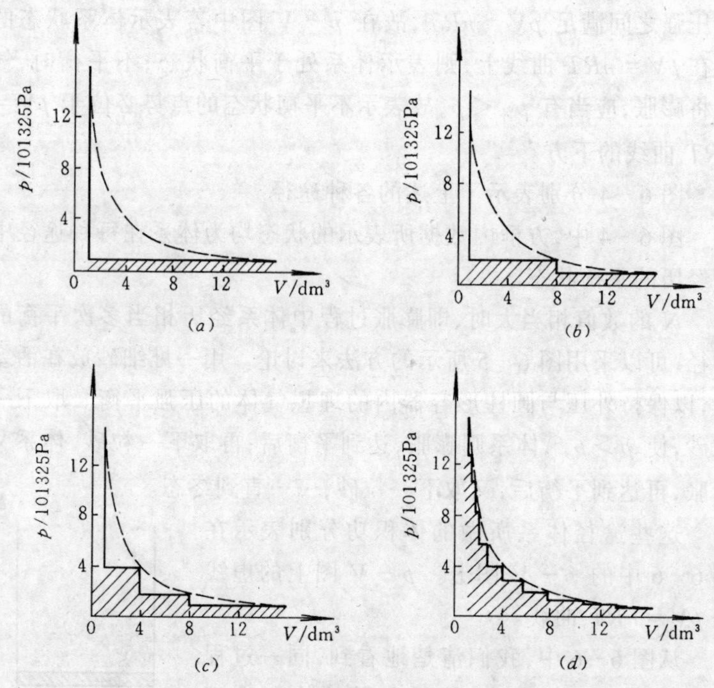

图 6-6 各种途径的体积功

(a)(b)(c)分别表示 $N=1, N=2, N=3$ 的途径,(d)表示 N 相当大的途径

N 值越大,即膨胀所分成的步数越多,$p-V$ 线越向虚线 $pV=nRT$ 逼近,当然 $p-V$ 线下覆盖的面积也就越向虚线 $pV=nRT$ 下面覆盖的面积逼近。这说明 N 值越大的途径,体系所做的体积功越大。

如果用 S_N 表示 N 次膨胀途径时 $p-V$ 线下的面积,用 S 表示 $pV=nRT$ 曲线下的面积,则有关系式

$$\lim_{N\to\infty} S_N = S$$

这说明膨胀次数 N 趋近于无穷大时,体系所做的体积功是各

种途径的体积功的极限。N 无穷大的途径具有什么特点呢？

假如图 6-5 中活塞上堆放的砂粒都是无限小的，当然这堆砂中的砂粒则是无限多的。一粒一粒取走这无限小无穷多的砂粒，过程则是以 $N \to \infty$ 的途径来进行的。首先，使过程发生的动力是无限小的，因为每次膨胀是被与一无穷小的砂粒的重力相当的压强差所驱动的；其次由于砂粒无穷多，故过程所需的时间是无限长的；又因 $N \to \infty$，故过程中体系无限多次达到平衡，也就是说过程中体系每时每刻都无限接近平衡态。

这种途径在所有的途径中是最特殊的一种，具有十分重要的理论意义，我们称这种途径为可逆途径。理想气体的恒温膨胀，若以可逆途径进行的话，体积功最大。

之所以称之为可逆途径，是因为这种途径除具有上述特点之外，还有一最重要的特点。从过程的终态出发，将假设的无穷小的砂粒，一粒一粒放回到活塞上，经无限长的时间后，体系会无限多次地重复膨胀过程中的种种平衡状态被压缩回到过程的始态。也就是说这种途径具有可逆性，采取可逆的膨胀途径与可逆的压缩途径时，表示体系状态的点完全一致，均在 $pV = nRT$ 曲线上。其余途径均为不可逆的，例如二步膨胀中，表示体系状态的点只有三点在 $pV = nRT$ 曲线上，即除始态外，体系只有两次平衡状态，而绝大多数状态都是不平衡的，在膨胀过程中的非平衡状态时，体系的压强 p 要大于外压 $p_{外}$，故表示状态的点在 $pV = nRT$ 曲线下方。无论采取怎样的方式将体系从终态压缩回始态，总会有 $p_{外}$ 大于 p。即使可逆压缩，$p_{外}$ 也不会小于 p，状态点只能在 $pV = nRT$ 曲线上方或曲线上。故这种途径是不可逆的。

可逆方式是一种理想中的方式，但有些实际过程可以被近似地认为是可逆的。例如在相变点的温度和外压下，物质的相变经常被做为可逆途径的实例。

§6-2 热 化 学

化学反应总是伴有热量的吸收或放出，这种能量变化对化学反应来说是十分重要的。把热力学理论和方法应用到化学反应中，讨论和计算化学反应的热量变化的学科称为热化学。

2-1 化学反应的热效应

化学反应过程中，反应物的化学键要断裂，又要生成一些新的化学键以形成产物。例如在化学反应

$$H_2(g)+\frac{1}{2}O_2(g)\longrightarrow H_2O(g)$$

中，H—H 键和 O—O 键断裂，要吸收热量；而 H—O 键的形成，要放出热量。化学反应的热效应就是要反映出这种由化学键的断裂和生成所引起的热量变化。如果不严格地定义反应热效应的话，可能就会使反应热效应失去上述的意义。

在我们研究的无非体积功的体系和反应中，**化学反应的热效应可以定义为：当生成物与反应物的温度相同时，化学反应过程中的吸收或放出的热量。化学反应热效应一般称为反应热。**

之所以要强调生成物的温度和反应物的温度相同，是为了避免将使生成物温度升高或降低所引起的热量变化混入到反应热中。只有这样，反应热才真正是化学反应引起的热量变化。

化学反应过程中，体系的热力学能改变量 ΔU 与反应物的热力学能 $U_{反应物}$ 和产物的热力学能 $U_{产物}$ 应有如下关系

$$\Delta U = U_{产物} - U_{反应物}$$

结合热力学第一定律的数学表达式 $\Delta U = Q - W$ 则有

$$U_{产物} - U_{反应物} = Q - W \qquad (6-6)$$

式(6-6)就是热力学第一定律在化学反应中的具体体现。式中的反应热 Q，因化学反应的具体方式不同，有着不同的内容，下面分别加以讨论。

(1) 恒容反应热

在恒容过程中完成的化学反应称为恒容反应，其热效应称恒容反应热，通常用 Q_V 表示。

由式(6－6)可得

$$\Delta U = Q_V - W \tag{6-7}$$

式中的功　$W = p\Delta V$，恒容反应过程中 $\Delta V = 0$ 故 $W = 0$

式(6－7)变成

$$\Delta U = Q_V \tag{6-8}$$

式(6－8)告诉我们，在恒容反应过程中，体系吸收的热量全部用来改变体系的内能。

当 $\Delta U > 0$ 时，则 $Q_V > 0$ 该反应是吸热反应；当 $\Delta U < 0$ 时，则 $Q_V < 0$，该反应是放热反应。

有一种叫做弹式量热计的装置，被用来测量一些有机物燃烧反应的恒容反应热，如图 6－5 所示。把有机物置于充满高压氧气的钢弹中，用电火花引燃，反应是在恒容的钢弹中进行的。产生的热量使水及整个装置温度升高，温度升高值可由精密的温度计测出，搅拌器可使测得的温度值更加可靠。

知道了水的质量，即可知道水的热容，即水升高 1K 时吸收的热量，整个装置升高 1K 时所吸收的热量称为装置的热容，它的值可用实验的方法测知。于是恒容反应热 Q_V 可测得。

$$Q_V = \Delta T(C_1 + C_2) \tag{6-9}$$

式中 ΔT 为温升值，C_1 和 C_2 分别为水的热容和装置的热容。

(2) 恒压反应热

在恒压过程中完成的化学反应称为恒压反应，其热效应称为恒压反应热，通常用 Q_p 表示。

由式(6－6)可得

$$\Delta U = Q_p - W$$

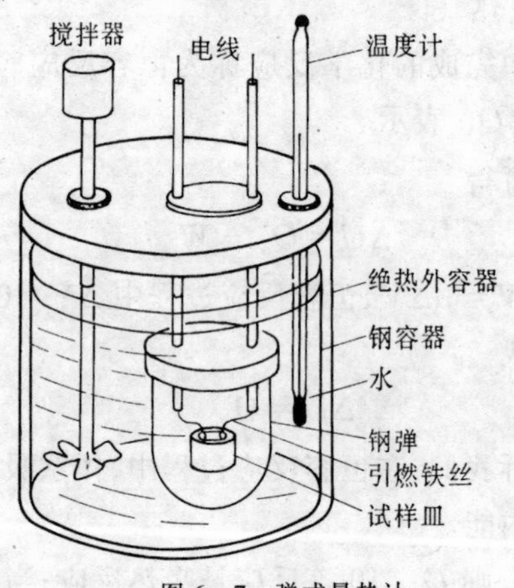

图 6-7　弹式量热计

由于 $W=p\Delta V$,上式可变成

$$Q_p=\Delta U+p\Delta V \tag{6-10}$$

恒压过程 $\Delta p=0$　$p_2=p_1=p$,式(6-10)可变成

$$\begin{aligned} Q_p &= U_2-U_1+p_2V_2-p_1V_1 \\ &= (U_2+p_2V_2)-(U_1+p_1V_1) \end{aligned} \tag{6-11}$$

因为 U,p,V 都是体系的状态函数,故 $U+pV$ 必然是体系的状态函数,这个状态函数用 H 表示,称为热焓,简称焓。它是具有加和性质的物理量。

由 $H=U+pV$　　(6-12)

故式(6-11)可写做

$$Q_p=\Delta H \tag{6-13}$$

在恒压反应过程中,体系吸收的热量全部用来改变体系的热焓。

从焓 H 的定义式 $H=U+pV$ 可以推出,理想气体的热力学能 U 只是温度的函数,故理想气体的焓 H 也只是温度的函数,温度不变,$\Delta H=0$。

一些化学反应的恒压反应热可以用一种如图 6-8 所示的保温杯式量热计来测得。这种装置的使用方法与前文介绍的弹式量热计相似，但它不适于测量燃烧等反应的恒压反应热，而只适用于测量中和热、溶解热等。测量后的数据处理也基本上与弹式量热计的相同。

(3) Q_p 和 Q_V 的关系

(a) 反应进度概念

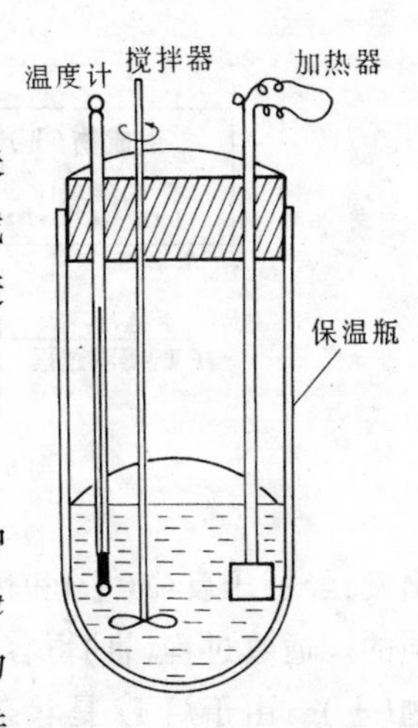

图 6-8　保温杯式量热计

为了更清楚地讨论 Q_p 和 Q_V 的关系，更准确地计算化学反应的热效应，我们先定义一个重要的物理量——反应进度 ξ（读作“克赛”）。

设有化学反应：

$$\nu_A A + \nu_B B \longrightarrow \nu_G G + \nu_H H$$

式中 ν 为各物质的计量数，是一种无量纲的物理量。反应未发生时，即 $t=0$ 时，各物质的物质的量分别为 $n_0(A)$，$n_0(B)$，$n_0(G)$ 和 $n_0(H)$，反应进行到 $t=t$ 时，各物质的量分别为 $n(A)$，$n(B)$，$n(G)$ 和 $n(H)$，反应进度 ξ 的定义式为：

$$\xi = \frac{n_0(A) - n_A}{\nu_A} = \frac{n_0(B) - n(B)}{\nu_B} = \frac{n(G) - n_0(G)}{\nu_G} = \frac{n(H) - n_0(H)}{\nu_H} \qquad (6-14)$$

由式(6-14)可知反应进度 ξ 的量纲是 mol。用反应体系中任一物质来表示反应进度，在同一时刻所得的 ξ 值完全一致。

ξ 值可以是正整数、正分数、也可以是零。$\xi = 0$mol 表示反应开始时刻的反应进度。而最需要注意的是 $\xi = 1$mol 的实际意义：$\xi = 1$mol 表示从 $\xi = 0$mol 时计算已经有 ν_A*mol* 的 A 和 $\nu_B$mol 的 B 消耗掉，生成了 $\nu_G$mol 的 G 和 $\nu_H$mol 的 H，即按 ν_A 个 A 粒子和 ν_B

个 B 粒子为一个单元进行了 6.02×10^{23} 个单元反应。当 $\xi=1\text{mol}$ 时,我们说进行了 1mol 反应。

(*b*) Q_p 和 Q_V 的关系

同一反应的恒压反应热 Q_p 和恒容反应热 Q_V 是不相同的,但二者之间却存在着一定的关系。如图 6-9 所示,从反应物的始态

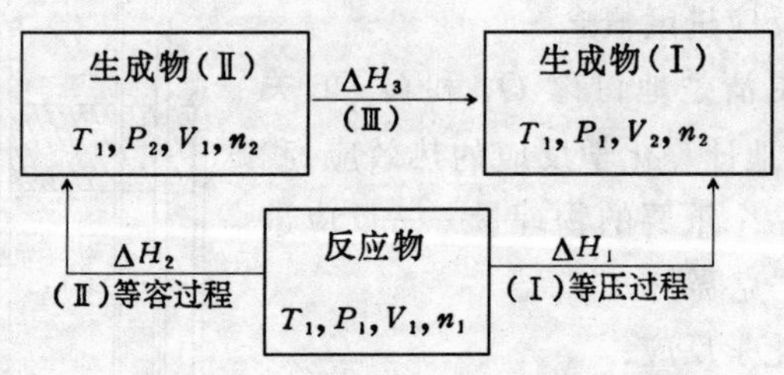

图 6-9 Q_p 与 Q_V 的关系

出发,经恒压反应(Ⅰ)和恒容反应(Ⅱ)所得生成物的终态是不相同的。通过过程(Ⅲ)恒容反应的生成物(Ⅱ)变成恒压反应的生成物(Ⅰ)。由于焓 H 是状态函数,故有

$$\begin{aligned}\Delta H_1 &= \Delta H_2 + \Delta H_3\\ &= \Delta U_2 + \Delta(pV)_2 + \Delta H_3\end{aligned}$$

对于理想气体,其热力学能 U 只是温度的函数,进而 H 也只随温度的改变而改变。在途径Ⅲ中,只是同一生成物发生单纯的压强和体积变化,故 ΔH_3 和 ΔU_3 均为零。对于其它物质而言 ΔH_3 和 ΔU_3 虽不为零,但与 ΔH_1, ΔH_2, ΔU_1, ΔU_2 相比也是小到可以忽略的。故有

$$\Delta H_1 = \Delta U_2 + \Delta(pV)_2 \tag{6-15}$$

反应体系中的固体和液体,其 $\Delta(pV)$ 可忽略不计,若假定体系中的气体为理想气体,则式(6-15)可化为

$$\Delta H_1 = \Delta U_2 + \Delta nRT \tag{6-16}$$

式中 Δn 是反应前后气体的物质的量之差。一个反应的 Q_p 和 Q_V 的关系可以写作

$$Q_p = Q_V + \Delta nRT \tag{6-17}$$

由式(6－17)可以看出,当反应物与生成物气体的物质的量相等($\Delta n = 0$)时,或反应物与生成物全是固体或液体时,恒压反应热与恒容反应热相等,即

$$Q_p = Q_V$$

在化学热力学中,对于状态函数的改变量的表示法与单位,有着严格的规定。当泛指一个过程时,其热力学函数的改变量可写成如 ΔU,ΔH 等形式,其单位是 J 或 kJ;若指明某一反应而没有指明反应进度即不做严格的定量计算时,其相应的内能改变量及热焓改变量可分别表示为 $\Delta_r U$、$\Delta_r H$(r 是英语单词 reaction 的词头),其单位仍是 J 或 kJ。在化学热力学中,一个反应的热力学函数的改变量,如 $\Delta_r H$,其大小显然与反应进度 ξ 有关。反应进度不同,$\Delta_r H$ 必然不一样。因此引入摩尔焓变 $\Delta_r H_m$ 是很有必要的,它表示某反应按所给定的反应方程式进行 1mol 反应,即 $\xi = 1\text{mol}$ 时的焓变。$\Delta_r H_m$ 可以由反应进度 ξ 和此时的 $\Delta_r H$ 来求得:

$$\Delta_r H_m = \frac{\Delta_r H}{\xi}$$

由上式不难得出 $\Delta_r H_m$ 的物理学单位是 J·mol^{-1}。

用上述观点进一步讨论式(6－16)所表示的 Q_p 和 Q_V 的关系,式子两边分别除以反应进度 ξ,则有

$$\Delta_r H_m = \Delta_r U_m + \Delta \nu RT \tag{6-18}$$

式中 $\Delta \nu$ 是反应前后气体物质的计量数的改变量,其数值与 Δn 的数值相等。

例 6－3　用弹式量热计测得 298K 时,燃烧 1mol 正庚烷的恒容反应热 $Q_V = -4\ 807.12\text{kJ·mol}^{-1}$,求其 Q_p 值。

解: $C_7H_{16}(l) + 11O_2(g) \longrightarrow 7CO_2(g) + 8H_2O(l)$

$$\sum_i \nu_i = 7 - 11 = -4$$

$$Q_p = Q_V + \sum_i \nu_i RT$$

$$= -4\ 807.12 + (-4) \times 8.314 \times 298 \times 10^{-3}$$

$$= -4\ 817.03 (\text{kJ} \cdot \text{mol}^{-1})$$

一些化学反应的 Q_p 可以采用例 6-3 的方法由恒容反应热 Q_V 求得。从例 6-3 我们看到,即使是有体积改变的气相反应, Q_p 和 Q_V 的数值也是十分接近的。这更证明了只有凝聚相参与的反应,其 Q_p 可近似等于 Q_V。

2-2 盖斯定律

(1) 热化学方程式

表示出反应热效应的化学方程式叫做热化学方程式。书写热化学方程式时要注意下列几点:

(*a*) 写热化学方程式,要注明反应的温度和压强条件,如果反应是在 298K 和 1.013×10^5 Pa 下进行的,习惯上不予注明。

(*b*) 反应物和生成物的聚集状态不同或固体物质的晶形不同,对反应热也有影响。因此写热化学方程式,要注明物质的聚集状态或晶形。常用 g 表示气态,l 表示液态,s 表示固态。

(*c*) 方程式中的配平系数只表示计量数,不表示分子数,因此必要时可写成分数。但计量数不同时,同一反应的反应热数值也不同。

(*d*) 热效应的表示方法见下面例子

① C(石墨) + $O_2(g) \longrightarrow CO_2(g)$

$$\Delta_r H_m = -393.5 \text{kJ} \cdot \text{mol}^{-1}$$

② C(金刚石) + $O_2(g) \longrightarrow CO_2(g)$

$$\Delta_r H_m = -395.4 \text{kJ} \cdot \text{mol}^{-1}$$

③ $H_2(g) + \frac{1}{2}O_2(g) \longrightarrow H_2O(g)$

$$\Delta_r H_m = -241.8 \text{kJ} \cdot \text{mol}^{-1}$$

④ $H_2(g) + \frac{1}{2}O_2(g) \longrightarrow H_2O(l)$

$$\Delta_r H_m = -285.8 \text{kJ} \cdot \text{mol}^{-1}$$

⑤ $2H_2(g) + O_2(g) \longrightarrow 2H_2O(l)$

$$\Delta_r H_m = -571.6 \text{kJ} \cdot \text{mol}^{-1}$$

逆反应的热效应与正反应的热效应数值相同而符号相反，例如③的逆反应

$$H_2O(g) \longrightarrow H_2(g) + \frac{1}{2}O_2(g)$$

$$\Delta_r H_m = 241.8 \text{kJ} \cdot \text{mol}^{-1}$$

(2) 盖斯定律

化学反应的热效应可以用实验方法测得，但许多化学反应由于速率过慢，测量时间过长，因热量散失而难于测准反应热，也有一些化学反应由于条件难于控制，产物不纯，也难于测准反应热。于是如何通过热化学方法计算反应热，成为化学家关注的问题。

1840 年前后，俄国科学家盖斯(Hess)指出，**一个化学反应若能分解成几步来完成，总反应的焓变 $\Delta_r H$ 等于各步分反应的焓变 $\Delta_r H_i$ 之和**。这就是盖斯定律。这条定律实质上是热力学理论在化学反应中具体应用的必然结果。

有了盖斯定律，便可以根据已知的化学反应热来求得某反应的摩尔反应热。

例 6-4　已知

C(石墨) + $O_2(g) \longrightarrow CO_2(g)$

(1) $\Delta_r H_{m(1)} = -393.5 \text{kJ} \cdot \text{mol}^{-1}$

$CO(g) + \frac{1}{2}O_2(g) \longrightarrow CO_2(g)$

(2) $\Delta_r H_{m(2)} = -283.0 \text{kJ} \cdot \text{mol}^{-1}$

求　C(石墨) + $\frac{1}{2}O_2(g) \longrightarrow CO(g)$的 $\Delta_r H_m$

解：反应(2)的逆反应

$$CO_2(g) \longrightarrow CO(g) + \frac{1}{2}O_2(g)$$

$$(3)\ \Delta_r H_{m(3)} = 283.0 kJ \cdot mol^{-1}$$

(1)+(3)得

$$C(石墨) + \frac{1}{2}O_2(g) \longrightarrow CO(g) \qquad \Delta_r H_m$$

由盖斯定律 $\Delta_r H_{m(3)} = \Delta_r H_{m(1)} + \Delta_r H_{m(2)}$

$$= -393.5 + 283.0 = -110.5(kJ \cdot mol^{-1})$$

例 6－4 的实际意义在于，虽然反应

$$C(石墨) + \frac{1}{2}O_2(g) \longrightarrow CO(g)$$

条件不苛刻，但由于很难使反应产物中不混有 CO_2，故它的热效应很不容易测准，而例 6－4 中的(1)、(2)两反应的反应热是易于测得的，盖斯定律为难于测得的反应热的求算创造了可行的方法。

2－3 生成热

用盖斯定律求算反应热，需要知道许多反应的热效应，要将反应分解成几个已知反应，有时这是很复杂的过程。

从根本上讲，如果知道了反应物和产物的状态函数焓 H 的值，反应的 $\Delta_r H$ 即可由产物的焓 H 减去反应物的焓 H 而得到。从式(6－12)焓 H 的定义式看到 $H = U + pV$，由于有 U 存在，H 值不能实际求得。人们采取了一种相对的方法去定义物质的焓值，从而求出反应的 $\Delta_r H$。

由盖斯定律可知，反应

$$CO(g) \longrightarrow CO_2(g) \qquad ①$$

的 $\Delta_r H_{①}$，可由下面两个反应的 $\Delta_r H$ 来求得：

$$C(石墨) + \frac{1}{2}O_2(g) \longrightarrow CO(g) \quad \Delta_r H_{②} \qquad ②$$

$$C(石墨) + O_2(g) \longrightarrow CO_2(g) \quad \Delta_r H_{③} \qquad ③$$

$$\Delta_r H_{①} = \Delta_r H_{③} - \Delta_r H_{②}$$

$\Delta_r H_{②}$ 和 $\Delta_r H_{③}$ 都是由单质生成某物质的反应的反应热，反应②和③分别是 CO 和 CO_2 的生成反应。(生成反应中反应物和生成物的一些具体规定，学完下一节后自然会清楚)如果我们以单质的焓值 H_C，H_{O_2} 等为相对零值，则 $\Delta_r H_{②}$ 和 $\Delta_r H_{③}$ 可用以表示 CO 和 CO_2 以单质为零点的相对焓值。

我们测得各种物质的生成反应的热效应，即各种物质的相对焓值，利用这些值即可求出各种反应的 $\Delta_r H$。我们称这些相对焓值为物质的生成热，下面详细讨论有关生成热的一系列问题。

(1) 生成热的定义

化学热力学规定，某温度下，由处于标准状态的各种元素的最稳定的单质生成标准状态下单位物质的量(1mol)某纯物质的热效应，叫做这种温度下该纯物质的标准摩尔生成热。或简称标准生成热，用符号 $\Delta_f H_m^\ominus$ 表示，其单位为 $J \cdot mol^{-1}$。当然处于标准状态下的各元素的最稳定的单质的标准生成热为零。

一些物质在 298K 下的标准生成热是有表可查的，见表 6－1。

标准摩尔生成热的符号 $\Delta_f H_m^\ominus$ 中，ΔH_m 表示恒压下的摩尔反应热，f 是 formation 的字头，有生成之意，“$\ominus$”表示物质处于标准状态。

对于物质的标准状态，化学热力学上有严格的规定，固体或液体纯相，其标准状态是 $X_i = 1$，即摩尔分数为 1；溶液中的物质 A，其标准态为 $m_A = 1 mol \cdot kg^{-1}$，常近似为 c_A 或 $[A] = 1 mol \cdot dm^{-3}$；气相物质，其标准状态为分压等于 100kPa。标准状态经常简称为标准态。

从表 6－1 中查出 $\Delta_f H_m^\ominus(CO, g) = -110.52 kJ \cdot mol^{-1}$，这就等于告诉我们，反应

$$C(\text{石墨}) + \frac{1}{2}O_2(g) \longrightarrow CO(g)$$

表 6-1　一些物质 298K 时的标准摩尔生成热

物　质	$\Delta_f H_m^{\ominus}$/kJ·mol^{-1}	物　质	$\Delta_f H_m^{\ominus}$/kJ·mol^{-1}
$Br_2(g)$	+30.907	$NO_2(g)$	+33.18
C(s)金刚石	+1.897	NaCl(s)	−410.89
C(g)	+716.68	$Na_2O_2(s)$	−513.2
CO(g)	−110.52	NaOH(s)	−426.73
$CO_2(g)$	−393.51	O(g)	+249.17
$CH_4(g)$	−74.81	$PbSO_4(s)$	−918.39
CaO(s)	−635.1	$NH_4NO_3(s)$	−365.14
$Ca(OH)_2(s)$	−986.1	HCN(g)	+130.54
CuO(s)	−157.3	MgO(s)	−601.82
$H_2O(l)$	−285.83	BaO(s)	−553.5
$H_2O(g)$	−241.82	$BaCO_3(s)$	−1216.3
HF(g)	−271.1	AgCl(s)	−127.07
HCl(g)	−92.31	ZnO(s)	−348.28
HBr(g)	−36.40	$SiO_2(s)$	−859.39
HI(g)	+26.5	$HNO_3(l)$	−173.21
$H_2S(g)$	−20.63	H(g)	+217.97
F(g)	+134.93	Cl(g)	+121.68
KCl(c)	−435.89	$SiH_4(g)$	+34.3
$MgCl_2(s)$	−641.83	$Na^+(aq)$	−240.3
$NH_3(g)$	−46.11	$Cl^-(aq)$	−167.08
NO(g)	+90.25	$Ag^+(aq)$	+105.58
$C_2H_6(g)$	−84.68	$CuSO_4·5H_2O(s)$	−2277.98
$CaCO_3(s)$	−1206.9	$CuSO_4(s)$	−769.85

的 $\Delta_r H_m^{\ominus} = -110.5 kJ·mol^{-1}$。$\Delta_r H_m^{\ominus}$ 右上角的“$\ominus$”和 $\Delta_f H_m^{\ominus}$ 中的意义一样。这个反应就是物质 CO(g)的生成反应。

简单地说,标准生成热给我们提供了一组以稳定单质的焓为零的各种物质的相对焓值,于是根据这组数据我们很容易地求出各种反应的摩尔反应热 $\Delta_r H_m^{\ominus}$。

(2) 标准生成热的应用

我们可以应用物质的标准生成热的数据计算化学反应的热效

应。如图 6－10 所示，一个化学反应从参加反应的单质直接转变为生成物与从参加反应的单质先生成反应物，再变化为生成物，两种途径反应热相等。这是盖斯定律的结论。

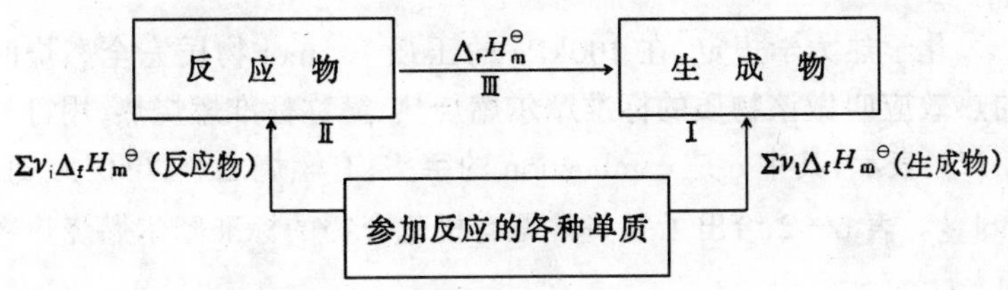

图 6－10　标准生成热与反应热的关系

故有 $\Delta H_{Ⅲ} = \Delta H_{Ⅰ} - \Delta H_{Ⅱ}$

即

$$\Delta_r H_m^\ominus = \sum_i \nu_i \Delta_f H_m^\ominus(\text{生成物}) - \sum_i \nu_i \Delta_f H_m^\ominus(\text{反应物}) \tag{6-19}$$

例 6－5　求下列反应的摩尔反应热 $\Delta_r H_m^\ominus$

$$2Na_2O_2(S) + 2H_2O(l) \longrightarrow 4NaOH(S) + O_2(g)$$

解：由式(6－19)

$$\begin{aligned}\Delta_r H_m^\ominus &= \sum_i \nu_i \Delta_f H_m^\ominus(\text{生成物}) - \sum_i \nu_i \Delta_f H_m^\ominus(\text{反应物})\\ &= [4\Delta_f H_m^\ominus(NaOH,s) + \Delta_f H_m^\ominus(O_2,g)]\\ &\quad - [2\Delta_f H_m^\ominus(Na_2O_2,s) + 2\Delta_f H_m^\ominus(H_2O,l)]\end{aligned}$$

查表得：　$\Delta_f H_m^\ominus(NaOH,s) = -426.73\text{kJ}\cdot\text{mol}^{-1}$

$\Delta_f H_m^\ominus(Na_2O_2,s) = -513.2\text{kJ}\cdot\text{mol}^{-1}$

$\Delta_f H_m^\ominus(H_2O,l) = -285.83\text{kJ}\cdot\text{mol}^{-1}$

O_2 是稳定单质其 $\Delta_f H_m^\ominus = 0$

故 $\Delta_r H_m^\ominus = [4\times(-426.73)+0] - [2\times c - 513.2]$

$+ [2\times(-285.83)] = -108.9(\text{kJ}\cdot\text{mol}^{-1})$

反应热 $\Delta_r H_m^\ominus$ 和反应温度有关，但是一般来说 $\Delta_r H_m^\ominus$ 受温度

影响很小,在无机化学课程中,我们近似认为在一般温度范围内 $\Delta_r H_m^\ominus$ 和 298K 的 $\Delta_r H_m^\ominus$ 相等。

2-4 燃烧热

化学热力学规定,在 100kPa 的压强下 1mol 物质完全燃烧时的热效应叫做该物质的标准摩尔燃烧热,简称标准燃烧热,用符号 $\Delta_c H_m^\ominus$ 表示,其中 c 是 combustion 的字头,有燃烧之意,单位为 $kJ \cdot mol^{-1}$。表 6-2 给出了一些常见有机化合物的标准摩尔燃烧热数值。

表 6-2 部分有机化合物的标准摩尔燃烧热

物质	$\frac{\Delta_c H_m^\ominus}{kJ \cdot mol^{-1}}$	物质	$\frac{\Delta_c H_m^\ominus}{kJ \cdot mol^{-1}}$
$CH_4(g)$甲烷	-890.31	$CH_3COOH(l)$醋酸	-874.54
$C_2H_6(g)$乙烷	-1 559.84	$C_6H_6(l)$苯	-3 267.54
$C_3H_8(g)$丙烷	-2 219.90	$C_7H_8(l)$甲苯	-3 908.69
$CH_2O(g)$甲醛	-563.58	$C_6H_5COOH(s)$苯甲酸	-3 226.87
$CH_3OH(l)$甲醇	-726.64	$C_6H_5OH(s)$苯酚	-3 053.48
$C_2H_5OH(l)$乙醇	-1 366.95	$C_{12}H_{22}O_{11}(s)$蔗糖	-5 640.87

和生成热数据相似,标准燃烧热也为我们提供了一套用来求算有机反应的热效应的数据。如果说标准生成热是以反应起点即各种单质为参照物的相对值,那么标准燃烧热则是以燃烧终点为参照物的相对值。因此只有对燃烧产物做严格的规定,才能使燃烧热成为有用的热力学数据。热力学上规定,碳的燃烧产物为二氧化碳,氢的燃烧产物是水,氮、硫、氯的燃烧产物分别为 $N_2(g)$ $SO_2(g)$和 $HCl(aq)$。

从图 6-11 可以推导出由反应物和生成物的标准燃烧热求算反应热的公式:

$$\Delta_r H_m^\ominus = \sum_i \nu_i \Delta_c H_m^\ominus(\text{反应物}) - \sum_i \nu_i \Delta_c H_m^\ominus(\text{生成物}) \quad (6-20)$$

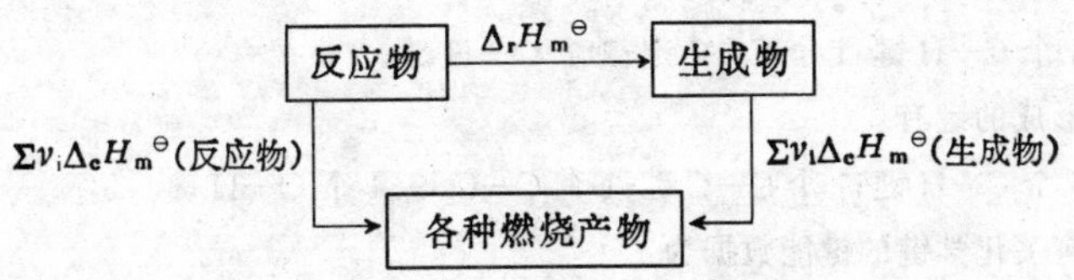

图 6-11　燃烧热和反应热的关系

有机化合物的生成热难以测定，而其燃烧热却比较容易通过实验测得，因此经常用燃烧热来计算这类化合物的反应热。

例 6-6　求下面反应的反应热

$$CH_3OH(l) + \frac{1}{2}O_2(g) \longrightarrow HCHO(g) + H_2O(l)$$

解：$\Delta_r H_m^\ominus = \sum_i \nu_i \Delta_c H_m^\ominus$(反应物) $- \sum_i \nu_i \Delta_c H_m^\ominus$(生成物)

$= \Delta_c H_m^\ominus(CH_3OH, l) - \Delta_c H_m^\ominus(HCHO, g)$

查表得：$\Delta_c H_m^\ominus(CH_3OH, l) = -726.64 kJ \cdot mol^{-1}$

$\Delta_c H_m^\ominus(HCHO, g) = -563.58 kJ \cdot mol^{-1}$

故 $\Delta_r H_m^\ominus = 1 \times (-726.64) - 1 \times (-563.58)$

$= -163.06(kJ \cdot mol^{-1})$

2-5　从键能估算反应热

化学反应的实质，是反应物分子中化学键的断裂和生成物中化学键的形成。断开化学键要吸热，形成化学键要放热，通过分析反应过程中化学键的断开和形成，应用键能的数据，可以估算化学反应的反应热。

例 6-7　计算乙烯与水作用制备乙醇的反应热。

解：有关反应式为

$$\begin{matrix} H & & H \\ & C{=}C & \\ H & & H \end{matrix} + \begin{matrix} & H \\ O & \\ & H \end{matrix} \longrightarrow H-\overset{\overset{H}{|}}{\underset{\underset{H}{|}}{C}}-\overset{\overset{H}{|}}{\underset{\underset{H}{|}}{C}}-O-H$$

反应过程中断开的键有：

4 个 C—H 键；1 个 C=C 键；2 个 O—H 键。

形成的键有：

5 个 C—H 键；1 个 C—C 键；1 个 C—O 键；1 个 O—H 键。

有关化学键的键能数据为：

$E_{C=C}=602\text{kJ}\cdot\text{mol}^{-1}$，$E_{O-H}=458.8\text{kJ}\cdot\text{mol}^{-1}$，

$E_{C-H}=411\text{kJ}\cdot\text{mol}^{-1}$，$E_{C-C}=345.6\text{kJ}\cdot\text{mol}^{-1}$

$E_{C-O}=357.7\text{kJ}\cdot\text{mol}^{-1}$

$$\begin{aligned}\Delta_r H_m &= [4\times E_{C-H}+1\times E_{C=C}+2\times E_{O-H}]- \\ &\quad -[5\times E_{C-H}+1\times E_{C-C}+1\times E_{O-H}+1\times E_{C-O}] \\ &=[4\times 411+1\times 602+2\times 458.8]- \\ &\quad -[5\times 411+1\times 345.6+1\times 458.8+1\times 357.7] \\ &=-53.5(\text{kJ}\cdot\text{mol}^{-1})\end{aligned}$$

不同化合物中，同一化学键的键能未必相同，例如在 C_2H_4 和 C_2H_5OH 中的 C—H 的键能实际上并不相等，H_2O 和 C_2H_5OH 中的 O—H 键的键能也不相等，而且反应物及生成物的状态也未必能满足定义键能时的反应条件。因而由键能求得的反应热不能代替精确的热力学计算和反应热的测量。但由键能来估算反应热还是具有一定实用价值的。

§6-3 化学反应的方向

3-1 反应方向概念

(1) 标准状态下的化学反应

化学反应的方向，即化学反应向哪个方向进行，表面看起来似乎十分简单。实际上这里的一些细节并不是大家都很清楚的。下面我们从最基本的问题讨论起。

在 T_0 和 p_0 条件下，将体积比为 2∶1∶0.1 的 SO_2，O_2 和 SO_3 通入装有催化剂的密闭容器中，结果得到含 SO_3 体积比为 90% 的

混合气体。显然进行的反应是

$$SO_2 + \frac{1}{2}O_2 \longrightarrow SO_3$$

若在相同的 T_0, p_0 条件下,反应混合物的体积比变为 $SO_2 : O_2 : SO_3 = 0.2 : 0.1 : 10$,某时刻反应体系中 SO_3 的体积也占总体积的 90%。显然进行的反应是

$$SO_3 \longrightarrow SO_2 + \frac{1}{2}O_2$$

若具体给出了体系中各物质的多少,一般能判断或测出反应的具体方向。但如果笼统地问,SO_3,SO_2 和 O_2 的混合物在 773K,1.013×10^5 Pa 条件下,反应进行的方向如何,又该怎样回答呢?我们把体系中各物质均处于标准状态时反应的方向做为基本出发点,在这个基础上来回答上面的提问。同时经过热力学讨论,又能在这种标准状态的基础上判断出各种非标准状态下,反应进行的方向。

我们认为 Ag^+ 与 Cl^- 相遇,将产生 AgCl 沉淀,反应进行的方向是 $Ag^+ + Cl^- \longrightarrow AgCl$。这是指 $[Ag^+] = [Cl^-] = 1mol \cdot dm^{-3}$ 的标准状态下进行的反应,或偏离标准状态不算很远的状态下进行的反应。若向 $[Ag^+] = [Cl^-] = 1 \times 10^{-8} mol \cdot dm^{-3}$ 的溶液中加入 AgCl 固体,实际进行的反应则是 $AgCl \longrightarrow Ag^+ + Cl^-$。

我们说 298K 时,$H_2O(g)$ 将凝聚成 $H_2O(l)$,这也是以标准状态做出发点的。若将 $H_2O(l)$ 与低于 298K 时水气的饱和蒸气压的 $H_2O(g)$ 置于密闭容器中,实际进行的过程并不是凝聚,而是 $H_2O(l) \longrightarrow H_2O(g)$。

在本章里,我们所讨论的化学反应的方向,就是指各种物质均处于标准状态的化学反应的方向。至于非标准状态下的化学反应的方向问题,我们将在第八章讨论。

(2) 化学反应进行的方式

前面我们讨论过,理想气体恒温膨胀,有两种方式,一种是不

可逆膨胀，另一种是可逆膨胀。相变过程也有两种不同的进行方式。例如用活塞封住的密闭容器中装有温度为 373K 的水，在水面上方的空间里充满 373K，压强为 1.013×10^5 Pa 的水蒸气，我们知道这是一个平衡体系。若使活塞外部的压强减少一个无穷小值，则 $H_2O(l) \longrightarrow H_2O(g)$ 的过程将可逆地发生，同时通过与环境之间的热交换保持体系恒温。若使活塞外部的压强与内部压强相差较大，则相变过程以不可逆方式发生。

化学反应的情况比理想气体的恒温膨胀及水的相变要复杂些。但类似的是，根据反应条件的不同，也可能以可逆与不可逆两种方式进行。如果体系的状态确定了，外部条件也确定了，我们就可以用热力学的方法来判断反应进行的方式，当然反应进行的方向也将同时得以解决。

3－2　反应焓变对反应方向的影响

如何判断一个化学反应能否发生，一直是化学家所极为关注的问题。水从高山流向平地，是由势能差决定的，电流的定向流动是由电位差决定的，热量的传递是由温度差所决定……，化学反应的定向进行是由什么因素决定的呢？

人们首先想到的是反应的热效应，放热反应，在反应过程中体系能量降低，这可能是决定反应进行的主要因素。

研究结果表明，在常温下放热反应一般都是可以进行的。但有些吸热的化学反应在常温下也可以进行。例如，将 $Ba(OH)_2\cdot 8H_2O$ 固体和 NH_4SCN 固体混合，则有下面吸热反应发生

$$Ba(OH)_2\cdot 8H_2O(s) + 2NH_4SCN(s) \longrightarrow Ba(SCN)_2(s) + 2NH_3(g) + 10H_2O(l)$$

再研究几个反应的实例

① $C(石墨) + \frac{1}{2}O_2(g) \longrightarrow CO(g) \quad \Delta_r H_m^{\ominus} = -110.5 kJ\cdot mol^{-1}$

② $C_7H_{16}(l) + 11O_2(g) \longrightarrow 7CO_2(g) + 8H_2O(l)$

$$\Delta_r H_m^{\ominus} = -4\ 817.03\text{kJ}\cdot\text{mol}^{-1}$$

这些反应在常温下能够进行。

③ $HCl(g) + NH_3(g) \longrightarrow NH_4Cl(s)$

$$\Delta_r H_m^{\ominus} = -176.91\text{kJ}\cdot\text{mol}^{-1}$$

④ $2NO_2(g) \longrightarrow N_2O_4(g) \quad \Delta_r H_m^{\ominus} = -58.03\text{kJ}\cdot\text{mol}^{-1}$

常温下上面两个反应可以进行。在 621K 以上反应③将发生逆转，即向生成 $HCl(g)$ 和 $NH_3(g)$ 的方向进行；在 324K 以上反应④将逆转。但是由于反应热效应和温度的关系不大，在反应逆转温度以上，正反应仍是放热的，也就是说在逆转温度以上，反应向着吸热方向进行了。

⑤ $CuSO_4\cdot 5H_2O(s) \longrightarrow CuSO_4(s) + 5H_2O(l)$

$$\Delta_r H_m^{\ominus} = 78.96\text{kJ}\cdot\text{mol}^{-1}$$

⑥ $NH_4HCO_3(s) \longrightarrow NH_3(g) + H_2O(g) + CO_2(g)$

$$\Delta_r H_m^{\ominus} = 185.57\text{kJ}\cdot\text{mol}^{-1}$$

这两个吸热反应，在常温下不能进行。510K 以上，⑤仍是吸热反应，却能进行；在 389K 以上，⑥仍是吸热反应，也可以进行。

但并不是所有反应高温下都要逆转，例如

⑦ $N_2(g) + \frac{1}{2}O_2(g) \longrightarrow N_2O(g)$

$$\Delta_r H_m^{\ominus} = 81.17\text{kJ}\cdot\text{mol}^{-1}$$

常温下不能进行，高温下也不能进行。

综上所述，反应的焓变 $\Delta_r H_m^{\ominus}$ 对反应的进行方向有一定的影响，但不是唯一的影响因素。可以说放热是化学反应进行的一种趋向。化学反应向吸热方向进行时，其原因有待于进一步探讨。

3-3　状态函数　熵

(1) 混乱度和微观状态数

总结上面提到的一些反应的情况，我们发现向吸热方向进行时，反应有如下特点：

(a) 由固体反应物生成液体乃至气体产物，如反应③、⑤、⑥在高温时的情况。

(b) 反应物中气体物质的最少，产物中气体物质的最变多，如反应④高温时的情况。

概括起来说，生成物分子的活动范围变大了，活动范围大的分子增多了。用形象的说法来描述，体系的混乱度变大了。

体系的混乱度变大是化学反应进行的又一种趋势。

混乱度只是对体系状态的一种形象的描述或说是一种定性的描述。应该有一个定量的方法，以描述体系这一方面的状态。

为使问题简单明了，我们讨论 3 个最简单的体系。

第一种体系：有 3 个微观粒子，它们均可在 3 个位置之一出现。体系可能出现的微观状态有 6 种，如图 6－12(a)所示。

第二种体系：有 3 个微观粒子，它们均可在 4 个位置之一出现。体系可能出现的微观状态有 24 种，如图 6－12(b)所示。

第三种体系：有 2 个微观粒子，它们均可在 4 个位置之一出现。体系可能出现的微观状态有 12 种，如图 6－12(c)所示。

对比图 6－12 的(a)和(b)，看出粒子的活动范围越大，体系的微观状态数越多；对比(b)和(c)，看出粒子数越多体系的微观状态数越多。故微观状态数越多，表明体系状态的混乱度越大，微观状态数可以定量地表明体系状态的混乱度。

(2) 状态函数　熵

体系的状态一定，其微观状态数一定，如果用体系的状态函数来表示体系的混乱度的话，这种状态函数与微观状态数之间必定有某种关系。热力学上把描述体系混乱度的状态函数叫做熵，用 S 表示，若用 Ω 表示微观状态数，则有

$$S = k\ln\Omega \tag{6-21}$$

式中 $k = 1.38 \times 10^{-23}\ \mathrm{J \cdot K^{-1}}$，叫波耳兹曼(Boltzmann)常数。

从式(6－21)看出熵的单位是和波兹曼常数相同的，即为 J·

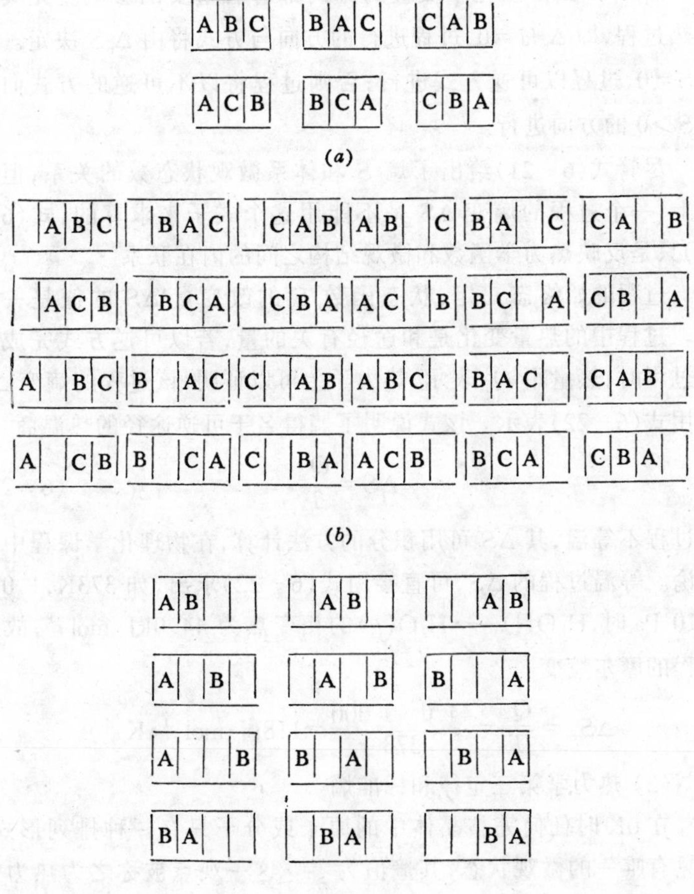

图 6-12 体系的微观状态

(*a*) 3 粒子 3 位置;(*b*) 3 粒子 4 位置;(*c*) 2 粒子 4 位置

K^{-1},熵是一种具有加和性的状态函数。从式(6-21)看出,体系的熵值越大则微观状态数 Ω 越大,即混乱度越大。因此若用状态函数表述化学反应向着混乱度增大的方向进行这一事实,可以认为化学反应趋向于熵值的增加,即趋向于 $\Delta_r S>0$。

$\Delta_r H$ 和 $\Delta_r S$ 对化学反应的方向都有着重要的影响。尤其是绝热过程，即 $\Delta_r H = 0$，过程进行的方向与方式将由 $\Delta_r S$ 决定。若 $\Delta_r S = 0$，过程以可逆方式进行；否则过程将以不可逆的方式向着 $\Delta_r S > 0$ 的方向进行。

尽管式(6－21)给出了熵 S 和体系微观状态数的关系，但实际上，一个过程的熵变 ΔS 是不能用这个式子来求算的，式(6－21)只是反映热力学函数和微观结构之间的内在联系。

过程的始终态一定，状态函数 S 的改变量 ΔS 的值是一定的。过程中的热量变化是和途径有关的量，若以可逆方式完成这一过程时，热量用 Q_r 表示，热力学上可以证明，该过程的熵变 ΔS 可用式(6－22)表示。该式说明了熵得名于可逆途径的热温商。

$$\Delta S = \frac{Q_r}{T} \qquad (6-22)$$

若过程不等温，其 ΔS 可用积分的方法计算，在物理化学课程中再讨论。等温过程的 ΔS，可直接用式(6－22)求出，如 373K，1.013×10^5 Pa 时，$H_2O(l) \longrightarrow H_2O(g)$ 的相变热为 $44.0\text{kJ}\cdot\text{mol}^{-1}$，故此过程的摩尔熵变

$$\Delta S_m = \frac{Q_r}{T} = \frac{44.0\times1\,000}{373} = 118(\text{J}\cdot\text{mol}^{-1}\cdot\text{K}^{-1})$$

(3) 热力学第三定律和标准熵

在 0K 时任何完整晶体中的原子或分子只有一种排列形式，即只有唯一的微观状态，其熵值为零。这一观点被称之为热力学第三定律。

从熵值为零的状态出发，使体系变化到 $p = 100$kPa 和某温度 T，如果知道这一过程中的热力学数据，原则上可以求出过程的熵变值，它就是体系终态的绝对熵值。于是人们求得了各种物质在标准状态下的摩尔绝对熵值，简称标准熵。用符号 $S_m^{\ominus}$ 表示，其单位为 $\text{J}\cdot\text{mol}^{-1}\cdot\text{K}^{-1}$。

人们把一些物质 298K 时的标准熵值列成表，以资查询(见表

6-3)。

表 6-3 一些物质在 298K 时的标准熵

物质	$\frac{S_m^\ominus}{J\cdot mol^{-1}\cdot K^{-1}}$	物质	$\frac{S_m^\ominus}{J\cdot mol^{-1}\cdot K^{-1}}$	物质	$\frac{S_m^\ominus}{J\cdot mol^{-1}\cdot K^{-1}}$
$H_2(g)$	130.57	$Hg(l)$	76.02	$CuSO_4\cdot 5H_2O(s)$	305.43
$F_2(g)$	202.67	$La(s)$	57.0	$CuSO_4$	113.38
$Cl_2(g)$	222.96	$H_2O(g)$	188.715	$NO(g)$	210.65
$Br_2(l)$	152.23	$H_2O(l)$	69.91	$NO_2(g)$	239.95
$I_2(s)$	116.14	$HF(g)$	173.67	$NaCl(s)$	72.38
$O_2(g)$	205.03	$HCl(g)$	186.80	$CaO(s)$	39.75
S(斜方)	31.80	$HBr(g)$	198.59	$Ca(OH)_2(s)$	83.4
$N_2(g)$	191.50	$HI(g)$	206.48	$CaCO_3(s)$	92.9
C(石墨)	5.740	$H_2S(g)$	205.7	$Al_2O_3(s)$	51.00
$Li(s)$	29.12	$NH_3(g)$	192.34	$Fe_2O_3(s)$	90.0
$Na(s)$	51.30	$CH_4(g)$	186.15	$HgO(s)$	70.29
$Ca(s)$	41.4	$C_2H_6(g)$	229.49	$ZnO(s)$	43.64
$Al(s)$	28.33	$C_2H_4(g)$	219.5	$SiH_4(g)$	204.5
$Ag(s)$	42.55	$C_2H_2(g)$	200.8	$Na^+(aq)$	58.41
$AgCl(s)$	96.23	$SO_2(g)$	248.11	$Cl^-(aq)$	56.73
$Fe(s)$	27.28	$CO(g)$	197.56	$Ag^+(aq)$	72.68
$Zn(s)$	41.63	$CO_2(g)$	213.64		

标准熵值 $S_m^\ominus$ 与标准生成热 $\Delta_f H_m^\ominus$ 有着根本的不同。$\Delta_f H_m^\ominus$ 是以最稳定单质的热焓值为零的相对数值,因为焓 H 的实际数值不能得到;而标准熵 $S_m^\ominus$ 不是相对数值,它的值可以求得。

化学反应的标准摩尔熵变 $\Delta_r S_m^\ominus$ 可以由下式求得:

$$\Delta_r S_m^\ominus = \sum_i \nu_i S_m^\ominus(\text{生成物}) - \sum_i \nu_i S_m^\ominus(\text{反应物}) \quad (6-23)$$

$S_m^\ominus$ 和 $\Delta_r S_m^\ominus$ 受温度变化的影响较小。

(4) 对过程熵变情况的估计

从对混乱度、微观状态数和熵的讨论中我们知道,在化学反应过程中,如果从固态物质或液态物质生成气态物质,体系的混乱度变大;如果从少数的气态物质生成多数的气态物质,体系的混乱度也变大。这时体系的熵值将增加。于是根据这些现象可以判断出过程的 $\Delta_r S^\ominus > 0$。

反之，若是由气体生成固体或液体的反应，或气体物质的量减少的反应，我们可以判断出过程的 $\Delta_r S^\ominus < 0$。这种对熵变情况的定性估计，在判断反应进行的方向时是很有用处的。

若反应的 $\Delta_r H_m^\ominus < 0$，且根据上述方法估计出反应的 $\Delta_r S_m^\ominus > 0$，则能够肯定该反应是可以进行的。如已知反应

$$2Na_2O_2(s) + 2H_2O(l) \longrightarrow 4NaOH(s) + O_2(g)$$

$\Delta_r H_m^\ominus < 0$，由固相、液相产生了气相，故 $\Delta_r S_m^\ominus > 0$，由此能够判断该反应可以进行。

若知道了反应的 $\Delta_r H_m^\ominus > 0$，又估计出 $\Delta_r S_m^\ominus < 0$，则可以肯定此反应是不能进行的。如已知反应

$$CO(g) \longrightarrow C(s) + \frac{1}{2}O_2(g) \qquad \Delta_r H_m^\ominus > 0$$

由于气相物质的量在反应过程中减少，故 $\Delta_r S_m^\ominus < 0$，由此可以判断此反应不能进行。

至于 $\Delta_r H_m^\ominus < 0$ 而 $\Delta_r S_m^\ominus < 0$ 或 $\Delta_r H_m^\ominus > 0$ 而 $\Delta_r S_m^\ominus > 0$ 的情况，反应究竟向哪边进行，则要由综合考虑了 ΔH 和 ΔS 的影响的热力学函数来进一步讨论了。

3－4 状态函数 吉布斯自由能

(1) 吉布斯自由能判据

等温等压下的化学反应，究竟能不能进行，以什么方式进行，显然是化学热力学中的重要课题，下面我们在综合热力学第一定律，状态函数 H，可逆过程的功以及可逆过程的热温商等知识的基础上，来解决这一问题。

某化学反应在等温等压下进行，过程中有非体积功 $W_{非}$。于是热力学第一定律表达式写为

$$\Delta U = Q - W_{体} - W_{非}$$

导出 $$Q = \Delta U + W_{体} + W_{非}$$

$$= \Delta U + p\Delta V + W_{非}$$

故 $$Q = \Delta H + W_{非} \tag{6-24}$$

正如理想气体恒温膨胀过程的功,以可逆途径的功最大,且吸热最多,等温等压下的化学反应也是以可逆途径时功最大,吸热最多,即 Q_r 最大。故式(6-24)可以写成

$$Q_r \geqslant \Delta H + W_{非} \tag{6-25}$$

式中的等号只有在可逆时成立。在等温过程中,有

$$\Delta S = \frac{Q_r}{T}$$

故 $Q_r = T\Delta S$ 将其代入(6-25)式,

得到 $$T\Delta S \geqslant \Delta H + W_{非}$$

移项 $$-(\Delta H - T\Delta S) \geqslant W_{非}$$

变形 $$-[(H_2 - H_1) - (T_2S_2 - T_1S_1)] \geqslant W_{非}$$

$$-[(H_2 - T_2S_2) - (H_1 - T_1S_1)] \geqslant W_{非} \tag{6-26}$$

因为 H, T, S 都是体系的状态函数,故 $H - TS$ 必然是体系的状态函数。这个状态函数用 G 表示,称为吉布斯自由能。这是一个具有加和性的物理量,其单位和功一致。于是式(6-26)简化成

$$-(G_2 - G_1) \geqslant W_{非}$$

$$-\Delta G \geqslant W_{非} \tag{6-27}$$

(6-27)式是一个很重要的热力学结论。$-\Delta G$ 是状态函数的改变量,过程一定时它是定值;而 $W_{非}$ 则和途径有关。当过程以可逆方式进行时,等式成立,$W_{非}$ 最大,而其它非可逆方式完成过程时,$W_{非}$ 均小于 $-\Delta G$。式(6-27)表明了状态函数 G 的物理意义,即 G 是体系所具有的在等温等压下做非体积功的能力。反应过程中 G 的减少量 $-\Delta G$ 是体系做非体积功的最大限度,这个最大限度在可逆途径得到实现。

更为重要的是式(6-27)可以作为等温等压下化学反应进行

方向和方式的判据。

$-\Delta G > W_{非}$,反应以不可逆方式自发进行;

$-\Delta G = W_{非}$,反应以可逆方式进行;

$-\Delta G < W_{非}$,不能进行。

若反应在等温等压下进行,不做非体积功,即 $W_{非}=0$,则式(6-27)变为:$-\Delta G \geqslant 0$,或写成:

$$\Delta G \leqslant 0 \tag{6-28}$$

式中的等号只有在可逆途径时成立。

于是等温等压下不做非体积功的化学反应的判据变为:

$\Delta G<0$,反应以不可逆方式自发进行;

$\Delta G=0$,反应以可逆方式进行;

$\Delta G>0$,不能进行。

综合式(6-27)和(6-28)判据可以看出,**等温等压下,体系的吉布斯自由能减小的方向是不做非体积功的化学反应进行的方向**。不仅化学反应如此,任何等温等压下不做非体积功的自发过程的吉布斯自由能都将减小。这正是热力学第二定律的一种表述形式。

从 G 的定义式,$G=H-TS$,可以看出在等温等压下有 $\Delta G=\Delta H-T\Delta S$,$\Delta G$ 综合了 ΔH 和 ΔS 两种热力学函数对化学反应方向的影响,所以 ΔG 可以用来做为化学反应方向的判据。

吉布斯自由能的符号定为 G,是为了纪念美国化学家吉布斯(Gibbs.J.W.)。吉布斯最先提出自由能概念,直到上一世纪末,也就是吉布斯自由能概念提出后的二十年,吉布斯的这一杰出贡献才得到世界科学界的公认。

(2) 标准生成吉布斯自由能

只要把化学反应的 $\Delta_r G$ 求出来,就能判断出反应进行的方向乃至方式。从吉布斯自由能的定义式 $G=H-TS$ 可以知道 G 的绝对值不能求出,因此要采取求标准生成热所用的方法来解决自由能改变量的求法。

化学热力学规定，某温度下由处于标准状态的各种元素的最稳定的单质生成1mol某纯物质的吉布斯自由能改变量，叫做这种温度下该物质的标准摩尔生成吉布斯自由能，简称标准生成吉布斯自由能，用符号 $\Delta_f G_m^\ominus$ 表示，其单位是 $kJ \cdot mol^{-1}$。按这种规定，当然处于标准状态下的各元素的最稳定的单质的标准生成吉布斯自由能为零。

表 6-4　一些物质 298K 时的标准生成吉布斯自由能

物　质	$\frac{\Delta_f G_m^\ominus}{kJ \cdot mol^{-1}}$	物　质	$\frac{\Delta_f G_m^\ominus}{kJ \cdot mol^{-1}}$	物　质	$\frac{\Delta_f G_m^\ominus}{kJ \cdot mol^{-1}}$
$H_2O(g)$	-228.59	$CH_4(g)$	-50.79	$Ca(OH)_2(s)$	-898.6
$H_2O(l)$	-237.18	$SO_2(g)$	-300.19	$CaCO_3(s)$	-1128.8
HF(g)	-273.2	CO(g)	-137.15	BaO(s)	-525.1
HCl(g)	-95.30	$CO_2(g)$	-394.36	$BaCO_3(s)$	-1137.6
HBr(g)	-53.42	NO(g)	+86.57	$Al_2O_3(s)$	-1576.41
HI(g)	+1.7	$NO_2(g)$	+51.30	$Fe_2O_3(s)$	-741.0
$H_2S(g)$	-33.56	NaCl(s)	-384.05	AgCl(s)	-109.70
$NH_3(g)$	-16.48	CaO(s)	-604.0	ZnO(s)	-318.32
$HNO_3(l)$	-79.97	$AgNO_3(s)$	-32.17	$I_2(g)$	+19.359
CuO(s)	-129.7	$MgCO_3(s)$	-1012.1	MgO(s)	-569.4
Hg(OH)(aq)	-276.14	NaOH(aq)	-419.17	$Mg(OH)_2(s)$	-833.6
HgO(红)	-58.53	$Na_2O(s)$	-379.1	$MgSO_4(s)$	-1173.61
HgO(黄)	-58.41	$Na_2SO_4(s)$	-1266.83	$BaSO_4$	-1353.11
B_2O_3	-1193.7	$Na_2SO_4 \cdot 10H_2O$	-3643.97	$H_2O_2(l)$	-120.42
$Br_2(aq)$	+3.93	$Ba(OH)_2(aq)$	-875.29	$FeCl_3(aq)$	-403.76
KCl(s)	-413.46	KOH(aq)	-439.57	$SO_3(g)$	-368.99
ZnO(s)	-318.32	ZnS(s)	-198.32	$ZnSO_4 \cdot 7H_2O(s)$	-2560.19

一些物质在 298K 下的标准生成吉布斯自由能列于表 6-4 中。将从表中查出的 $\Delta_f G_m^\ominus$ 的数据代入下面的公式中，即可求出化学反应的 $\Delta_r G_m^\ominus$ 值。$\Delta_r G_m^\ominus$ 表示化学反应的标准摩尔吉布斯自由能改变量，它是在标准状态化学反应进行的方向乃至进行的方式的判据。

$$\Delta_r G_m^\ominus = \sum_i \nu_i \Delta_f G_m^\ominus(\text{生成物}) - \sum_i \nu_i \Delta_f G_m^\ominus(\text{反应物}) \quad (6-29)$$

例 6－8　计算过氧化氢分解反应的标准摩尔吉布斯自由能变化。

$$H_2O_2(l) \longrightarrow H_2O(l) + \frac{1}{2}O_2(g)$$

解:查表得

$$\Delta_f G_m^\ominus(H_2O_2,l) = -120.42\text{kJ}\cdot\text{mol}^{-1}$$

$$\Delta_f G_m^\ominus(H_2O,l) = -237.18\text{kJ}\cdot\text{mol}^{-1}$$

而 $\Delta_f G_m^\ominus(O_2,g) = 0\text{kJ}\cdot\text{mol}^{-1}$

由式(6－29)得:

$$\Delta_r G_m^\ominus = 1\times\Delta_f G_m^\ominus(H_2O,l) + \frac{1}{2}\times\Delta_f G_m^\ominus(O_2,g) - 1\times\Delta_f G_m^\ominus(H_2O_2,l)$$

将查得的数据代入,得

$$\Delta_r G_m^\ominus = -237.18-(-120.42)$$

$$= -116.76(\text{kJ}\cdot\text{mol}^{-1})$$

根据吉布斯自由能 G 的定义式 $G = H - TS$,可以得到等温等压下化学反应的 $\Delta_r G_m^\ominus$,$\Delta_r H_m^\ominus$ 和 $\Delta_r S_m^\ominus$ 三者之间的关系式

$$\Delta_r G_m^\ominus = \Delta_r H_m^\ominus - T\Delta_r S_m^\ominus \quad (6-30)$$

虽然 $\Delta_r H_m^\ominus$ 和 $\Delta_r S_m^\ominus$ 受温度变化的影响很小,以致于在一般温度范围内,可以认为它们都可用 298K 的 $\Delta_r H_m^\ominus$ 及 $\Delta_r S_m^\ominus$ 代替,但从式(6－30)可以看出 $\Delta_r G_m^\ominus$ 受温度变化的影响是不可忽略的。

例 6－9　讨论温度变化对下面反应的方向的影响,

$$CaCO_3(s) \longrightarrow CaO(s) + CO_2(g)$$

解:从有关数据表中查出如下数据(298K)

	$CaCO_3(s)$	$CaO(s)$	CO_2
$\Delta_f G_m^\ominus$	$-1\,128.8\text{kJ}\cdot\text{mol}^{-1}$	$-604.0\text{kJ}\cdot\text{mol}^{-1}$	$-394.36\text{kJ}\cdot\text{mol}^{-1}$
$\Delta_f H_m^\ominus$	$-1\,206.9\text{kJ}\cdot\text{mol}^{-1}$	$-635.1\text{kJ}\cdot\text{mol}^{-1}$	$-393.51\text{kJ}\cdot\text{mol}^{-1}$
$S_m^\ominus$	$92.9\text{J}\cdot\text{mol}^{-1}\cdot\text{k}^{-1}$	$39.75\text{J}\cdot\text{mol}^{-1}\cdot\text{k}^{-1}$	$213.64\text{J}\cdot\text{mol}^{-1}\cdot\text{K}^{-1}$

$$\Delta_r G_m^\ominus(298\text{K}) = \Delta_f G_m^\ominus(CaO,s) + \Delta_f G_m^\ominus(O_2,g) - \Delta_f G_m^\ominus(CaCO_3,s)$$

$$= (-604.0) + (-394.36) - (-1128.8)$$

$$= 130.44(\text{kJ}\cdot\text{mol}^{-1})$$

由于 $\Delta_r G_m^\ominus(298K)>0$,故反应在常温下不能自发进行。

用类似的方法可以求出反应的 $\Delta_r H_m^\ominus$ 和 $\Delta_r S_m^\ominus$

$\Delta_r H_m^\ominus(298K)=178.29kJ\cdot mol^{-1}$,$\Delta_r S_m^\ominus(298K)=160.49J\cdot mol^{-1}\cdot K^{-1}$

当温度 T 升高到一定数值时,$T\Delta_r S_m^\ominus$ 的影响超过 $\Delta_r H_m^\ominus$ 的影响,则 $\Delta_r G_m^\ominus$ 可以变为负值。

由 $\Delta_r G_m^\ominus=\Delta_r H_m^\ominus-T\Delta_r S_m^\ominus$

当 $\Delta_r G_m^\ominus<0$ 时,有 $0>\Delta_r H_m^\ominus-T\Delta_r S_m^\ominus$

$$T>\frac{\Delta_r H_m^\ominus}{\Delta_r S_m^\ominus}=\frac{178.29\times 1\,000}{160.49}=1\,110.9(K)$$

计算结果表明,当 $T>1\,110.9K$ 时,反应的 $\Delta_r G_m^\ominus<0$,故反应可以自发进行。$CaCO_3(s)$在温度高于 1 110.9K,即高于 835℃时能分解。

计算结果也说明 $\Delta G^\ominus$ 受温度变化影响相当显著,在 298K 时,$CaCO_3$ 分解反应的 $\Delta_r G^\ominus=130.44kJ\cdot mol^{-1}$,而在 1 110.9K 时,$\Delta_r G_m^\ominus$ 降低至负值。

由 $\Delta_r G_m^\ominus=\Delta_r H_m^\ominus-T\Delta_r S_m^\ominus$ 看出 $\Delta_r G_m^\ominus$ 综合了 $\Delta_r H_m^\ominus$ 和 $\Delta_r S_m^\ominus$ 对反应方向的影响。当 $\Delta_r H_m^\ominus<0$,$\Delta_r S_m^\ominus>0$ 时 $\Delta_r G_m^\ominus$ 恒为负,反应在任何温度下都可自发进行;而当 $\Delta_r H_m^\ominus>0$,$\Delta_r S_m^\ominus<0$ 时,$\Delta_r G_m^\ominus>0$,反应在任何温度下都不能自发进行;当 $\Delta_r H_m^\ominus>0$,$\Delta_r S_m^\ominus>0$ 时,只有 T 值大时才可能使 $\Delta_r G_m^\ominus<0$,故反应在高温时才能自发进行;

表 6-5　恒压下温度对反应自发性的影响

种类	ΔH	ΔS	$\Delta G=\Delta H-T\Delta S$	讨论	例
1	−	+	−	在任何温度反应都能自发进行	$2H_2O_2(g)\longrightarrow 2H_2O(g)+O_2(g)$
2	+	−	+	在任何温度反应都不能自发进行	$CO(g)\longrightarrow C(s)+\frac{1}{2}O_2(g)$
*3	+	+	在低温 + 在高温 −	反应只在高温下能自发进行	$CaCO_3(s)\longrightarrow CaO(s)+CO_2(g)$
4	−	−	在低温 − 在高温 +	反应只在低温下能自发进行	$HCl(g)+NH_3(g)\longrightarrow NH_4Cl(s)$

*　温度变化 ΔH 和 ΔS 也发生变化,但 ΔH 随温度变化较小。相对 ΔH 而言 ΔS 数值较小,故往往只有 T 较高时,ΔG 才有负值。

而当 $\Delta_r H_m^\ominus<0$，$\Delta_r S_m^\ominus<0$，只有 T 值小时 $\Delta_r G_m^\ominus<0$，故反应在低温能自发进行。上述 4 种情况汇列在表 6－5 中。

到此为止，我们涉及到的关于 ΔG 的计算，仅局限在各种物质均处于标准状态的情况，即仅计算了 $\Delta_r G_m^\ominus$ 不论 $\Delta_r G_m$(298K)，还是其它温度的 $\Delta_r G_m^\ominus$，都是没有离开标准状态的。至于物质偏离标准态时，反应方向的判断，即对 $\Delta_r G_m$ 的讨论，在第八章化学平衡中将进行讨论。

习　题

1．理想气体恒温膨胀过程热力学能不变，是否意味着理想气体恒温膨胀过程不做功？

2．计算体系的热力学能变化，已知：

(1) 体系吸热 1 000J，对环境做 540J 的功；

(460J)

(2) 体系吸热 250J，环境对体系做 635J 的功。

(885J)

3．在 298K 和 100kPa 恒压下，$\frac{1}{2}$mol 的 OF_2 同水反应，放出 161.5kJ 热量，求反应

$$OF_2(g)+H_2O(g)\longrightarrow O_2(g)+2HF(g)$$

的 $\Delta_r H_m^\ominus$ 和 $\Delta_r U_m^\ominus$。

($-323kJ\cdot mol^{-1}$，$-325.4kJ\cdot mol^{-1}$)

4．反应 $N_2(g)+3H_2(g)\longrightarrow 2NH_3(g)$ 在恒容量热器内进行，生成 2mol NH_3 时放出热量 82.7kJ，求反应的 $\Delta_r U_m^\ominus$ 和 298K 时反应的 $\Delta_r H_m^\ominus$。

($-82.7kJ\cdot mol^{-1}$，$-87.65kJ\cdot mol^{-1}$)

5．查表求 298K 时下列反应的反应热

(1) $3NO_2(g)+H_2O(l)\longrightarrow 2HNO_3(l)+NO(g)$

($-71.82kJ\cdot mol^{-1}$)

(2) $CuO(s)+H_2(g)\longrightarrow Cu(s)+H_2O(g)$

($-84.52kJ\cdot mol^{-1}$)

6. N_2O_4 在反应器中受热分解，当产物中有 1molNO_2 生成时，分别按下列两个反应方程式计算，反应进度各是多少：

(1) $N_2O_4 \longrightarrow 2NO_2$

$$\left(\frac{1}{2}\text{mol}\right)$$

(2) $\frac{1}{2}N_2O_4 \longrightarrow NO_2$

(1mol)

7. 在一只弹式量热计中燃烧 0.20mol$H_2(g)$生成 $H_2O(l)$，使量热计温度升高 0.88K，当 0.010mol 甲苯在此量热计中燃烧时，量热计温度升高 0.615K，甲苯的燃烧反应为

$$C_7H_8(l) + 9O_2(g) \longrightarrow 7CO_2(g) + 4H_2O(l)$$

求该反应的 $\Delta_r H_m^{\ominus}$。已知 $\Delta_f H_m^{\ominus}(H_2O,l) = -285.8\text{kJ}\cdot\text{mol}^{-1}$。

($-3\ 948\text{kJ}\cdot\text{mol}^{-1}$)

8. 已知下列热化学反应

$Fe_2O_3(s) + 3CO(g) \longrightarrow 2Fe(s) + 3CO_2(g)$ $\Delta_r H_m^{\ominus} = -27.61\text{kJ}\cdot\text{mol}^{-1}$

$3Fe_2O_3(s) + 3CO(g) \longrightarrow 2Fe_3O_4(s) + CO_2(g)$ $\Delta_r H_m^{\ominus} = -58.58\text{kJ}\cdot\text{mol}^{-1}$

$Fe_3O_4(s) + CO(g) \longrightarrow 3FeO(s) + CO_2(g)$ $\Delta_r H_m^{\ominus} = +38.07\text{kJ}\cdot\text{mol}^{-1}$

求反应 $FeO(s) + CO(g) \longrightarrow Fe(s) + CO_2(g)$的 $\Delta_r H_m^{\ominus}$。

($-16.73\text{kJ}\cdot\text{mol}^{-1}$)

9. 为什么在标准状态下稳定单质的熵不为零？

10. 分析下列反应自发进行的温度条件

(1) $2N_2(g) + O_2(g) \longrightarrow 2N_2O(g)$ $\Delta_r H_m^{\ominus} = +163\text{kJ}\cdot\text{mol}^{-1}$

(2) $Ag(s) + \frac{1}{2}Cl_2(g) \longrightarrow AgCl(s)$ $\Delta_r H_m^{\ominus} = -127\text{kJ}\cdot\text{mol}^{-1}$

(3) $HgO(s) \longrightarrow Hg(l) + \frac{1}{2}O_2(g)$ $\Delta_r H_m^{\ominus} = +91\text{kJ}\cdot\text{mol}^{-1}$

(4) $H_2O_2(l) \longrightarrow H_2O(l) + \frac{1}{2}O_2(g)$ $\Delta_r H_m^{\ominus} = -98\text{kJ}\cdot\text{mol}^{-1}$

11. 通常采用的制高纯镍的方法是将粗镍在 323K 与 CO 反应，生成的 $Ni(CO)_4$ 经提纯后在约 473K 分解得到纯镍

$$Ni(s) + CO(g) \underset{473K}{\overset{323K}{\rightleftharpoons}} Ni(CO)_4(l)$$

已知反应的 $\Delta_r H^\ominus = -161\text{kJ}\cdot\text{mol}^{-1}$, $\Delta_r S_m^\ominus = 420\text{J}\cdot\text{k}^{-1}\cdot\text{mol}^{-1}$。试由热力学数据分析讨论该方法提纯镍的合理性。

12. 已知下列键能数据

键	N≡N	N—F	N—Cl	F—F	Cl—Cl
键能/$\text{kJ}\cdot\text{mol}^{-1}$	942	272	201	155	243

试由键能数据求出标准生成热来说明 NF_3 在室温下较稳定而 NCl_3 却易爆炸。

($-112.5\text{kJ}\cdot\text{mol}^{-1}$, $+232.5\text{kJ}\cdot\text{mol}^{-1}$)

13. 已知下列数据

$\Delta_f H_m^\ominus(CO_2,g) = -393.5\text{kJ}\cdot\text{mol}^{-1}$

$\Delta_f H_m^\ominus(Fe_2O_3,s) = -822.2\text{kJ}\cdot\text{mol}^{-1}$

$\Delta_f G_m^\ominus(CO_2,g) = -394.4\text{kJ}\cdot\text{mol}^{-1}$

$\Delta_f G_m^\ominus(Fe_2O_3,s) = -741.0\text{kJ}\cdot\text{mol}^{-1}$

求反应 $Fe_2O_3(s) + \frac{3}{2}C(s) \longrightarrow 2Fe(s) + \frac{3}{2}CO_2(g)$在什么温度下能自发进行。

(837K)

14. 查表求反应 $CaCO_3(s) \longrightarrow CaO(s) + CO_2(g)$能够自发进行的最低温度。

(1109K)

15. 已知下列数据

$\Delta_f H_m^\ominus(\text{Sn},白) = 0$

$\Delta_f H_m^\ominus(\text{Sn},灰) = -2.1\text{kJ}\cdot\text{mol}^{-1}$

$S_m^\ominus(\text{Sn},白) = 51.5\text{J}\cdot\text{K}^{-1}\cdot\text{mol}^{-1}$

$S_m^\ominus(\text{Sn},灰) = 44.3\text{J}\cdot\text{K}^{-1}\cdot\text{mol}^{-1}$

求 Sn(白)与 Sn(灰)的相变温度。

(291.7K)

第七章　化学反应的速率

化学热力学研究化学反应中能量的变化，研究化学反应进行的可能性以及进行的程度。由于化学热力学不涉及反应时间，因此它不能告诉我们化学反应进行的快慢，即化学反应速率的大小。常温下氢气和氧气化合成水，$\Delta_r G_m^{\ominus} = -237.19\text{kJ}\cdot\text{mol}^{-1}$，反应进行的趋势相当大，但因其反应速率太小，将氢气和氧气放在同一容器中，长久也看不到生成水的迹象。可见化学热力学虽然解决了反应的可能性问题，但没有解决反应的现实性问题。化学动力学是研究反应的现实性的学科分支，我们这章研究反应速率，就属于化学动力学的基本内容。

§7-1　化学反应速率的定义及其表示方法

化学反应速率指在一定条件下，反应物转变为生成物的速率。化学反应速率经常用单位时间内反应物浓度的减少或生成物浓度的增加来表示。浓度一般用 $\text{mol}\cdot\text{dm}^{-3}$，时间用 s，min 或 h 为单位来表示。

例如 N_2O_5 在四氯化碳溶液中按下面反应方程式分解：

$$2N_2O_5 \!=\!=\!= 4NO_2 + O_2$$

表 7-1 给出了在不同时间内 N_2O_5 浓度的测定值。从 t_1 到 t_2 的时间间隔用 $\Delta t = t_2 - t_1$ 表示，t_1、t_2 时的浓度分别用 $[N_2O_5]_1$ 和 $[N_2O_5]_2$ 表示，则在时间间隔 Δt 内的浓度改变量 $\Delta[N_2O_5] = [N_2O_5]_2 - [N_2O_5]_1$。在时间间隔 Δt 内，用反应物浓度减少来表示的平均反应速率 $\bar{v}$ 为：

$$\bar{v}(N_2O_5) = -\frac{[N_2O_5]_2 - [N_2O_5]_1}{t_2 - t_1} = -\frac{\Delta[N_2O_5]}{\Delta t} \qquad (7-1)$$

表 7-1　在 CCl_4 溶液中 N_2O_5 的分解速率(298K)

经过的时间 t/s	时间的变化 Δt/s	$\frac{[N_2O_5]}{mol\cdot dm^{-3}}$	$\frac{-\Delta[N_2O_5]}{mol\cdot dm^{-3}}$	反应速率 $\bar{v}/mol\cdot dm^{-3}s^{-1}$
0	0	2.10	-	-
100	100	1.95	0.15	1.5×10^{-3}
300	200	1.70	0.25	1.3×10^{-3}
700	400	1.31	0.39	0.99×10^{-3}
1 000	300	1.08	0.23	0.77×10^{-3}
1 700	700	0.76	0.32	0.45×10^{-3}
2 100	400	0.56	0.14	0.35×10^{-3}
2 800	700	0.37	0.19	0.27×10^{-3}

式中的负号是为了使反应速率保持正值。

利用式(7-1)计算的不同时间间隔内的平均反应速率列于表7-1的最后一列。从数据中看出,不同时间间隔里,反应的平均速率不同。

上面的反应,其反应速率也可以用 NO_2 或 O_2 的浓度的改变来表示。

$$\bar{v}(NO_2)=\frac{\Delta[NO_2]}{\Delta t} \tag{7-2}$$

$$\bar{v}(O_2)=\frac{\Delta[O_2]}{\Delta t} \tag{7-3}$$

式(7-2)和(7-3)中没有式(7-1)中的负号,因为这是用生成物浓度的增加表示的反应速率,而 $\Delta[NO_2]$ 和 $\Delta[O_2]$ 正是生成物浓度的增量。

同一时间间隔内,用式(7-1)、(7-2)和(7-3)表示的反应速率值是不一样的。例如,反应进行的时间为 100s 时,$\bar{v}(N_2O_5)=1.5\times10^{-3}mol\cdot dm^{-3}\cdot s^{-1}$,而用式(7-2)和(7-3)算得 $\bar{v}(NO_2)=3.0\times10^{-3}mol\cdot dm^{-3}\cdot s^{-1}$,$\bar{v}(O_2)=0.75\times10^{-3}mol\cdot dm^{-3}\cdot s^{-1}$。这三个数值虽不相等,但它们反映的问题的实质却是同一的,因此三

个数值必定有内在的联系。这种联系可以从化学反应方程式中的计量数的关系中找到。有 2 个 N_2O_5 分子消耗掉，必有 4 个 NO_2 分子和 1 个 O_2 分子生成。故有

$$-\frac{1}{2}\cdot\frac{\Delta[N_2O_5]}{\Delta t}=\frac{1}{4}\cdot\frac{\Delta[NO_2]}{\Delta t}=\frac{1}{1}\cdot\frac{\Delta[O_2]}{\Delta t}$$

或 $$\frac{1}{2}\bar{v}(N_2O_5)=\frac{1}{4}\bar{v}(NO_2)=\frac{1}{1}\bar{v}(O_2)$$

对于一般的化学反应 $a\mathrm{A}+b\mathrm{B}\longrightarrow g\mathrm{G}+h\mathrm{H}$，则有

$$-\frac{1}{a}\frac{\Delta[A]}{\Delta t}=-\frac{1}{b}\frac{\Delta[B]}{\Delta t}=\frac{1}{g}\frac{\Delta[G]}{\Delta t}=\frac{1}{h}\frac{\Delta[H]}{\Delta t}$$

或 $$\frac{1}{a}\bar{v}(A)=\frac{1}{b}\bar{v}(B)=\frac{1}{g}\bar{v}(G)=\frac{1}{h}\bar{v}(H)$$

原则上说，用任何一种反应物或产物均可表示化学反应的速率，但我们经常采用其浓度变化易于测量的那种物质来进行研究。

以上所谈的反应速率都是某一时间间隔内的平均反应速率。时间的间隔越小，越能反映出间隔内某一时刻的反应速率。我们把某一时刻的化学反应速率称为瞬时反应速率，用作图的方法可以求出反应的瞬时速率。

利用表 7－1 中第 3 列数据对第 1 列数据做图（反应物的浓度对时间做图），见图 7－1。图中曲线的割线 AB 的斜率表示时间间隔 $\Delta t=t_B-t_A$ 内反应的平均速率 $\bar{v}$，而过 C 点曲线的切线的斜率，则表示该时间间隔内某时刻 t_C 时反应的暧时速率。瞬时速率用 v 表示，这里是以 N_2O_5 的消耗速率表示的，写成 $v(N_2O_5)$。图 7－1 中所示的 ΔDEF，其切线的斜率 k 表示 $v(N_2O_5)$，故有

$$v(N_2O_5)=\frac{DE}{EF}$$

当 A、B 两点沿曲线向 C 靠近时，即时间间隔 $t_B-t_A=\Delta t$ 越来越小时，割线 AB 越来越接近切线，割线的斜率 $\left(-\frac{\Delta[N_2O_5]}{\Delta t}\right)$越来越接近切线的斜率，当 $\Delta t\rightarrow 0$ 时，割线的斜率

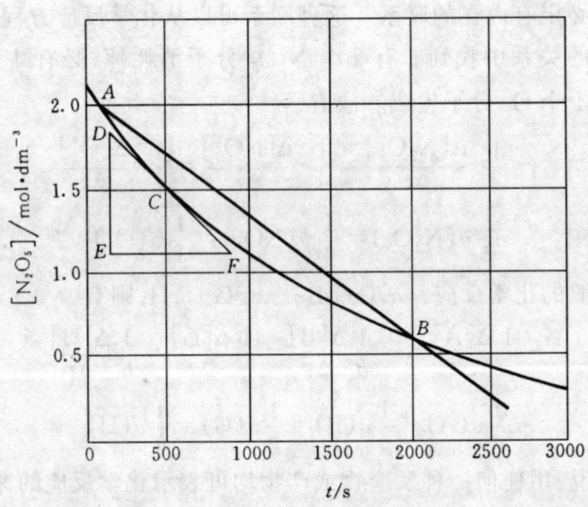

图 7-1 瞬时反应速率的作图求法

则变为切线的斜率。因此瞬时速率 $v(N_2O_5)$ 可以用极限的方法来表达出其定义式：

$$v(N_2O_5)=\lim_{\Delta t\to 0}\left(-\frac{\Delta[N_2O_5]}{\Delta t}\right) \tag{7-4}$$

在所有时刻的瞬时速率中，起始速率 v_0 极为重要，因为起始浓度是最易得到的数据，因此以后在研究反应速率与浓度的关系时，经常用到初速率。

§7-2 反应速率理论简介

2-1 碰撞理论

早在 1918 年，路易斯(Lewis)运用气体分子运动论的成果，提出了反应速度的碰撞理论。该理论认为，反应物分子间的相互碰撞是反应进行的先决条件。反应物分子碰撞的频率越高，反应速率越大。

下面以碘化氢气体的分解为例，对碰撞理论进行讨论。

$$2HI(g) \longrightarrow H_2(g) + I_2(g)$$

通过理论计算，浓度为 $1.0\times10^{-3}\,mol\cdot dm^{-3}$ 的 HI 气体，在 973K 时，分子碰撞次数约为 $3.5\times10^{28}\,dm^{-3}\cdot s^{-1}$。如果每次碰撞都发生反应，反应速率应约为 $5.8\times10^{4}\,mol\cdot dm^{-3}\cdot s^{-1}$。但实验测得，在这种条件下实际反应速率约为 $1.2\times10^{-8}\,mol\cdot dm^{-3}\cdot s^{-1}$。这个数据告诉我们，在为数众多的碰撞中，大多数碰撞并不引起反应，只有极少数碰撞是有效的。

碰撞理论认为，碰撞中能发生反应的一组分子(下面简称分子组)首先必须具备足够的能量，以克服分子无限接近时电子云之间的斥力，从而导致分子中的原子重排，即发生化学反应。我们把具有足够能量的分子组称为活化分子组。活化分子组在全部分子中所占有的比例以及活化分子组所完成的碰撞次数占碰撞总数的比例，都是符合马克斯韦尔－波耳兹曼分布的，

故有

$$f = e^{-\frac{E_a}{RT}} \tag{7-5}$$

式中 f 称为能量因子，其意义是能量满足要求的碰撞占总碰撞次数的分数；e 自然对数的底；R 气体常数；T 绝对温度；E_a 等于能发生有效碰撞的活化分子组所具有的最低能量的 N_A 倍，N_A 是阿佛加德罗常数。

能量是有效碰撞的一个必要条件，但不充分。只有当活化分子组中的各个分子采取合适的取向进行碰撞时，反应才能发生。以下面反应来说明这个问题。

$$NO_2 + CO \longrightarrow NO + CO_2$$

只有当 CO 分子中的碳原子与 NO_2 中的氧原子相碰撞时，才能发生重排反应；而碳原子与氮原子相碰撞的这种取向，则不会发生氧原子的转移(见图 7－2)。

因此，真正的有效碰撞次数，应该在总碰撞次数上再乘以一个

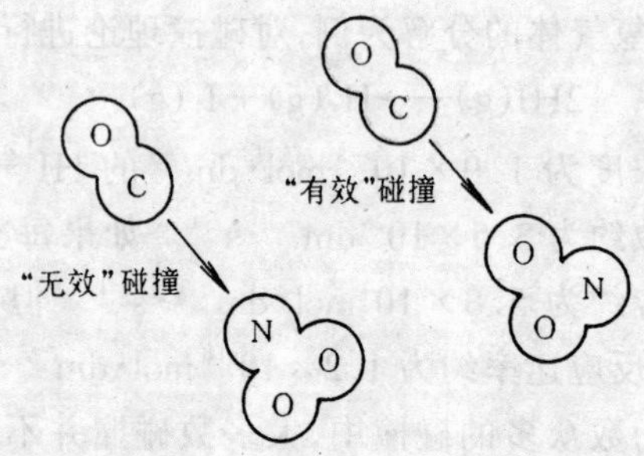

图 7-2　分子碰撞的不同取向

校正因子,即取向因子 P。

反应物分子之间在单位时间内单位体积中所发生的碰撞的总次数是 N_A(阿佛加德罗常数)的 Z 倍,则反应速率 $\bar{v}$ 可表示为

$$\bar{v} = ZPf = ZPe^{-\frac{E_a}{RT}} \tag{7-6}$$

从式(7-6)可以看出,能量 E_a 越高,反应速率 $\bar{v}$ 越小。因为 E_a 越高,即对分子组的能量要求越高,故活化分子组所占的比例越少,有效碰撞次数所占的比例也就越小,故反应速率越小。

碰撞理论中的这种能量限制 E_a,被称为活化能,从前面的叙述可知 E_a 的单位为 $kJ \cdot mol^{-1}$。每个分子的能量因碰撞而不断改变,因此活化分子组并不是固定不变的,但是由于当温度一定时分子的能量分布是不变的,故活化分子组的比例,在一定的温度下是固定的。

对于不同的反应,活化能是不同的。不同类型的反应,活化能 E_a 相差很大,这在一定程度上影响着各类反应的反应速率,例如:

$2SO_2 + O_2 \longrightarrow 2SO_3$　　$E_a = 251 kJ \cdot mol^{-1}$

$N_2 + 3H_2 \xrightarrow{Fe} 2NH_3$　　$E_a = 175.5 kJ \cdot mol^{-1}$

$HCl + NaOH \longrightarrow NaCl + H_2O$　　$E_a \approx 20 kJ \cdot mol^{-1}$

2-2　过渡状态理论

碰撞理论比较直观，在简单反应中较为成功。但对于涉及结构复杂的分子的反应，这个理论适应性则较差。这是由于碰撞理论简单地把分子看成没有内部结构和内部运动的刚性球。随着原子结构和分子结构理论的发展，三十年代艾林(Eyring)在量子力学和统计力学的基础上提出了化学反应速率的过渡状态理论。

(1) 活化配合物

过渡状态理论认为，当两个具有足够平均能量的反应物分子相互接近时，分子中的化学键要经过重排，能量要重新分配。在反应过程中，要经过一个中间的过渡状态，即反应物分子先形成活化配合物。因此过渡状态理论也称为活化配合物理论。

例如在上述的 CO 与 NO_2 的反应中，当具有较高能量的 CO 和 NO_2 分子彼此以适当的取向相互靠近到一定程度时，电子云便可相互重叠而形成一种活化配合物。在活化配合物中，原有的 N—O 键部分地断裂，新的 C—O 键部分地形成，如图 7-3 所示。

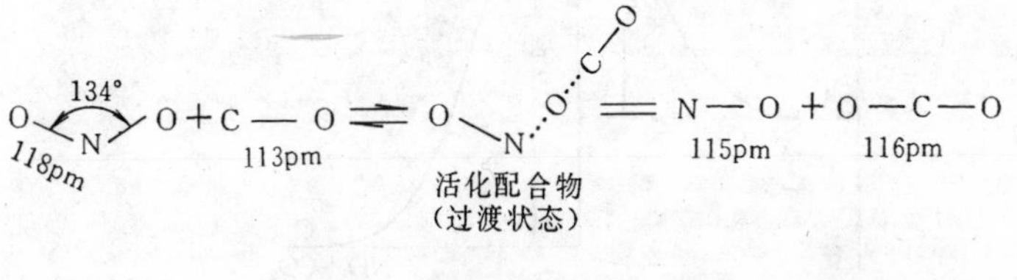

图 7-3　NO_2 与 CO 的反应过程

这时，反应物分子的动能暂时转变为活化配合物的势能，因此活化配合物很不稳定。它可以分解为生成物，也可以分解成反应物。过渡状态理论认为，反应速率与下列三个因素有关：(a) 活化配合物的浓度；(b) 活化配合物分解的几率；(c) 活化配合物的分解速率。

过渡状态理论将反应中涉及到的物质的微观结构与反应速率

结合起来，这是比碰撞理论先进的一面。然而由于许多反应的活化配合物的结构尚无法从实验上加以确定，加上计算方法过于复杂，致使这一理论的应用受到限制。但是这一理论从分子内部结构及内部运动的角度讨论反应速率，不失为一正确的方向。

(2) 反应历程－势能图

应用过渡状态理论讨论化学反应时，可将反应过程中体系势能变化情况表示在反应历程－势能图上。以反应 $NO_2 + CO \longrightarrow NO + CO_2$ 为例，其反应历程－势能图如图 7－4 所示。图中 A 点表示反应物 NO_2 和 CO 分子的平均势能，在这样的能量条件下并不能发生反应。B 点表示活化配合物的势能。C 点表示生成物 NO 和 CO_2 分子的平均势能。在反应历程中，NO_2 和 CO 分子必须越过能垒 B 才能经由活化配合物生成 NO 和 CO_2 分子。

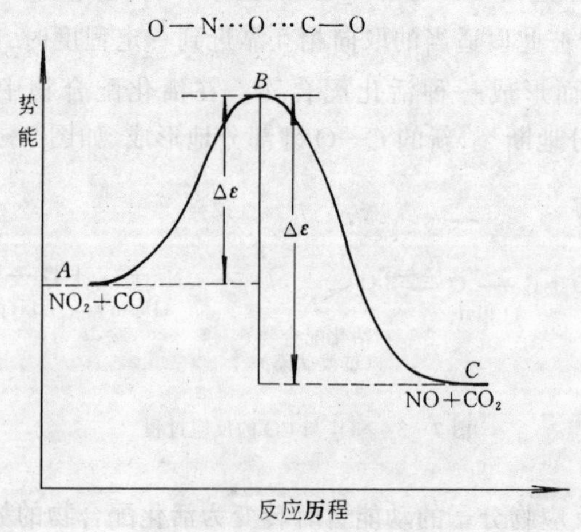

图 7－4 反应历程－势能图

图中反应物分子的平均势能与活化配合物的势能之差，即正反应的能垒的高度为 $\Delta\epsilon$，则正反应的活化能 E_a 可表示为 $N_A\Delta\epsilon$；同理逆反应的活化能可表示为 $E_a' = N_A\Delta\epsilon'$。可见在过渡状态理论中，活化能体现着一种能量差，即反应物与活化配合物之间的能量差。

从图 7－4 中，可以得到：

$$NO_2 + CO \longrightarrow O—N\cdots O\cdots C—O \quad \Delta_r H_{m_1} = E_a$$

$$O—N\cdots O\cdots C—O \longrightarrow NO + CO_2 \quad \Delta_r H_{m_2} = -E'_a$$

两个反应之和表示的总反应为

$$NO_2 + CO \longrightarrow NO + CO_2 \quad \Delta_r H_m = \Delta_r H_{m_1} + \Delta_r H_{m_2} = E_a - E'_a$$

故正反应的活化能与逆反应的活化能之差表示化学反应的摩尔反应热。当 $E_a > E'_a$ 时，$\Delta_r H_m > 0$，反应吸热；当 $E_a < E'_a$ 时 $\Delta_r H_m < 0$，反应放热。

若正反应是放热反应，其逆反应必定吸热。从图 7－4 中看出，不论是放热反应还是吸热反应，反应物分子必须先爬过一个能垒反应才能进行。图 7－4 还告诉我们，如果正反应是经过一步即可完成的反应，则其逆反应也可经过一步完成，而且正逆两个反应经过同一个活化配合物中间体。这就是微观可逆性原理。

§7－3 影响化学反应速率的因素

3－1 浓度对化学反应速率的影响

大量实验事实表明，在一定温度下，增加反应物的浓度可以增大反应速率。这个现象可用碰撞理论进行解释。因为在恒定的温度下，对某一化学反应来说，反应物中活化分子组的百分数是一定的。增加反应物浓度时，单位体积内活化分子组数目增多，从而增加了单位时间内在此体积中反应物分子有效碰撞的频率，故导致反应速率加大。

(1) 反应物浓度与反应速率的关系

讨论反应物浓度与反应速率的定量关系，要先从基元反应谈起。所谓基元反应是指反应物分子在有效碰撞中一步直接转化为

产物的反应。例如

$$SO_2Cl_2 \longrightarrow SO_2 + Cl_2 \quad ①$$

$$NO_2 + CO \longrightarrow NO + CO_2 \quad ②$$

$$2NO_2 \longrightarrow 2NO + O_2 \quad ③$$

这些反应都是基元反应。

在反应①中，SO_2Cl_2 分解为 SO_2 和 Cl_2，增大反应物 SO_2Cl_2 的浓度，反应速率加快。反应速率与反应物浓度成正比，其数学表示式为：

$$v \propto [SO_2Cl_2]$$

或

$$v = k_1[SO_2Cl_2]$$

式中 $[SO_2Cl_2]$ 代表 SO_2Cl_2 的浓度，k_1 叫速率常数，是指在给定温度下，单位浓度时的反应速率。上式表达反应物浓度与反应速率的关系，叫做反应的速率方程。

在反应②中，$[NO_2]$ 扩大某倍时，NO_2 与 CO 相碰撞的频率将扩大相同的倍数，因此有效碰撞频率及反应速率也将扩大相同的倍数，即反应速率与 $[NO_2]$ 成正比；同理，反应速率与 $[CO]$ 成正比。故有

$$v \propto [NO_2][CO]$$

或

$$v = k_2[NO_2][CO]$$

这是反应②的速率方程。

在反应③中，反应速率由 2 个 NO_2 相碰撞的频率来决定。设某单位体积中有 n 个 NO_2 分子，它们相互间的碰撞方式有 $n(n-1)/2$ 种，当 n 相当大时，近似有 $n \approx n-1$，故碰撞方式有 $\frac{1}{2}n^2$ 种。若 NO_2 分子个数扩大 2 倍，变成 $2n$ 个，碰撞方式将有 $\frac{1}{2}(2n)(2n-1)$ 种，约为 $2n^2$ 种。可见当 NO_2 分子个数扩大 2 倍时，碰撞的方式将扩大 2^2 倍。因为各种方式的碰撞是机会相同的，

故碰撞的总频率也将扩大2^2倍。单位体积内,NO_2分子个数扩大2倍,等于说NO_2浓度扩大2倍。总之,总碰撞频率及有效碰撞频率与$[NO_2]$的平方成正比。故有反应速率与$[NO_2]^2$成正比:

$$v \propto [NO_2]^2$$

或

$$v = k_3[NO_2]^2$$

这是反应③的速率方程。

根据以上三个典型反应,可以给一般基元反应的速率方程作如下归纳,若有基元反应:

$$aA + bB \longrightarrow gG + hH$$

则该反应的速率方程可写为

$$v = k[A]^a[B]^b \tag{7-7}$$

这种关系可做如下表述:**基元反应的化学反应速率与反应物浓度以其计量数为指数的幂的连乘积成正比。这就是质量作用定律。**

许多化学反应不是基元反应,而是由两个或多个基元步骤完成的复杂反应。假设下述反应:

$$A_2 + B \longrightarrow A_2B$$

是分两个基元步骤完成的:

第一步　　$A_2 \longrightarrow 2A$　　慢反应

第二步　　$2A + B \longrightarrow A_2B$　　快反应

对于总反应来说,决定反应速率的肯定是第一个基元步骤,即这种前一步的产物做为后一步的反应物的连串反应的决定速率的步骤是最慢的一个基元步骤。故速率方程是　$v = k[A_2]$

而不会是$v = k[A_2][B]$

对于这种复杂反应,其反应的速率方程只有通过实验来确定。例如,测定反应:

$$2H_2 + 2NO \longrightarrow 2H_2O + N_2$$

的速率的实验数据列在表7-2中,我们可以据此确定该反应的速率方程。

表 7－2　H_2 和 NO 的反应速率（1073K）

实验标号	起始浓度		形成 $N_2(g)$的起始速率
	$[NO]/mol \cdot dm^{-3}$	$[H_2]/mol \cdot dm^{-3}$	v $/mol \cdot dm^{-3}s^{-1}$
1	6.00×10^{-3}	1.00×10^{-3}	3.19×10^{-3}
2	6.00×10^{-3}	2.00×10^{-3}	6.36×10^{-3}
3	6.00×10^{-3}	3.00×10^{-3}	9.56×10^{-3}
4	1.00×10^{-3}	6.00×10^{-3}	0.48×10^{-3}
5	2.00×10^{-3}	6.00×10^{-3}	1.92×10^{-3}
6	3.00×10^{-3}	6.00×10^{-3}	4.30×10^{-3}

对比实验 1,2,3，当[NO]保持一定时，若$[H_2]$扩大 2 倍或 3 倍，则反应速率相应扩大 2 倍或 3 倍。这表明反应速率和$[H_2]$成正比：

$$v \propto [H_2]$$

对比实验 4,5,6，当$[H_2]$保持一定时，若[NO]扩大 2 倍或 3 倍，则反应速率相应扩大 4 倍或 9 倍。这表明反应速率和$[NO]^2$成正比：

$$v \propto [NO]^2$$

一并考虑$[H_2]$和[NO]对反应速率的影响，得

$$v \propto [H_2][NO]^2$$

或

$$v = k[H_2][NO]^2$$

而不是

$$v = k[H_2]^2[NO]^2$$

因此一个复杂反应的速率方程是不能按反应物的计量数随意写出的。

利用表 7－2 的数据，也可以求出反应速率常数 k。将实验 1 的数据代入速率方程 $v = k[H_2][NO]^2$ 中，

$$k = \frac{3.19 \times 10^{-3} mol \cdot dm^{-3} \cdot s^{-1}}{(1.00 \times 10^{-3} mol \cdot dm^{-3})(6.00 \times 10^{-3} mol \cdot dm^{-3})^2}$$

$$= 8.86 \times 10^4 dm^6 \cdot mol^{-2} \cdot s^{-1}$$

在恒温下，反应速率常数 k 不因反应物浓度的改变而变化。因此应用速率方程可以求出在该温度下的任何浓度时的反应速率。

(2) 反应的分子数和反应级数

反应的分子数是指基元反应或复杂反应的基元步骤中发生反应所需要的微粒(分子、原子、、离子或自由基)的数目。反应的分子数只能对基元反应或复杂反应的基元步骤而言，非基元反应不能谈反应分子数，不能认为反应方程式中，反应物的计量数之和就是反应的分子数。

基元反应有单分子反应，如 SO_2Cl_2 的分解反应；有需要两个微粒碰撞而发生反应的双分子反应，如 NO_2 的分解反应；也有三个微粒碰撞才发生反应的三分子反应，如 $H_2 + 2I \longrightarrow 2HI$。三分子反应为数不多，四分子或更多分子碰撞而发生的反应尚未发现。可以想象，多个微粒要在同一时间到达同一位置，并各自具备适当的取向和足够的能量是相当困难的。

根据反应速率与浓度的关系按反应级数来分类，即使不知道反应历程，不知道反应是否为基元反应，也是可以进行的。所谓反应级数是反应的速率方程中各反应物浓度的指数之和。表 7－3 列出了上面涉及到的几个反应和它们的速率方程及级数。

表 7－3　反应的级数

反　应	反应速率方程式	反应级数
① $SO_2Cl_2 \longrightarrow SO_2 + Cl_2$	$v_1 = k_1[SO_2Cl_2]$	1
② $2NO_2 \longrightarrow 2NO + O_2$	$v_2 = k_2[NO_2]^2$	2
③ $NO_2 + CO \longrightarrow NO + CO_2$	$v_3 = k_3[NO_2][CO]$	2
④ $2H_2 + 2NO \longrightarrow 2H_2O + N_2$	$v_4 = k_4[H_2][NO]^2$	3

上表中反应①，②，③是基元反应，其反应级数等于反应方程式中反应物计量数之和，而且和反应分子数相等。反应④是个复杂反应，其速率方程告诉我们，这个反应对 H_2 是一级的，对 NO 是

二级的，整个反应是三级的，而不是四级的，尽管其反应方程式中反应物计量数之和为 4。

应该注意的是，即使由实验测得的反应级数与反应式中反应物计量数之和相等，该反应也不一定就是基元反应。例如下面的反应：

$$H_2(g) + I_2(g) \longrightarrow 2HI(g)$$

当反应容器的容积缩小至原来的一半，即各反应物浓度扩大 2 倍时，反应速率扩大 4 倍。反应速率方程为

$$v = k[H_2][I_2] \qquad (7-8)$$

长期以来人们一直认为这个反应是基元反应，反应分子数为 2。近年来，无论从实验上或理论上都证明，它并不是一步完成的基元反应，它的反应历程可能是如下两个基元步骤：

① $I_2 \rightleftharpoons I + I$ （快）

② $H_2 + 2I \longrightarrow 2HI$ （慢）

因为②步骤是慢反应，所以它是总反应的定速步骤，这一步反应的速率即为总反应的速率，这一基元步骤的速率方程为

$$v = k_1[H_2][I]^2 \qquad (7-9)$$

②的速度慢，致使可逆反应①这个快反应始终保持着正逆反应速率相等的平衡状态，故有

$$v_+ = v_-$$

即

$$k_+[I_2] = k_-[I]^2$$

据此有

$$[I]^2 = \frac{k_+}{k_-}[I_2] \qquad (7-10)$$

将式(7-10)代入速率方程(7-9)，得到

$$v = \frac{k_1 k_+}{k_-}[H_2][I_2]$$

令 $k = \frac{k_1 k_+}{k_-}$，可得到总反应的速率方程

$$v = k[H_2][I_2]$$

它与式(7－8)完全一致。所以尽管有时由实验测得的速率方程，与按基元反应的质量作用定律写出的速率方程完全一致，也不能就认为这种反应肯定是基元反应。

反应分子数只能为1,2,3几个整数，但反应级数却可以为零，也可以为分数。例如反应：

$$2Na(s) + H_2O(l) \longrightarrow 2NaOH(aq) + H_2(g)$$

其速率方程为 $v = k$，这是一个零级反应。零级反应的反应速率与反应物浓度无关。又如反应：

$$H_2(g) + Cl_2(g) \longrightarrow 2HCl(g)$$

其速率方程为 $v = k[H_2][Cl_2]^{1/2}$，这是一个 $1\frac{1}{2}$ 级反应。

对于速率方程较复杂、不属于 $v = k[A]^m[B]^n\cdots$ 形式的反应，如 $H_2(g) + Br_2(g) \longrightarrow 2HBr(g)$ 的速率方程为

$$v(H_2) = \frac{k[H_2][Br_2]^{1/2}}{1 + k'[HBr]/[Br_2]}$$

不能谈反应级数。

研究反应速率，确定反应的速率方程，可以为研究化学反应机理提供重要线索。例如下面的反应：

$$C_2H_4Br_2 + 3KI \longrightarrow C_2H_4 + 2KBr + KI_3$$

经实验测定，其反应速率方程为

$$v = k[C_2H_4Br_2][KI]$$

这表明该反应不是基元反应，而是分步进行的，且它的定速步骤应是下列基元反应：

① $C_2H_4Br_2 + KI \longrightarrow C_2H_4 + KBr + I + Br$

其它的反应步骤可以是

② $KI + I + Br \longrightarrow 2I + KBr$

③ $KI + 2I \longrightarrow KI_3$

显然反应①是个慢反应，而②和③是快反应，所以总反应的速

率决定于反应①。

(3) 速率常数 k

前面提到速率常数是在给定温度下,反应物浓度皆为 1mol·dm^{-3}时的反应速率,因此有时也称它为比速常数。在相同的浓度条件下,可用速率常数的大小来比较化学反应的反应速率。

反应速率与反应物浓度(或浓度的方次)成正比,而速率常数是其比例常数,所以速率常数在速率方程中不随反应物浓度的变化而改变。速率常数是温度的函数,同一反应,温度不同,速率常数将有不同的值。

用反应体系中不同物质的浓度的变化来表示反应速率时,如果反应方程式中各物质计量数不同,则速率方程中速率常数的数值不同。例如在反应:

$$a\mathrm{A} + b\mathrm{B} \longrightarrow g\mathrm{G} + h\mathrm{H}$$

中,用 A、B、G 或 H 物质的浓度变化表示反应速率时,分别有下面速率方程

$$v(\mathrm{A}) = k_{\mathrm{A}}[\mathrm{A}]^{a}[\mathrm{B}]^{b}$$

$$v(\mathrm{B}) = k_{\mathrm{B}}[\mathrm{A}]^{a}[\mathrm{B}]^{b}$$

$$v(\mathrm{G}) = k_{\mathrm{G}}[\mathrm{A}]^{a}[\mathrm{B}]^{b}$$

$$v(\mathrm{H}) = k_{\mathrm{H}}[\mathrm{A}]^{a}[\mathrm{B}]^{b}$$

由于

$$\frac{1}{a}v(\mathrm{A}) = \frac{1}{b}v(\mathrm{B}) = \frac{1}{g}v(\mathrm{G}) = \frac{1}{h}v(\mathrm{H})$$

所以 $$\frac{1}{a}k_{\mathrm{A}} = \frac{1}{b}k_{\mathrm{B}} = \frac{1}{g}k_{\mathrm{G}} = \frac{1}{h}k_{\mathrm{H}}$$

即不同的速率常数之比等于反应方程式中各物质的计量数之比。

由于反应速率是以 mol·dm^{-3}·s^{-1}为单位的,故速率方程中速率常数与各反应物浓度(或浓度的某次幂)的乘积的单位必须是 mol·dm^{-3}·s^{-1}。于是速率常数的单位与反应级数有关。一级反应的速率常数的单位为 s^{-1};二级反应的速率常数的单位为 dm^{3}·mol^{-1}·

s^{-1};而 n 级反应的速率常数的单位是 $dm^{3(n-1)}\cdot mol^{-(n-1)}\cdot s^{-1}$。由给出的反应速率常数的单位,我们可以判断出反应的级数。

3-2 温度对化学反应速率的影响

温度对化学反应速率的影响特别显著。以氢气和氧气化合成水的反应为例,在常温下氢气和氧气作用十分缓慢,以致几年都观察不到有水生成。如果温度升高到 873K,它们立即起反应,并发生猛烈的爆炸。一般来说,化学反应都随着温度的升高而反应速率增大。归纳许多实验结果,发现如反应物浓度恒定,温度每升高 10K,反应速率大约扩大二到三倍。

可以认为,温度升高时分子运动速率增大,分子间碰撞频率增加,反应速率加快。但是根据计算,温度升高 10K,分子的碰撞频率仅增加 2%左右。反应速率增加二到三倍的原因不仅是分子间碰撞频率增加,更重要的是由于温度升高,活化分子组的百分数增大,有效碰撞的百分数增加,使反应速率大大地加快。

无论对于吸热反应还是放热反应,温度升高时反应速率都是加快的。这是由于化学反应的反应热是由反应前反应物的能量与反应后生成物的能量之差来决定的,若反应物的能量高于产物的能量,反应放热;反之则反应吸热(参看图 7-4)。不论反应吸热还是放热,在反应过程中反应物必须爬过一个能垒反应才能进行。升高温度,有利于反应物能量的提高,可加快反应的进行。

1889 年阿仑尼乌斯(Arrhenius)总结了大量实验事实,指出反应速率常数和温度间的定量关系为

$$k = A e^{-\frac{E_a}{RT}} \qquad (7-11)$$

对式(7-11)取自然对数,得

$$\ln k = -\frac{E_a}{RT} + \ln A \qquad (7-12)$$

对式(7-11)取常用对数,得

$$\lg k = -\frac{E_a}{2.303RT} + \lg A \qquad (7-13)$$

(7－11),(7－12)和(7－13)三个式子均称为阿仑尼乌斯公式。式中 k 为反应速率常数,E_a 为反应活化能,R 为气体常数,T 为绝对温度,A 为一常数,称为"指前因子"或"频率因子",e 为自然对数底。在浓度相同的情况下,可以用速率常数来衡量反应速率。从式(7－11)可看出,速率常数 k 与绝对温度 T 成指数关系,温度的微小变化,将导致 k 值的较大变化,尤其是活能 E_a 较大时更是如此。用阿仑尼乌斯公式讨论速率与温度的关系时,可以认为在一般的温度范围内活化能 E_a 和指前因子 A 均不随温度的改变而变化。

例 7－1　对于下列反应:

$$C_2H_5Cl(g) \longrightarrow C_2H_4(g) + HCl(g)$$

其指前因子 $A = 1.6 \times 10^{14}\ s^{-1}$, $E_a = 246.9 kJ \cdot mol^{-1}$,求其 700K 时的速率常数 k。

解:速率常数与绝对温度之间的关系符合阿仑尼乌斯公式

$$\lg k = -\frac{E_a}{2.303RT} + \lg A$$

将数据代入公式中得

$$\lg k = -\frac{246\ 900}{2.303 \times 8.314 \times 700} + \lg 1.6 \times 10^{14}$$

$$= -4.22$$

$$k = 6.0 \times 10^{-5}\ (s^{-1})$$

从公式 $k = Ae^{-\frac{E_a}{RT}}$ 中可以看出,因 E_a 的单位为 $kJ \cdot mol^{-1}$,与 RT 之积的单位一致,故指数因子无单位,因此 k 的单位取决于 A。例 7－1 中 A 的单位为 s^{-1},k 的单位亦为 s^{-1},由此可以看出该反应为一级反应。

用同样的方法可以算出 710K 和 800K 时的速率常数分别为 $1.1 \times 10^{-4}\ s^{-1}$ 和 $1.2 \times 10^{-2}\ s^{-1}$。可以看出当温度升高 10K 时,$k$ 变成原来的 2 倍左右;升高 100K 时,k 变成原来的 200 倍左右。

阿仑尼乌斯公式不仅说明了反应速率与温度的关系，而且还可以说明活化能对反应速率的影响。这种影响可以通过图 7－5 看出。

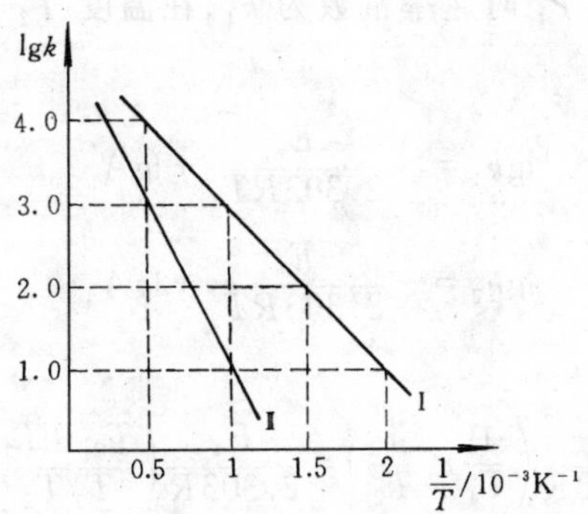

图 7－5　温度与反应速度常数的关系

式(7－13)是阿仑尼乌斯公式的对数形式，从此式可得，$\lg k$ 对$\frac{1}{T}$作图应为一直线，直线的斜率为$-\frac{E_a}{2.303R}$，截距为 $\lg A$。图 7－5 中两条斜率不同的直线，分别代表活化能不同的两个化学反应。斜率较小的直线Ⅰ代表活化能较小的反应，斜率较大的直线Ⅱ代表活化能较大的反应。

图 7－5 可以说明，活化能较大的反应，其反应速率随温度升高增加较快，所以升高温度更有利于活化能较大的反应进行。例如当温度从 1 000K 升高到 2 000K 时(图中横坐标 1.0 到 0.5)，活化能较小的反应Ⅰ，k 值从 1 000 增大到 10 000，扩大 10 倍；而活化能较大的反应Ⅱ，k 值从 10 增大到 1 000，扩大 100 倍。

对一给定反应例如反应Ⅰ，如果要把反应速率扩大 10 倍，在低温区使 k 值从 10 增加到 100，只需升温 166.7K；而在高温区使 k 值从 1 000 增加到 10 000，则需升温 1 000K。这说明一个反应在低温时速率随温度变化比在高温时显著得多。

利用上面的作图方法，可以求得反应的活化能，因为直线的斜率是$-\dfrac{E_a}{2.303R}$。知道了图中直线的斜率，便可求出 E_a。

活化能也可以根据实验数据运用阿仑尼乌斯公式计算得到。若某反应在温度 T_1 时速率常数为 k_1，在温度 T_2 时速率常数为 k_2，则

$$\lg k_1 = -\frac{E_a}{2.303RT_1} + \lg A$$

$$\lg k_2 = -\frac{E_a}{2.303RT_2} + \lg A$$

两式相减得：

$$\lg\frac{k_2}{k_1} = \frac{E_a}{2.303R}\left(\frac{1}{T_1} - \frac{1}{T_2}\right) = \frac{E_a}{2.303R}\left(\frac{T_2 - T_1}{T_1 T_2}\right)$$

故有

$$E_a = \frac{2.303RT_1 T_2}{T_2 - T_1}\lg\frac{k_2}{k_1} \tag{7-14}$$

将求得的 E_a 数据代入到阿仑尼乌斯公式中，又可以求得指前因子 A 的数值。

例 7-2　反应 $N_2O_5(g) \longrightarrow N_2O_4(g) + \frac{1}{2}O_2(g)$

在 298K 时速率常数 $k_1 = 3.4\times10^{-5}\,s^{-1}$，在 328K 时速率常数 $k_2 = 1.5\times10^{-3}\,s^{-1}$，求反应的活化能和指前因子 A。

解：由式(7-14)

$$E_a = \frac{2.303RT_1 T_2}{T_2 - T_1}\lg\frac{k_2}{k_1}$$

将上述数据代入式中，得：

$$E_a = \frac{2.303\times8.314\times298\times328}{328-298}\lg\frac{1.5\times10^{-3}}{3.4\times10^{-5}}$$

$$= 103(\text{kJ}\cdot\text{mol}^{-1})$$

由公式 $\lg k = -\dfrac{E_a}{2.303RT} + \lg A$

可得

$$\lg A = \lg k + \frac{E_a}{2.303RT}$$

将 $T = 298\text{K}, k = 3.4 \times 10^{-5}\text{s}^{-1}, E_a = 103\text{kJ}\cdot\text{mol}^{-1}$

代入式中

$$\begin{aligned}\lg A &= \lg 3.4 \times 10^{-5} + \frac{103 \times 1\,000}{2.303 \times 8.314 \times 298} \\ &= 13.6 \\ A &= 3.98 \times 10^{13}(\text{s}^{-1})\end{aligned}$$

3-3 催化剂对化学反应速率的影响

催化剂是一种能改变化学反应速率，其本身在反应前后质量和化学组成均不改变的物质。例如加热氯酸钾固体制备氧气时，放入少量二氧化锰，反应即可大大加速。这里的二氧化锰就是该反应的催化剂。凡能加快反应速率的催化剂叫正催化剂，凡能减慢反应速率的催化剂叫负催化剂。一般提到催化剂，若不明确指出是负催化剂时，则指有加快反应速率作用的正催化剂。

催化剂之所以能加快反应速率，被认为是由于催化剂改变了反应的历程。如图 7-6 所示，有催化剂参加的新的反应历程和无催化剂时的原反应历程相比，活化能降低了。图中 E_a 是原反应的活化能，E_{ac} 是加催化剂后反应的活化能，$E_a > E_{ac}$。加催化剂使活化能降低，活化分子组的百分数增加，故反应速率加快。例如合成氨反应，没有催化剂时反应的活化能为 $326.4\text{kJ}\cdot\text{mol}^{-1}$，加 Fe 作催化剂时，活化能降低至 $175.5\text{kJ}\cdot\text{mol}^{-1}$。计算结果表明，在 773K 时加入催化剂后正反应的速率增加到原来的 1.57×10^{10} 倍。

由图 7-6 还可以看到，加入催化剂后，正反应的活化能降低的数值 $\Delta E = E_a - E_{ac}$，与逆反应的活化能降低的数值 $\Delta E' = E'_a - E'_{ac}$ 是相等的。这表明催化剂不仅加快正反应的速率，同时也加快逆反应的速率。

由图 7-6 还可以看到，催化剂的存在并不改变反应物和生成物的相对能量。也就是说一个反应有无催化剂，反应过程中体系的始态和终态都不发生改变，所不同的只是具体途径。故催化剂

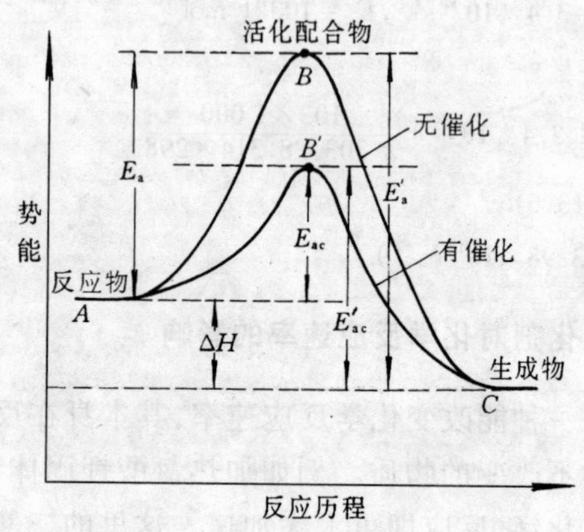

图 7-6　催化反应和原反应的能量图

并没有改变反应的 $\Delta_r H$ 和 $\Delta_r G$。这说明，催化剂只能加速热力学上认为可能进行的反应，即 $\Delta_r G<0$ 的反应；对于通过热力学计算不能进行的反应，即 $\Delta_r G>0$ 的反应，使用任何催化剂都是徒劳的。

我们把有催化剂参加的反应称为催化反应。催化反应的种类很多，就催化剂和反应物存在的状态来划分，可分为均相催化反应和多相催化反应。均相催化反应是催化剂与反应物同处一相，多相催化反应一般是催化剂自成一相。

(1) 均相催化

在均相催化反应中，设原反应为 $A \longrightarrow B$，加入催化剂 ε 后反应历程变为

① $A+\varepsilon \rightleftharpoons A\varepsilon$，　② $A\varepsilon \longrightarrow B+\varepsilon$

即反应物先与催化剂生成一不稳定的中间产物，然后中间产物再分解成产物，而催化剂得以再生。由于生成中间产物的反应①和中间产物分解反应②的活化能都小于原反应的活化能，所以先生成中间产物，再分解成生成物就成了反应的一条捷径。例如

$$CH_3CHO \longrightarrow CH_4 + CO$$

其活化能为 190.37kJ·mol^{-1}，加入 I_2 作催化剂后反应机理为

① $CH_3CHO + I_2 \longrightarrow CH_3I + HI + CO$（较快）

② $CH_3I + HI \longrightarrow CH_4 + I_2$ （快）

第一步反应比第二步慢，①的活化能为 135.98kJ·mol^{-1}。由阿仑尼乌斯公式可以算出在 700K 时，加入催化剂使反应速率提高 10000 倍。

在均相催化中，最普遍而重要的一种是酸碱催化反应。例如酯类的水解以 H^+ 离子作催化剂：

$$CH_3COOCH_3 + H_2O \xrightarrow{H^+} CH_3COOH + CH_3OH$$

又如 OH^- 离子可催化 H_2O_2 的分解：

$$2H_2O_2 \xrightarrow{OH^-} 2H_2O + O_2$$

在均相催化反应中亦有不需另加催化剂而能自动发生催化作用的。例如向含有硫酸的 H_2O_2 水溶液中加入 $KMnO_4$，最初觉察不到反应的发生，但经过一段时间，反应速率逐渐加快，$KMnO_4$ 颜色迅速退去。这是由于反应生成的 Mn^{2+} 离子对反应具有催化作用。这类反应称为自动催化反应。

(2) 多相催化

多相催化在化工生产和科学实验中大量应用，最常见的催化剂是固体，反应物为气体或液体。重要的化工生产如合成氨、接触法制硫酸、氨氧化法生产硝酸、原油裂解及基本有机合成工业等几乎都是气相反应应用固体物质作催化剂。例如合成氨的反应

$$N_2(g) + 3H_2(g) \longrightarrow 2NH_3(g)$$

用铁作催化剂，反应历程有所改变，现用图 7－7 来说明。首先气相中的氮分子被吸附在铁催化剂的表面上，使氮分子的化学键减弱，继而化学键断裂离解为氮原子。气相中的氢气分子同表面上的氮原子作用，逐步生成═NH，—NH_2 和 NH_3。这个过程可以表

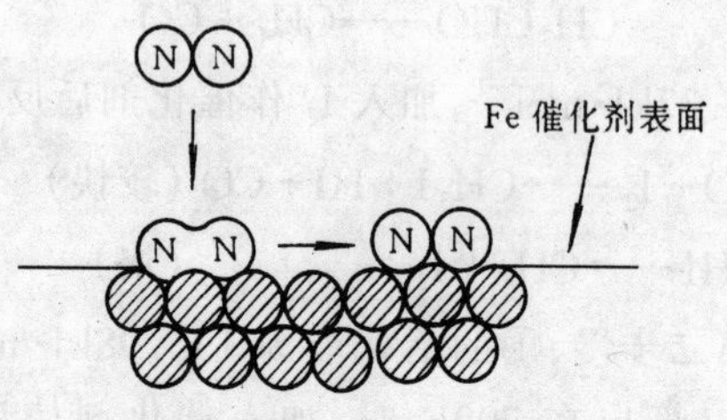

图 7-7 通过吸附作用催化合成 NH_3

示如下：

$$N_2 + 2Fe \longrightarrow 2N—Fe$$

$$H_2 + 2Fe \longrightarrow 2H—Fe$$

$$N—Fe + H—Fe \longrightarrow Fe_2NH$$

$$Fe_2NH + H—Fe \longrightarrow Fe_3NH_2$$

$$Fe_3NH_2 + H—Fe \longrightarrow Fe_4NH_3$$

$$Fe_4NH_3 \longrightarrow 4Fe + NH_3$$

上述各步反应的活化能都较低，所以反应速率大大加快。

由于多相催化与表面吸附有关，所以表面积越大，催化效率越高。但是整个固体催化剂表面上只有一小部分具有催化活性，被称之为活性中心。许多催化剂常因加入少量某种物质而使表面积增大许多。例如在用 Fe 催化合成氨时，加入 1.03% 的 Al_2O_3，即可使 Fe 催化剂的表面积由 $0.55m^2 \cdot g^{-1}$ 增加到 $9.44m^2 \cdot g^{-1}$。也有的物质会使催化剂表面电子云密度增大，使催化剂的活性中心的效果增强。例如在 Fe 中加入少量 K_2O，即可达此目的。Al_2O_3 和 K_2O 自身对合成氨反应并无催化作用，但却可以使 Fe 催化剂的催化能力大大增强，这种物质叫做助催化剂。

有时在反应体系中含有少量的某些杂质，就会严重降低甚至完全破坏催化剂的活性。这种物质称为催化毒物，这种现象称为催化剂中毒。这可能是毒物与催化剂形成化合物的缘故。例如在

SO_2 的接触氧化中,Pt 是高效催化剂,但少量的 As 会使 Pt 中毒失活。在合成氨反应中,O_2,CO,CO_2,水汽、PH_3 以及 S 和它的化合物等杂质都可使 Fe 催化剂中毒。因此应用多相催化于工业生产中,保持原料的纯净是十分重要的。

在工业上,催化剂常常附着在一些不活泼的多孔性物质上,这种物质称为催化剂的载体。载体的作用是使催化剂分散在载体上,产生较大的表面积。选用导热性较好的载体有助于反应过程中催化剂散热,避免催化剂表面熔结或结晶增大。催化剂分散在载体上只需薄薄的一层,可节省催化剂的用量。此外催化剂附在载体上可增强催化剂的强度。常用的载体有硅藻土、高岭土、硅胶和分子筛等。

(3) 催化剂的选择性

催化剂具有特殊的选择性,这表现在不同的反应要用不同的催化剂,即使这些不同的反应属于同一类型也是如此。例如 SO_2 的氧化,用 Pt 或 V_2O_5 作催化剂,而乙烯的氧化则要用 Ag 作催化剂:

$$C_2H_4 + \frac{1}{2}O_2 \xrightarrow{Ag} \underset{\diagdown\ \ \diagup \atop O}{CH_2—CH_2}$$

催化剂的选择性还表现在,同样的反应物可能有许多平行反应时,如果选用不同的催化剂可增大工业上所需要的某个反应的速率,同时对其它不需要的反应加以抑制。例如工业上以水煤气为原料,使用不同的催化剂可以得到不同的产物。

$$CO(g) + H_2(g)\left\{\begin{array}{l}(1)\ \xrightarrow[\text{Cu 催化},573K]{300\times10^5 Pa} CH_3OH \\ (2)\ \xrightarrow[\text{活化 Fe-Co 催化},473K]{20\times10^5 Pa} \text{烷烃和烯烃的混合物} + H_2O(\text{合成油}) \\ (3)\ \xrightarrow[\text{Ni 催化},523K]{\text{常压}} CH_4 + H_2O \\ (4)\ \xrightarrow[\text{Ru 催化},423K]{150\times10^5 Pa} \text{固体石蜡}\end{array}\right.$$

习　题

1. 什么是化学反应的平均速率、瞬时速率？两种反应速率之间有何区别与联系？

2. 分别用反应物浓度和生成物浓度的变化表示下列各反应的平均速率和瞬时速率，并表示出用不同物质浓度变化所示的反应速率之间的关系。这种关系对平均速率和瞬时速率是否均适用？

(1) $N_2 + 3H_2 \longrightarrow 2NH_3$

(2) $2SO_2 + O_2 \longrightarrow 2SO_3$

(3) $a\mathrm{A} + b\mathrm{B} \longrightarrow g\mathrm{G} + h\mathrm{H}$

3. 简述反应速率的碰撞理论的理论要点。

4. 简述反应速率的过渡状态理论的理论要点。

5. 反应 $C_2H_6 \longrightarrow C_2H_4 + H_2$，开始阶段反应级数近似为 3/2 级，910K 时速率常数为 $1.13\mathrm{dm}^{1.5}\cdot\mathrm{mol}^{-0.5}\cdot\mathrm{s}^{-1}$。试计算 C_2H_6(g)的压强为 1.33×10^4 Pa 时的起始分解速率 v_0（以$[C_2H_6]$的变化表示）。

（$8.3\times10^{-5}\mathrm{mol}\cdot\mathrm{dm}^{-3}\cdot\mathrm{s}^{-1}$）

6. 295K 时，反应 $2NO + Cl_2 \longrightarrow 2NOCl$，其反应物浓度与反应速率关系的数据如下：

$[NO]/\mathrm{mol}\cdot\mathrm{dm}^{-3}$	$[Cl_2]/\mathrm{mol}\cdot\mathrm{dm}^{-3}$	$v_{Cl_2}/\mathrm{mol}\cdot\mathrm{dm}^{-3}\cdot\mathrm{s}^{-1}$
0.100	0.100	8.0×10^{-3}
0.500	0.100	2.0×10^{-1}
0.100	0.500	4.0×10^{-2}

问：(1) 对不同反应物反应级数各为多少？

(2) 写出反应的速率方程；

(3) 反应的速率常数为多少？

（2；1；$8\mathrm{dm}^{-6}\cdot\mathrm{mol}^{-2}\cdot\mathrm{s}^{-1}$）

7. 反应　$2NO(g) + 2H_2(g) \longrightarrow N_2(g) + 2H_2O(g)$其速率方程式对 NO(g)是二次、对 H_2(g)是一次方程。

(1) 写出 N_2 生成的速率方程式；

(2) 如果浓度以 $mol\cdot dm^{-3}$ 表示,反应速率常数 k 的单位是什么?

(3) 写出 NO 浓度减小的速率方程式,这里的速率常数 k 和(1)中的 k 的值是否相同,两个 k 值之间的关系是怎样的?

8. 设想有一反应 $aA+bB+cC \longrightarrow$ 产物,如果实验表明 A,B 和 C 的浓度分别增加 1 倍后,整个反应速率增为原反应速率的 64 倍;而若[A]与[B]保持不变,仅[C]增加 1 倍,则反应速率增为原来的 4 倍;而[A]、[B]各单独增大到 4 倍时,其对速率的影响相同。求 a,b,c 的数值。这个反应是否可能是基元反应?

(2,2,2)

9. 一氧化碳与氯气在高温下作用得到光气($COCl_2$),实验测得反应的速率方程为:

$$\frac{d[COCl_2]}{dt}=k[CO][Cl_2]^{3/2}$$

有人建议其反应机理为:

$$Cl_2 \underset{k_{-1}}{\overset{k_1}{\rightleftharpoons}} 2Cl \qquad \text{(快平衡)}$$

$$Cl+CO \underset{k_{-2}}{\overset{k_2}{\rightleftharpoons}} COCl \qquad \text{(快平衡)}$$

$$COCl+Cl_2 \xrightarrow{k_3} COCl_2+Cl \qquad \text{(慢反应)}$$

(1) 试说明这一机理与速率方程相符合;

(2) 指出反应速率方程式中的 k 与反应机理中的速率常数(k_1,k_{-1},k_2,k_{-2})间的关系。

$$\left(k=\frac{k_1^{\frac{1}{2}}k_2k_3}{k_{-1}^{\frac{1}{2}}k_{-2}}\right)$$

10. 如何正确理解各种反应速率理论中活化能的意义?

11. 高温时 NO_2 分解为 NO 和 O_2,其反应速率方程式为

$$-v(NO_2)=k[NO_2]^2$$

在 592K,速率常数是 $4.98\times10^{-1}\,dm^3\cdot mol^{-1}\cdot s^{-1}$,在 656K,其值变为 $4.74\,dm^3\cdot mol^{-1}\cdot s^{-1}$,计算该反应的活化能。

($113.7\,kJ\cdot mol^{-1}$)

12. 如果一反应的活化能为 $117.15\,kJ\cdot mol^{-1}$,问在什么温度时反应的速

率常数 k 的值是 400K 时速率常数的值的 2 倍。

(408K)

13．反应 $N_2O_5 \longrightarrow 2NO_2 + \frac{1}{2}O_2$，其温度与速率常数关系的数据列于下表，求反应的活化能。

T/K	k/S^{-1}	T/K	k/S^{-1}
338	4.87×10^{-3}	308	1.35×10^{-4}
328	1.50×10^{-3}	298	3.46×10^{-5}
318	4.98×10^{-4}	273	7.87×10^{-7}

($103kJ\cdot mol^{-1}$)

14．$CO(CH_2COOH)_2$ 在水溶液中分解成丙酮和二氧化碳，分解反应的速率常数在 283K 时为 $1.08\times10^{-4}mol\cdot dm^{-3}\cdot s^{-1}$，333K 时为 $5.48\times10^{-2}mol\cdot dm^{-3}\cdot s^{-1}$，试计算在 303K 时，分解反应的速率常数。

($1.67\times10^{-3}mol\cdot dm^{-3}\cdot s^{-1}$)

15．已知 HCl(g) 在 1.013×10^5Pa 和 298K 时的生成热为 $-92.3kJ\cdot mol^{-1}$，生成反应的活化能为 $113kJ\cdot mol^{-1}$，试计算其逆反应的活化能。

($205.3kJ\cdot mol^{-1}$)

16．下面说法你认为正确与否？说明理由。

(1) 反应的级数与反应的分子数是同义词。

(2) 在反应历程中，定速步骤是反应速率最慢的一步。

(3) 反应速率常数的大小就是反应速率的大小。

(4) 从反应速率常数的单位可以判断该反应的级数。

17．反应 $2NO(g) + H_2(g) \longrightarrow N_2(g) + 2H_2O(g)$ 的反应速率表达式为 $v = k[NO]^2[H_2]$，试讨论下列各种条件变化时对初速率有何影响。

(1) NO 的浓度增加一倍；

(2) 有催化剂参加；

(3) 降低温度；

(4) 将反应器的容积增大一倍；

(5) 向反应体系中加入一定量的 N_2。

第八章　化学平衡

在研究物质的变化时，人们不仅注意反应的方向和反应的速率，而且十分关心化学反应可以完成的程度，即在指定的条件下，反应物可以转变成产物的最大限度。这就是化学平衡问题。

§8-1　化学反应的可逆性和化学平衡

在一定条件下，一个化学反应一般即可按反应方程式从左向右进行，又可以从右向左进行，这便叫做化学反应的可逆性。例如，高温下的反应

$$CO(g) + H_2O(g) \rightleftharpoons CO_2(g) + H_2(g)$$

在一氧化碳与水蒸气作用生成二氧化碳与氢气的同时，也进行着二氧化碳与氢气反应生成一氧化碳与水蒸气的过程。向右进行的反应叫正反应，向左的反应叫逆反应。又例如 Ag^+ 与 Cl^- 可以生成 AgCl 沉淀，而固体 AgCl 在水中又可溶解并电离成少量的 Ag^+ 和 Cl^-：

$$Ag^+(aq) + Cl^-(aq) \rightleftharpoons AgCl(s)$$

化学反应的这种性质叫做反应的可逆性。几乎所有的化学反应都有可逆性，但各个化学反应的可逆程度却有很大的差别。上面例子中 CO 和 H_2O 的反应，其可逆程度较大，而 Ag^+ 和 Cl^- 的反应的可逆程度则较小。即使同一个反应，在不同条件下，表现出的可逆性也是不同的，例如：

$$2H_2(g) + O_2(g) \rightleftharpoons 2H_2O(g)$$

在 873～1273K 时，生成 H_2O 的反应占绝对优势，而在 4273～5273K 时 H_2O 的分解反应占绝对优势。

可逆反应的进行,必须导致化学平衡状态的实现。所谓化学平衡状态就是在可逆反应体系中,正反应和逆反应的速率相等时反应物和生成物的浓度不再随时间而改变的状态。

一定条件下,平衡状态将体现出该反应条件下化学反应可以完成的最大限度。在平衡状态下,虽然反应物和生成物的浓度均不再发生变化,但反应却没有停止。实际上正、逆反应都在进行,不过是两者的速率相等而已。所以化学平衡是一种动态平衡。

§8-2 平衡常数

2-1 经验平衡常数

可逆反应达到化学平衡时,体系中各物质的浓度不再改变。为了进一步研究平衡状态时的体系特征,我们进行如下实验。恒温 1473K,在四个密闭容器中分别充入配比不同的 CO_2、H_2、CO 和 H_2O 的混合气体,如表 8-1 中起始浓度栏所示。各容器中的反应达到平衡后,其平衡浓度列在表 8-1 的平衡浓度栏。平衡时各容器中的 $\frac{[CO][H_2O]}{[CO_2][H_2]}$ 值列在表 8-1 中的最后一栏。分析表 8-1的数据我们可以得出如下的结论:

表 8-1 $CO_2(g)+H_2(g)\xrightleftharpoons{1473K}CO(g)+H_2O(g)$的实验数据

编号	起始浓度/$mol\cdot dm^{-3}$				平衡浓度/$mol\cdot dm^{-3}$				$\frac{[CO][H_2O]}{[CO_2][H_2]}$ (平衡时)
	CO_2	H_2	CO	H_2O	CO_2	H_2	CO	H_2O	
1	0.01	0.01	0	0	0.004	0.004	0.006	0.006	2.3
2	0.01	0.02	0	0	0.022	0.001 22	0.007 8	0.007 8	2.3
3	0.01	0.01	0.001	0	0.004 1	0.004 1	0.006 9	0.005 9	2.4
4	0	0	0.02	0.02	0.008 2	0.008 2	0.011 8	0.011 8	2.1

在恒温下，可逆反应无论从正反应开始，或是从逆反应开始，最后达到平衡时，尽管每种物质的浓度在各个体系中并不一致，但生成物平衡浓度的乘积与反应物平衡浓度的乘积之比却是一个恒定值。

上述反应的反应式中各物质的计量数都是1，对于计量数不是1或不全是1的可逆反应，这种关系又怎样体现呢？表8-2给出了反应 $2HI(g) \rightleftharpoons H_2(g) + I_2(g)$ 在698.1K下进行反应的实验数据。结果表明，达平衡时 $\frac{[H_2][I_2]}{[HI]^2}$ 是一个恒定的值。总结许多实验，结果表明，对于任一可逆反应

$$aA + bB \rightleftharpoons gG + hH$$

表8-2　$2HI(g) \xrightleftharpoons{698.1K} H_2(g) + I_2(g)$ 的实验数据

编号	起始浓度/($mol \cdot dm^{-3} \times 10^{-2}$)			平衡浓度/($mol \cdot dm^{-3} \times 10^{-3}$)			$\frac{[H_2][I_2]}{[HI]^2}$
	I_2	H_2	HI	I_2	H_2	HI	(平衡时)
1	0	0	4.4888	0.4789	0.4789	3.5310	1.840×10^{-2}
2	0	0	10.6918	1.1409	1.1409	8.4100	1.840×10^{-2}
3	7.5098	11.3367	0	0.7378	4.5647	13.5440	1.836×10^{-2}
4	11.9642	10.6663	0	3.1292	1.8313	17.6710	1.835×10^{-2}

在一定温度下，达到平衡时，体系中各物质的浓度间有如下关系：

$$\frac{[G]^g[H]^h}{[A]^a[B]^b} = K \qquad (8-1)$$

式中 K 称为化学反应的经验平衡常数。上面的叙述，可以归结为：**在一定温度下，可逆反应达平衡时，生成物的浓度以反应方程式中计量数为指数的幂的乘积与反应物的浓度以反应方程式中计量数为指数的幂的乘积之比是一个常数。**

从式(8-1)可以看出，经验平衡常数 K 一般是有单位的，只

有当反应物的计量数之和与生成物的计量数之和相等时,K 才是无量纲量。

如果化学反应是气相反应,平衡常数既可以如上所述用平衡时各物质的浓度之间的关系来表示,也可以用平衡时各物质的分压之间的关系来表示。如反应

$$a\mathrm{A(g)} + b\mathrm{B(g)} \rightleftharpoons g\mathrm{G(g)} + h\mathrm{H(g)}$$

在某温度下达到平衡,则有

$$K_p = \frac{(p_\mathrm{G})^g (p_\mathrm{H})^h}{(p_\mathrm{A})^a (p_\mathrm{B})^b} \tag{8-2}$$

式中的经验平衡常数 K_p 是用平衡时体系中各物质的分压关系表示的。为与 K_p 相区别,常把式(8-1)中的用平衡时的浓度表示的经验平衡常数写成 K_c。上面气相反应当然可以用 K_c 表示出平衡时各平衡浓度之间的关系。同一个反应的 K_p 和 K_c 一般来说是不相等的,但它们所表示的却是同一个平衡状态,因此二者之间是有固定的关系的。

在书写平衡常数表达式时,不要把反应体系中纯固体、纯液体以及稀溶液中的水的浓度写进去,例如:

$$\mathrm{CaCO_3(s)} \rightleftharpoons \mathrm{CaO(s)} + \mathrm{CO_2(g)}$$

$$K = p_{\mathrm{CO_2}}$$

$$\mathrm{Cr_2O_7^{2-}(aq)} + \mathrm{H_2O(l)} \rightleftharpoons 2\mathrm{CrO_4^{2-}(aq)} + 2\mathrm{H^+(aq)}$$

$$K = \frac{[\mathrm{CrO_4^{2-}}]^2[\mathrm{H^+}]^2}{[\mathrm{Cr_2O_7^{2-}}]}$$

这种复相反应的平衡常数,既不是 K_c,也不是 K_p,可用 K 表示。

平衡常数的表达式及其数值与化学反应方程式的写法有关系。例如:

$$\mathrm{N_2(g)} + 3\mathrm{H_2(g)} \rightleftharpoons 2\mathrm{NH_3(g)} \qquad K_c' = \frac{[\mathrm{NH_3}]^2}{[\mathrm{N_2}][\mathrm{H_2}]^3}$$

$$\frac{1}{2}N_2(g)+\frac{3}{2}H_2(g)\rightleftharpoons NH_3(g) \qquad K_c''=\frac{[NH_3]}{[N_2]^{1/2}[H_2]^{3/2}}$$

$$2NH_3(g)\rightleftharpoons N_2(g)+3H_2(g) \qquad K_c'''=\frac{[N_2][H_2]^3}{[NH_3]^2}$$

$$K_c'=(K_c'')^2=\frac{1}{K_c'''}$$

方程式的配平系数扩大 n 倍时,反应的平衡常数 K 将变成 K^n;而逆反应的平衡常数与正反应的平衡常数互为倒数。

两个反应方程式相加(相减)时,所得的反应方程式的平衡常数,可由原来的两个反应方程式的平衡常数相乘(相除)得到。例如:

$$2NO(g)+O_2(g)\rightleftharpoons 2NO_2(g) \qquad K_1$$

$$+)\quad 2NO_2(g)\rightleftharpoons N_2O_4(g) \qquad K_2$$

$$2NO(g)+O_2(g)\rightleftharpoons N_2O_4(g) \qquad K_3=K_1\cdot K_2$$

2-2 平衡常数与化学反应的程度

化学反应达到平衡状态时,体系中各物质的浓度不再随时间而改变,这时反应物已最大限度地转变为生成物。平衡常数具体体现着各平衡浓度之间的关系,因此平衡常数与化学反应完成的程度之间必然有着内在的联系。

我们利用平衡转化率这样一个量,来标志化学反应在某个具体条件下的完成程度。反应物的转化率是指已转化为生成物的部分占该反应物起始总量的百分比。

例 8-1　反应 $CO(g)+H_2O(g)\rightleftharpoons H_2(g)+CO_2(g)$在某温度 T 时,$K_c=9$。若 CO 和 H_2O 的起始浓度皆为 $0.02\text{mol}\cdot\text{dm}^{-3}$,求 CO 的平衡转化率。

解:设反应达到平衡时体系中 H_2 和 CO_2 的浓度均为 $x\text{mol}\cdot\text{dm}^{-3}$。

$$CO + H_2O \rightleftharpoons H_2 + CO_2$$

起始时浓度/$mol\cdot dm^{-3}$	0.02	0.02	0	0
平衡时浓度/$mol\cdot dm^{-3}$	$0.02-x$	$0.02-x$	x	x

$$K_c = \frac{[H_2][CO_2]}{[CO][H_2O]} = \frac{x^2}{(0.02-x)^2} = 9$$

解得　$x = 0.015$，即平衡时

$$[H_2] = [CO_2] = 0.015 mol\cdot dm^{-3}$$

此时 CO 转化掉 $0.015 mol\cdot dm^{-3}$

转化率为

$$\frac{0.015}{0.020} \times 100\% = 75\%$$

利用同样的方法，可以求得当 $K_c = 4$ 和 $K_c = 1$ 时，CO 的平衡转化率分别为 67% 和 50%。通过例题我们看到，在其它条件相同时，K_c 越大，平衡转化率则越大。

2－3　标准平衡常数

化学反应达到平衡的时候，体系中各物质的浓度不再随时间而改变，我们称这时的浓度为平衡浓度。若把浓度除以标准状态浓度，即除以 $c^{\ominus}$，则得到一个比值，即平衡浓度是标准浓度的倍数，我们称这个倍数为平衡时的相对浓度。化学反应达到平衡时，各物质的相对浓度也不再变化。如果是气相反应，将平衡分压除以标准压强 $p^{\ominus}$，则得到相对分压。相对浓度和相对分压都是无量纲的量。

对于可逆反应

$$aA(aq) + bB(aq) \rightleftharpoons gG(aq) + hH(aq)$$

平衡时各物质的相对浓度分别表示为

$$\frac{[A]}{c^{\ominus}},\ \frac{[B]}{c^{\ominus}},\ \frac{[G]}{c^{\ominus}} 和 \frac{[H]}{c^{\ominus}}$$

其标准平衡常数 $K^{\ominus}$ 可以表示为

$$K^{\ominus}=\frac{\left(\frac{[G]}{c^{\ominus}}\right)^{g}\left(\frac{[H]}{c^{\ominus}}\right)^{h}}{\left(\frac{[A]}{c^{\ominus}}\right)^{a}\left(\frac{[B]}{c^{\ominus}}\right)^{b}} \tag{8-3}$$

对于气相反应 $aA(g)+bB(g) \rightleftharpoons gG(g)+hH(g)$

平衡时各物质的相对分压可表示为：

$$\frac{p_A}{p^{\ominus}}, \frac{p_B}{p^{\ominus}}, \frac{p_G}{p^{\ominus}} 和 \frac{p_H}{p^{\ominus}}$$

其标准平衡常数 $K^{\ominus}$ 可以表示为

$$K^{\ominus}=\frac{\left(\frac{p_G}{p^{\ominus}}\right)^{g}\left(\frac{p_H}{p^{\ominus}}\right)^{h}}{\left(\frac{p_A}{p^{\ominus}}\right)^{a}\left(\frac{p_B}{p^{\ominus}}\right)^{b}} \tag{8-4}$$

对于复相反应，如 $CaCO_3(s) \rightleftharpoons CaO(s)+CO_2(g)$，纯固相、液相和水溶液中大量存在的水可认为 $x_i=1$，除以其标准状态 $x_i=1$，比值为1，故在标准平衡常数 $K^{\ominus}$ 的表示式中不必出现。上面反应的 $K^{\ominus}$ 表示为：

$$K^{\ominus}=\left(\frac{p_{CO_2}}{p^{\ominus}}\right)$$

不论是溶液中的反应、气相反应还是复相反应，其标准平衡常数 $K^{\ominus}$ 均为无量纲的量，因为其分子和分母中的各因式均为无量纲的量。液相反应的 K_c 与其 $K^{\ominus}$ 在数值上相等，而气相反应的 K_p 一般不与其 $K^{\ominus}$ 的数值相等。

在热力学上进行讨论和计算时，用到标准平衡常数 $K^{\ominus}$ 的机会很多，在下面的讨论中我们会看清这一点。

2-4 标准平衡常数与化学反应的方向

对于反应 $aA+bB \rightleftharpoons gG+hH$ 我们定义某时刻的反应商 Q：

$$Q=\frac{\left(\frac{[\mathrm{G}]'}{c^{\ominus}}\right)^{g}\left(\frac{[\mathrm{H}]'}{c^{\ominus}}\right)^{h}}{\left(\frac{[\mathrm{A}]'}{c^{\ominus}}\right)^{a}\left(\frac{[\mathrm{B}]'}{c^{\ominus}}\right)^{b}} \qquad (8-5)$$

式中$[\mathrm{G}]'$,$[\mathrm{H}]'$,$[\mathrm{A}]'$和$[\mathrm{B}]'$均表示反应进行到某一时刻时的浓度,即非平衡浓度。反应达到平衡时的反应商 Q 和标准平衡常数 $K^{\ominus}$ 相等。即

$$K^{\ominus}=\frac{\left(\frac{[\mathrm{G}]_{平}}{c^{\ominus}}\right)^{g}\left(\frac{[\mathrm{H}]_{平}}{c^{\ominus}}\right)^{h}}{\left(\frac{[\mathrm{A}]_{平}}{c^{\ominus}}\right)^{a}\left(\frac{[\mathrm{B}]_{平}}{c^{\ominus}}\right)^{b}}=Q_{平}$$

我们可以通过比较 $K^{\ominus}$ 和某一时刻的反应商 Q 来判断该时刻反应进行的方向。

若在某一时刻,对上述反应来说有

$$Q<K^{\ominus}$$

即

$$\frac{\left(\frac{[\mathrm{G}]'}{c^{\ominus}}\right)^{g}\left(\frac{[\mathrm{H}]'}{c^{\ominus}}\right)^{h}}{\left(\frac{[\mathrm{A}]'}{c^{\ominus}}\right)^{a}\left(\frac{[\mathrm{B}]'}{c^{\ominus}}\right)^{b}}<\frac{\left(\frac{[\mathrm{G}]_{平}}{c^{\ominus}}\right)^{g}\left(\frac{[\mathrm{H}]_{平}}{c^{\ominus}}\right)^{h}}{\left(\frac{[\mathrm{A}]_{平}}{c^{\ominus}}\right)^{a}\left(\frac{[\mathrm{B}]_{平}}{c^{\ominus}}\right)^{b}} \qquad (8-6)$$

反应商 Q 的分子和分母在反应过程中不会出现同时增大或同时减小的情况,只能是分子增大则分母必然减小,或分母增大则分子必然减小。故从式(8-6)可以同时得出两个不等式,

$$\left(\frac{[\mathrm{G}]'}{c^{\ominus}}\right)^{g}\left(\frac{[\mathrm{H}]'}{c^{\ominus}}\right)^{h}<\left(\frac{[\mathrm{G}]_{平}}{c^{\ominus}}\right)^{g}\left(\frac{[\mathrm{H}]_{平}}{c^{\ominus}}\right)^{h}$$

和

$$\left(\frac{[\mathrm{A}]'}{c^{\ominus}}\right)^{a}\left(\frac{[\mathrm{B}]'}{c^{\ominus}}\right)^{b}>\left(\frac{[\mathrm{A}]_{平}}{c^{\ominus}}\right)^{g}\left(\frac{[\mathrm{B}]_{平}}{c^{\ominus}}\right)^{b}$$

从这两个不等式看出,从该时刻起只有产物的浓度继续增大而同时反应物的浓度继续减小才能使体系达到平衡状态,换句话说反应要继续向正向进行。

若在某一时刻，有

$$Q > K^{\ominus}$$

则有 $$\frac{\left(\frac{[\mathrm{G}]'}{c^{\ominus}}\right)^{g}\left(\frac{[\mathrm{H}]'}{c^{\ominus}}\right)^{h}}{\left(\frac{[\mathrm{A}]'}{c^{\ominus}}\right)^{a}\left(\frac{[\mathrm{B}]'}{c^{\ominus}}\right)^{b}} > \frac{\left(\frac{[\mathrm{G}]_{平}}{c^{\ominus}}\right)^{g}\left(\frac{[\mathrm{H}]_{平}}{c^{\ominus}}\right)^{h}}{\left(\frac{[\mathrm{A}]_{平}}{c^{\ominus}}\right)^{a}\left(\frac{[\mathrm{B}]_{平}}{c^{\ominus}}\right)^{b}}$$

从此时刻起，只有逆反应进行的速率比正反应大些，才能使体系达平衡，即反应向逆向进行。

而当 $Q = K^{\ominus}$ 时，体系处于平衡状态。

对于气相反应和复相反应，其反应商可用类似于上面方法进行定义，通过 Q 与 $K^{\ominus}$ 大小的比较，同样可以判断反应进行的方向。

利用 K_p 和 K_c 与相应的反应商 Q 相比较，也可以判断反应方向，但必须注意 K 与 Q 的一致性。

§8-3 标准平衡常数 $K^{\ominus}$ 与 $\Delta_r G_m^{\ominus}$ 的关系

在§6-3中，我们曾提到用 $\Delta_r G_m$ 判断反应方向，这里又提到用 $K^{\ominus}$ 与 Q 比较的判断方法。两者之间有着内在联系。

3-1 化学反应等温式

判断一个化学反应当各种物质均处于标准状态时能否自发进行，可以通过查各种物质的标准生成吉布斯自由能以求出反应的标准吉布斯自由能改变量 $\Delta_r G_m^{\ominus}$、然后用 $\Delta_r G_m^{\ominus}$ 做判据进行判断。但是当各种物质不处于标准状态下，反应的 $\Delta_r G_m$ 这一判据如何求得，这是第六章中我们遗留下来的问题。

若化学反应 $a\mathrm{A(aq)} + b\mathrm{B(aq)} \rightleftharpoons g\mathrm{G(aq)} + h\mathrm{H(aq)}$ 中各物质的浓度不处于标准状态。Q 为某时刻的反应商。化学热力学中有下面关系式可以表明 $\Delta_r G_m$ 和 $\Delta_r G_m^{\ominus}$、Q 之间的关系：

$$\Delta_r G_m = \Delta_r G_m^{\ominus} + RT\ln Q \tag{8-7}$$

式(8－7)称为化学反应等温式。利用该式可以在已知某反应的 $\Delta_r G_m^\ominus$ 的基础上，求出反应体系中各物质的浓度为任何值时反应的 $\Delta_r G_m$。

当体系处于平衡状态时，$\Delta_r G_m = 0$，同时 $Q = K^\ominus$，此时式(8－7)变成 $0 = \Delta_r G_m^\ominus + RT\ln K^\ominus$，即

$$\Delta_r G_m^\ominus = -RT\ln K^\ominus \qquad (8-8)$$

式(8－8)是一个很重要的公式，它给出了重要的热力学参数 $\Delta_r G_m^\ominus$ 和 $K^\ominus$ 之间的关系，为得到一些化学反应的平衡常数 $K^\ominus$ 提供了可行的方法。

例 8－2　求反应

$$2SO_2(g) + O_2(g) \longrightarrow 2SO_3(g)$$

298K 时的标准平衡常数。

解：查标准生成吉布斯自由能表，得 298K 时

$$\Delta_f G_m^\ominus(SO_2, g) = -300.37 kJ\cdot mol^{-1}$$

$$\Delta_f G_m^\ominus(SO_3, g) = -370.37 kJ\cdot mol^{-1}$$

故反应 $2SO_2(g) + O_2(g) \longrightarrow 2SO_3(g)$ 的 $\Delta_r G_m^\ominus$ 可由下式求得：

$$\begin{aligned}\Delta_r G_m^\ominus &= \sum \nu_1 \Delta_f G_m^\ominus(\text{生成物}) - \sum \nu_1 \Delta_f G_m^\ominus(\text{反应物}) \\ &= (-370.37)\times 2 - (-300.37)\times 2 \\ &= -140(kJ\cdot mol^{-1})\end{aligned}$$

由(8－8)式 $\Delta_r G_m^\ominus = -RT\ln K^\ominus$ 得：

$$\ln K^\ominus = -\frac{\Delta_r G_m^\ominus}{RT}$$

将数值代入得：

$$\ln K^\ominus = -\frac{-140\times 10^3}{8.314\times 298} = 56.5$$

故　　$K^\ominus = 3.4\times 10^{24}$。

必须注意：式(8－8)中的平衡常数一定是标准平衡常数 $K^\ominus$。利用 $\Delta_r G_m^\ominus$ 通过式(8－8)求得的也一定是标准平衡常数 $K^\ominus$，而不论实际反应是溶液相反应，气相反应还是复相反应。

当然对于一个化学反应也可以利用反应达平衡时各物质的浓

度或分压的数据求得其平衡常数。

例 8－3 某温度下反应 $A(g) \rightleftharpoons 2B(g)$ 达到平衡，这时 $p_A = p_B = 1.013 \times 10^5\,Pa$，求 $K^\ominus$。

解：

$$K^\ominus = \frac{\left(\frac{p_B}{p^\ominus}\right)^2}{\left(\frac{p_A}{p^\ominus}\right)} = \frac{\left(\frac{1.013 \times 10^5\,Pa}{1.013 \times 10^5\,Pa}\right)^2}{\left(\frac{1.013 \times 10^5\,Pa}{1.013 \times 10^5\,Pa}\right)} = 1$$

这是本题的正确解法。

若采用以 Pa 为单位的分压，则可求得经验平衡常数 K_p，

$$K_p = \frac{(1.013 \times 10^5\,Pa)^2}{1.013 \times 10^5\,Pa} = 1.013 \times 10^5\,Pa$$

K_p 与 $K^\ominus$ 的数值一般不相等。计算 $K^\ominus$ 时，千万注意要代入相对分压 $\left(\frac{p_l}{p^\ominus}\right)$ 值，若将 p_1 值代入则会发生错误。K_p 值与 $\Delta_r G_m^\ominus$ 之间不能用式(8－8)表示，因此若误将 K_p 当成了 $K^\ominus$，则求出的不是反应的 $\Delta_r G_m^\ominus$。

但是 $K^\ominus$ 和 K_c 的数值却是相等的。在后面章节中，用到的平衡常数基本上全是 $K^\ominus$，但其表达式中的相对浓度经常用一般浓度代表，这样做是为了简化计算，我们一定要弄清式中浓度的实际含意。

将式(8－8)代入到式(8－7)中，得

$$\Delta_r G_m = -RT\ln K^\ominus + RT\ln Q$$

上式可变为

$$\Delta_r G_m = RT\ln\frac{Q}{K^\ominus} \qquad (8-9)$$

式(8－9)将前面提到的化学反应的两种判据 $\Delta_r G_m$ 和 $K^\ominus$ 与 Q 的联系清楚地表示出来：

当 $Q < K^\ominus$ 时 $\Delta_r G_m < 0$ 正反应自发进行

当 $Q = K^\ominus$ 时 $\Delta_r G_m = 0$ 反应达到平衡，以可逆方式进行

当 $Q > K^\ominus$ 时 $\Delta_r G_m > 0$ 逆反应自发进行

3－2 $\Delta_f G_m^\ominus$、$\Delta_r G_m^\ominus$ 和 $\Delta_r G_m$ 的关系

$\Delta_f G_m^\ominus$ 是物质的标准生成吉布斯自由能，即物质的标准生成

反应的吉布斯自由能改变量，可以通过查表得到 $\Delta_f G_m^\ominus$ 的数值。

利用公式 $\Delta_r G_m^\ominus = \sum \nu_1 \Delta_f G_m^\ominus$（生成物）$- \sum \nu_1 \Delta_f G_m^\ominus$（反应物）即可求出一个反应的标准吉布斯自由能改变量 $\Delta_r G_m^\ominus$。$\Delta_r G_m^\ominus$ 是化学反应在标准状态下进行方式和方向的判据。利用公式(8-7)可以将处于非标准态的化学反应的 $\Delta_r G_m$ 求出，$\Delta_r G_m$ 可以用来判断非标准态下化学反应进行的方向和方式。

$\Delta_r G_m^\ominus$ 是反应体系中各物质的浓度和分压均为标准态数值时的 $\Delta_r G_m$，而不是平衡时的 $\Delta_r G_m$。体系平衡时 $\Delta_r G_m$ 为0。

非标准状态下化学反应进行方向的判断可用 Q 和 $K^\ominus$ 的关系来判断，关于 $\Delta_r G_m$ 的求算在本章中不做要求，在第十一章氧化还原反应中利用非标准电势来加以讨论。

§8-4 化学平衡的移动

在一定条件下，可逆反应的正反应和逆反应速率相等时，建立化学平衡。当外界条件变化时，平衡状态遭到破坏，从平衡变为不平衡。在改变了的条件下，可逆反应重新建立平衡。在新建立的平衡状态下，反应体系中各物质的浓度与原平衡状态下各物质的浓度不相等。这种当外界条件改变，可逆反应从一种平衡状态转变到另一种平衡状态的过程叫做化学平衡的移动。

某化学反应处于平衡状态时，$Q = K^\ominus$，改变条件使 $Q < K^\ominus$，平衡被破坏，反应向正向（或逆向）进行，之后重新建立平衡，我们说平衡右移（或左移）。这是改变 Q，使 $Q \neq K^\ominus$，从而导致平衡移动；改变温度时，$K^\ominus$ 发生变化，也会使 $Q \neq K^\ominus$，从而导致平衡移动。

4-1 浓度对平衡的影响

例8-4 反应 $CO(g) + H_2O(g) \rightleftharpoons H_2(g) + CO_2(g)$

在某温度下 $K_c = 9$，若反应开始时$[CO] = 0.02 mol \cdot dm^{-3}$，$[H_2O] = 1.00 mol \cdot$

dm^{-3},求平衡时 CO 的转化率。

解:设反应达平衡时$[H_2]$和$[CO_2]$均为 $x\,mol\cdot dm^{-3}$

$$CO + H_2O \rightleftharpoons H_2 + CO_2$$

	CO	H_2O	H_2	CO_2
起始时浓度/$mol\cdot dm^{-3}$	0.02	1.00	0	
平衡时浓度/$mol\cdot dm^{-3}$	$0.02-x$	$1.00-x$	x	x

$$K_c=\frac{[H_2][CO_2]}{[CO][H_2O]}=\frac{x^2}{(0.02-x)(1.00-x)}=9$$

解得 $x=0.019\ 95$

CO 的平衡转化率为$\frac{0.019\ 95}{0.020}\times 100\%=99.8\%$

将此例与例 8-1 相比较,当 CO 和 H_2O 的起始浓度都为 $0.02mol\cdot dm^{-3}$时。CO 的平衡转化率为 75%。当 H_2O 的起始浓度增加到 $1.00mol\cdot dm^{-3}$时,CO 的平衡转化率增大到 99.8%。

这说明增大一种反应物的浓度,可以使另一种反应物的转化率增大。

一般说来,在平衡的体系中增大反应物的浓度时,会使 Q 的数值因其分母增大而减小,于是使 $Q<K^{\ominus}$,这时平衡被破坏,反应向正方向进行,重新达到平衡,也就是说平衡右移。

由此可见,**在恒温下增加反应物的浓度或减小生成物的浓度,平衡向正反应方向移动;相反,减小反应物浓度或增大生成物浓度,平衡向逆反应方向移动。**

4-2 压强对平衡的影响

压强的变化对没有气体参加的化学反应影响不大。对于有气体参加且反应前后气体的物质的量有变化的反应,压强变化时将对化学平衡产生影响。

在讨论平衡移动问题时,不论使用标准平衡常数,还是使用经验平衡常数都是可以的。下面我们以合成氨反应为例,使用标准平衡常数 $K^{\ominus}$ 对问题进行研究。

$$H_2(g) + 3H_2(g) \rightleftharpoons 2NH_3(g)$$

在某温度下反应达到平衡时

$$K^{\ominus} = \frac{\left(\dfrac{p_{NH_3}}{p^{\ominus}}\right)^2}{\left(\dfrac{p_{N_2}}{p^{\ominus}}\right)\left(\dfrac{p_{H_2}}{p^{\ominus}}\right)^3}$$

如果将平衡体系的总压强增加至原来的 2 倍,这时各组分的分压分别变为原来的 2 倍,反应商为

$$Q = \frac{\left(\dfrac{2p_{NH_3}}{p^{\ominus}}\right)^2}{\left(\dfrac{2p_{N_2}}{p^{\ominus}}\right)\left(\dfrac{2p_{H_2}}{p^{\ominus}}\right)^3} = \frac{1}{4}K^{\ominus}$$

即 $$Q < K^{\ominus}$$

原平衡被破坏,反应向右进行。随着反应的进行,p_{N_2} 和 p_{H} 不断下降,p_{NH_3} 不断增高,最后使 $Q = K^{\ominus}$,体系在新的条件下重新达到平衡。从上面的分析可以看出,增大压强时,平衡向气体分子数减少的方向移动。

对于 $CO(g) + H_2O(g) \rightleftharpoons CO_2(g) + H_2(g)$,反应前后气体分子数不变,在高温下反应达到平衡时

$$K^{\ominus} = \frac{\left(\dfrac{p_{CO_2}}{p^{\ominus}}\right)\left(\dfrac{p_{H_2}}{p^{\ominus}}\right)}{\left(\dfrac{p_{CO}}{p^{\ominus}}\right)\left(\dfrac{p_{H_2O}}{p^{\ominus}}\right)}$$

当体系的总压强增大到原来的 2 倍时,各组分的分压也分别变成原分压的 2 倍。这时的反应商为

$$Q = \frac{\left(\dfrac{2p_{CO_2}}{p^{\ominus}}\right)\left(\dfrac{2p_{H_2}}{p^{\ominus}}\right)}{\left(\dfrac{2p_{CO}}{p^{\ominus}}\right)\left(\dfrac{2p_{H_2O}}{p^{\ominus}}\right)} = K^{\ominus}$$

平衡没有发生移动，即改变压强时对反应前后气体分子数不变的反应的平衡状态没有影响。

从上面的讨论，可得如下结论：**压强变化只是对那些反应前后气体分子数目有变化的反应有影响；在恒温下，增大压强，平衡向气体分子数目减少的方向移动，减小压强，平衡向气体分子数目增加的方向移动。**

对于有气体参加的反应体系，在具体处理问题时，经常将体积的变化归结为浓度或压强的变化来讨论。体积增大相当于浓度减小或压强减小；而体积减小相当于浓度或压强的增大。

4－3　温度对平衡的影响

不论浓度变化、压强变化还是体积变化，它们对化学平衡的影响都是从改变 Q 而得以实现的。温度对平衡的影响却是从改变平衡常数而产生的。

由　$\Delta_r G_m^\ominus = -RT\ln K^\ominus$ 和 $\Delta_r G_m^\ominus = \Delta_r H_m^\ominus - T\Delta_r S_m^\ominus$

得：

$$-RT\ln K^\ominus = \Delta_r H_m^\ominus - T\Delta_r S_m^\ominus$$

可变为

$$\ln K^\ominus = \frac{\Delta_r S_m^\ominus}{R} - \frac{\Delta_r H_m^\ominus}{RT}$$

不同温度时有

$$\ln K_1^\ominus = \frac{\Delta_r S_{m_1}^\ominus}{R} - \frac{\Delta_r H_{m_1}^\ominus}{RT_1}$$

$$\ln K_2^\ominus = \frac{\Delta_r S_{m_2}^\ominus}{R} - \frac{\Delta_r H_{m_2}^\ominus}{RT_2}$$

两式相减，且认为 $\Delta_r S_m^\ominus$ 和 $\Delta_r H_m^\ominus$ 均不受温度影响，得

$$\ln \frac{K_2^\ominus}{K_1^\ominus} = \frac{\Delta_r H_m^\ominus}{R}\left(\frac{1}{T_1} - \frac{1}{T_2}\right)$$

整理后得

$$\ln \frac{K_2^\ominus}{K_1^\ominus} = \frac{\Delta_r H_m^\ominus}{R} \cdot \frac{T_2 - T_1}{T_1 T_2} \qquad (8-10)$$

对于吸热反应，$\Delta_r H_m^\ominus > 0$，当 $T_2 > T_1$ 时，由(8－10)式可得 $K_2^\ominus > K_1^\ominus$，即平衡常数随温度升高而增大，升高温度平衡向正反应方向移动。反之，当 $T_2 < T_1$ 时 $K_2 < K_1$，平衡向逆反应方向移动。

对于放热反应，$\Delta_r H_m^\ominus < 0$，当 $T_2 > T_1$ 时 $K_2^\ominus < K_1^\ominus$，即平衡常数随温度升高而减小，升高温度平衡向逆反应方向移动。而当 $T_2 < T_1$ 时 $K_2^\ominus > K_1^\ominus$，平衡向正反应方向移动。

总之，**当温度升高时平衡向吸热方向移动；降温时平衡向放热方向移动。**

公式(8－10)的意义还在于，在知道反应热 $\Delta_r H_m^\ominus$ 的前提下，知道某一温度下的 $K_1^\ominus$，即可以求出另一温度下的 $K_2^\ominus$。这一公式若体现在液体的蒸发过程中，则变成了公式(2－28)。

各种外界条件变化对化学平衡的影响，均符合里·查德里(Le Chatelier)概括的一条普遍规律：**如果对平衡体系施加外力，平衡将沿着减少此外力影响的方向移动。**这就是里·查德里原理。

至于催化剂对反应的影响，那只是一个动力学问题，它对热力学参数 $\Delta_r H_m^\ominus$ 乃至 $\Delta_r G_m^\ominus$ 均无影响，故不影响化学平衡，只是缩短了化学平衡实现的时间。

4－4 选择合理生产条件的一般原则

化学反应速度和化学平衡是化工生产中两个非常重要并且彼此密切相关的问题。在实际工作中，应当反复实践、综合分析，采取最有利的工艺条件，以达到最高的经济效益和社会效益。下列几项原则，可作为选择合理生产条件时的参考。

(1) 对于任何一个反应，增大反应物的浓度，都会提高反应速率，生产中常使一种价廉易得的原料适当过量，以提高另一原料的转化率。例如为使 CO 充分转化为 CO_2，常通入过量的水蒸气(见例 8-4 的结果)。但是，当使一种原料过量时，应该配比适当，否则也会引起设备利用率降低，而将另一种原料"冲淡"。对气相反应，更要注意原料气的性质，有的原料的配比一旦进入爆炸范围将会造成不良后果。

使产物的浓度降低，同样可以使化学平衡向正向移动。在生产中经常采取不断取走某种反应产物的方法，使化学反应持续进行，以保证原料的充分利用和生产过程的连续化，并提高化工生产设备的利用率和化工生产的经济效益。

(2) 对于反应后气体分子数减少的气相反应，增加压强可使平衡向正向移动，例如在合成氨工业中，增大压强不但能增加反应速度，而且能提高氨的产率。在 $1\,000\times10^5$ Pa 下，不用催化剂就可以合成氨。不过氢在这样的高压下，能穿透用特种钢制做的反应器的器壁。考虑到设备的耐压能力，合成氨工业反应体系的压强一般采用 $600\times10^5\sim700\times10^5$ Pa。所以在增加反应速度、提高转化率的同时，必须考虑设备能力和安全防护等。

(3) 对放热反应，升高温度会提高反应速度，但会使转化率降低，使用催化剂可以提高反应速度而不致影响平衡。使用催化剂必须注意活化温度，防止催化剂"中毒"，以提高使用效率和寿命。

对于吸热反应，升高温度既能加快反应速度又能提高转化率，但要避免反应物或产物的过热分解，也要注意燃料的合理消耗。

(4) 相同的反应物，若同时可能发生几种反应，而其中只有一个反应是我们需要的，则首先必须选择合适的催化剂以保证主反应的进行和遏制副反应的发生，然后再考虑其它条件。

习　题

1. 怎样正确理解化学反应的平衡状态？
2. 如何正确书写经验平衡常数和标准平衡常数的表达式？
3. 写出下列可逆反应的平衡常数 K_c、K_p 或 K 的表达式

(1) $2NOCl(g) \rightleftharpoons 2NO(g) + Cl_2(g)$

(2) $Zn(s) + CO_2(g) \rightleftharpoons ZnO(s) + CO(g)$

(3) $MgSO_4(s) \rightleftharpoons MgO(s) + SO_3(g)$

(4) $Zn(s) + 2H^+(aq) \rightleftharpoons Zn^{2+}(aq) + H_2(g)$

(5) $NH_4Cl(s) \rightleftharpoons NH_3(g) + HCl(g)$

4．已知下列反应的平衡常数：

$HCN \rightleftharpoons H^+ + CN^-$ $\quad K_1^\ominus = 4.9\times10^{-10}$

$NH_3 + H_2O \rightleftharpoons NH_4^+ + OH^-$ $\quad K_2^\ominus = 1.8\times10^{-5}$

$H_2O \rightleftharpoons H^+ + OH^-$ $\quad K_w^\ominus = 1.0\times10^{-14}$

试计算下面反应的平衡常数：

$$NH_3 + HCN \rightleftharpoons NH_4^+ + CN^-$$

(0.88)

5．平衡常数能否代表转化率？如何正确认识两者之间的关系？

6．在 699K 时，反应 $H_2(g) + I_2(g) \rightleftharpoons 2HI(g)$ 的平衡常数 $K_p = 55.3$，如果将 2.00mol H_2 和 2.00mol I_2 作用于 4.00dm^3 的容器内，问在该温度下达到平衡时有多少 HI 生成？ (3.15mol)

7．反应 $H_2 + CO_2 \rightleftharpoons H_2O + CO$ 在 1259K 达平衡，平衡时 $[H_2] = [CO_2] = 0.44mol\cdot dm^{-3}$，$[H_2O] = [CO] = 0.56mol\cdot dm^{-3}$。

求此温度下反应的经验的平衡常数及开始时 H_2 和 CO_2 的浓度。

(1.62;1.00)

8．可逆反应 $CO + H_2O \rightleftharpoons CO_2 + H_2$ 在密闭容器中，建立平衡，在 749K 时该反应的平衡常数 $K_c = 2.6$。

(1) 求 $n(H_2O)/n(CO)$（物质的量比）为 1 时，CO 的平衡转化率；

(2) 求 $n(H_2O)/n(CO)$（物质的量比）为 3 时，CO 的平衡转化率；

(3) 从计算结果说明浓度对平衡移动的影响。

(61.7%;86.6%)

9．HI 分解反应为 $2HI \rightleftharpoons H_2 + I_2$，开始时有 1mol HI，平衡时有 24.4% 的 HI 发生了分解，今欲将分解百分数降低到 10%，试计算应往此平衡系统中加若干摩 I_2。

(0.37mol)

10. 在 900K 和 1.013×10^5 Pa 时 SO_3 部分离解为 SO_2 和 O_2

$$SO_3(g) \rightleftharpoons SO_2(g) + \frac{1}{2}O_2(g)$$

若平衡混合物的密度为 $0.925 g\cdot dm^{-3}$，求 SO_3 的离解度。

（34%）

11. 在 308K 和总压 1.013×10^5 Pa 时，N_2O_4 有 27.2% 分解为 NO_2。

(1) 计算　$N_2O_4(g) \rightleftharpoons 2NO_2(g)$ 反应的 $K^{\ominus}$；

(2) 计算　308K 时总压为 2.026×10^5 Pa 时，N_2O_4 的离解百分率；

(3) 从计算结果说明压强对平衡移动的影响。

（0.32；19.6%）

12. $PCl_5(g)$ 在 523K 达分解平衡：

$$PCl_5 \rightleftharpoons PCl_3(g) + Cl_2(g)$$

平衡浓度：$[PCl_5] = 1 mol\cdot dm^{-3}$，$[PCl_3] = [Cl_2] = 0.204 mol\cdot dm^{-3}$。

若温度不变而压强减小一半，在新的平衡体系中各物质的浓度为多少？

（$0.135 mol\cdot dm^{-3}$；$0.434 mol\cdot dm^{-3}$）

13. 对于下列化学平衡

$$2HI(g) \rightleftharpoons H_2(g) + I_2(g)$$

在 698K 时，$K_c = 1.82\times10^{-2}$。如果将 HI(g) 放入反应瓶内，问：

(1) 在 [HI] 为 $0.0100 mol\cdot dm^{-3}$ 时，$[H_2]$ 和 $[I_2]$ 各是多少？

(2) HI(g) 的初始浓度是多少？

(3) 在平衡时 HI 的转化率是多少？

（$1.35\times10^{-3} mol\cdot dm^{-3}$；$0.0127 mol\cdot dm^{-3}$；21.3%）

14. 反应 $SO_2Cl_2(g) \rightleftharpoons SO_2(g) + Cl_2(g)$ 在 375K 时，平衡常数 $K^{\ominus} = 2.4$，以 7.6 克 SO_2Cl_2 和 1.013×10^5 Pa 的 Cl_2 作用于 $1.0 dm^3$ 的烧瓶中，试计算平衡时 SO_2Cl_2、SO_2 和 Cl_2 的分压。

（6.8×10^4 Pa；8.8×10^4 Pa；1.90×10^5 Pa）

15. 某温度下，反应 $PCl_5(g) \rightleftharpoons PCl_3(g) + Cl_2(g)$ 的平衡常数 $K^{\ominus} = 2.25$。把一定量的 PCl_5 引入一真空瓶内，当达平衡后 PCl_5 的分压是 2.533×10^4 Pa。问：

(1) 平衡时 PCl_3 和 Cl_2 的分压各是多少？

(2) 离解前 PCl_5 的压强是多少？

(3) 平衡时 PCl_5 的离解百分率是多少？

$(7.60\times10^4 Pa;1.01\times10^5 Pa;75\%)$

16. 如何表述化学反应等温式？化学反应的标准平衡常数与其 $\Delta_r G_m^\ominus$ 之间的关系怎样？

17. $\Delta_f G^\ominus$、$\Delta_r G^\ominus$ 和 $\Delta_r G^\ominus$ 之间的关系如何？

18. 在 523K 时，将 0.110mol 的 $PCl_5(g)$ 引入 $1dm^3$ 容器中，建立下列平衡：

$$PCl_5(g) \rightleftharpoons PCl_3(g) + Cl_2(g)$$

平衡时 $PCl_3(g)$ 的浓度是 $0.050mol\cdot dm^{-3}$。问

(1) 平衡时 PCl_5 和 Cl_2 的浓度各为多少？

(2) 在 523K 时的 K_c 和 $K^\ominus$ 各是多少？

$(0.06mol\cdot dm^{-3},0.05mol\cdot dm^{-3};0.042,1.80)$

19. 查化学热力学数据表，计算 298K 时下列反应的 $K^\ominus$。

$$H_2(g) + I_2(g) = 2HI(g)$$

(627)

20. 从下列数据：

$NiSO_4\cdot 6H_2O(s)$ $\Delta_f G_m^\ominus = -2221.7kJ\cdot mol^{-1}$

$NiSO_4(s)$ $\Delta_f G_m^\ominus = -773.6kJ\cdot mol^{-1}$

$H_2O(g)$ $\Delta_f G_m^\ominus = -228.4kJ\cdot mol^{-1}$

(1) 计算反应 $NiSO_4\cdot 6H_2O(s) \rightleftharpoons NiSO_4(s) + 6H_2O(g)$ 的 $K^\ominus$；

(2) H_2O 在固体 $NiSO_4\cdot 6H_2O$ 上的平衡蒸气压为多少？

$(2.4\times10^{-14};544Pa)$

21. 什么是化学反应的反应商？如何应用反应商和平衡常数的关系判断反应进行的方向并判断化学平衡的移动方向？

22. 反应 $CO(g) + H_2O(g) \rightleftharpoons CO_2(g) + H_2(g)$ 在某温度下平衡常数 $K_p = 1$，在此温度下，于 $6dm^3$ 的容器中加入 $2dm^3$ $3.04\times10^4 Pa$ 的 CO，$3dm^3$ $2.02\times10^5 Pa$ 的 CO_2，$6dm^3$ $2.02\times10^5 Pa$ 的 $H_2O(g)$ 和 $1dm^3$ $2.02\times10^5 Pa$ 的 H_2。问净反应向哪个方向进行？

23. 在一定温度和压强下，某一定量的 PCl_5 气体的体积为 $1dm^3$，此时 PCl_5 气体已有 50% 离解为 PCl_3 和 Cl_2。试判断在下列情况下，PCl_5 的离解度是增大还是减小。

(1) 减压使 PCl_5 的体积变为 $2dm^3$；

(2) 保持压强不变,加入氮气,使体积增至 $2dm^3$；

(3) 保持体积不变,加入氮气,使压强增加 1 倍；

(4) 保持压强不变,加入氯气,使体积变为 $2dm^3$；

(5) 保持体积不变,加入氯气,使压强增加 1 倍。

24. 反应 $CO_2(g) + H_2(g) \rightleftharpoons CO(g) + H_2O(g)$ 在 973K 时平衡常数 $K^\ominus = 0.64$,试确定在该温度下上述反应的标准自由能变化 $\Delta_r G_m^\ominus$。

当体系中各种气体的分压具有下列七组数值时,确定每一组分压下的吉布斯自由能变化 $\Delta_r G_m$。

	Ⅰ	Ⅱ	Ⅲ	Ⅳ	Ⅴ	Ⅵ	Ⅶ
$p_{CO} = p_{H_2O}$	0.253	0.507	0.760	1.013	1.266	1.520	1.773
$p_{CO_2} = p_{H_2}$	1.773	1.520	1.266	1.013	0.760	0.507	0.253

表中单位为 10^5 Pa。

将 ΔG 对反应混合物的组成作图,标出图中哪个区域里正向反应可能发生,哪个区域里逆向反应可能发生。

第九章 溶 液

§9-1 溶 液

一种物质以分子、原子或离子状态分散于另一种物质中所构成的均匀而又稳定的体系叫溶液。我们最熟悉的是液态溶液，例如，把白糖放入水中，固态的糖粒消失，糖以水合分子的形式溶于水中成糖水溶液。把食盐放入水中，它则以水合离子的形式溶于水中成食盐水溶液。酒精、汽油、苯作为溶剂可溶解有机物，这样所得的溶液称非水溶液。除液态溶液外，还有气态溶液和固态溶液。气态混合物都是气态溶液，例如空气就是气态溶液。氢气溶解于金属钯当中、汞溶解于金属锌当中以及锌溶于铜中都可形成固态溶液。

液态溶液按组成溶液的溶质与溶剂的状态可分为三种类型：即气态物质与液态物质形成的溶液、固态物质与液态物质形成的溶液和液态物质与液态物质形成的溶液。在气态与液态或固态与液态物质组成的溶液中，常将液态物质看成溶剂，把另一组分气态物质或固态物质看成溶质。在液态物质与液态物质组成的溶液中，一般将含量较多的组分称为溶剂，含量较少的称为溶质。

溶液与化合物不同，在溶液中溶质和溶剂的相对含量可在一定范围内变化。但溶质与溶剂形成溶液的过程中却又表现出化学反应的某些特征。例如，氢氧化钠溶于水放出大量的热，硝酸铵溶于水则吸热；酒精溶于水，液体的总体积缩小；苯和醋酸混合后，溶液的总体积增加。因此溶液既不是溶质和溶剂的机械混合物，也不是两者的化合物。严格地讲溶解过程是一个物理化学过程。

1-1 溶液浓度的表示方法

溶液中各组分的相对含量有时可定性地描述。把单位体积中含少量溶质的溶液称做“稀”溶液，而把含较多溶质的溶液看成“浓”溶液。实验室常用酸碱溶液的浓度见表 9-1。

表 9-1 实验室常用酸碱溶液的浓度

		溶质 $c/\text{mol}\cdot\text{dm}^{-3}$	溶质（质量分数）	密度（$\rho/\text{g}\cdot\text{dm}^{-3}$）
盐酸 HCl	浓	12	36%	1.18
	稀	6	20%	1.10
硝酸 HNO_3	浓	16	72%	1.42
	稀	6	32%	1.19
硫酸 H_2SO_4	浓	18	96%	1.14
	稀	3	25%	1.18
氨水 $NH_3\cdot H_2O$	浓	15	28%	0.90
	稀	6	11%	0.96

(1) 质量摩尔浓度

溶液中溶质 B 的物质的量（以 mol 为单位）除以溶剂的质量（以 kg 为单位），称为溶质 B 的质量摩尔浓度，用符号 m_B 表示，

即
$$m_B = \frac{\text{溶质 B 的物质的量}}{\text{溶剂的质量}}$$

质量摩尔浓度的 SI 单位为 $\text{mol}\cdot\text{kg}^{-1}$。

(2) 物质的量浓度

物质的量浓度简称浓度，其定义为：溶质 B 的物质的量除以混合物的体积，用符号 c_B 表示，即

$$c_B = \frac{n_B}{V} = \frac{\text{溶质 B 的物质的量}}{\text{混合物体积}}$$

浓度的 SI 单为 $\text{mol}\cdot\text{dm}^{-3}$。

例 9-1 计算由 1.00g $CO(NH_2)_2$（尿素）溶于 48.0g 水所配制成溶液的质量摩尔浓度为多少？

解：首先求出溶质的物质的量

$CO(NH_2)_2$ 的摩尔质量 $M=60.0g\cdot mol^{-1}$

1.00g 尿素相当于 $1.00g/60.0g\cdot mol^{-1}=0.016\ 7mol$

$$m[CO(NH_2)_2]=\frac{0.016\ 7mol}{0.048kg}=0.348mol\cdot kg^{-1}$$

此尿素溶液的质量摩尔浓度为 $0.348mol\cdot kg^{-1}$。

例 9－2　怎样由浓盐酸（$12mol\cdot dm^{-3}$）配制 $0.10dm^3$ $2.0mol\cdot dm^{-3}$ 的盐酸溶液？

解：$12mol\cdot dm^{-3}$ 的浓盐酸加水稀释后才能配成 $2.0mol\cdot dm^{-3}$ 的稀溶液。若配制 $0.10dm^3$，$2.0mol\cdot dm^{-3}$ 的盐酸溶液应取 $12mol\cdot dm^{-3}$ 的浓盐酸多少 dm^3？解题的关键是溶液内溶质的物质的量（mol）不因稀释而改变。$0.1dm^3$ $2.0mol\cdot dm^{-3}$ HCl溶液中 HCl 的物质的量应为：

$$n_{HCl}=2.0mol\cdot dm^{-3}\times 0.10dm^3=0.20mol$$

应取 $12mol\cdot dm^{-3}$ 的 HCl 的体积为：

$$V\times 12mol\cdot dm^{-3}=0.20mol$$

$$V=0.017dm^3$$

结论是取 $12mol\cdot dm^{-3}$ 的 HCl $0.017dm^3$，然后加水稀释至 $0.10dm^3$，即得到所需的 $2.0mol\cdot dm^{-3}$ 的盐酸溶液。

（3）质量分数

溶质的质量与溶液的质量之比称为该溶质的质量分数。

质量分数用符号 w 表示，即

$$w=\frac{m_{溶质}}{m_{溶液}}$$

例 9－3　如何将 25g NaCl 配制成 w_{NaCl} 为 0.25 的食盐溶液？

解：

$$w_{NaCl}=\frac{m_{NaCl}}{m_{溶液}}=\frac{m_{NaCl}}{m_{NaCl}+m_{溶剂}}$$

$$0.25=\frac{25g}{25g+m_{溶剂}}$$

$$25g+m_{溶剂}=\frac{25g}{0.25}=100g$$

$$m_{溶剂}=100g-25g=75g$$

由计算可知将 25g NaCl 溶在 75g 的水中就可制得 NaCl 质量分数为 0.25 的溶液。

(4) 摩尔分数

混合物中物质 B 的物质的量与混合物的总物质的量之比，叫做物质 B 的摩尔分数，用符号 x_B 表示，即

$$x_B = \frac{n_B}{n_{总}}$$

式中 n_B 为物质 B 的物质的量，$n_{总}$ 为混合物中各物质的物质的量之和。混合物中各物质的摩尔分数之和等于 1，即

$$\sum_i x_i = 1$$

(5) 体积分数

在与混合气体相同温度和压强的条件下，混合气体中组分 B 单独占有的体积与混合气体总体积之比，叫做组分 B 的体积分数，用符号 φ_B 表示，即

$$\varphi_B = \frac{V_B}{V_{总}}$$

式中 V_B 为混合气体中组分 B 的体积，也叫组分 B 的分体积，即 $V_B = x_B V^*_{m,B}$。$V^*_{m,B}$ 为在与混合气体相同温度和压强条件下，纯组分 B 的摩尔体积。

1－2 溶解度原理

限于理论发展水平，至今我们尚无法预言气体、液体和固体在液体中的溶解度，我们只能按“相似者相溶”这个一般溶解度原理来估计不同溶质在水中的相对溶解程度。“相似者”是指溶质与溶剂在结构或极性上相似，因而分子间作用力的类型和大小也差不多相同，“相溶”是指彼此互溶。

液－液相溶

甲醇和乙醇各含有一个 OH 基，与水相似，因此它们易溶于

水，彼此互溶不足为奇。我们可以估计水溶液中醇与水之间的分子间力同醇分子与醇分子之间或水分子与水分子之间作用力大致相等。丁醇在水里的溶解度就有限(293K 时摩尔分数约为0.02)，辛醇更难溶于水(293K 时摩尔分数约为 0.000 8)，随着有机碳链的增长醇与水的结构的差别愈来愈大，高碳醇与水之间没有足够大的吸引力，因而难溶于水。

固－液溶解

结构或极性相似的液体间容易互溶，固体在液体内的溶解度也是这样。非极性或弱极性的固态物质易溶于弱极性或非极性溶剂而难溶于强极性溶剂(如水)。一些离子型盐类在水中的溶解度较大。另外，固态物质的熔点对其在液态溶剂中的溶解度也有一定影响。例如 298K 时，固态碘在四氯化碳中溶解的摩尔分数最大为 0.011，而液态溴则可无限地溶于四氯化碳中。

可初步预言，在同一溶剂中低熔点的固体将比具有类似结构的高熔点固体易溶解。这一推断与表 9－2 事实相吻合。表 9－2 所列的四种溶质溶解度较大的是联二苯，熔点最高的蒽在苯中的溶解度最小。

表 9－2　一些固态有机物在苯中的溶解度(298K)

溶　质	熔点/(K)	$x_{溶质}$ *
蒽	491	0.008
菲	373	0.21
萘	353	0.26
联二苯	342	0.39

* 溶质在饱和溶液中的摩尔分数

气－液溶解

按照对固－液和液－液溶液曾引用过的推理方法，可得有关气体在液体内溶解度的规律：高沸点的气体比低沸点的气体在同一溶剂中的溶解度大；具有与气体溶质最为近似分子间力的溶剂是最佳溶剂。例如卤化氢气体较稀有气体极易溶于水，而且随卤素原子序数递增卤化氢在水中的溶解度增大。

(1) 温度对溶解度的影响

对于任何平衡，温度的升高总是有利于吸热过程。假如A溶于B时要吸收热量

$$A + B \rightleftharpoons \text{溶液} \quad \Delta_r H > 0$$

则温度升高溶解度增加。但当水合作用比较明显时，可能使溶解变成一个放热过程，温度升高溶解度降低。

以溶解度为纵坐标，以温度为横坐标所做出的溶解度随温度变化的曲线叫做溶解度曲线。从这种曲线能清楚地表明温度对溶解度的影响。

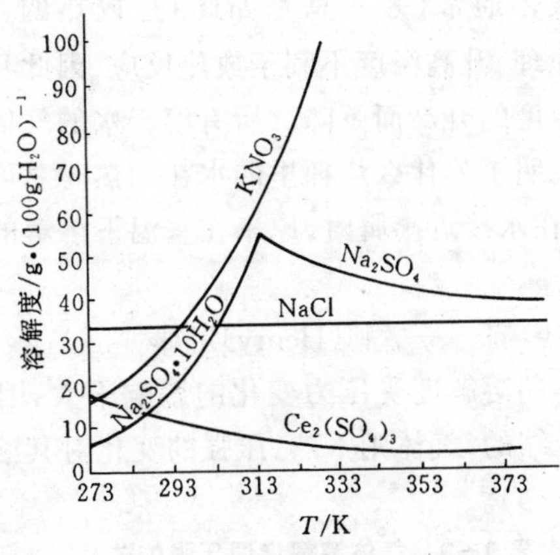

图 9-1 溶解度曲线

图9-1表示了四种不同物质在水中的溶解度曲线。由图可见，KNO_3 的溶解度随着温度的升高迅速增大，$Ce_2(SO_4)_3$ 的溶解度随着温度的升高而降低，NaCl 的溶解度受温度影响不大。

硫酸钠的溶解度曲线较为复杂。在305.4K以下的曲线是 $Na_2SO_4 \cdot 10H_2O$ 的溶解度曲线，溶解度随温度的升高而增大；在

305.4K 以上的曲线则是无水 Na_2SO_4 的溶解度曲线，溶解度随温度的升高而降低。利用不同物质在同一溶剂中的不同溶解度，可以纯化含有杂质的化合物。

有时溶液中所含的溶质可以超过它的溶解度。例如在 323K 时 100g 水中能溶 83g 的醋酸钠，在 293K 则能溶 46g。若在 323K 制得饱和溶液，滤去未溶完的固体，然后冷至 293K，此溶液可以经过相当长的时间尚无晶体出现。此时溶液中每 100g 水所溶解的醋酸钠比该温度下它的饱和溶液还多 37g。这种溶液叫做过饱和溶液。此种溶液的特点是只须加很小的醋酸钠晶粒，立即就有大量晶体析出，直到溶液中溶质的浓度降低到该温度下溶质的溶解度才停止析出晶体。

气体溶于液体通常（并非总是如此）是放热的，即 $\Delta_r H < 0$。根据平衡移动原理，升高温度不利于放热反应，因此我们常看到气体的溶解度随温度的升高而下降。所有溶于水的气体均遵循这个规则。这一点说明了为什么烧杯里的水在加热时总可以观察到有空气泡冒出；而在水接近沸腾时，原来在室温下溶解的空气差不多被驱除殆尽了。

(2) 压强的影响——亨利(Henry)定律

固体和液体的溶解度受压力变化的影响不大，因为它们本身的体积是很难压缩的，气体则不然，压强的变化对其溶解度有较大的影响，见表(9－3)。

表 9－3　气体溶解度同压强的关系

压强/Pa	373K 时 CO_2 溶解度 / $mol \cdot dm^{-3}$	压强/Pa	298K N_2 溶解度 / $mol \cdot dm^{-3}$
80.1×10^5	0.386	25.3×10^5	0.015 5
106.5×10^5	0.477	50.7×10^5	0.030 1
120.0×10^5	0.544	101.3×10^5	0.061
160.1×10^5	0.707	202.6×10^5	0.100
200.1×10^5	0.887		

由表 9－3 可以看出，当压强增加 1 倍时，气体的溶解度也近似增加一倍，N_2 的例子比 CO_2 更为清晰，因为 CO_2 溶于水后与水发生反应。亨利总结了这方面的事实，指出："在中等压强时，气体的溶解度与溶液上面气相中该气体的分压成正比"，这就是亨利定律，它可用下述公式来表达。

$$c_i = Kp_i \qquad (9-1)$$

式中 p_i 为液面上第 i 种气体的分压；K 为常数，叫做亨利常数；c_i 为第 i 种气体在溶液内的浓度。

制造含有 CO_2 气体的饮料——啤酒、汽酒和汽水时，就是应用压强对气体溶解度的影响。汽水是在 CO_2 压强为 4.05×10^5Pa 下装瓶的，当瓶盖被打开时，液面上面的压强骤然降为 101 325Pa，二氧化碳气泡迅速奔出液面。汽水瓶盖打开后，液体就暴露在空气里；空气中 CO_2 的分压极小(0—103Pa)，溶液内的二氧化碳会慢慢扩散出去，这份饮料就变得"淡而无味"了。

1－3 分配定律

将互不相溶的 H_2O 和 CCl_4 两种溶剂同放在一个容器中，由于密度的关系使它们分为两层，水在上层，CCl_4 在下层。加入碘后，上层为碘的水溶液，下层则为碘的 CCl_4 溶液。实验证明，碘易溶于 CCl_4。经振荡达平衡后，可测得碘在 CCl_4 中的浓度比水中大 85 倍。

"一定温度下，一种溶质分配在互不相溶的两种溶剂中的浓度比值为一常数"，这就是分配定律，它可用下式来表达：

$$K = \frac{c_B^\alpha}{c_B^\beta} \qquad (9-2)$$

式中 K 为分配系数；c_B^α 为溶质 B 在溶剂 α 中的浓度；c_B^β 为溶质 B 在溶剂 β 中的浓度。在分配定律表达式中，溶质在不同溶剂中的浓度可以用“$mol \cdot dm^{-3}$”或“$g \cdot dm^{-3}$”为单位来表示。

假如有一种物质与杂质混在一起，我们可以根据该物质与杂质在不同溶剂中的分配差异，利用两种互不相溶的溶剂将该物质与杂质分离。用这种方法提取或纯化物质的过程叫做抽提或萃取。为了提高分离效果常用少量萃取剂进行多次萃取。

例 9-4　设有体积为 V_α 的溶液（α 相）中含某质量为 m_0 的溶质，用另一种与 α 相互不相溶的溶剂（β 相，又名萃取剂）进行多次萃取，每次用量为 V_β。令 m_1 为经过一次萃取溶液（α 相）内剩余溶质的量。实验证明经 n 次萃取后，原溶液中剩余溶质的量 m_n 为：

$$m_n = m_0 \left(\frac{KV_\alpha}{KV_\alpha + V_\beta} \right)^n$$

证明：一次萃取后

$$K = \frac{\dfrac{m_1}{V_\alpha}}{\dfrac{m_0 - m_1}{V_\beta}} = \frac{m_1 V_\beta}{(m_0 - m_1) V_\alpha}$$

即

$$m_1 = m_0 \frac{KV_\alpha}{KV_\alpha + V_\beta}$$

用体积为 V_β 的新鲜溶剂（β 相）再萃取一次，则令 m_2 为原溶液中残余的溶质量。二次萃取后

$$m_2 = m_0 \left(\frac{KV_\alpha}{KV_\alpha + V_\beta} \right)^2$$

依次类推，n 次萃取后

$$m_n = m_0 \left(\frac{KV_\alpha}{KV_\alpha + V_\beta} \right)^n$$

例 9-5　在 $100cm^3$ 水溶液中溶有 0.02g 的碘，用 $20cm^3$ CCl_4 进行萃取。比较一次用 $20cm^3$ CCl_4 和分二次每次用 $10cm^3$ CCl_4 的萃取效率。已知 $K = \frac{1}{85}$

解： $m_1 = 0.02 \times \dfrac{\frac{1}{85} \times 100}{\frac{1}{85} \times 100 + 20} = 0.001\ 11(g)$

分二次萃取

$$m_2 = 0.02\left(\frac{\frac{1}{85}\times 100}{\frac{1}{85}\times 100 + 10}\right)^2 = 0.00022(\text{g})$$

可见用一定量的萃取剂多次、少量式萃取的萃取效率较高。

§9－2 非电解质稀溶液的依数性

我们发现，稀溶液的某些性质主要取决于其中所含溶质粒子的数目而与溶质本身的性质无关。稀溶液的这些性质叫做依数性。稀溶液的依数性包括溶液的蒸气压下降、沸点升高、凝固点（冰点）下降和渗透压。当溶质是电解质，或虽非电解质但溶液很浓时，溶液的上述依数性规律就会发生变化，所以在这里只能讨论非电解质稀溶液的依数性规律。

2－1 蒸气压下降——拉乌尔（Raoult）定律

单位时间内由液面蒸发出的分子数和由气相回到液体内的分子数相等时，气、液两相处于平衡状态，这时蒸气的压强叫做该液体的饱和蒸气压，通常又称为蒸气压。实验证明，在相同温度下，当把不挥发的非电解质溶入溶剂形成稀溶液后，稀溶液的蒸气压比纯溶剂的蒸气压低。这是因为溶剂的部分表面被溶质所占据，因此在单位时间内逸出液面的溶剂分子就相应减少，结果达到平衡时，溶液的蒸气压必然低于纯溶剂的蒸气压。

根据实验结果，法国物理学家拉乌尔总结出："在一定温度下，稀溶液的蒸气压等于纯溶剂的蒸气压与溶剂摩尔分数的乘积"，这就是拉乌尔定律。它可用下式来表达：

$$p = p_A^0 \cdot x_A \tag{9-3}$$

式中 p 为溶液的蒸气压；p_A^0 为纯溶剂的蒸气压；x_A 为溶剂的摩尔分数。设 x_B 为溶质的摩尔分数，由于

$$x_A + x_B = 1$$

因此 $$p = p_A^0(1 - x_B)$$

$$p_A^0 - p = p_A^0 x_B$$

即 $$\Delta p = p_A^0 x_B \tag{9-4}$$

拉乌尔定律也可以这样描述:“在一定温度下,难挥发非电解质稀溶液的蒸气压下降值 Δp 和溶质的摩尔分数成正比”。

拉乌尔定律只适用于非电解质的稀溶液,在稀溶液中:

$$x_B = \frac{n_B}{n_A + n_B} \approx \frac{n_B}{n_A}(\text{因为 } n_A \gg n_B)$$

若以水为溶剂,则 1000g 水中

$$x_B = \frac{n_B}{n_A} = \frac{m}{\dfrac{1000}{18.01}} = \frac{m}{55.51}(m \text{ 为 B 的质量摩尔浓度})$$

$$\Delta p = p_A^0 \frac{m}{55.51} = Km \tag{9-5}$$

在讨论拉乌尔定律时曾令溶质是非挥发性的,若溶质,溶剂都有挥发性,也并不一定妨碍拉乌尔定律的应用,只要两者没有作用,能组成理想溶液即可。这时可先分别考虑,然后加合:

$$p_A = p_A^0 x_A,$$

$$p_B = p_B^0 x_B$$

则溶液的蒸气压为:

$$p = p_A + p_B$$

服从这个关系式的溶液叫做理想溶液;这种溶液的一个范例是由苯与甲苯这两种非常相似的液体所组成的溶液。这两种液体以等物质的量混合$\left(x_1 = x_2 = \dfrac{1}{2}\right)$在 293K 时的总蒸气压(此时纯液体的蒸气压分别为:苯,10.0kPa;甲苯,3.2kPa)为:

$$p_{总} = \frac{1}{2}(10.0\text{kPa}) + \frac{1}{2}(3.2\text{kPa}) = 6.6\text{kPa}$$

实验上测得该溶液在 293K 时总蒸气压为 6.7kPa,比计算值略大。

2－2　沸点升高

含有非挥发性溶质的溶液其沸点总是高于纯溶剂的沸点。对稀溶液来说,蒸气压随温度的升高而增加,当它的蒸气压等于大气压强时,液体开始沸腾,这时的温度称为该液体的沸点。从图9－2可以看出,当水溶液的蒸气压达到$1.013\ 25\times10^5$Pa时,溶液的沸点D要高于纯水的沸点C。很明显,既然溶液的蒸气压在同温下低于纯溶剂的蒸气压,那么难挥发的非电解质稀溶液的沸点也必然高于纯溶剂的沸点,且沸点升高值与溶液中溶质的摩尔分数成正比,而与溶质的本性无关。它的数学表达式如下:

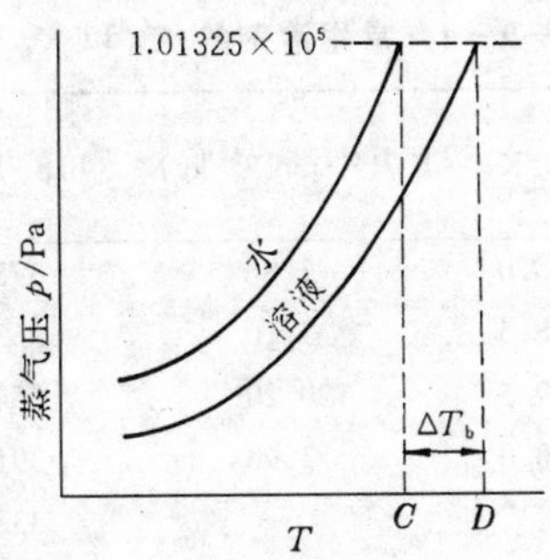

图9－2　溶液的沸点上升

$$\Delta T_b = K_b \cdot m \qquad (9-6)$$

式中K_b是溶剂的摩尔沸点上升常数,也就是溶质的质量摩尔浓度为$1\text{mol}\cdot\text{kg}^{-1}$时所引起溶液沸点上升的数值。$m$是溶质的质量摩尔浓度,$\Delta T_b$是测得的沸点上升的数值。几种常用溶剂的沸点($T_b$)和$K_b$值列于表9－4中。$K_b$是从稀溶液的$\Delta T_b/m$比值外推而得。利用溶液的沸点上升,可以测定溶质的分子量。在实验工作中常常利用沸点上升现象用较浓的盐溶液来做高温热浴。

2-3 凝固点下降

含有少量溶质的溶液凝固或熔化的温度低于纯溶剂的凝固温度。例如海水在273K时并不冻结,这是因为海水中含有一些盐。水溶液的凝固点是指溶液中的水与冰达成平衡的温度。难挥发的非电解质稀溶液的凝固点下降与溶液的质量摩尔浓度成正比,而与溶质的性质无关。它的数学表达式为:

$$\Delta T_f = K_f \cdot m \qquad (9-7)$$

式中 K_f 叫做溶剂的摩尔凝固点下降常数,即溶质的质量摩尔浓度为 $1\text{mol}\cdot\text{kg}^{-1}$ 时所引起溶液凝固点下降的数值。表9-4中列举了不同溶剂的 K_f 值。

表9-4 常用溶剂的 K_f 和 K_b 值

溶　剂	m.p./K	$K_f/(\text{K}\cdot\text{mol}^{-1}\cdot\text{kg})$	b.p./K	$K_b/(\text{K}\cdot\text{mol}^{-1}\cdot\text{kg})$
水	273.0	1.86	373	0.512
苯	278.5	5.10	353.15	2.53
环己烷	279.5	20.20	354.0	2.79
乙酸	290.0	3.90	391.0	2.93
氯仿			333.19	3.63
萘	353.0	6.90	491.0	5.80
樟脑	451.0	40.00	481.0	5.95
对二氯代苯	326.0	7.10		

如果把溶液的蒸气压和冰的蒸气压联系起来看,就不难理解凝固点下降的原因。从图9-3可以看出,在凝固点 F 时,水和冰的蒸气压相等。如果在冰水中溶解少量的蔗糖而使水的蒸气压下降,在 F 点时冰的蒸气压就比溶液的蒸气压高,因而蔗糖溶液在 F 点不能结冰。随着温度的降低,冰的蒸气压沿着 FE 而降低,当温度降到 E 点时,冰和蔗糖溶液的蒸气压才相等。因此 E 点为蔗糖溶液的凝固点,ΔT_f 为溶液的凝固点下降值。

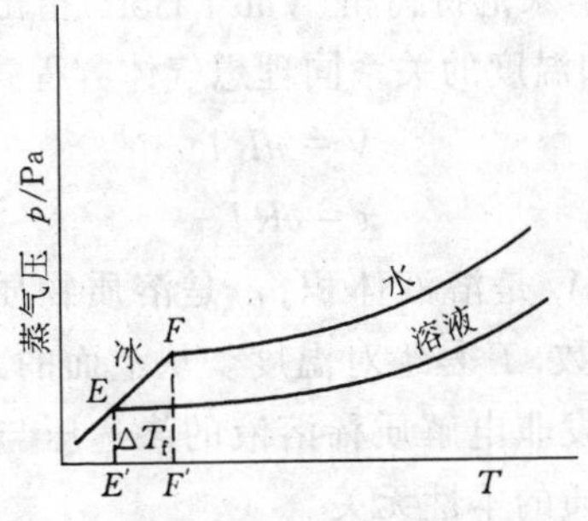

图 9－3　溶液的凝固点下降

2－4　渗透压

我们若将血红细胞置于纯水中，可以发现它会逐渐胀成圆球，最后崩裂，这是水透过细胞壁进入细胞，而细胞内的若干种溶质如血红素、蛋白质等不能透出，以致细胞内的液体逐渐增多，胀破了细胞壁的缘故。如果我们给缺水的植物浇上水，不久，植物茎叶挺立，这也是由于水渗入植物细胞内的结果。

我们做这样一个实验，在一个萝卜上插上一根玻璃管，在管中放入一些水直至能看到水面为止，然后将这萝卜浸在水中。不久后，玻璃管中的水面开始上升，一直到某高度后才停止。水的上升也是由于水透过萝卜皮渗入萝卜中的结果。这种现象叫做渗透现象。那些只允许水分子自由通过而溶质不能通过的膜状物质称为半透膜。细胞膜，萝卜皮，肠衣，牛皮纸等都是半透膜。

渗透现象为什么到一定程度后似乎停止了呢？实际上并未停止，只不过是半透膜两侧的水分子的渗透速度由开始不等而逐渐相等，建立起了动态平衡。在上例中，随着玻璃管中液面的上升，增加了水的静压强，也即提高了萝卜内的水透过萝卜皮向外渗透的速度，待静压强增加到一定程度后，水透过萝卜皮向内、外渗透速度相等而液面就不再上升了。这种静压强，我们称之为渗透压。

1886年荷兰物理学家范特荷甫(Van't Hoff)指出:"稀溶液的渗透压与溶液的浓度和温度的关系同理想气体方程式一致",即

$$\pi V = nRT \tag{9-8}$$

或

$$\pi = cRT \tag{9-9}$$

式中 π 是渗透压,V 是溶液体积,n 是溶质物质的量(mol),c 是浓度,R 是气体常数,T 是绝对温度。从上面的式子可以看出,在一定条件下,难挥发非电解质稀溶液的渗透压与溶液中溶质的浓度成正比,而与溶质的本性无关。

2-5 依数性的应用

(*a*) 测定分子的摩尔质量

上述四种依数性按理都可用于物质摩尔质量的测定但由于测定蒸气压和渗透压的技术比较困难,所以常采用沸点升高和凝固点下降这两种依数性来测定溶质的摩尔质量,只是对于摩尔质量特别大的物质如血色素等生物大分子才采用渗透压法。

例9-6 把1.09g葡萄糖溶于20g水中所得溶液在101 325Pa下沸点升高了0.156K,求葡萄糖的摩尔质量 M。

解:利用 $\Delta T_b = K_b \cdot m$,已知水的 $K_b = 0.512K \cdot mol^{-1} \cdot kg$,则

$$0.156K = 0.512K \cdot mol^{-1} \cdot kg \times \frac{\frac{1.09g}{M}}{\frac{20}{1\ 000}kg}$$

$$M = \frac{1.09 \times 0.512}{0.02 \times 0.156} g \cdot mol^{-1}$$

故 $M = 179g \cdot mol^{-1}$(理论值为 $180g \cdot mol^{-1}$)

例9-7 把0.322g萘溶于80g苯中所得溶液的凝固点为278.34K,求萘的摩尔质量。

解:已知苯的凝固点为278.50K,K_f 值为 $5.10K \cdot mol^{-1} \cdot kg$,故

$$\Delta T_b = 278.50K - 278.34K = 0.16K$$

$$0.16K = 5.10K \cdot mol^{-1} \cdot kg \frac{0.322g/M}{(80/1\ 000)kg}$$

$$M=\frac{0.322\times 5.10}{0.08\times 0.16}\text{g·mol}^{-1}$$

$M=128\text{g·mol}^{-1}$（理论值为 128g·mol^{-1}）

例 9－8　1dm^3 溶液中含 5.0g 马的血红素，在 298K 时测得溶液的渗透压为 $1.82\times 10^2\text{Pa}$，求马的血红素的摩尔质量。

解：利用 $\pi=cRT$

$$c=\frac{\pi}{RT}=\frac{1.82\times 10^2\text{Pa}}{8.31\text{Pa·m}^3\text{·mol}^{-1}\text{·K}^{-1}\times 298\text{K}}$$

$$=0.073\text{mol·m}^{-3}\approx 7.3\times 10^{-5}\text{mol·dm}^{-3}$$

因此马的血红素的摩尔质量为：

$$c=\frac{n_B}{V}=\frac{m_B/M}{V}$$

$$M=\frac{m_B/V}{c}$$

$$M=\frac{5.0\text{g·dm}^{-3}}{7.3\times 10^{-5}\text{mol·dm}^{-3}}=6.8\times 10^4\text{g·mol}^{-1}$$

（b）制作防冻剂和致冷剂

溶液的凝固点下降原理在实际工作中很有用处。在严寒的冬天，为防止汽车水箱冻裂，常在水箱的水中加入甘油或乙二醇以降低水的凝固点，这样可防止水箱中的水因结冰而体积膨大，胀裂水箱。

例 9－9　为防止汽车水箱在寒冬季节冻裂，需使水的冰点下降到 253K，即 $\Delta T_f=20.0\text{K}$，则在每 1 000g 水中应加入甘油多少 g?〔甘油的分子式为 $C_3H_8O_3$，$M(C_3H_8O_3)=92\text{g·mol}^{-1}$〕

解：利用 $\Delta T_f=K_f\cdot m$，

$$m=\frac{\Delta T_f}{K_f}=\frac{20.0\text{K}}{1.86\text{K·kg·mol}^{-1}}$$

$$=10.75\text{mol·kg}^{-1}$$

根据题意，1 000g 水中应加 10.75mol 甘油，其质量为：

$$10.75\text{mol}\times 92\text{g·mol}^{-1}=989\text{g}$$

应加入甘油 989g

在实验室中，我们常用食盐和冰的混合物作致冷剂，在一定配比时，最低温度可达 250.6K(30gNaCl + 100g 水)。氯化钙和水的混合物最低温度可达 218K(42.5g$CaCl_2$ + 100g 水)。其原理也与溶液的凝固点下降有关：当食盐和冰放在一起时，冰因吸收环境中的热量而稍有熔化，表面上必有液态水存在，食盐遇水而溶于其中，使表面水变成了溶液，降低了凝固点，导致冰的迅速熔化，在熔化过程中因大量吸热而使环境致冷。从理论上讲，冰盐等混合物所能达到的最低温度是一定的，下面我们来分析一下这个问题。

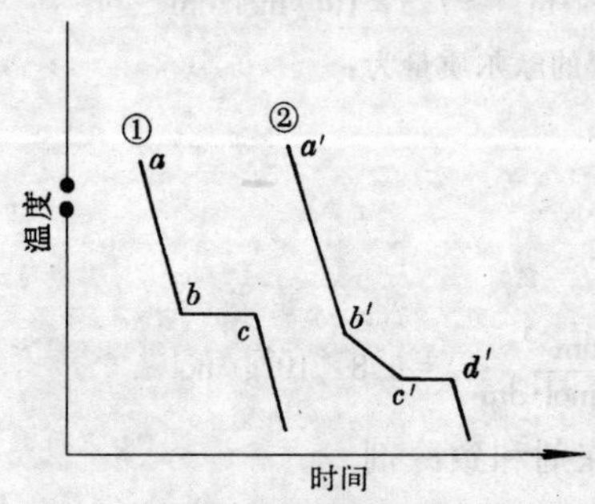

图 9－4　水和溶液的冷却曲线

图 9－4 是水和溶液的不同冷却曲线，当曲线①从温度 a 点处冷却下来到 b 点(273K)时水开始结冰，在结冰过程中温度始终不变，曲线出现一个平台(bc 线)，全部结冰后冰的温度再开始下降。溶液的冷却曲线②有所不同，当从温度 a'点处下降到 b'点(<273K)时，水开始结冰，随着冰的析出，溶液浓度不断增大，因此溶液的冰点不断下降，直到 c'点温度处，溶质和冰按一定比例一齐析出，此时因浓度不再改变曲线出现平台直到溶液全部冻结为止。溶液全部冻结后，冻结物才开始降温。这种冻结物的组成是固定的，称做低共熔混合物，其熔化或冻结温度称为低共熔点，或称冰晶共析点。

(c) 配制等渗输液

渗透现象在许多生物过程中有着不可缺少的作用。特别是人体静脉输液所用的营养液(如葡萄糖液等)都需经过细心调节以使它与血液具有同样的渗透压(约 780kPa),否则血细胞均将遭到破坏。

§9-3 溶　　胶

3-1 分散体系

一种物质以极小的颗粒(称为分散质)分散在另一种物质(分散介质)中所组成的体系叫做分散体系。分散体系在自然界中广为存在,如矿物分散在岩石中,形成各种矿石;水滴分散在空气中形成云雾;颜料分散在油中成为油漆或油墨等。分散体系根据分散颗粒的大小,大致可分为三类。分子分散体系(分散质粒子的平均直径约 1nm);胶态分散体系(分散质的粒子的平均直径在 1nm ~1μm 间);粗分散体系(分散质粒子平均直径在 1μm ~ 100μm 间)。本章主要讨论的是胶态分散体系。胶体溶液是 1nm ~ 1μm 的固体粒子高度分散在液体介质中的多相体系的名称。

3-2 溶胶

所谓溶胶是指固体分散在液体中的一种胶态体系。

(1) 溶胶的制备和净化

(*a*) 制备　制备溶胶要求分散质以胶体状态分布于介质中,而且这种分散体系在稳定剂存在下能够稳定下来。从粒子大小来看,由于溶胶粒子小于可滤出的粒子,而大于一般溶液中的小分子。故可采用两种途径达到:其一是将(粗粒)大块物质利用胶体磨等手段,磨成直径在 0.1 ~ 1μm 的粒子,这种方法称为分散法;其二是使小粒子(小分子、原子或离子)凝聚成胶体粒子,这种方法称为凝聚法。

分散法　使物质分散可采用机械研磨、超声波作用、电分散或化学法四种方式。在此着重介绍一下化学法(胶溶法)。

将新鲜的 $Fe(OH)_3$ 沉淀,经过洗涤后加入少量稀的 $FeCl_3$ 溶液,稍加搅拌,沉淀分散成红棕色的 $Fe(OH)_3$ 溶胶。这种在电解质作用下,沉淀重新分散成溶胶的过程称作胶溶作用。所用的电解质称为胶溶剂。

凝聚法　使小分子(原子或离子)聚集成胶体粒子最简单的办法是更换溶剂法,如将硫磺的乙醇溶液倒入水中,形成硫磺的水溶胶。

利用各种化学反应,生成难溶性产物。在此,难溶性化合物从饱和溶液中析出的过程中,使之停留在胶粒大小的阶段。通过改变反应物浓度、温度等条件使之利于溶胶的形成。因为晶体粒子成长决定于两个因素:晶核生成速度 W 和晶体生长速度 Q,所得粒子的分散度与 $\frac{W}{Q}$ 之比值成正比,那些有利于晶核大量生成而减慢晶体生长速度的因素都有利于溶胶形成(不利于得到大晶体)。

难溶物在溶液中,晶核生成速度与物质的过饱和度有关。所以用较大的过饱和度,较低的温度都有利溶胶的形成。可利用的化学反应也是多种多样的。例如,用甲醛还原金盐制金溶胶:

$$2KAuO_2 + 3HCHO + K_2CO_3 \xlongequal{} 2Au + 3HCOOK + H_2O + KHCO_3$$

得到红色负电金溶胶,稳定剂是 AuO_2^-。

利用 $Na_2S_2O_3 + H_2SO_4 \xlongequal{} Na_2SO_4 + SO_2 + H_2O + S$

可得硫磺溶胶。

$FeCl_3$ 水解生成 $Fe(OH)_3$ 溶胶

$$FeCl_3(\text{稀}) + 3H_2O \xlongequal{\text{煮沸}} Fe(OH)_3(\text{红色溶胶}) + 3HCl\uparrow$$

三氧化二砷的饱和溶液中,通入 H_2S 形成硫化砷溶胶:

$$2H_3AsO_3 + 3H_2S \xlongequal{} As_2S_3(\text{黄色溶胶}) + 6H_2O$$

这时,稳定剂是 HS^-。

在搅拌下,向质量分数为 0.4% 的酒石酸锑钾 $KSb(C_4H_4O_6)_2$ 溶液中滴加 H_2S 水溶液,可以形成橙红色的硫化锑溶胶。

$2KSb(C_4H_4O_6)_2 + 3H_2S = 2KHC_4H_6O_6 + Sb_2S_3$（橙红色溶胶）

向偏硅酸钠 Na_2SiO_3 溶液中加入少许盐酸 HCl，使 pH 等于 2—3，则有硅酸溶胶形成：

$$Na_2SiO_3 + 2HCl = H_2SiO_3 + 2NaCl$$

（*b*）净化　用各种方法制得的溶胶中都会含有电解质分子或离子的杂质。而这些杂质的存在影响溶胶的稳定性，因而需要净化。溶胶的净化与一般小分子物质的提纯不同，因为溶胶的稳定性与电解质的种类和浓度有关。作稳定剂的分子或离子不能从溶胶中除去。

透析法　利用溶胶粒子不能穿过半透膜的特性，分离出溶胶中的电解质。透析时将溶胶装在透析袋内（利用动物膀胱膜或火棉胶膜制成），并将其放入流水中。经长时间后，大部分电解质穿过膜随水流去。通过检查膜外流水中的离子来监视透析情况。为加速透析速度，可以加电场，利用离子在电场中向相反电极的运动使透析加快。

超过滤法　胶体粒子可以透过滤纸，用半透膜代替滤纸，在减压或加压下使溶胶过滤，可以将溶胶与其中小分子杂质分开。这种方法称为超过滤法。

(2) 溶胶的光学性质

溶胶具有一定特性和结构。用肉眼来看，溶胶好象和真溶液一样，都是均匀的，在分散相和分散介质之间没有界面。实际上溶胶与真溶液有很大差别，溶胶是多相体系。凡是在夜间看过探照灯照射天空的人，都有这样的经验：如果天空很晴朗，则探照灯的光束细而淡；如果天气不好，空中有雾或云（气溶胶）则光束粗而亮。这种现象可以在溶胶中出现。

将盛有溶胶的试管放在暗箱中，暗箱的结构如图 9-5 所示。电灯的光从洞口投射到溶胶的粒子上而散射出来，故在垂直光束的方向能看到明亮的光柱，这种现象叫做丁达尔现象。

丁达尔现象起源于光的散射。光本质上是电磁波。光与物质的作用与光的波长和物质颗粒的大小有关。当溶质粒子大于入射光的波长时,发生光的反射,不出现丁达尔现象。当溶质的粒子小于入射光的波长时,则发生光的散射作用而出现丁达尔现象。真溶液是单相体系,溶质的颗粒很小(分子或离子),对光的散射作用很弱,显示不出丁达尔现象。

(3) 溶胶的电泳和粒子结构

在电场中溶胶粒子向某一电极方向运动,有的溶胶粒子向阳极运动,有的粒子向阴极运动。这说明胶体粒子是带负电或带正电的。在电场作用下,带电质点在介质中的移动称为电泳。

电泳现象是列依斯(Peŭce)在 1809 年首先发现的。他观察到分散在水中的粘土粒子因通电而向阳极运动,因此认识到粘土粒子是带负电的。

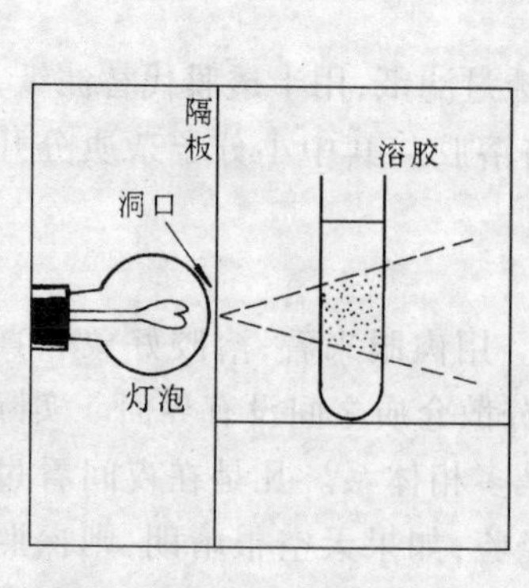

图 9-5　丁达尔现象

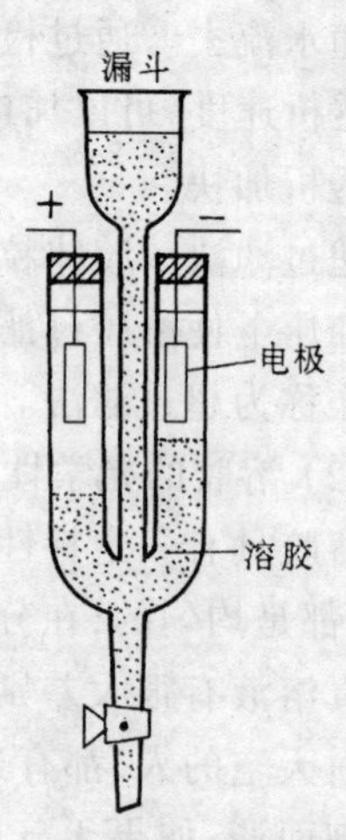

图 9-6　电泳现象

观察电泳现象最简单的方法是用界面移动法。把两片电极放在 U 型管的两个支管中。将氢氧化铁溶胶经过漏斗注入 U 型管内,并在溶胶上面加入适量 KNO_3 溶液。这时溶胶在两支管中的高度是在一个水平上。如果给两个电极通以直流电，即可见到氢氧化铁溶胶粒子移向负极，而使溶胶在两个管中的高度有一定差距，如图 9－6 所示。这种现象充分证明氢氧化铁溶胶粒子是带正电荷的。若在上述 U 形管中加入 As_2S_3 或 Sb_2S_3 溶胶，接通直流电后溶胶粒将移向正极，说明 As_2S_3 或 Sb_2S_3 溶胶粒子带负电荷。表 9－5 列出几种溶胶所带的正或负电荷。溶胶粒子电荷的主要来源是从介质中选择性吸附某种离子。吸附正离子的胶粒带正电，吸附负离子的胶粒带负电。但因整个溶液是电中性的，故介质中应有等物质的量带异号电荷的离子。表面上吸附的离子及溶液中的带异号电荷的离子构成双电层，如三氯化铁通过下列水解作用：

表 9－5　溶胶所带的电荷

带正电荷	带负电荷
$Fe(OH)_3$ 溶胶	As_2S_3 溶胶
$Al(OH)_3$ 溶胶	Sb_2S_3 溶胶
H_2TiO_3 溶胶	H_2SiO_3 溶胶

$$FeCl_3 + 3H_2O = Fe(OH)_3 + 3HCl$$

而形成溶胶，溶液中一部分 $Fe(OH_3)$ 与 HCl 作用生成 FeOCl

$$Fe(OH)_3 + HCl = FeOCl + 2H_2O$$

它再进行电离：

$$FeOCl = FeO^+ + Cl^-$$

由许多 $Fe(OH)_3$ 分子聚集而成的胶核 $[Fe(OH)_3]_m$ 选择性地吸附了与它的组成相类似的 FeO^+ 离子而带正电荷。图 9－7 是 $Fe(OH)_3$ 溶胶的胶团结构示意图。图中心的小圆圈表示胶核，中圆圈表示胶核选择地吸附了 FeO^+ 离子而带电荷，叫做吸附层。最外的大圆圈表示胶粒外界又吸引了一些负电荷的氯离子，叫做异号离子，形成了扩散层。

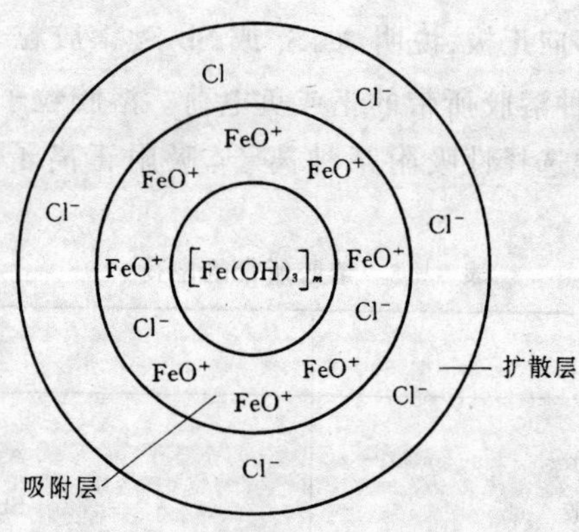

图 9-7 $Fe(OH)_3$ 溶胶的胶团结构示意图

胶团结构也可以用下式表示：

$$\underbrace{\underbrace{\{[Fe(OH)_3]_m \cdot nFeO^+ \cdot (n-x)Cl^-\}^{x+}}_{\text{胶粒}} \cdot xCl^-}_{\text{胶团}}$$

整个胶团是电中性的。当通过直流电时，氢氧化铁胶团在吸附层与扩散层之间发生分裂，胶核与吸附层结合在一起向负极移动，扩散层中的异号离子则向正极移动。这就是电泳现象的本质。其它如 Sb_2S_3 溶胶胶团和 AgI 溶胶胶团都是通过吸附而带电荷的。

硅酸溶胶颗粒是由硅酸聚合而成。硅酸溶胶颗粒表面上的偏硅酸 H_2SiO_3 电离为 H^+ 和 SiO_3^{2-}：

$$H_2SiO_3 \xlongequal{\quad} 2H^+ + SiO_3^{2-}$$

并将 H^+ 离子送入分散介质成为异号离子，胶粒则保有 SiO_3^{2-} 离子而带负电荷。现将硅酸溶胶胶团的结构示意图表示在图 9－8 中。硅酸溶胶的胶团也可以用下面的式子来表示：

$$[(SiO_2)_m \cdot nSiO_3^{2-} \cdot 2(n-x)H^+]^{2x-}, 2xH^+$$

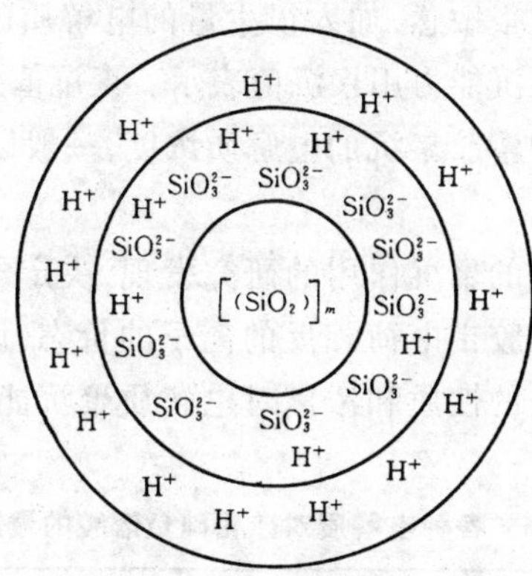

图 9－8 硅酸溶胶胶团结构示意图

溶胶一般说来有三个特征：

(*a*) 溶胶中分散相的粒子大小在 1～100nm 的范围内，而且分散相在分散介质中的溶解度是很小的。分散相和分散介质之间存在着界面，所以它是高度分散的多相体系。它的粘度比真溶液大。

(*b*) 因为溶胶是高度分散体系，总表面积很大。溶胶不稳定，胶粒有自动聚结变大的趋势，放置一定时间后，也会沉淀出来。

(*c*) 溶胶沉淀后，如果再放入分散介质，便不能自动再形成溶胶，因此它是不可逆的。

3－3 溶胶的聚沉和稳定性

因为溶胶的胶粒具有很大的表面积，总是有聚集成更大颗粒的倾向。当颗粒大到一定程度时，就要沉淀，所以它是不稳定的。

溶胶中粒子合并、长大这一过程称聚沉。聚沉可以由各种原因引起，如加热、辐射、加入电解质等，其中对电解质的作用研究得最多。

(1) 电解质的聚沉作用

溶胶对电解质很敏感，加入很少量的电解质就可以引起溶胶聚沉。电解质的聚沉能力用聚沉值表示。聚沉值是在一定条件下刚刚足够引起某种溶胶聚沉的电解质浓度，一般以 $mmol \cdot dm^{-3}$ 表示。

对各种电解质的聚沉作用的研究发现，决定电解质聚沉能力的是电解质中与溶胶带电荷相反的离子的价态，而离子的种类对此影响不大。溶胶的性质和浓度对电解质聚沉能力影响不大(见表 9－6)。

表 9－6　各种电解质对硫化砷负溶胶的聚沉值

$c/mmol \cdot dm^{-3}$		$c/mmol \cdot dm^{-3}$		$c/mmol \cdot dm^{-3}$	
LiCl	58	$MgCl_2$	0.72	$AlCl_3$	0.093
NaCl	51	$MgSO_4$	0.81	$Al(NO_3)_3$	0.095
KCl	50	$CaCl_2$	0.65	$Ce(NO_3)_3$	0.080
KNO_3	50	$ZnCl_2$	0.69		
HCl	31				
苯胺盐酸盐 2.5		硝酸联苯胺 0.087			

由表可见，一价、二价、三价无机离子的聚沉能力间的差别。电解质的聚沉能力主要由异号(与溶胶粒子带电符号)离子的价态决定，离子价态愈高、电解质的聚沉能力愈大。这一规律称为叔尔采－哈迪(Schulze－Hardy)规则。

(2) 电解质混合物的聚沉作用

两种电解质的混合物对溶胶的聚沉的研究指出，两种与溶胶胶粒带相反电荷的离子对溶胶的聚沉的作用有时具有加和性，有时是相互对抗的。例如,若在 As_2S_3 负溶胶中加入少量 LiCl 再加入 $MgCl_2$ 使 As_2S_3 溶胶聚沉,发现这时所需 $MgCl_2$ 的量要远大于单独使用 $MgCl_2$ 使 As_2S_3 溶胶聚沉的量。说明 Li^+ 和 Mg^{2+} 对 As_2S_2 溶胶的聚沉作用是彼此对抗的,称为离子对抗作用。

(3) 相互聚沉现象

将带电符号相反的两种溶胶混合,可以发生聚沉。表 9-7 是 $Fe(OH)_3$ 正溶胶和 As_2S_3 负溶胶以各种比例混合后的结果。

表 9-7 $Fe(OH)_3$ 正溶胶和 As_2S_3 负溶胶的相互聚沉程度

$Fe(OH)_3$ 溶胶 V/cm^3 ($0.028mol \cdot dm^{-3}$)	As_2S_3 溶胶 V/cm^3 ($0.008\,4mol \cdot dm^{-3}$)	混合后外观	电泳方向
9	1	无变化	−
8	2	略呈浑浊	−
7	3	部分浑浊	−
5	5	部分聚沉	−
3	7	几乎完全聚沉	不向任一极移动
2	8	部分聚沉	+
1	9	部分聚沉	+
0.2	9.8	浑浊	+

由表中可见,两种溶胶仅以某一比例混合时才完全聚沉,把极少量的一种溶胶加到另一种溶胶中并不发生聚沉。

(4) 溶胶的稳定性

溶胶是不溶性物质的多分子聚集物在介质中所成的分散体系。在粒子与介质间存在相当大的界面。从热力学意义上来看,这种体系不是真正的稳定体系,因为具有那么大的界面,意味着体系具有相当大的表面能。为什么这些小粒子不自动合并使体系能量降低呢?我们知道,粒子是处于不停的布朗运动中,所以重力、沉降、对流等都足以使运动着的粒子有许多相遇的机会。而有些溶胶却能够相当长时间稳定存在。早期的工作就注意到粒子的带电是溶胶稳定性的来源，同一种溶胶中的胶核粒子带有同样的电荷，包围着胶核粒子的双电层会阻碍粒子的充分接近，因而聚沉受到阻碍。另外，吸附层中离子的水化作用，使胶粒被水包围，也会阻止胶粒间的相互接近，因此胶体有一定的稳定性。胶粒带有相同电荷和离子的水化层是胶体稳定的两个重要因素。

3-4 高分子溶液

由橡胶、动物胶、蛋白质、淀粉等物质溶解于水或其它溶剂中所得的溶液叫做高分子溶液。高分子溶液在某些性质上与胶体溶液相似。如它的分子较大，已接近或等于胶粒的大小，有丁达尔效应等。所以高分子溶液可以纳入胶体化学的研究范围。但是溶胶和高分子溶液又有许多不同之处。

溶胶是个多相体系，分散相和分散介质之间有界面存在。而高分子溶液是个均相体系，在分散相和分散介质之间没有界面，它实际上是溶液。溶胶是带电荷的，高分子溶液一般不带电荷，并且比溶胶稳定得多。高分子溶液的稳定性是由于它的高度溶剂化，与电荷无关。高分子的溶解过程是可逆的，溶胶的胶粒一旦凝聚出来，就不能或很难恢复原状。一般说来，高分子溶液的粘度比溶胶大。

在溶胶中加入大分子物质可以使溶胶的稳定性增加。例如，少量的电解质加到红色金溶胶中可以引起聚沉，如果先在红色金溶胶中加入少量动物胶，摇动均匀后再加入电解质，可以发现：同样数量的或者加入更多的电解质不再能引起金溶胶的聚沉。这种现象称为高分子溶液的保护作用。

我们常用的墨水，是一种胶体，质量较好的墨水，稳定性较高，长时间不易聚沉。为了保护墨水的稳定性，常常加入明胶或阿拉伯胶对胶体起保护作用，明胶是一种常用的保护剂。高分子溶液对胶体起保护作用的原因，一般认为是明胶被吸附在胶粒的表面，

包住了胶粒，如图9－9所示。由于高分子溶液是稳定的，可使溶

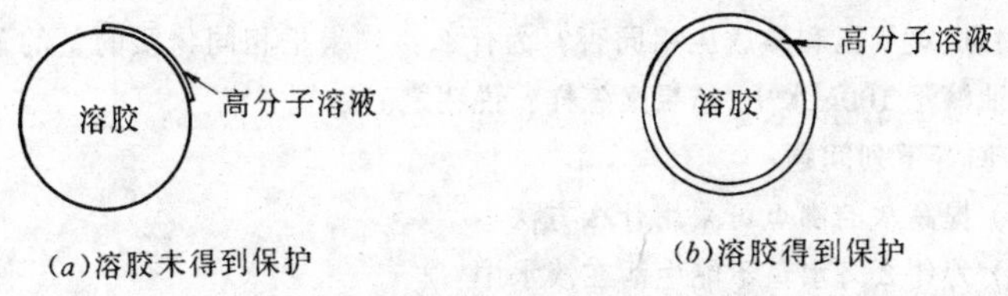

图9－9　高分子保护溶胶的示意图

胶获得稳定性。为了能够达到保护胶体的目的，溶液中高分子的数目必须大大超过溶胶粒子的数目。因此要加入足够量的高分子溶液。相反地，如果在一定量溶胶中加入少量的高分子溶液，它不仅对胶体不能起保护作用，而且还会降低其稳定性，甚至引起聚沉。这种现象叫做敏化作用。当把高分子溶液加入到溶胶中时，因用量的多少不同，可以引起两种完全不同的作用——保护作用和敏化作用。由此可见，控制高分子溶液的用量，对胶体的保护或敏化是非常重要的。

习　题

1．什么叫稀溶液的依数性？试用分子运动论说明分子的几种依数性。

2．利用溶液的依数性设计一个测定溶质分子量的方法。

3．溶液与化合物有什么不同？溶液与普通混合物又有什么不同？

4．试述溶质、溶剂、溶液、稀溶液、浓溶液、不饱和溶液、饱和溶液、过饱和溶液的含意。

5．什么叫做溶液的浓度？浓度和溶解度有什么区别和联系？固体溶解在液体中的浓度有哪些表示方法？比较各种浓度表示方法在实际使用中的优缺点。

6．如何绘制溶解度曲线？比较 KNO_3、NaCl 和 Na_2SO_4 的溶解度曲线，说明为什么这三条曲线的变化趋势(及斜率)不一样？

7．为什么 NaOH 溶解于水时，所得的碱液是热的，而 NH_4NO_3 溶解于水

时，所得溶液是冷的？

8. 把相同质量的葡萄糖和甘油分别溶于 100g 水中，问所得溶液的沸点、凝固点、蒸气压和渗透压相同否？为什么？如果把相同物质的量的葡萄糖和甘油溶于 100g 水中，结果又怎样？说明之。

9. 回答下列问题：

(*a*) 提高水的沸点可采用什么方法？

(*b*) 为什么海水鱼不能生活在淡水中？

(*c*) 气体压强 p 和溶液渗透压 π 有何差别？

(*d*) 为什么临床常用质量分数为 0.9%生理食盐水和质量分数为 5%葡萄糖溶液作输液？

(*e*) 为什么浮在海面上的冰山其中含盐极少？

(*f*) 试述亨利(Henry)定律和拉乌尔(Raoult)定律的适用范围是。

10. 采用何种简便的办法可得到 223K 的低温？

11. 10.00cm^3 NaCl 饱和溶液重 12.003g，将其蒸干后得 NaCl 3.173g，试计算：

(*a*) NaCl 的溶解度。

(36g/100g H_2O)

(*b*) 溶液的质量分数。

(26.4%)

(*c*) 溶液的物质的量浓度。

($5.4mol\cdot dm^{-3}$)

(*d*) 溶液的质量摩尔浓度。

($6.14mol\cdot kg^{-1}$)

(*e*) 盐的摩尔分数。

(0.1)

(*f*) 水的摩尔分数。

(0.9)

12. 在 288K 时，将 NH_3 气通入一盛水的玻璃球内，至 NH_3 不再溶解为止。已知空玻璃球重 3.926g，盛有饱和溶液共重 6.944g，将此盛液的玻璃球放在 50.0cm^3、0.5$mol\cdot dm^{-3}$ 的 H_2SO_4 溶液中，将球击破，剩余的酸需用 10.4cm^3、1.0$mol\cdot dm^{-3}$ NaOH 中和，试计算 288K 时，NH_3 在水中的溶解度。

(28.7g/100g H_2O)

13. 计算下列各溶液的物质的量浓度

(1) 把 15.6g CsOH 溶解在 1.50dm^3 水中；

(0.069$mol\cdot dm^{-3}$)

(2) 在 1.0dm^3 水溶液中含有 20g HNO_3；

(0.32$mol\cdot dm^{-3}$)

(3) 在 100cm^3 四氯化碳(CCl_4)溶液中含有 7.0mmol I_2；

(4) 在 100mL 水溶液中含 1.00g $K_2Cr_2O_7$。

(0.034$mol\cdot dm^{-3}$)

14. 制备 5.00dm^3、0.5$mol\cdot dm^{-3}$ 的氢溴酸，问需要在标准情况下的 HBr 气体多少 dm^3？

(56dm^3)

15. 现有一甲酸溶液，它的密度是 1.051$g\cdot cm^{-3}$，含有质量分数为 20.0%的 HCOOH，已知此溶液中含有 25.00g 纯甲酸，求此溶液的体积。

(0.119dm^3)

16. 现拟制备一种质量分数为 20%的氨水溶液，它的密度为 0.925$g\cdot cm^{-3}$。问制备 250dm^3 此溶液需用多少体积的氨气(在标准情况下)？

(74dm^3)

17. 现有一 K_2HPO_4 溶液，它的体积为 300cm^3，其中含有 5.369g$K_2HPO_4\cdot 3H_2O$，计算这种溶液 K_2HPO_4 的物质的量浓度

(0.078$mol\cdot dm^3$)

18. 为防止 1dm^3 水在 −10℃ 时凝固，需要向其中加入多少克甲醛 HCHO？

(161.3g)

19. 在 26.6g 氯仿($CHCl_3$)中溶解 0.402g 萘 $C_{10}H_8$，其沸点比氯仿的沸点高 0.455K，求氯仿的沸点升高常数。

(3.85$K\cdot kg\cdot mol^{-1}$)

20. 与人体血液具有相等渗透压的葡萄糖溶液，其凝固点降低值为 0.543K，求此葡萄糖溶液的质量分数和血液的渗透压？

(5%，723kPa)

21. 323K 时 200g 乙醇中含有 23g 非挥发性溶质的溶液，其蒸气压等于 2.76×10^4 Pa。已知 323K 乙醇的蒸气压为 2.93×10^4 Pa，求溶质的相对分子

质量。

(87.57)

22. 有某化合物的苯溶液，溶质和溶剂的质量比是 15∶100；在 293K，1.013 25×10^5 Pa下以 4dm^3 空气缓慢地通过该溶液时，测知损失了 1.185g 的苯(假设失去苯以后，溶液的浓度不变)试求？

(1) 该溶质的相对分子质量；

(144.25)

(2) 该溶液的沸点和凝固点(已知 293K 时，苯的蒸气压为 1×10^4 Pa；1.013 25×10^5 Pa下，苯的沸点为 353.10K，苯的凝固点为 278.4K)。

(b.p.353.1K；m.p.278.4K)

第十章　电解质溶液

非电解质稀溶液的依数性与溶液中溶质微粒的数量成正比，而与溶质的本性无关。对于电解质溶液，由于发生电离且离子之间有相互作用，情况变得复杂，因而依数性出现反常。我们从下表数据的比较中可以看出这种反常现象。

表 10-1　298K 时甘露醇（8β 电解质）水溶液的 Δp 值

$m/\mathrm{mol \cdot kg^{-1}}$	$\Delta p/\mathrm{Pa}$（计算值）	$\Delta p/\mathrm{Pa}$（实验值）	$i=\frac{实验值}{计算值}$
0.0984	4.145	4.092	0.987
0.1977	8.290	8.183	0.987
0.3945	16.513	16.353	0.990
0.5958	24.817	24.830	1.001
0.7927	32.907	33.028	1.004
0.9968	40.997	41.263	1.007

表 10-2　某几种盐的水溶液的冰点下降情况

盐	$m/\mathrm{mol \cdot kg^{-1}}$	$\Delta T_f/\mathrm{K}$（计算值）	$\Delta T_f/\mathrm{K}$（实验值）	$i=\frac{实验值}{计算值}$
KCl	0.20	0.372	0.673	1.81
KNO_3	0.20	0.372	0.664	1.78
$MgCl_2$	0.10	0.186	0.519	2.79
$Ca(NO_3)_2$	0.10	0.186	0.461	2.48

1887 年，瑞典化学家阿仑尼乌斯据此认为电解质在水溶液中是电离的，所以 i 值总是大于 1，但由于电离程度的不同而 i 值

表 10－3　几种电解质不同浓度水溶液的 i 值

电解质 \ m/mol·kg^{-1}	0.100	0.050 0	0.010 0	0.005 00
CH_3COOH	1.01	1.02	1.05	1.06
NaCl	1.87	1.89	1.93	1.94
KCl	1.86	1.88	1.94	1.96
$MgSO_4$	1.42	1.43	1.62	1.69
K_2SO_4	2.46	2.57	2.77	2.86

总是小于百分之百电离时质点所应扩大的倍数。表 10－2 中关于 KCl 的数据表明，若不电离，则其 ΔT_f 值无疑应是 0.372K；若百分之百电离，则其 ΔT_f 值应是 0.744K，即质点数目将扩大 2 倍。然而实测值总是介于上述两个数值之间。阿仑尼乌斯认为这是电解质在水中不完全电离的结果，上述事实就是阿仑尼乌斯电离理论的实验根据。现代测试手段证明，象醋酸这类电解质，它在水中的确是部分电离的，有醋酸分子存在又有醋酸根离子和氢离子存在；但是现代结构理论和测试方法都证明，象 KCl，$MgSO_4$ 这样的盐类，不仅溶于水中不以分子状态存在，就是在晶体中也不以分子状态存在。或者说，KCl，$MgSO_4$ 这类电解质在水中是完全电离的。这一结论与依数性实验结果之间的矛盾怎样解释呢？

§10－1　强电解质溶液理论

从表 10－3 中，我们看到醋酸（CH_3COOH，常简写为 HAc）的电离度很小，这类电解质称为弱电解质；而盐酸、氯化钾、硫酸钾等的电离度相当大，这类电解质称为强电解质。这种分类是相当粗略的。1923 年，德拜（Debye）和休克尔（Hückel）提出了强电解质溶液理论，初步解释了前面提到的矛盾现象。

1-1 离子氛和离子强度

德拜和休克尔认为强电解质在水溶液中是完全电离的。但由于离子间存在着相互作用,离子的行动并不完全自由。同电荷的离子相斥,异电荷的离子相吸,因此就正离子而言,在其附近负离子要多一些;而在负离子附近正离子要多一些。图 10-1 是这种说法的示意图,我们说在正离子的周围存在着由负离子形成的"离子氛",同样负离子的周围存在着由正离子形成的"离子氛"。离子被它的离子氛包围着,并不意味着在溶液中离子的分布是不均匀的。图 10-1 只是形象地表示了在一种离子的周围有许多异电荷离子与之作用较强烈。

图 10-1 离子及其周围的"离子氛"

当电解质溶液通电时,由于离子与它的离子氛之间的相互作用,会使得离子不能百分之百地发挥输送电荷的作用,表观上使人们觉得离子的数目少于电解质全部电离时应有的离子数目。同样的道理,在测量电解溶液的依数性质时,离子与它的离子氛之间的相互作用,使人们觉得发挥作用的离子数少于电解质完全电离时应有的离子数目。

显然,离子的浓度越大,离子所带电荷数目越多,离子与它的离子氛之间的作用越强。离子强度的概念可以用来衡量溶液中离子与它的离子氛之间相互作用的强弱。用 I 表示溶液的离子强度,z_i 表示溶液中 i 种离子的电荷数,m_i 表示 i 种离子的质量摩尔浓度,则有公式

$$I=\frac{1}{2}\sum m_i z_i^2 \qquad (10-1)$$

离子强度 I 的单位为 $mol \cdot kg^{-1}$。

例 10－1　求下列溶液的离子强度

① $0.01 mol \cdot kg^{-1}$ 的 $BaCl_2$ 溶液

② $0.1 mol \cdot kg^{-1}$ 盐酸和 $0.1 mol \cdot kg^{-1}$ $CaCl_2$ 溶液等体积混合后形成的溶液。

解：① $m_{Ba^{2+}} = 0.01 mol \cdot kg^{-1}$　　$m_{Cl^-} = 0.02 mol \cdot kg^{-1}$

$z_{Ba^{2+}} = 2$　　$z_{Cl^-} = -1$

故有

$$I = \frac{1}{2}\Sigma m_i z_i^2 = \frac{1}{2}(0.01 \times 2^2 + 0.02 \times 1^2)$$
$$= 0.03(mol \cdot kg^{-1})$$

② 混合溶液中　$m_{H^+} = 0.05 mol \cdot kg^{-1}$，　$m_{Ca^{2+}} = 0.05 mol \cdot kg^{-1}$，$m_{Cl^-} = 0.15 mol \cdot kg^{-1}$；

$$z_{H^+} = 1,\ z_{Ca^{2+}} = 2,\ z_{Cl^-} = -1$$

故有

$$I = \frac{1}{2}\Sigma m_i z_i^2 = \frac{1}{2}(0.05 \times 1^2 + 0.05 \times 2^2 + 0.15 \times 1^2)$$
$$= 0.2(mol \cdot kg^{-1})$$

1－2　活度和活度系数

在电解质溶液中，由于离子之间相互作用的存在，使得离子不能完全发挥出其作用来，不论是在讨论导电性的实验中，还是在讨论依数性的实验中，得以真正发挥作用的总是比电解质完全电离时应达到的离子浓度要低一些。

我们把电解质溶液中离子实际发挥作用的浓度称为有效浓度，或称为活度，显然活度的数值比其对应的浓度数值要小些。一般用如下的关系式表达浓度与活度的关系：

$$a = fc \qquad (10-2)$$

式中 a 表示活度，c 表示浓度，f 叫做活度系数。一般说来，离子自身的电荷数越高，所在溶液的离子强度越大，则 f 的数值越小。

例如在离子强度 $I=1.0\times10^{-4}\,mol\cdot kg^{-1}$ 的溶液中，一价离子的活度系数 $f=0.99$，而二价离子的活度系数 $f=0.95$，三价，四价离子的活度系数分别为 0.90，0.83。同样是一价离子，当它处于离子强度分别为 $1.0\times10^{-3}\,mol\cdot kg^{-1}$，$1.0\times10^{-2}\,mol\cdot kg$ 和 $1.0\times10^{-1}\,mol\cdot kg^{-1}$ 的溶液中时，其活度系数分别为 0.96，0.89 和 0.78。

当溶液的浓度较大，离子强度较大时，若不用活度进行计算，所得结果将偏离实际情况较远，故这时有必要用活度讨论问题。

在我们经常接触的计算中，溶液的浓度一般很低，离子强度也较小，例如下面要讨论的弱电解质溶液和难溶性强电解质溶液，溶质的浓度都很小，一般近似认为活度系数 $f=1.0$，利用浓度代替活度进行计算。

§10－2　弱酸、弱碱的解离平衡

2－1　一元弱酸、弱碱的解离平衡

(1) 电离常数和解离度

作为弱电解质的弱酸和弱碱在水溶液中只有一部分分子发生电离，存在着未电离的分子和离子之间的平衡，如醋酸溶液和氨水溶液中分别存在着下列平衡：

$$HAc + H_2O \rightleftharpoons H_3O^+ + Ac^-$$

$$NH_3 + H_2O \rightleftharpoons NH_4^+ + OH^-$$

或写作

$$HAc \rightleftharpoons H^+ + Ac^- \qquad (10-3)$$

$$NH_3\cdot H_2O \rightleftharpoons NH_4^+ + OH^- \qquad (10-4)$$

式(10－3)的平衡常数表达式可写成

$$K_a^{\ominus} = \frac{a_{H^+}\cdot a_{Ac^-}}{a_{HAc}} \qquad (10-5)$$

在电解质溶液的平衡体系中，实际上是活度商满足式(10－5)所表示的关系，因为活度是溶液中各物质实际上起作用的浓度。

但弱电解质的稀溶液中，离子的数目少，浓度低，故离子之间的相互作用较小，在这样的体系中认为活度系数为1是基本可行的。于是式(10－5)变为

$$K_a^{\ominus}=\frac{[H^+][Ac^-]}{[HAc]} \tag{10-6}$$

上面式子中 $K_a^{\ominus}$ 是酸式离解平衡常数。

令 c_0 表示醋酸溶液的起始浓度，平衡时有

$[H^+]=[Ac^-]$ $[HAc]=c_0-[H^+]$代入式(10－6)

$$K_a^{\ominus}=\frac{[H^+]^2}{c_0-[H^+]} \tag{10-7}$$

利用式(10－7)，解一元二次方程，可以在已知弱酸的起始浓度和平衡常数的前提下，求出溶液的$[H^+]$。

当解离平衡常数 K 很小，而且酸的起始浓度 c_0 较大时，酸的解离度较小，会有 $c_0 \gg [H^+]$，于是(10－7)式可简化成

$$K_a^{\ominus}=\frac{[H^+]^2}{c_0} \tag{10-8}$$

溶液的$[H^+]$可以用公式

$$[H^+]=\sqrt{K_a^{\ominus}c_0} \tag{10-9}$$

求得。一般来说，当 $c_0/K_a^{\ominus}>400$ 时，即可用(10－9)式求得一元弱酸的$[H^+]$。

同理，式(10－4)所表示的平衡也有

$$K_b^{\ominus}=\frac{[OH^-]^2}{c_0-[OH^-]} \tag{10-10}$$

式中 $K_b^{\ominus}$ 是弱碱的解离平衡常数，c_0 是碱的起始浓度，$[OH^-]$表示平衡时体系中的 OH^- 的浓度。当 $c_0/K_b^{\ominus}>400$ 时也有

$$[OH^-]=\sqrt{K_b^{\ominus}c_0} \tag{10-11}$$

$K_a^{\ominus}$ 和 $K_b^{\ominus}$ 都是平衡常数，它能表示弱酸、弱碱解离出离子的趋势的大小，K 值越大表示解离的趋势越大。一般把 $K_a^{\ominus}$ 小于

10^{-2}的酸称为弱酸；弱碱也可以按着 K_b 值的大小分类。$K_a^\ominus$ 和 $K_b^\ominus$ 既然是平衡常数，当然要与温度有关，见表 10－4。但由于弱电解质解离的热效应不大，所以温度变化对 $K_a^\ominus$ 和 $K_b^\ominus$ 值影响较小。

表 10－4　HAc 和 $NH_3 \cdot H_2O$ 在不同温度下的解离常数

T/K	K_a	K_b
273	1.657×10^{-5}	1.374×10^{-5}
283	1.729×10^{-5}	1.570×10^{-5}
293	1.753×10^{-5}	1.710×10^{-5}
303	1.750×10^{-5}	1.820×10^{-5}
313	1.703×10^{-5}	1.862×10^{-5}
323	1.633×10^{-5}	1.892×10^{-5}

弱酸、弱碱在溶液中解离的百分数可以用解离度 α 表示，HAc 的解离度

$$\alpha=\frac{[H^+]}{c_0}=\frac{\sqrt{K_a^\ominus c_0}}{c_0}=\sqrt{\frac{K_a^\ominus}{c_0}} \qquad (10-12)$$

而 $NH_3 \cdot H_2O$ 的解离度则为

$$\alpha=\sqrt{\frac{K_b^\ominus}{c_0}} \qquad (10-13)$$

虽然平衡常数 $K_a^\ominus$ 和 $K_b^\ominus$ 不随浓度变化，但做为转化百分数的解离度 α，却随起始浓度 c_0 的变化而改变，见表 10－5 和表 10－6。规律是起始浓度 c_0 越小，解离度 α 值越大。现将 298K 时某些一元弱酸、弱碱的解离常数列于表 10－7 中，以便计算时查找。

例 10－2　计算下列各浓度的 HAc 溶液的$[H^+]$和解离度：(a)$0.10\text{mol}\cdot\text{dm}^{-3}$，($b$)$1.0\times10^{-5}\text{mol}\cdot\text{dm}^{-3}$

解：(a)平衡方程式　　$HAc \rightleftharpoons Ac^- + H^+$

各物质的起始相对浓度　　0.10　　0　　0

各物质的平衡相对浓度　　$0.10-x$　　x　　x

表 10-5 不同浓度的 HAc 溶液的解离度和平衡常数(298K)

$c/\mathrm{mol\cdot dm^{-3}}$	α	$K_a^\ominus$	
		未经 f 修正	经 f 修正
0.00002801	0.5393	1.77×10^{-5}	1.75×10^{-5}
0.0001114	0.3277	1.78×10^{-5}	1.75×10^{-5}
0.0002184	0.2477	1.78×10^{-5}	1.75×10^{-5}
0.001028	0.1238	1.80×10^{-5}	1.75×10^{-5}
0.002414	0.08290	1.81×10^{-5}	1.75×10^{-5}
0.005912	0.05401	1.82×10^{-5}	1.75×10^{-5}
0.009842	0.04222	1.83×10^{-5}	1.75×10^{-5}
0.02000	0.02988	1.84×10^{-5}	1.74×10^{-5}
0.05000	0.01905	1.85×10^{-5}	1.72×10^{-5}
0.10000	0.01350	1.85×10^{-5}	1.70×10^{-5}

表 10-6 不同浓度 $NH_3\cdot H_2O$ 的解离度和平衡常数(298K)

$c/\mathrm{mol\cdot dm^{-3}}$	α	$K_b^\ominus$	
		未经 f 修正	经 f 修正
0.00047	0.197	1.82×10^{-5}	1.78×10^{-5}
0.0010	0.136	1.85×10^{-5}	1.79×10^{-5}
0.0047	0.0632	1.88×10^{-5}	1.79×10^{-5}
0.047	0.0203	1.94×10^{-5}	1.79×10^{-5}
0.10	0.014	1.96×10^{-5}	1.79×10^{-5}
0.20	0.0099	1.96×10^{-5}	1.77×10^{-5}
0.47	0.0066	2.04×10^{-5}	1.76×10^{-5}

x 表示平衡时$[H^+]$

平衡常数 $K_a^\ominus$ 的表达式为 $K_a^\ominus=\dfrac{x^2}{0.10-x}$

由于(a)中 $c_0/K_a^\ominus=\dfrac{0.10}{1.8\times10^{-5}}=5.6\times10^3>400$

可以近似计算,有 $0.10-x\doteq0.10$

$$x=\sqrt{0.10\times K_a^\ominus}=\sqrt{0.10\times1.8\times10^{-5}}=1.3\times10^{-3}$$

故$[H^+]=1.3\times10^{-3}\mathrm{mol\cdot dm^{-3}}$

解离度
$$\alpha=\frac{[\mathrm{H}^+]}{c_0}=\frac{1.3\times10^{-3}}{0.1}=1.3\%$$

(b) 将 $c_0=1.0\times10^{-5}\,\mathrm{mol\cdot dm^{-3}}$ 和 $K_\mathrm{a}^\ominus=1.8\times10^{-5}$ 代入式(10-7)中

$$K_\mathrm{a}^\ominus=\frac{[\mathrm{H}^+]^2}{1.0\times10^{-5}-[\mathrm{H}^+]}=1.8\times10^{-5}$$

$$c_0/K_\mathrm{a}=\frac{1.0\times10^{-5}}{1.8\times10^{-5}}=0.56<400$$

不能用近似计算,解一元二次方程得 $[\mathrm{H}^+]=7.16\times10^{-6}\,\mathrm{mol\cdot dm^{-3}}$

解离度

$$\alpha=\frac{[\mathrm{H}^+]}{c_0}=\frac{7.16\times10^{-5}}{1.0\times10^{-5}}=71.6\%$$

表 10-7 某些一元弱酸、弱碱的解离常数(298K)

一元弱酸	$K_\mathrm{a}^\ominus$	一元弱酸	$K_\mathrm{b}^\ominus$
HCN	6.2×10^{-10}	NH_3	1.8×10^{-5}
HClO	2.95×10^{-8}	CH_3NH_2	4.2×10^{-4}
HBrO	2.06×10^{-9}	$(CH_3)_2NH$	1.2×10^{-4}
HIO	2.3×10^{-11}	$(CH_3)_3N$	7.4×10^{-5}
HF	6.6×10^{-4}	$CH_3CH_2NH_2$	5.6×10^{-4}
HNO_2	5.1×10^{-4}	C_5H_5N	1.7×10^{-9}
HCOOH	1.8×10^{-4}	$C_6H_5NH_2$	4.2×10^{-10}
CH_3COOH	1.8×10^{-5}	N_2H_4	3.0×10^{-6}

(2) 同离子效应和盐效应

解离平衡和其它一切化学平衡一样,当外界条件(离子浓度、温度)改变时,旧的平衡就被破坏,在新的条件下又建立起新的平衡。离子浓度的变化是影响解离平衡的重要因素。

(a) 同离子效应

若在 HAc 溶液中加入一些 NaAc,NaAc 在溶液中完全解离,于是溶液中 Ac^- 离子浓度增加很多,使醋酸的解离平衡左移,从而降低了 HAc 的解离度。在氨水中加入 NH_4Cl 时的情况也与此类似。

例 10－3　如果在 $0.10\mathrm{mol\cdot dm^{-3}}$ 的 HAc 溶液中加入固体 NaAc，使 NaAc 的浓度达 $0.20\mathrm{mol\cdot dm^{-3}}$，求该 HAc 溶液中的[$H^+$]和解离度 α。

解：

	HAc $\rightleftharpoons$	H^+ +	Ac^-	
起始时相对浓度	0.1	0	0.2	
平衡时相对浓度	$0.1-x$	x	$0.2+x$	x 为[H^+]

平衡常数表达式

$$K_a^{\ominus}=\frac{x(0.2+x)}{0.1-x}$$

由于 $c_0/K_a^{\ominus}\gg400$，加上平衡左移，可近似有 $0.2+x\doteq0.2$　$0.1-x\doteq0.1$，故平衡常数表达式变为

$$K_a^{\ominus}=\frac{0.2x}{0.1}$$

故
$$x=\frac{0.1K_a^{\ominus}}{0.2}=\frac{0.1\times1.8\times10^{-5}}{0.2}$$

解得 $x=9.0\times10^{-6}$，即$[H^+]=9.0\times10^{-6}\mathrm{mol\cdot dm^{-3}}$

解离度
$$\alpha=\frac{[H^+]}{c_0}=\frac{9.0\times10^{-6}}{0.1}=9.0\times10^{-3}\%$$

例 10－3 和例 10－2(a)相比较，解离度 α 缩小了 144 倍。在弱电解质的溶液中，加入与其具有共同离子的强电解质使解离平衡左移，从而降低了弱电解质的解离度。这种影响叫做同离子效应。在 HAc 中加入 NaAc 后除了 Ac^- 离子对 HAc 电离平衡产生同离子效应以外，Na^+ 离子对平衡也有一定的影响。

(b) 盐效应

在弱电解质的溶液中加入其它强电解质时，该弱电解质的电离度将会增大，这种影响称为盐效应。在例 10－2 中，我们算得 $0.1\mathrm{mol\cdot dm^3}$ 的 HAc 溶液解离度 $\alpha=1.3\%$。这是忽略了溶液中离子之间的相互作用，以浓度代替活度的近似结果，或者说成是当近似认为 $f=1$ 时的结果。

若使这种溶液中 NaCl 的浓度也达到 $0.2\mathrm{mol\cdot dm^{-3}}$，当然这时溶液的离子强度 I 将增大。于是 f 偏离 1 的程度将增大，可以计算出此时 $f_{H^+}=0.70$，$f_{Ac^-}=0.70$，HAc 分子受离子强度的影响很

小，$f_{HAc}=1.0$。平衡常数表达式为

$$K_a^{\ominus}=\frac{a_H+a_{Ac^-}}{a_{HAc}}=\frac{f_{H^+}[H^+]\cdot f_{Ac^-}[Ac^-]}{f_{HAc}[HAc]} \qquad (10-14)$$

由于 $K_a^{\ominus}=1.8\times10^{-5}$，$[H^+]=[Ac^-]$，$f_{HAc}=1.0$，且有$[HAc]=c_0=0.1mol\cdot dm^{-3}$，故(10－14)式变成

$$[H^+]=\sqrt{\frac{K_a^{\ominus}\ c_0}{f_{H^+}\ f_{Ac^-}}}$$

将数值代入后，得$[H^+]=\sqrt{\frac{1.8\times10^{-5}\times0.10}{0.7\times0.7}}$

$$=1.9\times10^{-3}(mol\cdot dm^{-3})$$

$[H^+]=1.92\times10^{-3}mol\cdot dm^{-3}$，其活度为

$a_{H^+}=f_{H^+}[H^+]=0.7\times1.9\times10^{-3}=1.3\times10^{-3}(mol\cdot dm^{-3})$

虽然有效浓度是 $1.3\times10^{-3}mol\cdot dm^{-3}$，但毕竟有 $1.9\times10^{-3}mol\cdot dm^{-3}$的 H^+ 已经从 HAc 中解离出来，故计算解离度 α 时，应该用$[H^+]$去求得。解离度

$$\alpha=\frac{[H^+]}{c_0}=\frac{1.9\times10^{-3}}{0.1}=1.9\%$$

可以定性地认为强电解质的加入，增大了溶液的离子强度，使离子的有效浓度不足以与分子平衡，只有再解离出部分离子，才能实现平衡，于是实际解离出的离子增加，即解离度增大。但解离度的增大并不显著，在计算中可以忽略由盐效应引起的弱电解质的解离度的变化。

2－2　水的离子积和溶液的 pH 值

(1) 水的离子积常数

水是一种很弱的电解质，只发生极少部分解离。

$$H_2O+H_2O \rightleftharpoons H_3O^++OH^-$$

上式可简写作　　$H_2O \rightleftharpoons H^++OH^-$

其平衡常数表达式为 $K_a^{\ominus}=[H^+][OH^-]$，这个常数称为水的离子

积常数,经常用 $K_w^\ominus$ 表示。常温下 $K_w^\ominus=1.0\times10^{-14}$。现在要从平衡常数角度来认识 $K_w^\ominus$,因水的解离是个吸热反应,故随温度的升高 $K_w^\ominus$ 将变大,在表 10－8 中给出了某些温度下的 $K_w^\ominus$ 值。$K_w^\ominus$ 随温度变化不明显,因此一般情况下认为 $K_w^\ominus=1.0\times10^{-14}$。因 $K_w^\ominus$ 与反应 $H_2O \rightleftharpoons H^+ + OH^-$ 的 $\Delta_r G_m$ 有关系,由 K_w 可求得反应的 $\Delta_r G_m^\ominus$ 值。

表 10－8　$K_w^\ominus$ 值与温度 T 的关系

T/K	$K_w^\ominus$
273	0.13×10^{-14}
283	0.36×10^{-14}
291	0.74×10^{-14}
295	1.00×10^{-14}
298	1.27×10^{-14}
313	3.80×10^{-14}
333	12.6×10^{-14}

在酸性溶液中,$[H^+]>[OH^-]$;在碱性溶液中 $[OH^-]>[H^+]$;中性溶液中 $[H^+]=[OH^-]$。不能把 $[H^+]=10^{-7}\,mol\cdot dm^{-3}$ 认为是溶液中性的不变的标志,因为非常温时中性溶液中 $[H^+]=[OH^-]$,但都不等于 $1.0\times10^{-7}\,mol\cdot dm^{-3}$。

(2) 溶液的 pH

pH 值是用来表示溶液中 a_{H^+} 的一种简便方法,

$$pH=-\lg a_{H^+} \qquad (10-15)$$

在通常的情况下以浓度代替活度,式(10－15)变成

$$pH=-\lg[H^+]$$

同样也可以用 pOH 来表示溶液中的 a_{OH^-} 或 $[OH^-]$,$pOH=-\lg a_{OH^-}$ 或 $pOH=-\lg[OH^-]$,若用 $pK_w^\ominus$ 表示水的离子积的负对数,因为 $K_w^\ominus=[H^+][OH^-]$

故有 $pK_w^\ominus = pH + pOH$

常温下 $K_w^\ominus = 1.0 \times 10^{-14}$,

故有 $pH + pOH = 14$

这时的中性溶液中 pH = pOH = 7。但当某温度下,水的离子积常数 $K_w^\ominus$ 不等于 1.0×10^{-14},pK_w 不等于 14 时,中性溶液中 pH = pOH,但都不等于 7。

中性溶液的根本标志,我们一定要认清,但在一般情况下,提到 pH = 7 时,总是认为溶液是中性的,这是因为一般情况下认为 $K_w^\ominus = 1.0 \times 10^{-14}$。

(3) 酸碱指示剂

借助于颜色的改变来指示溶液 pH 值的物质叫做酸碱指示剂。它们通常是一种复杂的有机分子、并且都是弱酸或弱碱,例如甲基橙这种指示剂就是一种有机弱酸,用 HIn 来表示它。HIn 在水溶液中存在着下列平衡

$$HIn \rightleftharpoons H^+ + In^- \qquad (10-16)$$

分子态 HIn 显红色,离子态酸根 In^- 显黄色。当[HIn]和[In^-]相等时溶液显橙色。向橙色的溶液中加酸,[H^+]增加,平衡左移,[HIn]增大,到一定程度时,溶液显红色,向橙色溶液中加碱,[H^+]减小,平衡右移,[In^-]增大,到一定程度时溶液显黄色。式(10-16)的平衡常数表达式为

$$K_i^\ominus = \frac{[H^+][In^-]}{[HIn]},$$

可化成

$$\frac{[In^-]}{[HIn]} = \frac{K_i^\ominus}{[H^+]} \qquad (10-17)$$

式中 $K_i^\ominus$ 是指示剂的解离常数。从式(10-17)看出,当[H^+] = $K_i^\ominus$,即 pH = $pK_i^\ominus$ 时,溶液中[In^-] = [HIn],显 HIn 和 In^- 的中间颜色,故将 pH = $pK_i^\ominus$ 称为指示剂的理论变色点。对一般指示剂来说,当[HIn]:[In^-]≥10 时,才能明显地显示出 HIn 的颜色,而当[In^-]:[HIn]≥10 时,才能明显地显示出 In^- 的颜色。而这

时有 $pH = pK_i^{\ominus} \pm 1$,常把这一 pH 间隔称为指示剂的变色间隔或变色范围。但由于各种颜色之间互相掩盖的能力不一样,因此各种指示剂的实际变色范围要查表得知。表 10-9 列出了常见的指示剂的变色范围及颜色。变色范围中 pH 值小的一侧的颜色称为指示剂的酸色,而 pH 值大的一侧的颜色称为指示剂的碱色。指示剂对酸碱越敏感越好,因为一般来说指示剂的变色范围越窄越好。

表 10-9　几种常用酸碱指示剂

指示剂名称	变色范围 pH	颜色	
		酸色	碱色
甲基橙	3.2—4.4	红	黄
甲基红	4.0—5.8	红	黄
溴百里酚蓝	6.0—7.6	黄	蓝
酚酞	8.2—10.0	无色	红

用酸碱指示剂测定溶液的 pH,在工农业生产和分析化学中都有广泛的应用。

2-3　多元弱酸的解离平衡

在水溶液中一个分子能解离出一个以上 H^+ 的弱酸叫做多元酸。如 H_2CO_3 和 H_2S 等是二元弱酸,H_3PO_4 和 H_3AsO_4 等是三元酸。

多元酸在水中是分步解离的,今以氢硫酸的解离为例进行扼要的讨论。第一步解离生成 H^+ 和 HS^-:

$$H_2S \rightleftharpoons H^+ + HS^-$$

其平衡常数为 $K_1^{\ominus}$,

$$K_1^{\ominus} = \frac{[H^+][HS^-]}{[H_2S]} = 1.3 \times 10^{-7}$$

HS^- 又可以解离出 H^+ 和 S^{2-},称为第二步解离

$$HS^- \rightleftharpoons H^+ + S^{2-}$$

其平衡常数为 $K_2^\ominus$

$$K_2^\ominus=\frac{[H^+][S^{2-}]}{[HS^-]}=7.1\times10^{-15}$$

在表 10－10 中列出了一些多元酸的各级解离平衡常数。可以看出,多级解离的解离常数是逐级显著减小的,这是多级解离的一个规律。因为从带负电荷的离子,如 HS^- 中,再解离出一个正离子 H^+,要比从中性分子 H_2S 中解离出一个正离子 H^+ 难得多。在平衡体系中,由第一步解离出的 H^+ 对第二步解离产生同离子效应,故实际上第二步解离出的 H^+ 是远远小于第一步的。也就是说 HS^- 只有极少一部分发生第二步解离,故可以认为体系中的 $[HS^-]$ 和 $[H^+]$ 近似相等。在常温常压下,H_2S 气体在水中的饱和浓度为近似相等。在常温常压下,H_2S 气体在水中的饱和浓度为 $0.10mol\cdot dm^{-3}$,据此可以计算出 H_2S 的饱和溶液中的 $[H^+]$、$[HS^-]$ 和 $[S^{2-}]$。

表 10－10　一些多元酸的解离常数(298K)

多元酸	$K_1^\ominus$	$K_2^\ominus$	$K_3^\ominus$
H_2CO_3	4.2×10^{-7}	5.6×10^{-11}	
$H_2C_2O_4$	5.9×10^{-2}	6.4×10^{-5}	
H_3PO_4	7.6×10^{-3}	6.3×10^{-8}	4.4×10^{-13}
H_2S	1.3×10^{-7}	7.1×10^{-15}	
H_2SO_3	1.3×10^{-2}	6.3×10^{-8}	
H_3AsO_4	6.3×10^{-3}	1.0×10^{-7}	3.2×10^{-12}

设 $[H^+]$ 为 x,$[HS^-]$ 近似等于 x,$[H_2S]\doteq0.10mol\cdot dm^{-3}$

$$H_2S \rightleftharpoons H^+ + HS^-$$

平衡浓度:　　　0.10　　x　　x

$$K_1^\ominus=\frac{[H^+][HS^-]}{[H_2S]}=\frac{x^2}{0.10}=1.3\times10^{-7}$$

$x=1.14\times10^{-4}$ 即 $[H^+]\doteq[HS^-]=1.14\times10^{-4}mol\cdot dm^{-3}$

在一种溶液中各离子间的平衡是同时建立的，涉及多种平衡的离子，其浓度必须同时满足该溶液中的所有平衡，这是求解多种平衡共存问题的一条重要原则。

对第二步 $HS^- \rightleftharpoons H^+ + S^{2-}$

有 $K_2^\ominus = \dfrac{[H^+][S^{2-}]}{[HS^-]} = \dfrac{1.14\times10^{-4}[S^{2-}]}{1.14\times10^{-4}} = [S^{2-}]$

故 $[S^{2-}] = K_2^\ominus = 7.1\times10^{-15}(\text{mol}\cdot\text{dm}^{-3})$

对二元弱酸 H_2A 来说，溶液的$[H^+]$由第一级电离来决定，可以认为$[HA^-] \doteq [H^+]$，即 HA^- 的第二步解离极小被忽略；而$[A^{2-}]$的数值近似等于 $K_2^\ominus$。比较二元弱酸的强弱，只须比较其第一级电离常数 $K_1^\ominus$ 即可。

如果将 $K_1^\ominus$ 和 $K_2^\ominus$ 的表达式相乘，即可得到

$H_2S \rightleftharpoons 2H^+ + S^{2-}$ 的平衡常数 $K^\ominus$ 的表达式

$$K^\ominus = \frac{[H^+]^2[S^{2-}]}{[H_2S]} = 9.23\times10^{-22}$$

它体现了平衡体系中$[H^+]$、$[S^{2-}]$和$[H_2S]$之间的关系，只要知道了三者的平衡浓度，则它们之间一定满足上述平衡常数表达式所代表的关系。

例 10－4 在 $0.10\text{mol}\cdot\text{dm}^{-3}$ 的盐酸中通入 H_2S 至饱和，求溶液中 S^{2-} 的浓度。

解：盐酸完全解离，使体系中$[H^+] = 0.1\text{mol}\cdot\text{dm}^{-3}$，在这样的酸度下，$H_2S$ 解离出的$[H^+]$几乎为零。设 x 为$[S^{2-}]$，则

$$H_2S = 2H^+ + S^{2-}$$

平衡相对浓度 0.1　　　　0.1　x

$$K^\ominus = K_1^\ominus K_2^\ominus = \frac{[H^+]^2[S^{2-}]}{[H_2S]} = \frac{0.1^2 x}{0.1} = 9.23\times10^{-22}$$

$$x = 9.23\times10^{-21}$$

即　$[S^{2-}] = 9.23\times10^{-21}\text{mol}\cdot\text{dm}^{-3}$

计算结果表明，由于 $0.1\text{mol}\cdot\text{dm}^{-3}$ 的盐酸存在，使$[S^{2-}]$降低至原来的 7.7×10^5 分之一。

三元酸解离的情况和二元酸相似。例如磷酸就是分三步逐级解离的,由于 $K_1^\ominus$,$K_2^\ominus$,$K_3^\ominus$ 相差很大,故磷酸的$[H^+]$也看成是由第一步解离决定的,求出$[H^+]$后,根据各级平衡常数的表达式求各步酸根的浓度。

例 10－5　试计算 $0.10mol \cdot dm^{-3}$ 的 H_3PO_4 溶液中的$[H_3PO_4]$、$[H_2PO_4^-]$、$[HpO_4^{2-}]$、$[PO_4^{3-}]$、$[H^+]$及$[OH^-]$。

解:①设$[H^+]$为 x。

$$H_3PO_4 \rightleftharpoons H^+ + H_2PO_4^-$$

起始相对浓度　　　0.10　　0　　0

平衡相对浓度　　　$0.10-x$　　x　　x

$$K_1^\ominus = \frac{[H^+][H_2PO_4^-]}{[H_3PO_4]} = \frac{x^2}{0.10-x} = 7.6\times10^{-3}$$

$$\frac{c_0}{K_1^\ominus} = \frac{0.10}{7.6\times10^{-3}} \approx 13 < 400$$

不能用近似公式、需解二次方程,解得 $x=2.4\times10^{-2}$

故　　$[H^+]=[H_2PO_4]=2.4\times10^{-2}\,mol\cdot dm^{-3}$

②设$[HPO_4^{2-}]$为 x'。

$$H_2PO_4^- \rightleftharpoons H^+ + HPO_4^{2-}$$

$$2.4\times10^{-2}\quad 2.4\times10^{-2}\quad x'$$

$$K_2^\ominus = \frac{[H^+][HPO_4^{2-}]}{[H_2PO_4^-]} = \frac{2.4\times10^{-2}x'}{2.4\times10^{-2}} = 6.3\times10^{-8}$$

$x'=6.3\times10^{-8}$,故$[HPO_4^{2-}]=6.3\times10^{-8}\,mol\cdot dm^{-3}$。

计算结果表明,第二步离解出来的$[H^+]$即$[HPO_4^{2-}]$是远远小于溶液中的$[H^+]$的。$[H^+]$由第一级解离决定是完全正确的。

设 x''为$[PO_4^{3-}]$

$$HPO_4^{2-} \rightleftharpoons H^+ + PO_4^{3-}$$

平衡相对浓度　　　6.3×10^{-8}　2.4×10^{-2}　x''

$$K_3^\ominus = \frac{[H^+][PO_4^{3-}]}{[HPO_4^{2-}]} = \frac{2.4\times10^{-2}x''}{6.3\times10^{-8}} = 4.4\times10^{-13}$$

$x''=1.16\times10^{-18}$,即$[PO_4^{3-}]=1.16\times10^{-18}\,mol\cdot dm^{-3}$。

可见第三步解离出的$[H^+]$更是小到非忽略不可的程度了。

$$K_w^{\ominus} = [H^+][OH^-] = 1.0 \times 10^{-14}$$

故

$$[OH^-] = \frac{K_w^{\ominus}}{[H^+]} = \frac{1.0 \times 10^{-14}}{2.4 \times 10^{-2}} = 4.17 \times 10^{-13}(mol \cdot dm^{-3})$$

2－4 缓冲溶液

许多化学反应要在一定的 pH 值条件下进行。例如某反应 $M^{2+} + H_2Y \longrightarrow MY + 2H^+$ 要求在 pH = 7.0 左右才能正常进行，溶液的 pH 必须保持在 6.5—7.5 之间。假设此反应在 $1dm^3$ 水溶液中进行，要把 0.01mol 的 M^{2+} 完全转化成 MY。可是当反应物转化了一半时，有 0.005molM^{2+} 转化了，产生 0.01molH^+，已经使溶液的 pH 值变成 2 了，早已破坏了反应应保持的 pH 条件。在这种情况下，反应物连一半也转化不了。

如何控制反应的 pH 值，是保证反应正常进行的一个重要条件。人们研究出一种可以抵抗少量酸碱的影响，可以控制溶液 pH 的溶液，即所谓缓冲溶液。

缓冲溶液是一种能抵抗少量强酸、强碱和水的稀释而保持体系的 pH 基本不变的溶液。

缓冲溶液保持 pH 值不变的作用称为缓冲作用，缓冲作用的原理就是前面讲过的同离子效应。缓冲溶液一般是由弱酸和弱酸盐组成或由弱碱和弱碱盐组成的。例如 HAc + NaAc，$NH_3 \cdot H_2O + NH_4Cl$，以及 $NaH_2PO_4 + Na_2HPO_4$ 等都可以配制成保持不同 pH 值的缓冲溶液。

下面以 HAc + NaAc 为例，对问题进行分析。

溶液中的平衡量

$$HAc \rightleftharpoons H^+ + Ac^-$$

平衡浓度 $\quad c_{酸} - x \quad\quad x \quad\quad c_{盐} + x$

由于同离子效应，近似有 $c_{酸} - x \approx c_{酸}$，$c_{盐} + x \approx c_{盐}$

故 $$K_a^{\ominus} = \frac{[H^+][Ac^-]}{[HAc]} \approx \frac{x c_{盐}}{c_{酸}}$$

故有 $$[H^+]=K_a^\ominus \frac{c_{酸}}{c_{盐}}$$

取负对数 $$pH=pK_a^\ominus-\lg\frac{c_{酸}}{c_{盐}} \tag{10-18}$$

式(10-18)说明,缓冲溶液的 pH 值首先决定于 $K_a^\ominus$ 值,其次决定于弱酸和弱酸盐的浓度之比。当 $c_{酸}=c_{盐}$ 时,$pH=pK_a^\ominus$。因此选择缓冲溶液时,要首先找出与溶液所要控制的 pH 值相当的 $pK_a^\ominus$ 值的弱酸来。当 $c_{酸}/c_{盐}$ 的值从 0.1 变化到 10 时,则得到 pH 在 $pK_a^\ominus\pm1$ 之间的缓冲溶液。由于 HAc 的 $pK_a^\ominus=4.74$,故用 HAc 和 NaAc 组成的缓冲溶液可以得到 3.74 到 5.74 之间 pH 值。

若用弱碱和弱碱盐组成缓冲溶液,其公式则可写成

$$pOH=pK_b^\ominus-\lg\frac{c_{碱}}{c_{盐}} \tag{10-19}$$

例 10-6 缓冲溶液的组成是 $1.00mol\cdot dm^{-3}$ 的 $NH_3\cdot H_2O$ 和 $1.00mol\cdot dm^{-3}$ 的 NH_4Cl,试计算

(1) 缓冲溶液的 pH 值;

(2) 将 $1.0cm^3$ $1.00mol\cdot dm^{-3}$ NaOH 溶液加入到 $50.0cm^3$ 该缓冲溶液中引起的 pH 值变化;

(3) 将同量的 NaOH 加入到 $50.0cm^3$ 纯水中引起的 pH 值变化;

解:(1) $$pOH=pK_b^\ominus-\lg\frac{c_{碱}}{c_{盐}}$$

$$=-\lg1.8\times10^{-5}-\lg\frac{1.00}{1.00}$$

$$=4.74$$

$pH=14.00-pOH=9.26$

(2)在 $50cm^3$ 缓冲溶液中含 $NH_3\cdot H_2O$ 和 NH_4^+ 各是 0.050mol,加入的 NaOH 相当于 0.001mol OH^-,它将消耗 0.001mol 的 NH_4^+ 并生成0.001mol $NH_3\cdot H_2O$ 分子,故有

$$NH_3\cdot H_2O \rightleftharpoons NH_4^+ + OH^-$$

平衡时相对浓度 $\frac{0.050+0.001}{0.051}$ $\frac{0.050-0.001}{0.051}$ x

故

$$pOH = pK_b^\ominus - \lg \frac{c_{碱}}{c_{盐}}$$

$$= -\lg 1.8\times10^{-5} - \lg \frac{\dfrac{0.050+0.001}{0.051}}{\dfrac{0.050-0.001}{0.051}}$$

$$= 4.73$$

故　　$pH = 14.00 - pOH = 14.00 - 4.73 = 9.27$

加入这些 NaOH 后,溶液的 pH 值几乎没有变化。

(3) 将这些 NaOH 加入到 $50cm^3$ 纯水中,可求得$[OH^-]$

$$[OH^-] = \frac{0.001mol}{0.051dm^3} = 0.020mol\cdot dm^{-3}$$

$$pOH = 1.7$$

$$pH = 12.3$$

加入这些 NaOH,纯水的 pH 值改变了 5.3 单位。相比之下可以清楚地看到缓冲溶液对碱的抵抗作用。

缓冲溶液能抵抗稀释,因为稀释时虽然 $c_{酸}$(或 $c_{碱}$)和 $c_{盐}$ 都改变,但 $c_{酸}$(或 $c_{碱}$)$/c_{盐}$ 的比值不变,故缓冲溶液的 pH 值不改变。

缓冲溶液中的弱酸和弱酸盐(或弱碱和弱碱盐)称为缓冲对。缓冲对的浓度越大,当加入强酸或强碱时其浓度值及其比值改变越小,即抵制酸碱影响的作用越强。我们说缓冲对的浓度越大,缓冲溶液的缓冲容量越大。

例 10－7　用 HAc 和 NaAc 配制 pH＝4.0 的缓冲溶液,求比值 $c_{酸}/c_{盐}$。

解:　　$pH = pK_a^\ominus - \lg \frac{c_{酸}}{c_{盐}}$

故　　$\lg \frac{c_{酸}}{c_{盐}} = pK_a^\ominus - pH = -\lg 1.8\times10^{-5} - 4.0$

$$= 0.74$$

故　　$\frac{c_{酸}}{c_{盐}} = 5.5$

§10－3　盐 的 水 解

盐溶解在水中得到的溶液可能是中性的,也可能是酸性或碱性的，这和盐的性质有关。例如由强酸和强碱作用生成的盐，我们称其为强酸强碱盐，像 NaCl，它的水溶液显中性；由强酸和弱碱作用生成的强酸弱碱盐，像 NH_4Cl，$FeCl_3$ 等，它们的水溶液显酸性；由弱酸和强碱作用生成的弱酸强碱盐，像 NaAc，Na_2CO_3 等，它们的水溶液显碱性；而由弱酸和弱碱作用生成的弱酸弱碱盐，像 NH_4Ac，NH_4CN 等，它们的水溶液可能显中性、酸性或碱性，这取决于弱酸和弱碱的相对强弱。盐在水溶液中，与水作用使水的解离平衡发生移动从而可能改变溶液的酸度，这种作用叫做盐的水解。

3-1　各种盐的水解

强酸强碱盐，在水中不发生水解，因为它们的离子与 H^+、OH^- 不结合成弱电解质的分子，故不影响水的解离平衡。这类盐包括由大部分碱金属和部分碱土金属与盐酸、硝酸、硫酸及高氯酸等强酸生成的盐，它们的水溶液显中性，无水解可言。

（1）弱酸强碱盐

我们以 NaAc 溶于水生成的溶液为例来讨论弱酸强碱盐的水解情况。

NaAc 在水中全部电离　$NaAc = Na^+ + Ac^-$

Na^+ 不同 OH^- 结合成分子，它不影响水的解离平衡。但是 Ac^- 能和 H^+ 结合成弱电解质 HAc 分子，存在着下列平衡：

$$Ac^- + H^+ \rightleftharpoons HAc \qquad (10-20)$$

H^+ 的减少使 H_2O 的电离平衡向右移动。

$$H_2O \rightleftharpoons H^+ + OH^- \qquad (10-21)$$

(10-20)和(10-21)同时平衡，即为

$$Ac^- + H_2O \rightleftharpoons HAc + OH^- \qquad (10-22)$$

(10-22)即是 NaAc 的水解平衡式，水解的结果使得溶液中 $[OH^-] > [H^+]$，于是 NaAc 溶液显碱性。

(10-22)式的平衡常数表达式为：

$$K_h^{\ominus}=\frac{[HAc][OH^-]}{[Ac^-]}$$

$K_h^{\ominus}$ 是水解平衡常数在上式的分子分母中各乘以体系中的$[H^+]$，上式变为

$$K_h^{\ominus}=\frac{[HAc][OH^-][H^+]}{[Ac^-][H^+]}=\frac{[OH^-][H^+]}{\frac{[Ac^-][H^+]}{[HAc]}}=\frac{K_w^{\ominus}}{K_a^{\ominus}}$$

即
$$K_h^{\ominus}=\frac{K_w}{K_a} \tag{10-23}$$

由(10－23)式可知，弱酸强碱盐的水解平衡常数 K_h 等于水的离子积常数与弱酸的电离平衡常数的比值。NaAc 的水解平衡常数为 $K_w^{\ominus}/K_a^{\ominus}=1.0\times10^{-14}/1.8\times10^{-5}=5.6\times10^{-10}$。由于盐的水解平衡常数相当小，故计算中常常可以采用近似的方法来处理。

以 NaAc 水解为例，设 NaAc 起始浓度为 c_0，水解平衡时[OH]为 x，则

$$Ac^- + H_2O \rightleftharpoons HAc + OH^-$$

	Ac^-	HAc	OH^-
起始相对浓度	c_0	0	0
平衡相对浓度	c_0-x	x	x

$$K_h^{\ominus}=\frac{K_w^{\ominus}}{K_a^{\ominus}}=\frac{[OH^-][HAc]}{[Ac^-]}$$

$K_h^{\ominus}$ 很小，近似有$[Ac^-]\approx c_0$

故
$$K_h^{\ominus}=\frac{x^2}{c_0}$$

$$x=\sqrt{K_h^{\ominus}c_0}$$

即
$$[OH^-]=\sqrt{K_h^{\ominus}c_0}$$

也可以写成

$$[OH^-]=\sqrt{\frac{K_w^{\ominus}c_0}{K_a^{\ominus}}} \tag{10-24}$$

有了式(10－24),体系的[H^+]和 pH 值就容易求出。盐类水解的程度经常用水解度 h 表示,NaAc 溶液中

$$h=\frac{[OH^-]}{c_0}=\sqrt{\frac{K_h^\ominus}{c_0}} \tag{10-25}$$

例 10－8　求 0.010mol·dm^{-3} NaCN 溶液的 pH 和盐的水解度(298K)。

解:

$$K_h^\ominus=\frac{K_w^\ominus}{K_a^\ominus}=\frac{1.0\times10^{-14}}{4.93\times10^{-10}}=2.03\times10^{-5}$$

$\frac{c_0}{K_h^\ominus}=\frac{0.010}{2.03\times10^{-5}}=492>400$,可以近似计算

$[OH^-]=\sqrt{K_h^\ominus c_0}=\sqrt{2.03\times10^5\times0.010}=4.5\times10^{-4}(mol\cdot dm^{-3})$

pOH＝3.35

故 pH＝10.65

水解度　$h=\frac{[OH^-]}{c_0}=\frac{4.51\times10^{-4}}{0.010}=4.5\%$

(2) 强酸弱碱盐

我们以 NH_4Cl 为例来讨论强酸弱碱盐的水解。

NH_4^+ 和 OH^- 结合成弱电解质,使 H_2O 的解离平衡发生移动,结果溶液中[H^+]＞[OH^-],溶液显酸性。

$$NH_4^+ + H_2O \rightleftharpoons NH_3\cdot H_2O + H^+ \tag{10-26}$$

可以推出强酸弱碱盐水解平衡常数 K_h 与弱碱的 K_b 之间的关系如下:

$$K_h^\ominus=\frac{K_w^\ominus}{K_b^\ominus} \tag{10-27}$$

当水解程度很小,可以近似计算时,可用下式求得溶液的[H^+]:

$$[H^+]=\sqrt{K_h^\ominus c_0} \tag{10-28}$$

水解度 h 可用下面公式求得

$$h=\sqrt{\frac{K_h^\ominus}{c_0}} \tag{10-29}$$

(3) 弱酸弱碱盐

(a) 水解平衡常数

以 NH_4Ac 为例来讨论这个问题。

$$NH_4^+ + Ac^- + H_2O \rightleftharpoons NH_3 \cdot H_2O + HAc$$

其平衡常数表达式为

$$K_h^\ominus = \frac{[NH_3 \cdot H_2O][HAc]}{[NH_4^+][Ac^-]} = \frac{[NH_3 \cdot H_2O][HAc][H^+][OH^-]}{[NH_4^+][Ac^-][H^+][OH^-]}$$

$$= \frac{[H^+][OH^-]}{\frac{[NH_4^+][OH^-]}{[NH_3 \cdot H_2O]} \cdot \frac{[Ac^-][H^+]}{[HAc]}} = \frac{K_w^\ominus}{K_a^\ominus \cdot K_b^\ominus} \tag{10-30}$$

式(10－30)表明了弱酸弱碱盐的水解平衡常数与弱酸弱碱的电离平衡常数的关系。

NH_4Ac 的水解平衡常数 $K_h^\ominus$ 可由式(10－30)求得

$$K_h^\ominus = \frac{K_w^\ominus}{K_a^\ominus K_b^\ominus} = \frac{1.0 \times 10^{-14}}{1.8 \times 10^{-5} \times 1.8 \times 10^{-5}} = 3.1 \times 10^{-5}$$

NH_4Ac 的水解平衡常数值虽然不算很大,但比起 NaAc 的 $K_h^\ominus$ 和 NH_4Cl 的 $K_h^\ominus$ 来大了 1.0×10^5 倍。显然 NH_4Ac 的双水解的趋势要比 NaAc 或 NH_4Cl 的单方面水解的趋势大得多了。

(b) 弱酸弱碱盐溶液的$[H^+]$

我们在这里只研究由一元弱酸 HB 和一元弱碱 MOH 生成的弱酸弱碱盐 MB 溶液的$[H^+]$。弱酸弱碱的解离平衡常数分别为 $K_b^\ominus$ 和 $K_a^\ominus$。

将 MB 溶于 H_2O 中,起始浓度为 c_0

两个水解反应同时达到平衡

$$M^+ + H_2O \rightleftharpoons M(OH) + H^+$$

$$B^- + H_2O \rightleftharpoons HB + OH^-$$

有 1 个 M(OH)生成,则产生 1 个 H^+,有一个 HB 生成则有 1 个 OH^- 去中和一个 H^+,故

$$[H^+] = [MOH] - [HB] \tag{10-31}$$

由 M^+ 的水解平衡常数表达式

$$K_{h,M^+}^{\ominus} = \frac{K_w^{\ominus}}{K_b^{\ominus}} = \frac{[MOH][H^+]}{[M^+]}$$

得出

$$[MOH] = \frac{K_w^{\ominus}[M^+]}{K_b^{\ominus}[H^+]} \qquad (10-32)$$

由 B^- 的水解平衡常数表达式

$$K_{h,B^-}^{\ominus} = \frac{K_w^{\ominus}}{K_a^{\ominus}} = \frac{[HB][OH^-]}{[B^-]}$$

得出

$$[HB] = \frac{K_w^{\ominus}[B^-]}{K_a^{\ominus}[OH^-]} = \frac{[B^-][H^+]}{K_a^{\ominus}} \qquad (10-33)$$

将式(10－32) 和(10－33) 代入式(10－31) 中

$$[H^+] = \frac{K_w^{\ominus}[M^+]}{K_b^{\ominus}[H^+]} - \frac{[B^-][H^+]}{K_a^{\ominus}}$$

上式两边乘 $K_a^{\ominus} K_b^{\ominus}[H^+]$,得

$$K_a^{\ominus} K_b^{\ominus}[H^+]^2 = K_a^{\ominus} K_w^{\ominus}[M^+] - K_b^{\ominus}[B^-][H^+]^2$$

故有

$$[H^+] = \sqrt{\frac{K_w^{\ominus} K_a^{\ominus}[M^+]}{K_b^{\ominus}(K_a^{\ominus} + [B^-])}} \qquad (10-34)$$

当 $c_0 \gg K_a^{\ominus}$ 且 $K_h^{\ominus}$ 很小,近似有

$$[M^+] \approx [B^-] \approx c_0 \quad 且\ K_a + [B^-] \approx [B^-] \approx c_0$$

这时式(10－34) 变成

$$[H^+] = \sqrt{\frac{K_w^{\ominus} K_a^{\ominus}}{K_b^{\ominus}}} \qquad (10-35)$$

可见弱酸弱碱盐水溶液的$[H^+]$和溶液的浓度无直接关系,但应用式(10－35) 时,要求 $c_0 \gg K_a^{\ominus}$ 才行。例如 $0.1 mol \cdot dm^{-3}$ 的 NH_4Ac 溶液,由于 $K_a^{\ominus} = K_b^{\ominus} = 1.8 \times 10^{-5}$,故$[H^+] = 1.0 \times 10^{-7} mol \cdot dm^{-3}$,则溶液显中性。但是当 $K_a^{\ominus} \neq K_b^{\ominus}$ 时,$[H^+]$则不等于 $1.0 \times 10^{-7} mol \cdot dm^{-3}$,溶液就不显中性了。

例 10－9　求 $0.1 mol \cdot dm^{-3}$的 NH_4F 溶液的 pH。

解:题中所给的条件,完全符合使用公式(10-35)的条件,故

$$[H^+]=\sqrt{\frac{K_w^\ominus K_a^\ominus}{K_b^\ominus}}=\sqrt{\frac{1.0\times10^{-14}\times3.53\times10^{-4}}{1.8\times10^{-5}}}$$

$$=4.4\times10^{-7}(\text{mol}\cdot\text{dm}^{-3})$$

$$\text{pH}=6.35$$

因为 $K_a^\ominus$ 比 $K_b^\ominus$ 大,故弱碱的水解程度比弱酸的水解程度大些,故溶液中$[H^+]>[OH^-]$,溶液显酸性。

(4) 弱酸的酸式盐

在这里我们以 $NaHCO_3$ 为例讨论弱酸的酸式盐溶液的$[H^+]$。

$$NaHCO_3 \longrightarrow Na^+ + HCO_3^-$$

HCO_3^- 在水溶液中有两种变化

$$HCO_3^- \rightleftharpoons H^+ + CO_3^{2-}$$

$$HCO_3^- + H_2O \rightleftharpoons H_2CO_3 + OH^-$$

$[H_2CO_3]$可以代表 OH^- 的生成浓度,被 H^+ 中和掉的 OH^- 的浓度可用$[CO_3^{2-}]$代表,故体系中的 OH^- 浓度可表示为:

$$[OH^-]=[H_2CO_3]-[CO_3^{2-}]$$

将$[OH^-]$用 $K_w^\ominus$ 和$[H^+]$表示,得

$$\frac{K_w^\ominus}{[H^+]}=[H_2CO_3]-[CO_3^{2-}] \tag{10-36}$$

由 HCO_3^- 解离的平衡常数表达式

$$K_2^\ominus=\frac{[H^+][CO_3^{2-}]}{[HCO_3^-]}$$

得

$$[CO_3^{2-}]=\frac{K_2^\ominus[HCO_3^-]}{[H^+]} \tag{10-37}$$

由 H_2CO_3 的第一步解离平衡常数表达式

$$K_1^\ominus=\frac{[H^+][HCO_3^-]}{[H_2CO_3]}$$

得:

$$[H_2CO_3]=\frac{[HCO_3^-][H^+]}{K_1^\ominus} \tag{10-38}$$

将式(10－37)和(10－38)代入式(10－36)得

$$\frac{K_w^\ominus}{[H^+]}=\frac{[H^+][HCO_3^-]}{K_1^\ominus}-\frac{K_2^\ominus[HCO_3^-]}{[H^+]}$$

整理得 $$[H^+]=\sqrt{\frac{K_1^\ominus(K_w^\ominus+K_2^\ominus[HCO_3^-])}{[HCO_3^-]}} \tag{10-39}$$

由于 $K_2^\ominus=5.6\times10^{-11}$、$HCO_3^-$ 电离的程度很小，又由于 $K_{h_2}^\ominus=\frac{K_w^\ominus}{K_1}K_{h_2}^\ominus=2.4\times10^{-8}$ 故 HCO_3^- 水解程度也很小，因此可以认为 $[HCO_3^-]\approx c_0$(弱酸的酸式盐浓度)，这样式(10－39)变成

$$[H^+]=\sqrt{\frac{K_1^\ominus(K_w^\ominus+K_2^\ominus c_0)}{c_0}} \tag{10-40}$$

当 $K_2^\ominus c_0\gg K_w^\ominus$ 时，有 $K_w^\ominus+K_2^\ominus c_0\approx K_2^\ominus c_0$，

于是式(10－40)变成 $$[H^+]=\sqrt{K_1^\ominus K_2^\ominus} \tag{10-41}$$

由式(10－41)看到，$NaHCO_3$ 溶液的$[H^+]$与其 c_0 无直接关系，但在公式的推导过程，用到了 c_0 不能过于小的条件，否则不会有 $K_2^\ominus c_0\gg K_w^\ominus$。将 $K_1^\ominus$、$K_2^\ominus$ 的值代入公式(10－41)得

$$[H^+]=\sqrt{4.2\times10^{-7}\times5.6\times10^{-11}}=4.8\times10^{-9}(mol\cdot dm^{-3})$$

故 pH＝8.31。

3－2 影响水解的因素

盐的水解作为一种平衡，当然影响它的因素会有两个方面。一方面是从平衡常数的角度去影响水解，另一方面是从改变外界条件破坏平衡的角度影响水解。

(1) 平衡常数的影响

水解平衡常数 K_h 和弱酸、弱碱的电离平衡常数有关，

$$K_h^\ominus=\frac{K_w^\ominus}{K_a^\ominus},\quad K_h^\ominus=\frac{K_w^\ominus}{K_b^\ominus}\text{和 }K_h^\ominus=\frac{K_w^\ominus}{K_a^\ominus K_b^\ominus}$$

三个关系式说明，盐水解后生成的弱酸、弱碱的电离平衡常数越大，则盐的水解平衡常数越小。同样是弱酸强碱盐的 NaAc 和

NaF,由于 HAc 的 $K_a^\ominus$ 小于 HF 的 $K_a^\ominus$,故当 NaAc 溶液和 NaF 溶液的浓度相同时,NaAc 的水解度要大于 NaF 的水解度。

盐的水解一般是吸热过程,$\Delta H>0$。由公式

$$\ln\frac{K_2^\ominus}{K_1^\ominus}=\frac{\Delta H}{R}\left(\frac{1}{T_1}-\frac{1}{T_2}\right)$$

看出,当温度升高时平衡常数 K_h 增大,因此升高温度可以使水解进行的程度大。例如 $FeCl_3$ 的水解,常温下反应并不明显,加热后反应进行较彻底,颜色逐渐加深,溶液变得浑浊。

在分析化学和无机制备中也常采用升高温度使水解进行得完全以达到分离和合成的目的。

(2) 外界条件的影响

温度不变,水解平衡常数不发生变化,而改变其它反应条件,也可以影响水解反应的进行程度。

从公式(10-25) 和(10-29)

$$h=\sqrt{\frac{K_h^\ominus}{c_0}}$$

可以看出,当水解平衡常数 $K_h^\ominus$ 一定时,盐的起始浓度 c_0 越小,水解度 h 越大,即稀溶液的水解度比较大。这一结果也可以从平衡移动的角度得出。一定浓度的 NaAc 溶液达到水解平衡时,有关系式

$$K_h^\ominus=\frac{[HAc][OH^-]}{[Ac^-]}$$

将溶液加水稀释,体积变成原来的 10 倍,于是各物质的浓度均变成原来的 1/10,此时的 Q_c 可以表示为

$$Q_c=\frac{\frac{1}{10}[HAc]\frac{1}{10}[OH^-]}{\frac{1}{10}[Ac^-]}=\frac{1}{10}K_h^\ominus$$

即 $Q_c<K_h^\ominus$,平衡要向继续水解的方向移动,故水解度显然增大。

盐的水解既然会使溶液的酸度改变,那么根据平衡移动的原理,可以通过控制溶液的酸度来控制水解平衡。例如 KCN 是剧

毒物质，它在水中有明显的水解现象，

$$CN^- + H_2O \rightleftharpoons HCN + OH^-$$

生成挥发性的剧毒物 HCN。为了阻止 HCN 的生成，所以在配制 KCN 溶液时，常常先在水溶液中加入适量的碱，以抑制水解。

实验室中配制 $SnCl_2$ 溶液时，用盐酸来溶解 $SnCl_2$ 固体而不用蒸馏水做溶剂，原因就是用酸来抑制 Sn^{2+} 的水解。

§10－4 酸碱理论的发展

阿仑尼乌斯的电离学说，使人们对酸和碱的认识产生了飞跃，以电离理论为基础去定义酸和碱，使人们对酸和碱的本质有了极为深刻的了解。因此，可以说阿仑尼乌斯的酸碱理论是酸碱理论发展的重要里程碑。这一理论在化学这门科学的发展进程中起了巨大的作用，至今这一理论仍在化学各领域中被广泛地应用。

但这一理论将认识局限在水溶液中，对于近来兴起的大量非水体系的研究显得无能为力。本世纪二十年代发展起来的质子酸碱理论和电子酸碱理论大大地扩大了酸碱的物种范围，使酸碱理论的适用范围扩展到非水体系乃至无溶剂体系。

4－1 酸碱质子理论

(1) 酸碱定义

布朗斯特(Brφnsted)和劳莱(Lowrey)在 1923 年提出了酸碱质子理论。酸碱质子理论认为，在反应过程中能给出质子(H^+)的分子或离子都是酸；凡是能接受质子的分子或离子都是碱。例如 HCl，NH_4^+，$H_2PO_4^-$ 等都是质子酸，因为它们都能给出质子；而 NH_3，HPO_4^{2-}，CO_3^{2-}，$[Al(H_2O)_5OH]^{2+}$ 等都是碱，因为它们都能结合质子。

按着酸碱质子理论，酸和碱并不是彼此孤立的，而是统一在对质子的关系上，这种关系可以表示为

$$酸 \rightleftharpoons 碱 + 质子$$

满足上述关系的一对酸和碱称为共轭酸碱。例如：

$$HCl \rightleftharpoons Cl^- + H^+$$

$$[Al(H_2O)_6]^{3+} \rightleftharpoons [Al(H_2O)_5OH]^{2+} + H^+$$

$$NH_4^+ \rightleftharpoons NH_3 + H^+$$

$$H_2PO_4^- \rightleftharpoons HPO_4^{2-} + H^+$$

$$HPO_4^{2-} \rightleftharpoons PO_4^{3-} + H^+$$

从上面几对共轭酸碱也以看出质子酸可为分子，如 HCl，可为正离子，如 NH_4^+，也可为负离子，如 $H_2PO_4^-$ 和 HPO_4^{2-}；质子碱可为分子，如 NH_3，可为正离子，如 $[Al(H_2O)_5OH]^{2+}$，也可为负离子，如 HPO_4^{2-} 和 PO_4^{3-} 等。我们还看到同一物质如 HPO_4^{2-} 在一个反应中它是酸，而在另一个反应中它又是碱。这种在一定条件下可以失去质子而在另一种条件下又可以结合质子的物质称为两性物质。判断一种物质是酸还是碱要在具体的环境中，分析其发挥的作用，若失去质子则是酸，若得到质子则是碱。例如 H_2O，在反应 $H_2O + H^+ \longrightarrow H_3O^+$ 中是碱，其共轭酸是 H_3O^+；而在反应 $H_2O \longrightarrow OH^- + H^+$ 中则是酸，其共轭碱是 OH^-。

(2) 酸碱的强度

在阿仑尼乌斯理论中，酸和碱的强度是用电离平衡常数来表示的。以酸为例，若 $K_a^\ominus$ 大则表示酸在水溶液中电离出 H^+ 的能力强，以 $K_a^\ominus$ 的大小可将酸按其强弱排个队。下面一些酸从强到弱排列成

强酸（$HClO$，H_2SO_4，HCl，HNO_3）＞HF＞HAc＞H_2O。

强酸在 H_2O 中完全电离，因此在水中不能分辨出这些酸的强弱，也就是说在检验这些强酸给出 H^+ 的能力问题上 H_2O 没有分辨作用。换句话说用水来检验强酸解离出质子的能力，结果将它们的能力拉平了。但是有了酸碱质子理论，则容易检验这些阿仑尼乌理论中的强酸究竟谁强谁弱了。将这些强酸放在比 H_2O 难于接受质子的溶剂中，如放在 HAc 中，就可以分辨出哪种给出质子的能力最强了。

$$HClO_4 + HAc \rightleftharpoons ClO_4^- + H_2Ac^+ \qquad pK_a^\ominus = 5.8$$

$$H_2SO_4 + HAc \rightleftharpoons HSO_4^- + H_2Ac^+ \qquad pK_a^\ominus = 8.2$$

$$HCl + HAc \rightleftharpoons Cl^- + H_2Ac^+ \qquad pK_a^\ominus = 8.8$$

$$HNO_3 + HAc \rightleftharpoons NO_3^- + H_2Ac^+ \qquad pK_a^\ominus = 9.4$$

结果 $HClO_4$ 给出 H^+ 的能力最强,其次是 H_2SO_4,HCl 和 HNO_3。

对于这四种酸,HAc 是分辨试剂,对其具有分辨效应;而 H_2O 是拉平试剂,对其有拉平效应。对大多数较弱的酸来说,其分辨试剂是 H_2O,可以根据其在 H_2O 中的电离平衡常数的大小比较强弱。

HAc 在 H_2O 中,$HAc + H_2O \rightleftharpoons H_3O^+ + Ac^- \quad K_a^\ominus$

HAc 的共轭碱在水中起碱的作用

$$Ac^- + H_2O \rightleftharpoons HAc + OH^- \qquad K_b^\ominus = \frac{K_w^\ominus}{K_a^\ominus}$$

一对共轭酸碱,其解离平衡常数之积等于定值 $K_w^\ominus$,故酸越强 $K_a^\ominus$ 越大,其共轭碱越弱 $K_b^\ominus$ 越小。下面把各种质子酸以 H_2O 做分辨试剂比较其大小,排列起来:

$(HClO_4, H_2SO_4, HCl, HNO_3) > H_3O^+ > HF > HAc > NH_4^+ > H_2O > HS^-$

若将这些酸的共轭碱按着碱性从小到大排列起来,则有:

$(ClO_4^-, HSO_4^-, Cl^-, NO_3^-) < H_2O < F^- < Ac^- < NH_3 < OH^- < S^{2-}$

(3) 酸碱反应

① $HCl + H_2O \longrightarrow H_3O^+ + Cl^-$

酸$_{\text{I}}$　碱$_{\text{II}}$　酸$_{\text{II}}$　碱$_{\text{I}}$

质子从酸$_{\text{I}}$(HCl)转移到碱$_{\text{II}}$(H_2O),生成酸$_{\text{II}}$(H_3O^+)和碱$_{\text{I}}$(Cl^-),这就是阿仑尼乌斯理论中的强酸的解离反应,反应进行到底,全部变成 H_3O^+ 和 Cl^-。

② $HAc + H_2O \rightleftharpoons H_3O^+ + Ac^-$

酸$_{\text{I}}$　碱$_{\text{II}}$　酸$_{\text{II}}$　碱$_{\text{I}}$

质子从酸$_{\mathrm{I}}$(HAc)转移到碱$_{\mathrm{II}}$(H_2O),生成酸$_{\mathrm{II}}$(H_3O^+)和碱$_{\mathrm{I}}$(Ac^-),这就是阿仑尼乌斯理论中的弱酸的解离平衡,HAc 部分解离,反应进行的程度很小,平衡体系中大部分是 HAc 和 H_2O。

③ 阿仑尼乌斯理论中的弱碱的解离平衡也可以看成是酸碱质子理论中质子转移反应,

$$\underset{\text{酸}_{\mathrm{I}}}{H_2O}+\underset{\text{碱}_{\mathrm{II}}}{NH_3}\rightleftharpoons\underset{\text{酸}_{\mathrm{II}}}{NH_4^+}+\underset{\text{碱}_{\mathrm{I}}}{OH^-}$$

④ 酸碱中和反应也可以用质子转移反应来表示,

$$\underset{\text{酸}_{\mathrm{I}}}{H_3O^+}+\underset{\text{碱}_{\mathrm{II}}}{OH^-}\longrightarrow\underset{\text{酸}_{\mathrm{II}}}{H_2O}+\underset{\text{碱}_{\mathrm{I}}}{H_2O}$$

⑤ 盐的水解反应也可以表示成质子转移反应。

$$\underset{\text{酸}_{\mathrm{I}}}{H_2O}+\underset{\text{碱}_{\mathrm{II}}}{Ac^-}\rightleftharpoons\underset{\text{酸}_{\mathrm{II}}}{HAc}+\underset{\text{碱}_{\mathrm{I}}}{OH^-}$$

$$\underset{\text{酸}_{\mathrm{I}}}{NH_4^+}+\underset{\text{碱}_{\mathrm{II}}}{H_2O}\rightleftharpoons\underset{\text{酸}_{\mathrm{II}}}{H_3O}+\underset{\text{碱}_{\mathrm{I}}}{NH_3}$$

⑥ 水的自偶电离平衡也可以表示成质子转移反应。

$$\underset{\text{酸}_{\mathrm{I}}}{H_2O}+\underset{\text{碱}_{\mathrm{II}}}{H_2O}\rightleftharpoons\underset{\text{酸}_{\mathrm{II}}}{H_3O^+}+\underset{\text{碱}_{\mathrm{I}}}{OH^-}$$

质子酸碱理论不仅适用于水溶液,更适用于所有含质子的非水溶剂所形成的溶液。常见的无机非水溶剂有液氨,HAc 和 HF 等。

⑦ 液氨的自偶解离也可以表示为质子转移反应。

$$\underset{\text{酸}_{\mathrm{I}}}{NH_3}+\underset{\text{碱}_{\mathrm{II}}}{NH_3}\rightleftharpoons\underset{\text{酸}_{\mathrm{II}}}{NH_4^+}+\underset{\text{碱}_{\mathrm{I}}}{NH_2^-}$$

⑧ 高氯酸在冰醋酸中的解离平衡也可以表示成质子转移

反应，

$$\mathrm{HClO_4} + \mathrm{HAc} \rightleftharpoons \mathrm{H_2Ac^+} + \mathrm{ClO_4^-}$$

$$\text{酸}_{\mathrm{I}} \quad \text{碱}_{\mathrm{II}} \quad \text{酸}_{\mathrm{II}} \quad \text{碱}_{\mathrm{I}}$$

酸碱质子理论中，酸和碱的反应可以认为是质子转移反应。它不仅把水溶液中的一些离子反应系统地归纳为质子转移反应，同时把一些非水质子溶剂中的反应也归纳为质子转移反应。

在质子转移反应中，反应的方向是由强酸和强碱反应生成一种弱酸和一种弱碱。

上述反应中的①，强酸完全解离，生成 H_3O^+ 是比 HCl 弱的酸，生成的 Cl^- 是比 H_2O 弱的碱。

反应④，由 H_3O^+ 和 OH^- 反应生成 H_2O，H_2O 是比 H_3O^+ 弱的酸又是比 OH^- 弱的碱。

反应②③⑤⑥⑦，从左向右皆是由弱酸、弱碱生成强酸、强碱的反应，我们知道这些反应进行的程度很小。这些平衡的平衡常数相当小，它们的 $\Delta G^{\ominus} \gg 0$，说明这些反应不是自发反应。在标准状态下，这些物质处于同一体系中时，反应自发进行的方向应是 $\Delta G^{\ominus} < 0$ 即向左进行，也就是说由强酸、强碱反应生成弱酸、弱碱。

如果 H_2O 中有比 H_3O^+ 更强的酸如 HA 存在，则必有下列质子转移反应发生

$$\mathrm{HA} + \mathrm{H_2O} \longrightarrow \mathrm{H_3O^+} + \mathrm{A^-}$$

由强酸 HA 和强碱 H_2O 反应生成较弱的酸 H_3O^+ 和较弱的碱 A^-。这个反应就是强酸的完全解离，因此在 H_2O 中可以存在的最强的质子酸是 H_3O^+。但在非水溶剂中则不是这样。如反应⑧，$HClO_4$ 在 HAc 中部分解离，大量的 $HClO_4$ 分子存在。故在 HAc 中可以存在比 H_3O^+ 更强的质子酸。同理，在 H_2O 中若有比 OH^- 更强的质子碱，它也势必与 H_2O 发生反应，如 S^{2-}，则有

$$\mathrm{H_2O} + \mathrm{S^{2-}} \longrightarrow \mathrm{HS^-} + \mathrm{OH^-}$$

故在水中 OH^- 是最强的质子碱。

虽然酸碱质子理论扩充了酸碱的范围,并适于在非水的质子溶剂中应用。但是它讨论的酸必须有可以放出的质子,因此使酸碱的面仍受限制,不能讨论不含质子的物质。对于无质子转移的反应也不能进行研究。所以酸碱质子理论有成功的一面,也有不足之处。

4-2 酸碱电子理论

(1) 酸碱定义

在酸碱质子理论提出的同年,路易斯(Lewis)提出了酸碱电子理论。电子理论认为,凡是可以接受电子对的物质称为酸,凡是可以给出电子对的物质称为碱。因此酸是电子对的接受体,碱是电子对的给予体。它认为酸碱反应的实质是形成配位键生成酸碱配合物的过程。

这种酸碱的定义涉及到了物质的微观结构,使酸碱理论与物质结构产生了有机的联系。

下列物质均可做为电子对的接受体,是酸:

$$H^+, Na^+, BF_3 \left(\begin{array}{c} F \\ \ddot{B}:F \\ \ddot{F} \end{array} \right)$$

而下面各种物质均可做为电子对的给予体,是碱:

OH^- ($[:\ddot{\underset{..}{O}}:H]^-$), CN^- ($[:C\equiv N:]^-$), NH_3 ($H:\underset{\underset{H}{..}}{\overset{..}{N}}:H$),

F^- ($[:\ddot{\underset{..}{F}}:]^-$)

(2) 反应

酸和碱的反应是形成配位键生成酸碱配合物的过程,如

$$Cu^{2+} + 4NH_3 \longrightarrow \left[\begin{array}{c} NH_3 \\ \downarrow \\ H_3N \rightarrow Cu \leftarrow NH_3 \\ \uparrow \\ NH_3 \end{array}\right]^{2+}$$

酸　　碱　　　　酸碱配合物

$$BF_3 + F^- \longrightarrow BF_4^-$$

酸　碱　　酸碱配合物

$$H^+ + OH^- \longrightarrow H_2O$$

$$Ag^+ + Cl^- \longrightarrow AgCl$$

上面这些反应都可以看成是酸和碱之间的反应，其本质是路易斯酸接受了路易斯碱所给予的电子对。

除酸与碱之间的反应之外，还有一类取代反应，如

$$[Cu(NH_3)_4]^{2+} + 4H^+ \longrightarrow Cu^{2+} + 4NH_4^+$$

酸（H^+）从酸碱配合物$[Cu(NH_3)_4]^{2+}$中取代了酸（Cu^{2+}），而自身与碱（NH_3）结合形成一种新的酸碱配合物 NH_4^+。

又如，$Al(OH)_3 + 3H^+ \longrightarrow Al^{3+} + 3H_2O$

酸（H^+）取代了酸碱络合物中的 Al^{3+}，形成了新的酸碱配合物 H_2O。

这种取代反应称之为酸取代反应。

而下面的取代反应可以称碱取代反应

$$[Cu(NH_3)_4]^{2+} + 2OH^- \xrightarrow{\triangle} Cu(OH)_2\downarrow + 4NH_3$$

碱（OH^-）取代了酸碱配合物$[Cu(NH_3)_4]^{2+}$中的 NH_3，形成新的酸碱配合物 $Cu(OH)_2$。

在反应　$NaOH + HCl \longrightarrow NaCl + H_2O$

和反应　　$BaCl_2 + Na_2SO_4 \longrightarrow BaSO_4 + 2NaCl$

之中，两种酸碱配合物中的酸碱互相交叉取代，生成两种新的酸碱配合物。这种取代反应称为双取代反应。

在酸碱电子理论中，一种物质究竟属于酸还是属于碱，还是酸

碱配合物,应该在具体的反应中确定。在反应中起酸作用的是酸,起碱作用的是碱,而不能脱离环境去辨认物质的归属。

按着这一理论,几乎所有的正离子都能起酸的作用,负离子都能起碱的作用,绝大多数的物质都能归为酸、碱或酸碱配合物。而且大多数反应都可以归为酸碱之间的反应或酸碱与酸碱配合物之间的反应。可见这一理论的适应面极广泛。也正是由于这一理论包罗万象,所以显得酸碱的特征不明显,这也是酸碱电子理论的不足之处。

§10-5 难溶性强电解质的沉淀-溶解平衡

物质的溶解度只有大小之分,没有在水中绝对不溶解的物质。习惯上把溶解度小于 0.01g/100g 水的物质叫做不溶物,确切地说应叫做难溶物。

但是这种界限也不是绝对的,如 $PbCl_2$ 的溶解度为 0.675g/100gH_2O,$CaSO_4$ 为 0.176g/100gH_2O、Hg_2SO_4 为 0.055g/100gH_2O,都不属于难溶物。这些物质分子量很大,尽管用上述标准衡量显得溶解度大些,但它们的饱和溶液的物质的量浓度却极小。这样的物质也是我们这节的研究对象。

5-1 溶度积和溶解度

(1) 溶度积常数

$BaSO_4$ 和很多难溶电解质一样,是强电解质。在一定温度下把固体 $BaSO_4$ 放到水中,由于水分子是一种极性分子,有些水分子的正极与 $BaSO_4$ 固体表面上的负离子 SO_4^{2-} 相吸引,而另一些水分子的负极与 $BaSO_4$ 固体表面上的正离子 Ba^{2+} 相吸引。这种相互作用削弱了固体上 Ba^{2+} 与 SO_4^{2-} 之间的相互作用,因而使得一部分 Ba^{2+} 和 SO_4^{2-} 脱离固体表面,成为水合离子进入溶液。这种由于水分子和固体表面的粒子相互作用,使溶质粒子脱离固体表面以水合粒子状态进入溶液的过程称为溶解。

另一方面，在溶液中出现了水合 Ba^{2+} 和 SO_4^{2-} 以后，它们不断地作无规则运动。随着 Ba^{2+} 和 SO_4^{2-} 的不断增多，其中一些水合 Ba^{2+} 和 SO_4^{2-} 在运动中相互碰撞结合成 $BaSO_4$ 晶体或碰到固体表面，受固体表面的吸引，重新回到固体表面上来。这种处于溶液中的溶质粒子转为固体状态，并从溶液中析出的过程称为沉淀（见图10-2所示）。

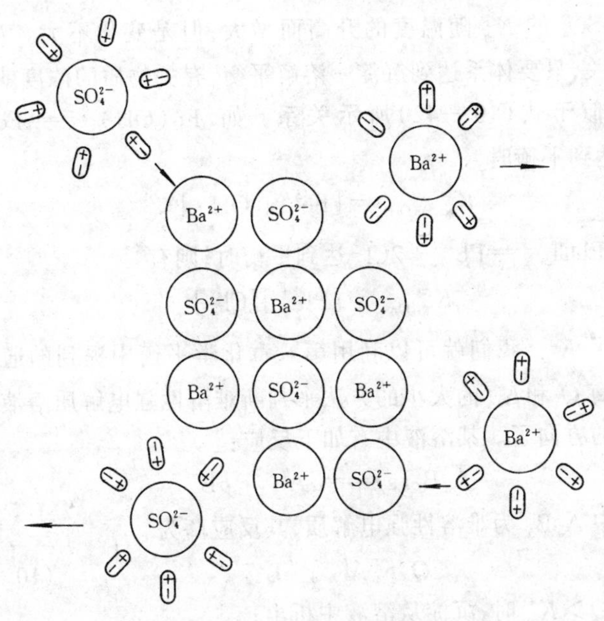

图10-2 $BaSO_4$ 的溶解和沉淀过程

溶解和沉淀这两个过程各自不断地进行。当两个过程进行的速度相等时，便达到沉淀-溶解动态平衡。平衡建立后，尽管两个过程仍在不断地进行，但溶液中离子的浓度（严格讲是活度）不再改变。在 $BaSO_4$ 的饱和溶液中存在着下列平衡：

$$BaSO_4(固) \rightleftharpoons Ba^{2+} + SO_4^{2-}$$

该平衡的平衡常数表达式为 $K_{sp}^{\ominus} = a_{Ba^{2+}} \cdot a_{SO_4^{2-}}$，式中的 $K_{sp}^{\ominus}$ 称为溶度积常数。在本课程一般不考虑活度系数的大小，均用浓度代替活度，故 $K_{sp}^{\ominus}$ 的表达式写作

$$K_{sp}^{\ominus} = [Ba^{2+}][SO_4^{2-}] \quad (10-42)$$

和其它平衡常数一样，$K_{sp}^{\ominus}$ 也随温度变化而改变。例如 $BaSO_4$ 的溶度积，298K 时 $K_{sp}^{\ominus} = 1.08 \times 10^{-10}$，323K 时 $K_{sp}^{\ominus} = 1.98 \times 10^{-10}$。可见 $BaSO_4$ 的 $K_{sp}^{\ominus}$ 随温度的升高而增大，但是变化不大。$K_{sp}^{\ominus}$ 和浓度无关，只要体系达到沉淀－溶解平衡，有关物质的浓度就必然满足类似于式(10－42)所示关系。如，$Fe(OH)_3 \rightleftharpoons Fe^{3+} + 3OH^-$ 达到平衡时，

必然有
$$K_{sp,Fe(OH)_3}^{\ominus} = [Fe^{3+}][OH^-]^3,$$

若反应 $PbCl_2 \rightleftharpoons Pb^{2+} + 2Cl^-$ 达到平衡时，则有

$$K_{sp,PbCl_2}^{\ominus} = [Pb^{2+}][Cl^-]^2$$

有了 $K_{sp}^{\ominus}$，我们就可以利用第八章化学平衡中提到的通过比较反应商 Q 和 $K^{\ominus}$ 的大小的方法来判断难溶性强电解质溶液中反应进行的方向了。某溶液中有如下反应：

$$A_aB_b(s) \rightleftharpoons aA^{b+} + bB^{a-}$$

其中 A_aB_b 为难溶性强电解质，其反应商为

$$Q = [A^{b+}]^a[B^{a-}]^b \quad (10-43)$$

当 $Q > K_{sp}^{\ominus}$ 时，沉淀从溶液中析出；

当 $Q = K_{sp}^{\ominus}$ 时，饱和溶液与沉淀物平衡；

当 $Q < K_{sp}^{\ominus}$ 时，溶液不饱和，若体系中有沉淀物，则沉淀将溶解。

这就是溶度积原理，经常用它来判断沉淀的生成和溶解。现将一些难溶性强电解质的 $K_{sp}^{\ominus}$ 值列于表 10－11 中。

有的时候，我们计算的 Q 已经比 $K_{sp}^{\ominus}$ 略大些了，但尚未观察到

有沉淀生成。这可能是由于 Q 不是按活度 a，而是按浓度 c 计算的缘故。因为按 $a_A^a \cdot a_B^b$ 计算时，$Q < K_{sp}^{\ominus}$，故沉淀不能生成。即使 $Q > K_{sp}^{\ominus}$，也可能存在溶液的过饱和现象，由于没有结晶中心存在，固相暂时尚未析出，故观察不到沉淀的生成。人的眼睛的观察能力是有限的，只有当溶液中的沉淀物达到 1.0×10^{-5} g·cm^{-3}时，人们才能感觉到溶液产生了浑浊现象。

表 10-11　某些难溶性强电解质的 $K_{sp}^{\ominus}$ 值(291-298K)

化合物	$K_{sp}^{\ominus}$	化合物	$K_{sp}^{\ominus}$
AgCl	1.8×10^{-10}	$Fe(OH)_3$	4.0×10^{-38}
AgBr	5.0×10^{-13}	Hg_2Cl_2	1.3×10^{-18}
AgI	9.3×10^{-17}	Hg_2Br_2	5.8×10^{-25}
Ag_2CrO_4	2.0×10^{-12}	Hg_2I_2	4.5×10^{-29}
Ag_2S	2.0×10^{-49}	HgS	4.0×10^{-53}
$BaCO_3$	5.1×10^{-9}	$Mg(OH)_2$	1.8×10^{-11}
$BaSO_4$	1.1×10^{-10}	MnS	2.0×10^{-13}
$BaCrO_4$	1.2×10^{-10}	$PbCO_3$	7.4×10^{-14}
$CaCO_3$	2.9×10^{-9}	$PbCrO_4$	2.8×10^{-13}
CaC_2O_4	2.0×10^{-9}	$PbSO_4$	1.6×10^{-5}
CaF_2	2.7×10^{-11}	PbS	1.0×10^{-28}
CuS	6.0×10^{-36}	PbI_2	7.1×10^{-9}
CuBr	5.2×10^{-9}	ZnS	2.0×10^{-22}
CuI	1.1×10^{-12}	$Zn(OH)_2$	1.2×10^{-17}
$Fe(OH)_2$	8.0×10^{-16}		

(2) 溶度积与溶解度的关系

溶度积 $K_{sp}^{\ominus}$ 从平衡常数角度表示难溶物溶解的趋势，溶解度也可以表示难溶物溶解的程度，两者之间有着必然的联系。在这里我们经常用难溶物的饱和溶液的物质的量浓度 S 来表示其溶解度。S 与 $K_{sp}^{\ominus}$ 之间的换算，关键在于找出难溶性强电解质溶解和电离出的离子的浓度与溶解度 S 之间的关系。

例 10-10　已知 $CaCO_3$ 的 $K_{sp}^{\ominus} = 2.9\times10^{-9}$，求 $CaCO_3$ 的溶解度 S。(假定离子不发生水解)

解：

$$CaCO_3 \rightleftharpoons Ca^{2+} + CO_3^{2-}$$

平衡时浓度　　　　　　　　　　　S　　S

饱和溶液中$[Ca^{2+}]$和$[CO_3^{2-}]$都与$CaCO_3$的溶解度S一致。

$$K_{sp}^{\ominus}=[Ca^{2+}][CO_3^{2-}]=S^2=2.9\times10^{-9}$$

$$S=5.4\times10^{-5}(mol\cdot dm^{-3})$$

例 10－11　已知某温度下Ag_2CrO_4的溶解度为$1.31\times10^{-4}mol\cdot dm^{-3}$，求$Ag_2CrO_4$的$K_{sp}^{\ominus}$。

解：

$$Ag_2CrO_4 \rightleftharpoons 2Ag^+ + CrO_4^{2-}$$

平衡时浓度　　　　　　　　　　　S　　　$2S$

饱和溶液中$[CrO_4^{2-}]=S$，而$[Ag^+]=2S$

$$K_{sp}^{\ominus}=[Ag^+]^2[CrO_4^{2-}]=(2S)^2S=4S^3$$

$$=4\times(1.31\times10^{-4})^3=9.0\times10^{-12}$$

从上面两个例子，我们看到$K_{sp}^{\ominus}$和S之间具有明确的换算关系，同时也看到尽管两者均表示难溶物的溶解性质，但$K_{sp}^{\ominus}$大的其S不一定就大。例子中$CaCO_3$的$K_{sp}^{\ominus}$比Ag_2CrO_4的$K_{sp}^{\ominus}$大些，但$CaCO_3$的溶解度却比Ag_2CrO_4的溶解度小。其原因是$CaCO_3$属AB形结构，而Ag_2CrO_4属A_2B形结构，故$K_{sp}^{\ominus}$与S的大小关系不一致。只有具有相同的结构的难溶物，其$K_{sp}^{\ominus}$和S的大小关系才能一致。如：

	$K_{sp}^{\ominus}$	$S/mol\cdot dm^{-3}$
AgCl	1.8×10^{-10}	1.3×10^{-5}
AgBr	5.0×10^{-13}	7.1×10^{-7}
AgI	9.3×10^{-17}	9.6×10^{-9}

例 10－12　把足量的 AgCl 固体放在 $1dm^3$ 纯水中，溶解度是多少？若放在 $1dm^3$ $1.0mol\cdot dm^{-3}$的盐酸中，溶解度又是多少？

解：在纯水中　　　　$AgCl \rightleftharpoons Ag^+ + Cl^-$

起始时相对浓度　　　　　0　　0

平衡时相对浓度　　　　　S　　S

$$K_{sp}^{\ominus}=[Ag^+][Cl^-]=S^2=1.8\times10^{-10}$$

$$S=1.3\times10^{-5}(mol\cdot dm^{-3})$$

在 $1mol\cdot dm^{-3}$盐酸中

$$AgCl \rightleftharpoons Ag^+ + Cl^-$$

起始时相对浓度　　　　　　　　0　　1.0

平衡时相对浓度　　　　　　　　S'　　$1+S'$

达到饱和时$[Ag^+]$可以代表 AgCl 的溶解度

$$K_{sp}^{\ominus} = [Ag^+][Cl^-] = S'(1+S')$$

$S' \ll 1.0$,故 $1+S'=1$

故　　$S' = K_{sp}^{\ominus} = 1.8 \times 10^{-10}(mol \cdot dm^{-3})$

在 $1mol \cdot dm^{-3}$的盐酸中,AgCl 的溶解度仅是其在纯水中溶解度的 7.2×10^4 分之一。在难溶性强电解质的溶液中,加入与其具有相同离子的强电解质,将使难溶性强电质的溶解度减小,这一作用称为同离子效应。

如果在饱和的 AgCl 溶液中加入 KNO_3 固体,KNO_3 全部离解成 K^+ 和 NO_3^-,结果溶液中离子总数骤增。Ag^+ 和 Cl^- 周围分别包围着众多的 NO_3^- 和 K^+,使 Ag^+ 和 Cl^- 的活度降低,使 $a_{Ag^+} \cdot a_{Cl^-} < K_{sp}^{\ominus}$,故 AgCl 固体继续溶解以保持平衡,于是增大了 AgCl 的溶解度。这种因加入可溶性强电解质而使难溶性强电解质的溶解度增大的效应叫做盐效应。盐效应引起的溶解度的变化很小,一般情况下不予考虑。

5-2　沉淀-溶解平衡的移动

(1) 沉淀的生成

根据溶度积原理,当溶液中 $Q > K_{sp}^{\ominus}$ 时,将有沉淀生成。

例 10-13　向 $1.0 \times 10^{-3}\ mol \cdot dm^{-3}$ 的 K_2CrO_4 溶液中滴加 $AgNO_3$ 溶液,求开始有 Ag_2CrO_4 沉淀生成时的$[Ag^+]$。CrO_4^{2-} 沉淀完全时,$[Ag^+]$是多大?

解:
$$Ag_2CrO_4 \rightleftharpoons 2Ag^+ + CrO_4^{2-}$$

$$K_{sp}^{\ominus} = [Ag^+]^2[CrO_4^{2-}]$$

故

$$[Ag^+] = \sqrt{\frac{K_{sp}^{\ominus}}{[CrO_4^{2-}]}} = \sqrt{\frac{2.0 \times 10^{-12}}{1.0 \times 10^{-3}}} = 4.5 \times 10^{-5}(mol \cdot dm^{-3})$$

当$[Ag^+]=4.5\times10^{-5}mol\cdot dm^{-3}$时，开始有 Ag_2CrO_4 沉淀生成。

一般来说一种离子与沉淀剂生成沉淀物后在溶液中的残留量不超过$1.0\times10^{-5}mol\cdot dm^{-3}$时，则认为已沉淀完全。于是当$[CrO_4^{2-}]=1.0\times10^{-5}$ $mol\cdot dm^{-3}$时的$[Ag^+]$为所求，

$$[Ag^+]=\sqrt{\frac{K_{sp}^{\ominus}}{[CrO_4^{2-}]}}=\sqrt{\frac{2.0\times10^{-12}}{1.0\times10^{-5}}}=4.5\times10^{-4}(mol\cdot dm^{-3})$$

例 10－14　向 $0.10mol\cdot dm^{-3}$ $ZnCl_2$ 溶液中通 H_2S 气体至饱和（$0.10mol\cdot dm^{-3}$）时，溶液中刚好有 ZnS 沉淀生成，求此时溶液的$[H^+]$。

分析：例 10－13 只涉及沉淀－溶解平衡，此题涉及沉淀－溶解平衡和酸的电离平衡的同时平衡。溶液之中的$[H^+]$将影响 H_2S 电离出的$[S^{2-}]$，而 S^{2-} 又要与 Zn^{2+} 共处于沉淀溶解平衡之中。于是可先求出与 $0.10mol\cdot dm^{-3}$ 的 Zn^{2+} 共存的$[S^{2-}]$，再求出与饱和 H_2S 及 S^{2-} 平衡的$[H^+]$。

解：

$$ZnS \rightleftharpoons Zn^{2+}+S^{2-}$$

$$K_{sp}^{\ominus}=[Zn^{2+}][S^{2-}]$$

故

$$[S^{2-}]=\frac{K_{sp}^{\ominus}}{[Zn^{2+}]}=\frac{2.0\times10^{-22}}{0.10}=2.0\times10^{-21}(mol\cdot dm^{-3})$$

$$H_2S \rightleftharpoons 2H^+ + S^{2-}$$

$$K_1K_2=\frac{[H^+]^2[S^{2-}]}{[H_2S]}$$

故

$$[H^+]=\sqrt{\frac{K_1K_2[H_2S]}{[S^{2-}]}}=\sqrt{\frac{1.3\times10^{-7}\times7.1\times10^{-15}\times0.10}{2.0\times10^{-21}}}$$

$$=0.21(mol\cdot dm^{-3})$$

（2）沉淀的溶解

沉淀物与饱和溶液共存，如果能使 $Q<K_{sp}^{\ominus}$，则沉淀物要发生溶解。使 Q 减小的方法有几种，通过氧化还原的方法和通过生成配合物的方法可以使有关离子浓度变小，从而达到使 $Q<K_{sp}^{\ominus}$ 的目的，也可以采取使有关离子生成弱电解质的方法使 $Q<K_{sp}^{\ominus}$。氧化还原和生成配合物的方法将放在后面有关章节中去讨论，本节着重讨论酸碱电离平衡对沉淀溶解平衡的影响。

FeS 沉淀可以溶于盐酸，$FeS \rightleftharpoons Fe^{2+}+S^{2-}$，$S^{2-}$ 与盐酸中的

H^+ 可以生成弱电解质 H_2S，于是使沉淀溶解平衡右移，引起 FeS 的溶解。这个过程可以示意为：

$$\begin{array}{l} FeS \rightleftharpoons Fe^{2+} + S^{2-} \\ \qquad\qquad\qquad\quad + \\ 2HCl \longrightarrow 2Cl^- + 2H^+ \\ \qquad\qquad\qquad\quad \Updownarrow \\ \qquad\qquad\qquad\quad H_2S \end{array}$$

只要 $[H^+]$ 足够大，总会使 FeS 溶解。

例 10－15　使 0.01mol SnS 溶于 $1dm^3$ 盐酸中，求所需盐酸的最低浓度。

解：当 0.01mol 的 SnS 全部溶于 $1dm^3$ 盐酸中时，$[Sn^{2+}]=0.01mol\cdot dm^{-3}$，与 Sn^{2+} 相平衡的 $[S^{2-}]$ 可由沉淀溶解平衡求出。

$$K_{sp}^{\ominus}=[Sn^{2+}][S^{2-}]$$

$$[S^{2-}]=\frac{K_{sp}^{\ominus}}{[Sn^{2+}]}=\frac{1.0\times10^{-25}}{0.01}=1.0\times10^{-23}(mol\cdot dm^{-3})$$

当 0.01mol 的 SnS 全部溶解时，放出的 S^{2-} 将与盐酸中的 H^+ 结合成 H_2S，且 $[H_2S]=0.01mol\cdot dm^{-3}$。

根据 H_2S 的解离平衡，由 $[S^{2-}]$ 和 $[H_2S]$ 可以求出与之平衡的 $[H^+]$

$$H_2S \rightleftharpoons 2H^+ + S^{2-}$$

$$K_1K_2=\frac{[H^+]^2[S^{2-}]}{[H_2S]}$$

故

$$[H^+]=\sqrt{\frac{K_1K_2[H_2S]}{[S^{2-}]}}=\sqrt{\frac{1.3\times10^{-7}\times7.1\times10^{-15}\times0.01}{1.0\times10^{-23}}}$$

$$=0.96(mol\cdot dm^{-3})$$

这个浓度是溶液中平衡时的 $[H^+]$，原来的盐酸中的 H^+ 与 0.01mol 的 S^{2-} 结合时消耗掉 0.02mol。故所需的盐酸的起始浓度为 $0.96+0.02=0.98mol\cdot dm^{-3}$。

上述过程可以通过总的反应方程式进行计算：

	$SnS + 2H^+ \longrightarrow$	$H_2S +$	Sn^{2+}
反应开始时相对浓度	$[H^+]_0$	0	0
平衡时相对浓度	$[H^+]_0-0.02$	0.01	0.01

$$K=\frac{[H_2S][Sn^{2+}]}{[H^+]^2}=\frac{[H_2S][Sn^{2+}][S^{2-}]}{[H^+]^2[S^{2-}]}$$

$$=\frac{K^{\ominus}_{sp,SnS}}{K_1K_2}=\frac{1.0\times10^{-25}}{1.3\times10^{-7}\times7.1\times10^{-15}}=1.08\times10^{-4}$$

$$[H^+]_0-0.02=\sqrt{\frac{[H_2S][Sn^{2+}]}{K}}=\sqrt{\frac{0.01\times0.01}{1.08\times10^{-4}}}=0.96$$

故有$[H^+]=0.98(mol\cdot dm^{-3})$。

在解题过程中，我们认为 SnS 溶解产生的 S^{2-} 全部转变成 H_2S，这种做法是否合适，以 HS^- 和 S^{2-} 状态存在的部分占多大比例，应该有一个认识。体系中$[H^+]$为 $0.98mol\cdot dm^{-3}$，可以计算出在这样的酸度下，HS^- 和 S^{2-} 的存在量只是 H_2S 的 10^7 分之一和 10^{23}分之一。所以这种解法是完全合理的。

用例 10－15 的方法讨论需多大浓度的盐酸才能溶解 CuS 时，结果是盐酸的浓度约为 $10^5mol\cdot dm^{-3}$，这个结果只能说明盐酸不能溶解 CuS。我们知道 CuS 可以溶于 HNO_3 中，这是因为 HNO_3 可以将 S^{2-} 氧化成单质 S，从而使平衡向溶解的方向移动。这些问题在本节不再深入探讨。

(3) 分步沉淀

如果一种溶液中同时含有 I^- 和 Cl^-，当慢慢滴入 $AgNO_3$ 溶液时，刚开始只生成 AgI 沉淀；加入的 $AgNO_3$ 到一定量时才出现 AgCl 沉淀。这种先后沉淀的现象，称为分步沉淀。

之所以 AgI 沉淀先生成，是因为 $K^{\ominus}_{sp,AgI}$ 比 $K^{\ominus}_{sp,AgCl}$ 小。假定溶液中$[I^-]=[Cl^-]=0.010mol\cdot dm^{-3}$，则开始生成 AgI 和 AgCl 沉淀时所需要的 Ag^+ 的浓度分别是：

$$[Ag^+]_{AgI}=\frac{K^{\ominus}_{sp,AgI}}{[I^-]}=\frac{9.3\times10^{-17}}{0.010}=9.3\times10^{-15}(mol\cdot dm^{-3})$$

$$[Ag^+]_{AgCl}=\frac{K^{\ominus}_{sp,AgCl}}{[I^-]}=\frac{1.8\times10^{-10}}{0.010}=1.8\times10^{-8}(mol\cdot dm^{-3})$$

可见沉淀 I^- 所需要的$[Ag^+]$要小得多，所以 AgI 先沉淀。继续滴加 $AgNO_3$，当$[Ag^+]=1.8\times10^{-8}mol\cdot dm^{-3}$时，AgCl 沉淀也开始生成。这时$[I^-]$，$[Cl^-]$和$[Ag^+]$同时平衡：

$$[Ag^+][I^-]=K^{\ominus}_{sp,AgI}=9.3\times10^{-17}$$

$$[Ag^+][Cl^-]=K^{\ominus}_{sp,AgCl}=1.8\times10^{-10}$$

两式相除，得：

$$\frac{[Cl^-]}{[I^-]}=1.9\times10^{6}$$

如果溶液中$[Cl^-]>1.9\times10^6[I^-]$，向其中滴加 $AgNO_3$ 溶液时，则要先生成 AgCl 沉淀。

分步沉淀常应用于离子的分离。现以 Fe^{3+} 和 Mg^{2+} 的分离为例说明如何控制条件。

例 10－16 如果溶液中 Fe^{3+} 和 Mg^{2+} 的浓度都为 $0.10mol\cdot dm^{-3}$，使 Fe^{3+} 定量沉淀而使 Mg^{2+} 不沉淀的条件是什么？

解：$K^{\ominus}_{sp,Fe(OH)_3}=4.0\times10^{-38}$

$K^{\ominus}_{sp,Mg(OH)_2}=1.8\times10^{-11}$

可以利用生成氢氧化物沉淀的方法将其分离。

$$Fe(OH)_3 \rightleftharpoons Fe^{3+}+3OH^-$$

$$K^{\ominus}_{sp}=[Fe^{3+}][OH^-]^3$$

Fe^{3+} 沉淀完全时的$[OH^-]$可由下式求得

$$[OH^-]=\sqrt[3]{\frac{K^{\ominus}_{sp}}{[Fe^{3+}]}}=\sqrt[3]{\frac{4.0\times10^{-38}}{1.0\times10^{-5}}}=1.5\times10^{-11}(mol\cdot dm^{-3})$$

这时的 pOH 为 10.8，pH＝3.2

$$Mg(OH)_2 \rightleftharpoons Mg^{2+}+2OH^-$$

用类似的方法求出产生 $Mg(OH)_2$ 沉淀时的$[OH^-]$

$$[OH^-]=1.3\times10^{-5}(mol\cdot dm^{-3})$$

$$pOH=4.9,pH=9.1$$

当 pH＝9.1 时 Fe^{3+} 早已沉淀完全，因此只要将 pH 控制在 3.2～9.1 之间，即可将 Fe^{3+} 和 Mg^{2+} 分离开来。

当然实际情况比我们计算时的情况要复杂得多，Fe^{3+} 沉淀完全的 pH 及 Mg^{2+} 开始沉淀时的 pH 也会与计算时有些出入。但这种计算的结果仍不失为一个相当有价值的参考数据。

利用氢氧化物溶度积的不同，通过控制溶液的 pH 对金属离子进行分离是实际工作中经常使用的分离方法。我们利用例 10－16 的计算方法，计算出一些金属离子在不同浓度时产生氢氧化物沉淀所需的 pH 条件，见表 10－12。

表 10－12　一些金属离子在不同浓度时生成氢氧化物所需的 pH

沉淀 pH \ 离子 $c/mol \cdot dm^{-3}$	10^{-1}	10^{-2}	10^{-3}	10^{-4}	10^{-5}（沉淀完全）	$K_{sp}^{\ominus}$
Fe^{3+}	1.9	2.2	2.5	2.9	3.2	4.0×10^{-38}
Al^{3+}	3.4	3.7	4.0	4.4	4.7	1.3×10^{-33}
Cr^{3+}	4.3	4.6	4.9	5.3	5.6	6.0×10^{-31}
Cu^{2+}	4.7	5.2	5.7	6.2	6.7	2.2×10^{-20}
Fe^{2+}	7.0	7.5	8.0	8.5	9.0	8.0×10^{-16}
Ni^{2+}	7.2	7.7	8.2	8.7	9.2	2.0×10^{-15}
Mn^{2+}	8.1	8.6	9.1	9.6	10.1	1.9×10^{-13}
Mg^{2+}	9.1	9.6	10.1	10.6	11.1	1.8×10^{-11}

根据表 10－12 的数据，以金属离子的浓度为纵坐标，以 pH 值为横坐标做图，即得如图 10－3 所示的金属氢氧化物在不同浓度和 pH 值下的沉淀－溶解图。图中直线上的点表示一种平衡状态。例如，在 Fe^{3+} 线上的点 $A([Fe^{3+}] = 1 \times 10^{-4} mol \cdot dm^{-3}, pH = 2.9)$ 表示下面的平衡：

$$Fe(OH)_3 \rightleftharpoons Fe^{3+} + 3OH^-$$

由点 A 的坐标体现出的 $[Fe^{3+}]$ 和 $[OH^-]$，满足关系式 $K_{sp}^{\ominus} = [Fe^{3+}][OH^-]^3$。

每一条线右上方的点表示不平衡态，金属离子和 OH^- 将生成氢氧化物沉淀，这个区域叫沉淀区。

每一条线的左下方是溶解区，表示氢氧化物不能稳定存在，它会溶解生成金属离子和 OH^-。

从图 10－3 可以估计，是否可以通过控制 pH 利用分步沉淀的方法除去金属离子杂质。例如在 $0.1 mol \cdot dm^{-3}$ Cu^{2+} 溶液中有

$0.01mol\cdot dm^{-3}Fe^{3+}$ 杂质。若将溶液 pH 值调到 3.2，此时$[Fe^{3+}]=10^{-5}mol\cdot dm^{-3}$即已沉淀完全。从图中看出，此时 $0.1mol\cdot dm^{-3}$ Cu^{2+} 尚未开始沉淀，故可以采取分步沉淀法将杂质 Fe^{3+} 除去。又如 Fe^{2+} 和 Ni^{2+}，由于两条直线十分接近，不能利用控制 pH 的方法将 Fe^{2+} 和 Ni^{2+} 分步沉淀分离。

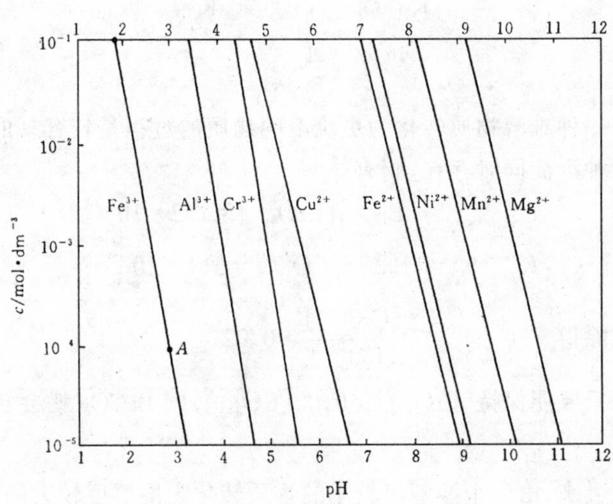

图 10-3　一些难溶金属氢氧化物在不同浓度和 pH 值下的沉淀-溶解图

(4) 沉淀的转化

向盛有白色 $BaCO_3$ 粉末的试管中加入淡黄色的 K_2CrO_4 溶液并搅拌，沉降后观察到溶液变成无色，沉淀变为淡黄色。白色的 $BaCO_3$ 沉淀转化成淡黄色的 $BaCrO_4$ 沉淀。这种由一种沉淀转化为另一种沉淀的过程称为沉淀的转化。

已知 $BaCrO_4$ 的 $K_{sp}^{\ominus}=1.2\times10^{-10}$

$BaCO_3$ 的 $K_{sp}^{\ominus}=5.1\times10^{-9}$

在 $BaCO_3$ 的饱和溶液中，加入 K_2CrO_4，由于 $K_{sp,BaCrO_4}^{\ominus}$ 小于 $K_{sp,BaCO_3}^{\ominus}$，Ba^{2+} 和 CrO_4^{2-} 就生成 $BaCrO_4$ 沉淀，从而使溶液中

$[Ba^{2+}]$降低，这时对 $BaCO_3$ 沉淀来说溶液是未饱和的，$BaCO_3$ 就逐渐溶解。只要加入的 K_2CrO_4 有足够的量，$BaCrO_4$ 就不断析出，直到 $BaCO_3$ 完全转化为 $BaCrO_4$ 为止。此过程可表示为

$$\begin{array}{l} BaCO_3 \rightleftharpoons Ba^{2+} + CO_3^{2-} \\ \qquad\qquad\quad + \\ K_2CrO_4 \longrightarrow CrO_4^{2-} + 2K^+ \\ \qquad\qquad\quad \Downarrow \\ \qquad\qquad BaCrO_4 \end{array}$$

由一种难溶物质转化为更难溶的物质的过程是较容易的。若上述两种沉淀同时存在，则有

$$K^{\ominus}_{sp, BaCrO_4} = [Ba^{2+}][CrO_4^{2-}] = 1.2 \times 10^{-10}$$

$$K^{\ominus}_{sp, BaCO_3} = [Ba^{2+}][CO_3^{2-}] = 5.1 \times 10^{-9}$$

两式相除得
$$\frac{[CrO_4^{2-}]}{[CO_3^{2-}]} = 0.02$$

这说明只要能保持$[CrO_4^{2-}] > 0.02[CO_3^{2-}]$，则 $BaCO_3$ 就会转变为 $BaCrO_4$。

反过来，由一个溶解度较小的物质转化为溶解度较大的物质，则较为困难。如上述关系中只有保持$[CO_3^{2-}] > 50[CrO_4^{2-}]$时，才能使 $BaCrO_4$ 转化为 $BaCO_3$。

例 10－17　$0.15dm^3$ $1.5mol \cdot dm^{-3}$ 的 Na_2CO_3 溶液可以使多少克 $BaSO_4$ 固体转化掉？

解：设平衡时$[SO_4^{2-}] = x$

$$BaSO_4 + CO_3^{2-} \rightleftharpoons BaCO_3 + SO_4^{2-}$$

	CO_3^{2-}	SO_4^{2-}
初始相对浓度	1.5	0
平衡时相对浓度	$1.5 - x$	x

$$K = \frac{[SO_4^{2-}]}{[CO_3^{2-}]} = \frac{[SO_4^{2-}][Ba^{2+}]}{[CO_3^{2-}][Ba^{2+}]} = \frac{K^{\ominus}_{sp, BaSO_4}}{K^{\ominus}_{sp, BaCO_3}} = \frac{1.1 \times 10^{-10}}{5.1 \times 10^{-9}} = 0.022$$

$$K = \frac{[SO_4^{2-}]}{[CO_3^{2-}]} = \frac{x}{1.5 - x} = 0.022$$

解得 $x=0.032$,即$[SO_4^{2-}]=0.032mol\cdot dm^{-3}$

在 $0.15dm^3$ 溶液中有 SO_4^{2-}

$$0.032\times0.15=4.8\times10^{-3}(mol)$$

相当于有 $4.8\times10^{-3}mol$ 的 $BaSO_4$ 被转化掉。

故转化掉的 $BaSO_4$ 的质量为 $233\times4.8\times10^{-3}=1.1(g)$。

习　题

1. 把下列氢离子浓度、氢氧根离子浓度换算成pH和pOH。

(1) $[H^+]=3.2\times10^{-5}mol\cdot dm^{-3}$；　(2) $[H^+]=6.7\times10^{-9}mol\cdot dm^{-3}$；

(3) $[OH^-]=2.0\times10^{-6}mol\cdot dm^{-3}$；

(4) $[OH^-]=4.0\times10^{-12}mol\cdot dm^{-3}$

(4.49;5.70;8.17;11.40)

2. 把下列pH、pOH换算成氢离子浓度、氢氧根离子浓度。

(1) pH=0.24；　　(2) pH=7.5

(3) pOH=4.6；　　(4) pOH=10.2

($0.58mol\cdot dm^{-3}$ H^+；2.15×10^{-5} $mol\cdot dm^{-3}$ H^+；3.16×10^{-8} $mol\cdot dm^{-3}$ OH^-；$6.31\times10^{-11}mol\cdot dm^{-3}OH^-$)

3. 已知298K时某一元弱酸的浓度为$0.010mol\cdot dm^{-3}$,测得其pH为4.0,求 $K_a^\ominus$ 和 α 及稀释至体积变成2倍后的 $K_a^\ominus$,α 和pH。

($K_a^\ominus=10^{-6}$,$\alpha=1\%$;$K_a=10^{-6}$,$\alpha=1.41$,pH=4.15)

4. 将$1.0dm^3 0.20mol\cdot dm^{-3}$的HAc溶液稀释到多大体积时才能使HAc的解离度比原溶液增大1倍?

($4.0dm^3$)

5. 求$0.10mol\cdot dm^{-3}$盐酸和$0.10mol\cdot dm^{-3}H_2C_2O_4$ 混合溶液中的 $C_2O_4^{2-}$ 和 $HC_2O_4^-$ 的浓度。

($1.5\times10^{-5}mol\cdot dm^{-3}$;$3.1\times10^{-2}mol\cdot dm^{-3}$)

6. 计算$0.010mol\cdot dm^{-3}$的 H_2SO_4 溶液中各离子的浓度,已知 H_2SO_4 的 $K_2^\ominus$ 为 1.2×10^{-2}。

($[H^+]$:$1.45\times10^{-2}mol\cdot dm^{-3}$;$[HSO_4^-]$:$5.48\times10^{-3}mol\cdot dm^{-3}$;$[SO_4^{2-}]$:$4.52\times10^{-3}mol\cdot dm^{-3}$)

7. 有一混合酸溶液,其中HF的浓度为$1.0mol\cdot dm^{-3}$,HAc的浓度为

$0.10mol\cdot dm^{-3}$，求溶液中 H^+，F^-，Ac^-，HF 和 HAc 的浓度。

(2.6×10^{-2} $mol\cdot dm^{-3}$；2.6×10^{-2} $mol\cdot dm^{-3}$；7.0×10^{-5} $mol\cdot dm^{-3}$；$0.97mol\cdot dm^{-3}$；$0.10mol\cdot dm^{-3}$)

8. 计算下列各缓冲溶液的有效 pH 范围。

(1) $HCO_3^- - CO_3^{2-}$；　(2) $HC_2O_4^- - C_2O_4^{2-}$；

(3) $H_2PO_4^- - HPO_4^{2-}$；　(4) $HPO_4^{2-} - PO_4^{3-}$；

(5) $H_3PO_4 - H_2PO_4^-$

(9.25～11.25；3.19～5.19；6.2～8.2；11.36～13.36；1.12～3.12)

9. 将 $0.10dm^3$ $0.20mol\cdot dm^{-3}$ HAc 和 $0.050dm^3$ $0.20mol\cdot dm^{-3}$ NaOH 溶液混合，求混合溶液的 pH 值。 (4.74)

10. 欲配制 $0.50dm^3$ pH 值为 9，其中 $[NH_4^+]=1.0mol\cdot dm^{-3}$ 的缓冲溶液，需密度为 $0.904g\cdot cm^{-3}$、含氨质量分数为 26.0% 的浓氨水的体积？固体氯化铵多少克？

($0.020\ 3dm^3$；26.75g)

11. 将 $1.0mol\cdot dm^{-3}$ Na_3PO_4 和 $2.0mol\cdot dm^{-3}$ 盐酸等体积混合，求溶液的 pH 值。 (4.66)

12. 取 $0.10mol\cdot dm^{-3}$ 某一元弱酸溶液 $0.050dm^3$ 与 $0.020dm^3$ $0.10mol\cdot dm^{-3}$ KOH 溶液混合，将混合液稀释至 $0.10dm^3$ 后，测得 pH = 5.25，求此一元弱酸的 $K_a^{\ominus}$。

(3.7×10^{-6})

13. 求下列浓度均为 $0.10mol\cdot dm^{-3}$ 的溶液的 pH。

(1) $NaHCO_3$；(2) Na_2S；

(3) NH_4Cl；(4) NaH_2PO_4

(8.31；12.97；5.13；4.66)

14. 写出下列分子或离子的共轭酸。

SO_4^{2-}，S^{2-}，$H_2PO_4^-$，NH_3，HNO_3，H_2O

15. 写出下列分子或离子的共轭碱。

HAc，H_2O，NH_3，HPO_4^{2-}，HS^-

16. 举列说明酸碱电子理论中有哪几类常见反应。

17. 已知 $Zn(OH)_2$ 的溶度积为 1.2×10^{-17}，求其溶解度。

(1.4×10^{-6} $mol\cdot dm^{-3}$)

18. 已知室温时下列各盐的溶解度(以 $mol\cdot dm^{-3}$ 表示),试求各盐的 $K_{sp}^{\ominus}$。

(1) AgBr(8.8×10^{-7} $mol\cdot dm^{-3}$);(2) $Mg(NH_4)PO_4$(6.3×10^{-5} $mol\cdot dm^{-3}$);

(3) $Pb(IO_3)_2$(3.1×10^{-5} $mol\cdot dm^{-3}$)

(7.7×10^{-13};2.5×10^{-13};1.2×10^{-13})

19. 在 $0.10dm^3$ 含有 2.0×10^{-3} $mol\cdot dm^{-3}$ 的 Pb^{2+} 溶液中加入 $0.10dm^3$ 含 I^- $0.040mol\cdot dm^{-3}$ 的溶液后,能否产生 PbI_2 沉淀?

($Q_1=4.0\times10^{-7}$;有 PbI_2 沉淀生成)

20. 将 5.0×10^{-3} dm^3 $0.20mol\cdot dm^{-3}$ 的 $MgCl_2$ 溶液与 5.0×10^{-3} dm^3 $0.10mol\cdot dm^{-3}$ 的 $NH_3\cdot H_2O$ 溶液混合时,有无 $Mg(OH)_2$ 沉淀产生?为了使溶液中不析出 $Mg(OH)_2$ 沉淀,在溶液中至少要加入多少克固体 NH_4Cl?(忽略加入固体 NH_4Cl 后溶液的体积的变化)

(0.036 克)

21. 将 0.010mol 的 CuS 溶于 $1.0dm^3$ 盐酸中,计算所需的盐酸的浓度。从计算结果说明盐酸能否溶解 CuS?

(1.2×10^5 $mol\cdot dm^{-3}$,不能)

22. 现有 $0.10dm^3$ 溶液,其中含有 0.0010mol 的 NaCl 和 0.0010mol 的 K_2CrO_4,逐滴加入 $AgNO_3$ 溶液时,何者先沉淀?

(AgCl)

23. 用 Na_2CO_3 溶液处理 AgI,使之转化为 Ag_2CO_3,转化进行到底的条件是什么?根据计算结果预测转化反应能否进行到底?

(保持 $[CO_3^{2-}]>9.4\times10^{20}[I^-]^2$)

24. 如果 $BaCO_3$ 沉淀中尚有 0.010mol $BaSO_4$,在 $1.0dm^3$ 此沉淀的饱和溶液中应加入多少 mol 的 Na_2CO_3 才能使 $BaSO_4$ 完全转化为 $BaCO_3$?

(0.47mol)

25. 某一元弱酸强碱形成的难溶盐 MA,在纯水中的溶解度(不考虑水解)为 1.0×10^{-3} $mol\cdot dm^{-3}$,弱酸的 $K_a^{\ominus}$ 为 10^{-6},试求该盐在 $[H^+]$ 保持为 2.4×10^{-6} $mol\cdot dm^{-3}$ 的溶液中的溶解度。

(1.8×10^{-3} $mol\cdot dm^{-3}$)

第十一章 氧化还原反应

化学反应根据不同的特点，可以分为许多不同类型，如沉淀反应、酸碱中和反应、热分解反应、取代反应等。但是从反应过程中是否有氧化数的变化或电子转移的角度上看，化学反应基本上分为两大类：有电子转移或氧化数变化的氧化还原反应和没有电子转移或氧化数变化的非氧化还原反应。氧化还原反应是化学中最重要的反应，如工业上元素的提取，煤、石油、天然气的燃烧以获取能源，许多有机物的合成等等。可以说，凡是涉及化学的工矿企业，包括衣、食、住、行的各行各业的物质生产，生物有机体的发生、发展和消亡，大多同氧化还原反应有关。据不完全估计，化工生产中约 50％以上的反应都涉及到氧化还原反应。实际上，整个化学的发展就是从氧化还原反应开始的。然而，对于氧化还原反应的机理，包括氧化剂和还原剂之间的电子如何转移、反应速度等问题还有很多不清楚的问题，需进一步深入探讨。

本章将在中学化学的基础上进一步讨论氧化还原反应方程式的配平问题和氧化还原反应的本质、特点，同时在介绍标准电极电势基本概念的基础上，重点讨论氧化还原反应的方向和进行的程度，最后简单介绍标准电极电势的应用和电化学的初步知识。

§11－1 基本概念

1－1 原子价和氧化数

为了表现在化合物中各元素同它种原子结合的能力，19 世纪中叶化学中引入原子价(或化合价)的新概念。原子价是表示元素原子能够化合或置换一价原子(H)或一价基团(OH^-)的数目。从 HCl, H_2O, NH_3 和 PCl_5 中可知 Cl 为一价、O 为二价、N 为三价和 P 为五价。同时它也表示化合物某原子成键的数目,在离子型化合物中离子价数即为离子的电荷数;在共价化合物中某原子的价数即为该原子形成的共价单键数目。例如,在 CO 中 C 和 O 为 2 价;在 CO_2(O═C═O)中 C 为 4 价、O 为 2 价。随着化学结构理论的发展,原子价的经典概念已经不能正确地反映化合物中原子相互结合的真实情况,如从结构上看 NH_4^+ 离子中的 N 为 -3 价,可是它却同 4 个 H 结合(四个共价单键),在 SiF_4 中 Si 为 +4 价,但是在 K_2SiF_6 中 Si 却同 6 个 F 结合(六个共价单键)。

1948 年在价键理论和电负性的基础上提出了氧化数的概念。几十年来经过不断修正补充,现在一般认为,由于化合物中组成元素的电负性的不同,原子结合时的电子对总要移向电负性大的一方,从而化合物中组成元素原子必须带有正或负电荷。这种所带形式电荷的多少就是该原子的氧化数。简单的说,**氧化数是化合物中某元素所带形式电荷的数值**。例如在 NaCl 中 ,氯元素的电负性比钠元素大,因而 Na 的氧化数为 +1,Cl 的氧化数为 -1;又如在 NH_3 分子中,三对成键的电子都归电负性大些的氮原子所有,则 N 的氧化数为 -3,H 的氧化数为 +1。确定元素氧化数的规则有:

(1) 单质的氧化数为零。

(2) 所有元素氧化数的代数和在多原子的分子中等于零;在多原子的离子中等于离子所带的电荷数。

(3) 氢在化合物中的氧化数一般为 +1。但在活泼金属的氢化物(如 NaH, CaH_2 等)中,氢的氧化数为 -1。

(4) 氧在化合物中的氧化数一般为 -2;在过氧化物(如 H_2O_2, BaO_2 等)中,氧的氧化数为 -1;在超氧化合物(如 KO_2)中,氧化数为 $-\frac{1}{2}$(注意:氧化数可以是分数);在 OF_2 中,氧化数为 +2。

应当指出:氧化数的概念虽然较好的表征了化合物中元素的形式电荷,但随着近代实验技术的发展,发现这一概念并不十分严格。例如,在 $Co(NH_3)_6^{3+}$ 离子中根据氧化数规则,NH_3 分子为中性分子,所以 Co 的氧化数为 +3,然而近代实验指出,由于 6 个 NH_3 分子向 Co^{3+} 离子给出 6 对电子对,所以大大降低了 Co^{3+} 离子上的正电荷。再如在 CH_3COOH 中,按规则 C—C 之间电子对并不偏移、两个 C 元素的氧化数分别为 -3(H_3C—)和 +3(—C(OH)=O)。事实上 C—C 之间的电子对还是偏向 —C(OH)=O 中的 C。

原子价和氧化数这两个概念是有区别的,在离子化合物中在数值上可能相同,但在共价化合物中往往相差很大,如根据经典电子论,CrO_5 的结构式是:

```
        O
  O     ‖     O
  | 〉 Cr 〈 |
  O           O
```

在这个化合物中,铬元素是"正六价",意思就是说铬与氧元素有能力形成六个共价单键,但其氧化数却为 +10。又如由 X 射线结构分析已知,在固体中 PCl_5 具有 $[PCl_4]^+[PCl_6]^-$ 式的结构,即一个磷原子是 +4 价,另一个是 +6 价,但 P 的氧化数却是 +5。这种现象在一些有机化合物中更为常见。如 CH_4, CH_3Cl, CH_2Cl_2, $CHCl_3$ 和 CCl_4 中 C 的原子价都是 +4,但它的氧化数却依次为 -4, -2, 0, +2 和 +4。尽管如此,但用它讨论氧化还原反应还是很方便的。

1-2 氧化还原反应的特征

根据氧化数的概念,在一个反应中,氧化数升高的过程称为氧化,氧化数降低的过程称为还原,反应中氧化过程和还原过程同时发生。在化学反应过程中,元素的原子或离子在反应前后氧化数发生了变化的一类反应称为氧化还原反应。例如在 $2KClO_3 = 2KCl + 3O_2$ 的反应中,氯元素的氧化数从 +5 降低到 -1,这个过程称为还原,或称氧化数为 +5 的氯被还原了;氧原子的氧化数由 -2 升高到 0,这个过程称为氧化,或称氧化数为 -2 的氧被氧化了。这个反应是一个氧化还原反应。

假如氧化数的升高和降低都发生在同一个化合物中,这种氧化-还原反应就叫做自氧化-还原反应。

1-3 氧化剂和还原剂

在氧化还原反应中,若一种反应物的组成元素的氧化数升高(氧化),则必有另一种反应物的组成元素的氧化数降低(还原),氧化数升高的物质叫做还原剂,还原剂是使另一种物质还原,本身被氧化,它的反应产物叫做氧化产物。氧化数降低的物质叫做氧化剂,氧化剂是使另一种物质氧化,本身被还原,它的反应产物叫做还原产物。在下列反应中:

$$\underset{(\text{氧化剂})}{Na\overset{+1}{Cl}O} + \underset{(\text{还原剂})}{2\overset{+2}{Fe}SO_4} + H_2SO_4 = \underset{(\text{还原产物})}{Na\overset{-1}{Cl}} + \underset{(\text{氧化产物})}{\overset{+3}{Fe_2}(SO_4)_3} + H_2O$$

上列反应方程式中,分子式上面的数字,代表各相应元素的氧化数。在这个反应中,次氯酸钠是氧化剂,氯元素的氧化数从 +1 降低到 -1,它本身被还原,使硫酸亚铁氧化。硫酸亚铁是还原剂,铁元素的氧化数从 +2 升高到 +3,它本身被氧化,使次氯酸钠还原。在这个反应中,硫酸虽然也参加了反应,但氧化数没有改变,通常称硫酸溶液为介质。另外也可能有这种情况,某一种单质或化合物,它既是氧化剂又是还原剂,例如下列两个反应:

$$\overset{0}{Cl_2} + H_2O = H\overset{+1}{Cl}O + H\overset{-1}{Cl}$$

$$4K\overset{+5}{Cl}O_3 \overset{\triangle}{=} 3K\overset{+7}{Cl}O_4 + K\overset{-1}{Cl}$$

这类氧化-还原反应叫做歧化反应,是自氧化还原反应的一种特殊类型。

在第一个反应中，一半氯是氧化剂，一半氯是还原剂。

$$\overset{0}{Cl_2} + \overset{0}{Cl_2} + 2H_2O = 2H\overset{+1}{Cl}O + 2H\overset{-1}{Cl}$$

在第二个反应中，$\frac{3}{4}$的 $KClO_3$ 是还原剂，$\frac{1}{4}$的 $KClO_3$ 是氧化剂。

$$3K\overset{+5}{Cl}O_3 + K\overset{+5}{Cl}O_3 \xlongequal{\triangle} 3K\overset{+7}{Cl}O_4 + K\overset{-1}{Cl}$$

1-4 氧化还原电对

在氧化还原反应中，氧化剂在反应过程中氧化数降低，其产物具有较低的氧化数，具有弱还原性，是一个弱还原剂；还原剂在反应过程中氧化数升高，其产物具有较高的氧化数，具有弱氧化性，是一个弱氧化剂。例如在 $Cu^{2+} + Zn = Zn^{2+} + Cu$ 的反应过程中，氧化剂 Cu^{2+} 氧化数降低，其产物 Cu 是一个弱还原剂；还原剂 Zn 氧化数升高，其产物 Zn^{2+} 是一个弱氧化剂。这样就构成了如下两个共轭的氧化还原体系或称氧化还原电对：

$$\underset{\text{(氧化剂)}}{Cu^{2+}} \;/\; \underset{\text{(还原剂)}}{Cu} \qquad \underset{\text{(氧化剂)}}{Zn^{2+}} \;/\; \underset{\text{(还原剂)}}{Zn}$$

在氧化还原电对中，氧化数高的物质叫氧化型物质，氧化数低的物质叫还原型物质。

氧化还原反应是两个(或两个以上)氧化还原电对共同作用的结果，例如：

$$\underset{\text{氧化剂}_1}{Cu^{2+}} + \underset{\text{还原剂}_1}{Zn} \rightleftharpoons \underset{\text{氧化剂}_2}{Zn^{2+}} + \underset{\text{还原剂}_2}{Cu}$$

氧化还原电对在反应过程中，如果氧化剂降低氧化数的趋势越强，它的氧化能力越强，则其共轭还原剂升高氧化数的趋势就越弱，还原能力越弱。同理，还原剂的还原能力越强，则其共轭氧化剂的氧化能力越弱。例如在 MnO_4^-/Mn^{2+} 电对中，MnO_4^- 氧化能力强，是一个强氧化剂，其共轭还原剂 Mn^{2+} 的还原能力弱，是一种弱还原剂。在 Sn^{4+}/Sn^{2+} 电对中，Sn^{2+} 是一个强还原剂，Sn^{4+} 则是一个弱氧化剂。在氧化还原反应过程中，反应一般按较强的氧化剂和较强的还原剂相互作用的方向进行。

氧化剂和它的共轭还原剂或还原剂和它的共轭氧化剂之间的关系，可用氧化还原半反应式来表示。例如 Cu^{2+}/Cu 和 Zn^{2+}/Zn 两电对的半反应式分别为：

$$Cu^{2+} + 2e^- \rightleftharpoons Cu$$

$$Zn \rightleftharpoons Zn^{2} + 2e^-$$

又例如 MnO_4^-/Mn^{2+} 和 SO_4^{2-}/SO_3^{2-} 两电对在酸性介质中的半反应式分别为：

$$MnO_4^- + 8H^+ + 5e^- = Mn^{2+} + 4H_2O$$

$$SO_4^{2-} + 2H^+ + 2e^- = SO_3^{2-} + H_2O$$

§11-2　氧化还原反应方程式的配平

配平氧化还原方程式虽然只是调整方程式左右参与反应分子的系数，从而使反应前后物料平衡。但是如方法不对，即使已经配平但也是不合理的。如在酸性溶液中，$KMnO_4$ 氧化 H_2O_2 的反应，正确的结果是：

$$2KMnO_4 + 3H_2SO_4 + 5H_2O_2 = K_2SO_4 + 2MnSO_4 + 8H_2O + 5O_2\uparrow$$

但是，下列方程式虽然符合质量守恒定律，却不合理。

$$2KMnO_4 + 3H_2SO_4 + 3H_2O_2 = K_2SO_4 + 2MnSO_4 + 6H_2O + 4O_2\uparrow$$

$$2KMnO_4 + 3H_2SO_4 + 7H_2O_2 = K_2SO_4 + 2MnSO_4 + 10H_2O + 6O_2\uparrow$$

因此，正确掌握方程式的配平方法是非常重要的。

2-1　氧化数法

这种方法基本原则是反应中氧化剂元素氧化数降低值等于还

原剂元素氧化数增加值，或得失电子的总数相等。

用此法配平氧化还原反应方程式的具体步聚是：

(1) 写出基本反应式，如氯酸与磷作用生成氯化氢和磷酸：

$$HClO_3 + P_4 \longrightarrow HCl + H_3PO_4$$

(2) 找出氧化剂中元素氧化数降低的数值和还原剂中元素氧化数升高的数值。

$$\overset{-1-5=-6}{\overbrace{\overset{+5}{HCl}O_3 + \overset{0}{P_4} \longrightarrow \overset{-1}{HCl}}} + H_3\overset{+5}{P}O_4$$

$$\underset{(5-0)\times 4=+20}{P_4 \longrightarrow H_3PO_4}$$

由上式可见，氯元素的氧化数由 + 5 变为 - 1，它降低的值为 6，因此它是氧化剂。磷元素的氧化数由 0 变为 + 5，它升高的值为 5，因此它是还原剂。

(3) 按照最小公倍数的原则对各氧化数的变化值乘以相应的系数 10 和 3，使氧化数降低值和升高值相等，都是 60：

$$\begin{array}{r|l} -1-5=-6 & \times 10=-60 \\ 4(5-0)=+20 & \times 3=+60 \end{array}$$

(4) 将找出的系数分别乘在氧化剂和还原剂的分子式前面，并使方程式两边的氯原子和磷原子的数目相等。

$$10HClO_3 + 3P_4 \longrightarrow 10HCl + 12H_3PO_4$$

(5) 检查反应方程式两边的氢原子数目，找出参加反应的水分子数。

上列方程式右边的氢原子比左边多，证明有水分子参加了反应，补进足够的水分子来使两边的氢原子数相等：

$$10HClO_3 + 3P_4 + 18H_2O = 10HCl + 12H_3PO_4$$

(6) 如果反应方程式两边的氧原子数相等，即证明反应方程式已配平。上列方程式两边的氧原子都是 48 个；所以方程式已配平。

例 11－1　配平下列反应式

$$Cu + HNO_3 \longrightarrow Cu(NO_3)_2 + NO$$

在这个反应中，一部分 HNO_3 作为氧化剂，另一部分 HNO_3 作为介质。先把作为氧化剂的 HNO_3 根据氧化数改变值配平，然后再根据氮原子数添加 HNO_3 作为介质。

HNO_3 作为氧化剂配平得到：

$$3Cu + 2HNO_3 \longrightarrow 3Cu(NO_3)_2 + 2NO$$

检查两边的氮原子数应添加 6 个 HNO_3 分子。

$$3Cu + 2HNO_3 + 6HNO_3 \longrightarrow 3Cu(NO_3)_2 + 2NO$$

反应式左边多 8 个氢原子，右边应添加 4 个水分子，并将 HNO_3 合并：

$$3Cu + 8HNO_3 = 3Cu(NO_3)_2 + 2NO + 4H_2O$$

例 11－2　配平下列反应式

$$KClO_3 \longrightarrow KClO_4 + KCl$$

这是一个歧化反应，为了配平方便，可以把一部分 $KClO_3$ 作为氧化剂，另一部分 $KClO_3$ 作为还原剂，然后按氧化数法进行配平得到下列配平了的反应方程式：

$$3K\overset{+5}{Cl}O_3 + K\overset{+5}{Cl}O_3 = 3K\overset{+7}{Cl}O_3 + K\overset{-1}{Cl}$$

合并得：

$$4KClO_3 = 3KClO_4 + KCl$$

例 11－3　配平下列反应式

$$Ag_2S_3 + HNO_3 \longrightarrow H_3AsO_4 + H_2SO_4 + NO$$

先注出有关元素的氧化数：

$$\overset{+3}{As}_2\overset{-2}{S}_3 + H\overset{+5}{N}O_3 \longrightarrow H_3\overset{+5}{As}O_4 + H_2\overset{+6}{S}O_4 + \overset{+2}{N}O$$

这个例子是一个较复杂的情况，反应中有两种元素被氧化：砷元素的氧化数由 +3 变到 +5，硫元素的氧化数由 −2 变到 +6；氮元素的氧化数由 +5 变到 +2。计算氧化数的改变并找出基本系数：

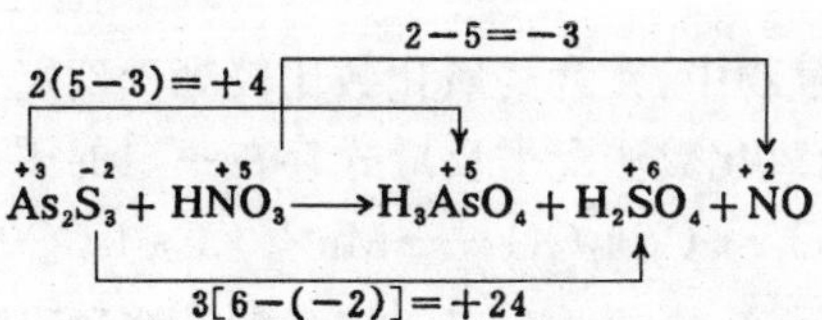

$$\left.\begin{array}{r}2(5-3)=+4\\3[6-(-2)]=+24\end{array}\right\rangle=+28\quad\left|\begin{array}{l}\times3=+84\\ \\ \times28=-84\end{array}\right.$$

$$2-5=-3$$

所以 As_2S_3 的系数是 3,而 HNO_3 的系数是 28,这样也就可以确定 H_3AsO_4、H_2SO_4 和 NO 的系数了。

$$3As_2S_3+28HNO_3\longrightarrow6H_3AsO_4+9H_2SO_4+28NO$$

检查两边的氢原子数,方程式的左边还应该添加 4 个水分子:

$$3As_2S_3+28HNO_3+4H_2O=\!=\!=6H_3AsO_4+9H_2SO_4+28NO$$

例 11－4 配平下列离子反应式:

$$MnO_4^-+Cl^-+H^+\longrightarrow Mn^{2+}+Cl_2+H_2O$$

先使两边的氯原子相等并注明氧化数

$$\overset{+7}{Mn}O_4^-+2\overset{-1}{Cl^-}+H^+\longrightarrow\overset{+2}{Mn^{2+}}+\overset{0}{Cl_2}+H_2O$$

锰的氧化数由＋7 变到＋2,氯的氧化数由－1 变到 0。

$$2-7=-5$$

$$\overset{+7}{Mn}O_4^-+2\overset{-1}{Cl^-}+H^+\longrightarrow\overset{+2}{Mn^{2+}}+\overset{0}{Cl_2}+H_2O$$

$$2[0-(-1)]=+2$$

$$\begin{array}{r|l}2-7=-5&\times2=-10\\0-(-2)=+2&\times5=+10\end{array}$$

$$2MnO_4^-+10Cl^-+H^+=\!=\!=2Mn^{2+}+5Cl_2+H_2O$$

要完成离子反应式的配平,必须使方程式两边的离子电荷相等。右边的电荷是＋4,左边的电荷是－12,H^+ 离子如乘以系数 16,则两边电荷相等,即都是＋4。$16H^+$ 离子可以生成 8 个 H_2O 分子。写出配平的方程式:

$$2MnO_4^-+10Cl^-+16H^+=\!=\!=2Mn^{2+}+5Cl_2+8H_2O$$

检查两边氧原子的数目都是 8 个,证明反应式已配平。

2－2 离子－电子法

在有些化合物中,元素的氧化数比较难于确定,它们参加的氧化还原反应,用氧化数法配平反应式存在一定的困难,例如

$$MnO_4^-+C_3H_7OH\longrightarrow Mn^{2+}+C_2H_5COOH。$$

对于这一类的反应,用离子－电子法来配平比较方便。另外,在离

子之间进行的氧化还原反应，反应式除用氧化数法来配平外，也常用离子－电子法。

离子－电子法配平氧化还原方程式，是将反应式改写为半反应式，先将半反应式配平，然后将这些半反应式加合起来，消去其中的电子而完成。例如，Fe^{2+} 与 Cl_2 的反应具体配平步骤如下：

(1) 先将反应物的氧化还原产物，以离子形式写出，例如：

$$Fe^{2+} + Cl_2 \longrightarrow Fe^{3+} + Cl^-$$

(2) 任何一个氧化－还原反应都是由两个半反应组成的，因此可以将这个方程式分成两个未配平的半反应式，一个代表氧化，另一个代表还原。

$$Fe^{2+} \longrightarrow Fe^{3+} \text{（氧化）}$$

$$Cl_2 \longrightarrow Cl^- \text{（还原）}$$

(3) 调整计量数并加一定数目的电子使半反应两端的原子数和电荷数相等：

$$Fe^{2+} = Fe^{3+} + e^- \text{（氧化半反应）}$$

$$Cl_2 + 2e^- = 2Cl^- \text{（还原半反应）}$$

(4) 根据氧化剂获得的电子数和还原剂失去的电子数必须相等的原则，将两个半反应式加合为一个配平的离子反应式：

$$\begin{array}{r} 2Fe^{2+} = 2Fe^{3+} + 2e^- \\ +)\ 2e^- + Cl_2 = 2Cl^- \\ \hline 2Fe^{2+} + Cl_2 = 2Fe^{3+} + 2Cl^- \end{array}$$

但是，如果在半反应中反应物和产物中的氧原子数不同，可以依照反应是在酸性或碱性介质中进行的情况，在半反应式中加 H^+ 离子或 OH^- 离子，并利用水的电离平衡使两侧的氧原子数和电荷数均相等。下面举例来说明配平方法。

例 11－5　配平 $MnO_4^- + SO_3^{2-} \longrightarrow Mn^{2+} + SO_4^{2-}$（酸性介质）

解：第一步：

$$MnO_4^- \longrightarrow Mn^{2+} \text{（还原）}$$

$$SO_3^{2-} \longrightarrow SO_4^{2-} \text{（氧化）}$$

第二步：由于反应是在酸性介质中进行的，在第一个半反应式中，产物的氧原子数比反应物少时，应在左侧加 H^+ 离子使所有的氧原子都化合而成 H_2O，并使氧原子数和电荷数均相等，即，

$$MnO_4^- + 8H^+ + 5e^- = Mn^{2+} + 4H_2O$$

在另一个半反应式的左边加水分子使两边的氧原子和电荷均相等，即，

$$SO_3^{2-} + H_2O = SO_4^{2-} + 2H^+ + 2e^-$$

第三步：根据获得和失去电子数必须相等的原则，将两边电子消去，加合而成一个配平了的离子反应式：

$$\times 2)\ MnO_4^- + 8H^+ + 5e^- = Mn^{2+} + 4H_2O$$

$$+)\ \times 5)\quad SO_3^{2-} + H_2O = SO_4^{2-} + 2H^+ + 2e^-$$

$$2MnO_4^- + 6H^+ + 5SO_3^{2-} = 5SO_4^{2-} + 2Mn^{2+} + 3H_2O$$

例 11－6　配平 $ClO^- + Cr(OH)_4^- \longrightarrow Cl^- + CrO_4^{2-}$（碱性介质）

解：第一步：

$$ClO^- \longrightarrow Cl^-\text{（还原）}$$

$$Cr(OH)_4^- \longrightarrow CrO_4^{2-}\text{（氧化）}$$

第二步：由于反应是在碱性介质中进行的，虽然在半反应 $Cr(OH)_4^- \longrightarrow CrO_4^{2-}$ 中，产物的氧原子数和反应物的氧原子数相等，但由于氢原子数不等，所以应在左边加足够的 OH^- 离子，使右侧生成水分子，并且使两边的电荷数相等：

$$Cr(OH)_4^- + 4OH^- = CrO_4^{2-} + 4H_2O + 3e^-$$

另一个半反应的左边加足够的水分子，使两边的氧原子和电荷数均相等：

$$ClO^- + H_2O + 2e^- = Cl^- + 2OH^-$$

第三步：根据得失电子数必须相等的原则，将两边的电子消去加合成一个配平了的离子反应式：

$$2Cr(OH)_4^- + 8OH^- = 2CrO_4^{2-} + 8H_2O + 6e^-$$

$$+)\ 3ClO^- + 3H_2O + 6e^- = 3Cl^- + 6OH^-$$

$$2Cr(OH)_4^- + 2OH^- + 3ClO^- = 2CrO_4^{2-} + 3Cl^- + 5H_2O$$

例 11－7　配平

$$MnO_4^- + C_3H_7OH \longrightarrow Mn^{2+} + C_2H_5COOH\text{（酸性介质）}$$

解：第一步：

$$MnO_4^- \longrightarrow Mn^{2+}\text{（还原）}$$

$$C_3H_7OH \longrightarrow C_2H_5COOH\text{（氧化）}$$

第二步：由于反应在酸性介质中进行，加 H^+ 和 H_2O 配平半反应式两端原子数，并使两端电荷数相等：

$$MnO_4^- + 8H^+ + 5e^- = Mn^{2+} + 4H_2O$$

$$C_3H_7OH + H_2O = C_2H_5COOH + 4H^+ + 4e^-$$

第三步：根据得失电子数必须相等，将两边电子消去，加合成一个已配平的反应式：

$$\times 4)\ MnO_4^- + 8H^+ + 5e^- = Mn^{2+} + 4H_2O$$

$$+)\ \times 5)\ C_3H_7OH + H_2O = C_2H_5COOH + 4H^+ + 4e^-$$

$$4MnO_4^- + 5C_3H_7OH + 12H^+ = 5C_2H_5COOH + 4Mn^{2+} + 11H_2O$$

综上所述，氧化数法既可配平分子反应式，也可配平离子反应式，是一种常用的配平反应式的方法。离子－电子法除对于用氧化数法难以配平的反应式比较方便之外，还可通过学习离子－电子法掌握书写半反应式的方法，而半反应式是电极反应的基本反应式。配平氧化还原反应方程式的方法还很多，但最根本的一条是：除了掌握正确的配平方法以外，更重要的是必须熟悉该反应的基本化学事实，否则难以得到正确结果。

§11－3 电极电势

3－1 原电池和电极电势

(1) 原电池

如图 11－1 所示，在烧杯甲和乙中分别放入 $ZnSO_4$ 和 $CuSO_4$ 溶液，在盛 $ZnSO_4$ 的烧杯中放入锌片，在盛 $CuSO_4$ 溶液的烧杯中放入 Cu 片，把两个烧杯中的溶液用一个倒置的 U 形管连接起来。U 形管中装满用饱和 KCl 溶液和琼胶作成的冻胶。这种装满冻胶的 U 形管叫做盐桥。这时串联在 Cu 极和 Zn 极之间的检流计的指针立即向一方偏转。这说明导线中有电流通过，同时 Zn 片开始溶解而 Cu 片上有 Cu 沉积上去。

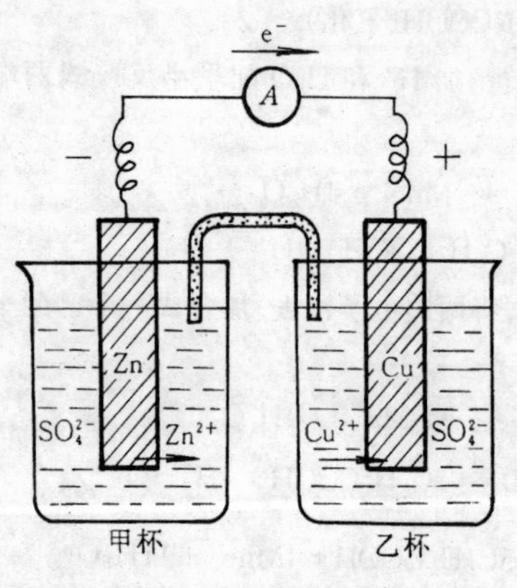

图 11-1　铜锌原电池

上列装置产生电流的原因，是 Zn 失掉两个电子而形成 Zn^{2+} 离子：

$$Zn \rightleftharpoons Zn^{2+} + 2e^-$$

Zn^{2+} 离子进入溶液。Zn 极上的过多的电子经过导线流向 Cu 极，故 Zn 片为负极。在铜极的表面上，溶液中 Cu^{2+} 离子获得电子后变成金属铜析出：

$$Cu^{2+} + 2e^- \rightleftharpoons Cu\downarrow$$

故铜片为正极。

通过盐桥，阴离子 SO_4^{2-} 和 Cl^-（主要是 Cl^- 离子）向锌盐溶液移动；阳离子 Zn^{2+} 和 K^+（主要是 K^+ 离子）向铜盐溶液移动，使锌盐溶液和铜盐溶液一直保持着电中性，因此，锌的溶解和铜的析出得以继续进行，电流得以继续流通。

在上述装置中化学能转变成了电能，这种使化学能变为电能的装置叫做原电池。上述由锌极和铜极组成的原电池叫做铜锌原电池。在铜锌原电池中所进行的反应就是 Zn 置换 Cu^{2+} 的化学反应：

$$\overset{\overleftarrow{\quad 2e^- \quad}}{Cu^{2+} + Zn} \rightleftharpoons Zn^{2+} + Cu$$

不过平时 Zn 置换 Cu^{2+} 的反应是化学能转变为热能，而在铜锌电池中，电子作有规则的运动，电子由锌极通过导线流向铜极，电流由铜极流向锌极（电流的方向与电子流动方向相反），Zn 置换 Cu^{2+} 的反应是化学能转变为电能。

在上述反应中，Zn 失去电子而使它的氧化数升高的过程，即氧化，其中 Zn 是还原剂；Cu^{2+} 获得电子而使它的氧化数降低的过程，即还原，其中 Cu^{2+} 是氧化剂。Zn 失去电子，Cu^{2+} 获得电子，它们是相互依存的，Zn 失去的电子数和 Cu^{2+} 获得的电子数必然相等，这些都在铜锌电池中得到充分证明。由此可知氧化剂和还原剂之间发生电子转移是氧化－还原反应的本质。

(2) 电极电势

在上述铜锌原电池中，为什么电子从 Zn 原子转移给 Cu^{2+} 离子而不是从 Cu 原子转移给 Zn^{2+} 离子？这与金属在溶液中的情况有关。

当把金属 M 棒放入它的盐溶液中时，一方面金属 M 表面构成晶格的金属离子和极性大的水分子互相吸引，有一种使金属棒上留下电子而自身以水合离子 $M^{n+}(aq)$ 的形式进入溶液的倾向，金属越活泼，溶液越稀，这种倾向越大；另一方面，盐溶液中的 $M^{n+}(aq)$ 离子又有一种从金属 M 表面获得电子而沉积在金属表面上的倾向，金属越不活泼，溶液越浓，这种倾向越大。这两种对立着的倾向在某种条件下达到暂时的平衡：

$$M \rightleftharpoons M^{n+}(aq) + ne^-$$

在某一给定浓度的溶液中，若失去电子的倾向大于获得电子的倾向，到达平衡时的最后结果将是金属离子 M^{n+} 进入溶液，使金属棒上带负电，靠近金属棒附近的溶液带正电，如图 11－2 所示。这时在金属和盐溶液之间产生电位差，这种产生在金属和它的盐溶液之间的电势叫做金属的电极电势。金属的电极电势除与金属本身的活泼性和金属离子在溶液中的浓度有关外，还决定于温度。

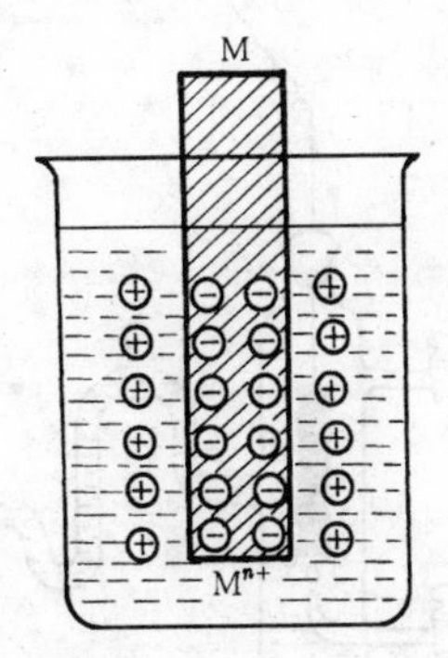

图 11－2　金属的电极电势

在铜锌原电池中，Zn 片与 Cu 片分别插在它们各自的盐溶液中，构成 Zn^{2+}/Zn 电极与 Cu^{2+}/Cu 电极。实验告诉我们，如将两电极连以导线，电子流将由锌电极流向铜电极，这说明 Zn 片上留下的电子要比 Cu 片上多，也就是 Zn^{2+}/Zn 电极的上述平衡比 Cu^{2+}/Cu 电极的平衡更偏于右方，或 Zn^{2+}/Zn 电对与 Cu^{2+}/Cu 电对两者具有不同的电极电势，Zn^{2+}/Zn 电对的电极电势比 Cu^{2+}/Cu 电对要负一些。由于两极电势不同，连以导线，电子流（或电流）得以通过。

(3) 标准氢电极和标准电极电势

电极电势的绝对值无法测量，只能选定某种电极作为标准，其他电极与之比较，求得电极电势的相对值，通常选定的是标准氢电极。

标准氢电极是这样构成的：将镀有铂黑的铂片置于氢离子浓度（严格的说应为活度 a）为 $1.0mol \cdot kg^{-1}$ 的硫酸溶液（近似为 $1.0mol \cdot dm^{-3}$）中，如图 11－3。然后不断地通入压力为 100kPa 的纯氢气，使铂黑吸附氢气达到饱和，形成一个氢电极。在这个电极的周围发生了如下的平衡：

$$H_2 \rightleftharpoons 2H^+ + 2e^-$$

这时产生在标准氢电极和硫酸溶液之间的电势，叫做氢的标准电极电势，将它作为电极电势的相对标准，令其为零。在任何温度下都规定标准氢电极的电极电势为零（实际上电极电势同温度有关）。所以很难制得上述那种标准氢电极，它只是一种理想电极。

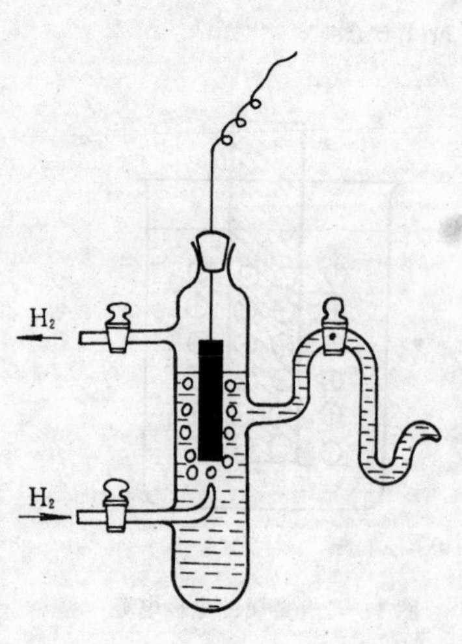

图 11－3　标准氢电极

用标准氢电极与其他各种标准状态下的电极组成原电池，测得这些电池的电动势，从而计算各种电极的标准电极电势，通常测定时的温度为298K。所谓标准状态是指组成电极的离子其浓度为$1mol \cdot dm^{-3}$（对于氧化还原电极来讲，为氧化型离子和还原型离子浓度比为1），气体的分压为100kPa，液体或固体都是纯净物质。标准电极电势用符号$\varphi^{\ominus}$表示。例如测定Zn^{2+}/Zn电对的标准电极电势是将纯净的Zn片放在$1mol \cdot dm^{-3}$ $ZnSO_4$溶液中，把它和标准氢电极用盐桥连接起来，组成一个原电池，如图11－4所示。用直流电压表测知电流从氢电极流向锌电极，故氢电极为正极，锌电极为负极。电池反应是：

$$Zn + 2H^+ \xrightarrow{2e^-} Zn^{2+} + H_2\uparrow$$

原电池的标准电动势（$E^{\ominus}$是在没有电流通过的情况下，两个电极的电极电势之差：

$$E^{\ominus} = \varphi^{\ominus}_{正极} - \varphi^{\ominus}_{负极}$$

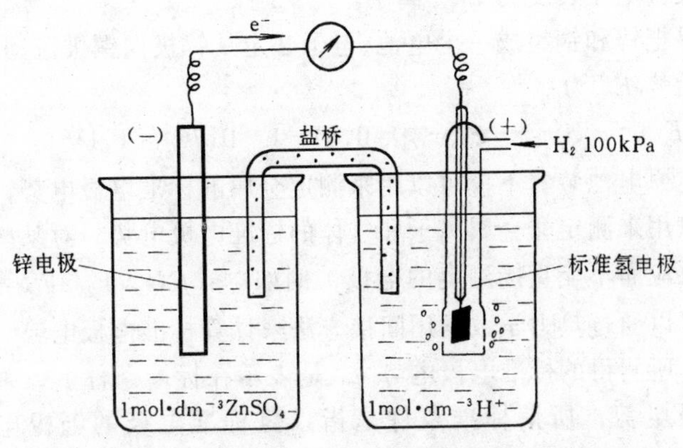

图11－4　测定Zn^{2+}/Zn电对标准电极电势的装置

在298K，用电位计测得标准氢电极和标准锌电极所组成的原电池其电动势（$E^{\ominus}$）为0.7628V，根据上式计算Zn^{2+}/Zn电对的标准电极电势。

$$E^{\ominus} = \varphi^{\ominus}_{正极} - \varphi^{\ominus}_{负极} = \varphi^{\ominus}_{H^+/H_2} - \varphi^{\ominus}_{Zn^{2+}/Zn}$$

$$0.7628\text{V} = 0 - \varphi^{\ominus}_{Zn^{2+}/Zn}$$

$$\varphi^{\ominus}_{Zn^{2+}/Zn} = -0.762\,8\text{V}$$

用同样的方法可测得 Cu^{2+}/Cu 电对的电极电势。在标准 Cu^{2+}/Cu 电极与标准氢电极组成的原电池中,铜电极为正极,氢电极为负极。在 298K,测得铜氢电池的电动势为 0.34V,依:

$$E^{\ominus} = \varphi^{\ominus}_{正极} - \varphi^{\ominus}_{负极} = \varphi^{\ominus}_{Cu^{2+}/Cu} - \varphi^{\ominus}_{H^+/H_2}$$

$$0.34\text{V} = \varphi^{\ominus}_{Cu^{2+}/Cu} - 0$$

$$\varphi^{\ominus}_{Cu^{2+}/Cu} = +0.34\text{V}$$

从上面测定的数据来看,Zn^{2+}/Zn 电对的标准电极电势带有负号,Cu^{2+}/Cu 电对的标准电极电势带有正号。带负号表明锌失去电子的倾向大于 H_2,或 Zn^{2+} 获得电子变成金属 Zn 的倾向小于 H^+。带正号表明铜失去电子的倾向小于 H_2,或 Cu^{2+} 获得电子变成金属铜的倾向大于 H^+,也可以说 Zn 比 Cu 活泼,因为 Zn 比 Cu 更容易失去电子转变为 Zn^{2+} 离子。

如果把锌和铜组成一个电池,电子必定从锌极向铜极流动,电池的电动势 $E^{\ominus}$ 为:

$$E^{\ominus} = \varphi^{\ominus}_{Cu^{2+}/Cu} - \varphi^{\ominus}_{Zn^{2+}/Zn} = 0.34 - (-0.76) = 1.1\text{V}$$

上述原电池装置不仅可以用来测定金属的标准电极电势，它同样可以用来测定非金属离子和气体的标准电极电势，对某些剧烈与水反应而不能直接测定的电极，例如 Na^+/Na，$F_2/2F^-$ 等的电极则可以通过热力学数据用间接方法来计算标准电极电势。应当指出：所测得的标准电极电势 $\varphi^{\ominus}$ 是表示在标准条件下，某电极的电极电势。所谓标准条件是指以氢标准电极的电极电势 $\varphi^{\ominus}_{H^+/H_2} = 0$；电对的[氧化型]/[还原型] = 1 或 $[M^{n+}] = 1\text{mol}\cdot\text{dm}^{-3}$；$T = 298\text{K}$。因此标准电极电势 $\varphi^{\ominus}$ 是相对值，实际上是该电极同氢电极组成电池的电动势，而不是电极与相应溶液间电位差的绝对值。表 11 - 1 及 11 - 2 列出了一些物质在水溶液中的标准电极电势。

为了能正确使用标准电极电势表，现将几项有关的问题概述如下：

(*a*)在 $M^{n+} + ne^- \rightleftharpoons M$ 电极反应中，M^{n+} 为物质的氧化型，M 为物质的还原型，即氧化型 + $ne^- \rightleftharpoons$ 还原型。例如表 11 - 1中 Na^+，Cl_2，MnO_4^- 是氧化型，而 Na，Cl^-，Mn^{2+} 是对应的还原型。它们之间是互相依存的。同一种物质在某一电对中是氧化型，在另一电对中也可以是还原型，例如，Fe^{2+} 离子在

$$Fe^{2+} + 2e^- \rightleftharpoons Fe(\varphi^{\ominus} = -0.44V)$$

中是氧化型，在

$$Fe^{3+} + e^- \rightleftharpoons Fe^{2+}(\varphi^{\ominus} = +0.771V)$$

中是还原型。所以在讨论与 Fe^{2+} 离子有关的氧化 - 还原反应时，若 Fe^{2+} 离子是作为还原剂而被氧化为 Fe^{3+} 离子，则必须用与还原型的 Fe^{2+} 离子相对应的电对的 $\varphi^{\ominus}$ 值（+0.771V），反之，若 Fe^{2+} 离子是作为氧化剂而被还原为 Fe，则必须用与氧化型的 Fe^{2+} 离子相对应的电对的 $\varphi^{\ominus}$ 值（-0.44V）。

(*b*)从表 11 - 1 和 11 - 2 看出，氧化型物质获得电子的本领或氧化能力自上而下依次增强；还原型物质失去电子的本领或还原能力自下而上依次增强。其强弱程度可从 $\varphi^{\ominus}$ 值大小来判别。比较还原能力必须用还原型物质所对应的 $\varphi^{\ominus}$ 值，比较氧化能力必须用氧化型物质所对应的 $\varphi^{\ominus}$ 值。

(*c*) 标准电极电势和得失电子数多少无关，即与半反应中的系数无关，例如 $Cl_2 + 2e^- \rightleftharpoons 2Cl^-$，$\varphi^{\ominus} = 1.358V$。也可以书写为 $\frac{1}{2}Cl_2 + e^- \rightleftharpoons Cl^-$，其 $\varphi^{\ominus}$ 值(1.358V)不变。

(*d*) 表 11 - 1 和 11 - 2 均为 298K 时的标准电极电势，由于电极电势随温度变化不大，故在室温下可以借用表列数据。

表 11-1　标准电极电势(298K,在酸性溶液中)

	电极反应				$\varphi_A^{\ominus}/V$
	氧化型	电子数	还原型		
最弱的氧化剂	K^+	$+ e^-$	$\rightleftharpoons K$	最强的还原剂	−2.925
	Ba^{2+}	$+ 2e^-$	$\rightleftharpoons Ba$		−2.91
	Ca^{2+}	$+ 2e^-$	$\rightleftharpoons Ca$		−2.87
	Na^+	$+ e^-$	$\rightleftharpoons Na$		−2.713
	Mg^{2+}	$+ 2e^-$	$\rightleftharpoons Mg$		−2.37
	Al^{3+}	$+ 3e^-$	$\rightleftharpoons Al$		−1.66
	Mn^{2+}	$+ 2e^-$	$\rightleftharpoons Mn$		−1.17
	Zn^{2+}	$+ 2e^-$	$\rightleftharpoons Zn$		−0.7628
	Fe^{2+}	$+ 2e^-$	$\rightleftharpoons Fe$		−0.44
得电子或氧化能力依次增强 ↓	Ni^{2+}	$+ 2e^-$	$\rightleftharpoons Ni$	失电子或还原能力依次增加 ↑	−0.25
	Sn^{2+}	$+ 2e^-$	$\rightleftharpoons Sn$		−0.14
	Pb^{2+}	$+ 2e^-$	$\rightleftharpoons Pb$		−0.126
	$2H^+$	$+ 2e^-$	$\rightleftharpoons H_2$		0.0000
	Cu^{2+}	$+ e^-$	$\rightleftharpoons Cu^+$		+0.17
	Cu^{2+}	$+ 2e^-$	$\rightleftharpoons Cu$		+0.34
	I_2	$+ 2e^-$	$\rightleftharpoons 2I^-$		+0.535
	$H_3AsO_4 + 2H^+$	$+ 2e^-$	$\rightleftharpoons HAsO_2^- + 2H_2O$		+0.56
	$O_2 + 2H^+$	$+ 2e^-$	$\rightleftharpoons H_2O_2$		+0.69
	Fe^{3+}	$+ e^-$	$\rightleftharpoons Fe^{2+}$		+0.771
	Ag^+	$+ e^-$	$\rightleftharpoons Ag$		+0.7994
	Br_2	$+ 2e^-$	$\rightleftharpoons 2Br^-$		+1.08
	$2IO_3^- + 12H^+$	$+ 10e^-$	$\rightleftharpoons I_2 + 6H_2O$		+1.19
	$Cr_2O_7^{2-} + 14H^+$	$+ 6e^-$	$\rightleftharpoons 2Cr^{3+} + 7H_2O$		+1.33
	Cl_2	$+ 2e^-$	$\rightleftharpoons 2Cl^-$		+1.358
	$MnO_4^- + 8H^+$	$+ 5e^-$	$\rightleftharpoons Mn^{2+} + 4H_2O$		+1.51
	$H_2O_2 + 2H^+$	$+ 2e^-$	$\rightleftharpoons 2H_2O$		+1.77
最强的氧化剂	F_2	$+ 2e^-$	$\rightleftharpoons 2F^-$	最弱的还原剂	+2.87

(4) 电极的类型与原电池的表示法

有四种类型的电极：

(a) 金属－金属离子电极

它是金属置于含有同一金属离子的盐溶液中所构成的电极，

表 11-2　标准电极电势(298K,在碱溶液中)

电极反应			$\varphi_B^{\ominus}$/V
氧化型	电子数	还原型	
$ZnO_2^{2-}+2H_2O$	$+\ 2e^-$ ⇌	$Zn+4OH^-$	-1.216
$2H_2O$	$+\ 2e^-$ ⇌	H_2+2OH^-	$-0.827\,7$
$Fe(OH)_3$	$+\ e^-$ ⇌	$Fe(OH)_2+OH^-$	-0.56
S	$+\ 2e^-$ ⇌	S^{2-}	-0.48
$Cu(OH)_2$	$+\ 2e^-$ ⇌	$Cu+2OH^-$	-0.224
$CrO_4^{2-}+4H_2O$	$+\ 3e^-$ ⇌	$Cr(OH)_3+5OH^-$	-0.12
$NO_3^-+H_2O$	$+\ 2e^-$ ⇌	NO_2+2OH^-	$+0.01$
Ag_2O+H_2O	$+\ 2e^-$ ⇌	$2Ag+2OH^-$	$+0.342$
$ClO_4^-+H_2O$	$+\ 2e^-$ ⇌	$ClO_3^-+2OH^-$	$+0.17$
O_2+2H_2O	$+\ 4e^-$ ⇌	$4OH^-$	$+0.401$
$ClO_3^-+3H_2O$	$+\ 6e^-$ ⇌	Cl^-+6OH^-	$+0.62$
ClO^-+H_2O	$+\ 2e^-$ ⇌	Cl^-+2OH^-	$+0.90$

得到电子或氧化能力依次增强（↓）

失去电子或还原能力依次增加（↑）

例如 Zn^{2+}/Zn 电对所组成的电极即是。其电极反应为:

$$Zn^{2+}+2e^- \rightleftharpoons Zn$$

电极符号为:

$$Zn(s)|Zn^{2+}$$

"|"表示有固、液两相之间的界面,s 表示固体。

(b) 气体-离子电极

氢电极和氯电极是气体-离子电极,这类电极的构成,需要一个固体导电体,该导电固体对所接触的气体和溶液都不起作用,但它能催化气体电极反应的进行,常用的固体导电体是铂和石墨。氢电极和氯电极的电极反应分别为:

$$2H^+ + 2e^- \rightleftharpoons H_2;Cl_2+2e^- \rightleftharpoons 2Cl^-$$

电极符号分别为:

$$Pt|H_2(g)|H^+;Pt|Cl_2(g)|Cl^-$$

(c) 金属-金属难溶盐或氧化物-阴离子电极

这类电极是这样组成的:将金属表面涂以该金属的难溶盐(或氧化物),然后将它浸在与该盐具有相同阴离子的溶液中。例如表面涂有 AgCl 的银丝插在 HCl 溶液中即是一例,称为氯化银电极。

它的电极反应是：

$$AgCl + e^- \rightleftharpoons Ag + Cl^-$$

电极符号为： $Ag - AgCl(s)|Cl^-$

应该指出的是氯化银电极与银电极($Ag^+|Ag$)是不相同的，虽然从电极反应看，两者都是 Ag^+ 离子和 Ag 之间的氧化还原，我们知道，在一定温度条件下，某电极的电极电势是与溶液中相应离子的浓度有关系的。Ag^+/Ag 电对的电极电势，随 Ag 丝相接触的溶液 Ag^+ 离子浓度不同而变化。AgCl/Ag 电对的电极电势，也与溶液中 Ag^+ 离子的浓度有关，但它却受控于溶液中 Cl^- 离子的浓度，因为在有 AgCl 固相存在的溶液中，$[Ag^+][Cl^-] = K_{sp}$，因而 Ag^+ 离子浓度受 Cl^- 离子浓度的控制。

实验室常用的甘汞电极，也是这一类电极，它的组成是在金属 Hg 的表面覆盖一层氯化亚汞(Hg_2Cl_2)，然后注入氯化钾溶液。甘汞电极的电极反应为：

$$\frac{1}{2}Hg_2Cl_2 + e^- \rightleftharpoons Hg(1) + Cl^- \qquad (1\text{ 表示液态})$$

电极符号为：

$$Hg - Hg_2Cl_2(s)|Cl^-$$

由于标准氢电极使用不便，所以实验室常用甘汞电极作为参比电极。

(d)“氧化还原”电极

这类电极的组成，是将惰性导电材料(铂或石墨)放在一种溶液中，这种溶液含有同一元素不同氧化数的两种离子，如 Pt 插在含有 Fe^{3+} 和 Fe^{2+} 离子的溶液中(图 11－5)，即为一例。Fe^{2+}/Fe^{3+} 电极的电极反应为：

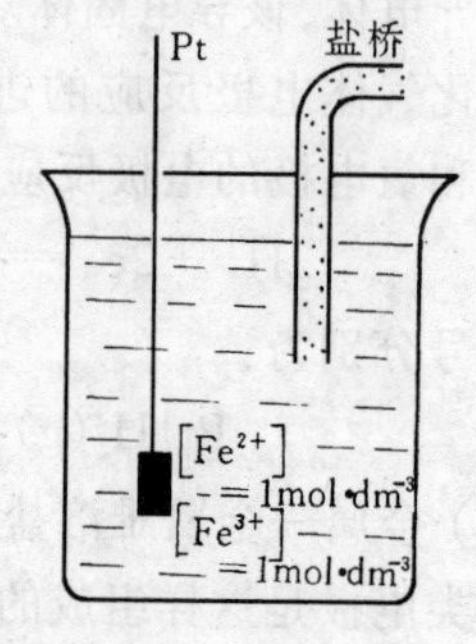

图 11－5 Fe^{2+}，Fe^{3+} 电极

$$Fe^{3+} + e^- \rightleftharpoons Fe^{2+}$$

电极符号为：

$$Pt | Fe^{3+}, Fe^{2+}$$

这里 Fe^{3+} 与 Fe^{2+} 处于同一液相中，故用逗点分开。

两种不同的电极组合起来，即构成原电池，其中每一个电极叫半电池。电极的结构可如上所述以简单的符号表示，所以原电池的结构便可简易的用电池符号表示出来，例如铜、锌原电池可写为：

$$(-)Zn | ZnSO_4(c_1) \| CuSO_4(c_2) | Cu(+)$$

“$\|$”表示盐桥，c_1 和 c_2 分别为各溶液的浓度，习惯上常将电池反应中起氧化作用的负极写在左边。

又如铜电极与标准氢电极组成的电池可表示为：

$$(-)Pt | H_2(1.013 \times 10^5 Pa) | H^+(1 mol \cdot dm^{-3}) \| Cu^{2+}(c) | Cu(+)$$

3-2 电池的电动势和化学反应吉布斯自由能的关系

我们知道在等温等压下，体系吉布斯自由能的减少，等于体系所做的最大有用功(非膨胀功)。在电池反应中，如果非膨胀功只有电功一种，那么反应过程中吉布斯自由能的降低就等于电池作的电功，即：

$$\Delta_r G = -W(\text{电池电功})$$

$$\text{电池电功} = \text{电池电动势} \times \text{电量}$$

$$\text{电动势 } E = \varphi_{\text{正极}} - \varphi_{\text{负极}}$$

因 1 个电子的电量为 1.602×10^{-19}C，则 1mol 电子的电量为 9.65×10^4C(即 1 法拉第 $F = 9.65 \times 10^4 C \cdot mol^{-1}$)。如反应过程有 $n$mol 电子转移，其电量为 nF，若电池中所有物质都处于标准状态时，电池的电动势就是标准电动势 $E^\ominus$ 这时的 $\Delta_r G$ 就是标准吉布斯自由能变化 $\Delta_r G^\ominus$，则上式可以写为：

$$\Delta_r G^\ominus = -nFE^\ominus \tag{11-1}$$

式中 F 的单位为 $C \cdot mol^{-1}$，$E^\ominus$ 的单位为 V，n 为氧化还原方程式中得失电子数。

这个关系式把热力学和电化学联系起来。所以测得原电池的电动势 $E^\ominus$，就可以求出该电池的最大电功，以及反应的吉布斯自由能变化 $\Delta_r G^\ominus$。反之，已知某个氧化－还原反应的吉布斯自由能变化 $\Delta_r G^\ominus$ 的数据，就可求得该反应所构成原电池的电动势 $E^\ominus$，而由 $\Delta_r G^\ominus$（或 $E^\ominus$）可判断氧化还原反应进行的方向和限度。

例 11－8　试根据下列电池写出反应式并计算在 298K 时电池的 $E^\ominus$ 值和 $\Delta_r G^\ominus$ 值。

$$(-)Zn|ZnSO_4(1mol \cdot dm^{-3})||CuSO_4(1mol \cdot dm^{-3})|Cu(+)$$

解：从上述电池看出锌是负极，铜是正极，电池的氧化－还原反应式为

$$Zn + Cu^{2+} \rightleftharpoons Zn^{2+} + Cu$$

查表知道

$$\varphi^\ominus_{Zn^{2+}/Zn} = -0.7628V;\ \varphi^\ominus_{Cu^{2+}/Cu} = +0.34V$$

$$E^\ominus = \varphi^\ominus_{正} - \varphi^\ominus_{负} = +0.34 - (-0.76) = +1.10V$$

将 $E^\ominus$ 值代入式(11－1)(库仑 C 乘以伏特 V 等于焦耳 J)

$$\Delta_r G^\ominus = -2 \times 1.10 \times 96.5(kJ \cdot mol^{-1})$$

$$= -212kJ \cdot mol^{-1}$$

例 11－9　求下列电池在 298K 时的电动势 $E^\ominus$ 和 $\Delta_r G^\ominus$，并写出反应式，回答此反应是否能够进行？

$$(-)Cu(s)|Cu^{2+}(1mol \cdot dm^{-3})||H^+(1mol \cdot dm^{-3})H_2(\text{标准压强})|Pt(+)$$

解：反应式

$$Cu(s) + 2H^+(1mol \cdot dm^{-3}) \longrightarrow Cu^{2+}(1mol \cdot dm^{-3}) + H_2(\text{标准压强})$$

$$E^\ominus = \varphi^\ominus_{正} - \varphi^\ominus_{负} = 0.00 - (+0.34) = -0.34V$$

$$\Delta_r G^\ominus = -nE^\ominus F = -2 \times (-0.34) \times 96.5(kJ \cdot mol^{-1})$$

$$= 65.6kJ \cdot mol^{-1}$$

$\Delta_r G^\ominus$ 是正值此反应不可能进行，反之，逆反应能自发进行。

例 11－10　已知锌汞电池的反应为：

$$Zn(s) + HgO(s) \rightleftharpoons ZnO(s) + Hg(l)$$

根据标准吉布斯自由能数据，计算 298K 时该电池的电动势。

解：查热力学数据表得：

$$\Delta_f G^{\ominus}_{(HgO)} = -58.53 kJ \cdot mol^{-1}, \quad \Delta_f G^{\ominus}_{(ZnO)} = -318.2 kJ \cdot mol^{-1}$$

$$\Delta_r G^{\ominus} = \Delta_f G^{\ominus}_{(ZnO)} - \Delta_f G^{\ominus}_{(HgO)}$$

$$= -318.2 - (-58.53) = -259.7 (kJ \cdot mol^{-1})$$

$$\Delta_r G^{\ominus} = -nFE^{\ominus} = -nE^{\ominus} \times 96.5 (C \cdot mol^{-1} \cdot V)$$

$$E^{\ominus} = \frac{-259.7 kJ \cdot mol^{-1}}{-2 \times 96.5 \times 10^3 C \cdot mol^{-1}} = 1.35 (V)$$

3－3　影响电极电势的因素

(1) 定性讨论

如前所述，电极电势是电极和溶液间的电势差。这种电势差产生的原因，对于金属电极来讲，是由于在电极上存在

$$M^{n+} + ne^- \rightleftharpoons M$$

电极反应的缘故。对于氧化还原电极来讲，(如 Fe^{3+}/Fe^{2+} 电极)，是由于在惰性电极上存在

$$Fe^{3+} + e^- \rightleftharpoons Fe^{2+}$$

电极反应的结果。因此，从平衡的角度上看，凡是影响上述平衡的因素都将影响电极电势的大小。显然，电极的本质、溶液中离子的浓度、气体的压强和温度等都是影响电极电势的重要因素，当然电极的种类是最根本的因素。对于一定的电极来讲，对电极电势影响较大的是离子的浓度，温度的影响较小。定性的看，在金属电极反应中，金属离子的浓度越大，则 $M^{n+} + ne^- \rightleftharpoons M$ 平衡向右移动，减少电极上的负电荷，使电极电势增大。M^{n+} 离子浓度越小，有更多的 M 失去电子变成 M^{n+} 离子，从而增多电极上的负电荷，使电极电势减小。在 $Fe^{3+} + e^- \rightleftharpoons Fe^{2+}$ 电极反应中，增大 Fe^{3+} 离

子浓度或减小 Fe^{2+} 离子浓度，都将使平衡向右移动，结果减少了电极上的负电荷，使电极电势增大。反之，减少 Fe^{3+} 离子浓度或增大 Fe^{2+} 离子浓度，会使电极电势降低。总之，电极电势的大小同高氧化数(氧化型)离子的浓度成正比同低氧化数(还原型)离子的浓度成反比。换句话说，电极电势 φ 同[氧化型]/[还原型]成正比。[氧化型]或[还原型]表示氧化型物质(如 Fe^{3+})或还原型物质(如 Fe^{2+})的物质的量的浓度(严格的说应该是活度)。电极电势同离子的浓度、温度等因素之间的定量关系，可由热力学的关系式导出。

(2) 奈斯特(Nerst)方程

将标准氢电极与 Fe^{3+}/Fe^{2+} 电极组成原电池，其电池反应为：

$$Fe^{3+} + \frac{1}{2}H_2 = Fe^{2+} + H^+$$

根据化学反应等温式：

$$\Delta_r G_m = \Delta_r G_m^{\ominus} + RT\ln\frac{[Fe^{2+}]/[c^{\ominus}[H^+]/c^{\ominus}]}{[Fe^{3+}]/c^{\ominus}(p_{H_2}/p^{\ominus})^{1/2}}$$

为了便于运算，等温式中各物质的浓度$[A]/c^{\ominus}$ ($A = Fe^{2+}$ 。Fe^{3+}，H^+。…)可以简单的用[A]表示，即$[Fe^{2+}]/c^{\ominus}$ 表示为$[Fe^{2+}]$；$\frac{[H^+]}{c^{\ominus}}$表示为$[H^+]$…，将式 11－1 代入得：

$$-nFE = -nFE^{\ominus} + RT\ln\frac{[Fe^{2+}][H^+]}{[Fe^{3+}](p_{H_2}/p^{\ominus})^{1/2}}$$

或

$$E = E^{\ominus} - \frac{RT}{nF}\ln\frac{[Fe^{2+}][H^+]}{[Fe^{3}](p_{H_2}/p^{\ominus})^{1/2}}$$

而 $$E = \varphi_{正} - \varphi_{负} = \varphi_{Fe^{3+}/Fe^{2+}} - \varphi_{H^+/H_2}$$

$$E^{\ominus}=\varphi_{正}^{\ominus}-\varphi_{负}^{\ominus}=\varphi_{Fe^{3+}/Fe^{2+}}^{\ominus}-\varphi_{H^{+}/H_2}^{\ominus}$$

代入上式得：

$$\varphi_{Fe^{3+}/Fe^{2+}}-\varphi_{H^{+}/H_2}=(\varphi_{Fe^{3+}/Fe^{2+}}^{\ominus}-\varphi_{H^{+}/H_2}^{\ominus})-\frac{RT}{nF}\ln\frac{[Fe^{2+}][H^{+}]}{[Fe^{3+}](p_{H_2}/p^{\ominus})^{1/2}}$$

已知标准氢电极的 $\varphi_{H^{+}/H_2}^{\ominus}=0$，$[H^{+}]=1mol\cdot dm^{-3}$ $p_{H_2}=100kPa$，故 $\varphi_{H^{+}/H_2}=0$。

$$\therefore\quad \varphi_{Fe^{3+}/Fe^{2+}}=\varphi_{Fe^{3+}/Fe^{2+}}^{\ominus}-\frac{RT}{nF}\ln\frac{[Fe^{2+}]}{[Fe^{3+}]}$$

$$=\varphi_{Fe^{3+}/Fe^{2+}}^{\ominus}+\frac{RT}{nF}\ln\frac{[Fe^{3+}]}{[Fe^{2+}]}$$

上式表示电对 Fe^{3+}/Fe^{2+} 的电极电势与 Fe^{3+} 和 Fe^{2+} 离子的浓度及温度的关系。如果推广到一般电对，其电极反应为：

$$氧化型+n\mathrm{e}^{-}═══还原型$$

则有通式：

$$\varphi=\varphi^{\ominus}+\frac{RT}{nF}\ln\frac{[氧化型]}{[还原型]}\qquad(11-2)$$

这个关系式叫奈斯特(Nerst)方程。若定温为 298K 将自然对数变换为以 10 为底的对数，并代入 R 和 F 等常数的数值，则奈斯特方程可写为：

$$\varphi=\varphi^{\ominus}+\frac{2.303\times8.314\times298}{n\times96500}\lg\frac{[氧化型]}{[还原型]}(V)$$

$$\varphi=\varphi^{\ominus}+\frac{0.0591}{n}\lg\frac{[氧化型]}{[还原型]}(V)\qquad(11-3)$$

式中 φ 是指定浓度下的电极电势；$\varphi^{\ominus}$ 是标准电极电势；n 是电极反应中得到或失去的电子数；[氧化型]或[还原型]表示氧化型物质或还原型物质的浓度(严格地说应该为活度)。

应用这个方程时应注意：方程式中的[氧化型]和[还原型]并非专指氧化数有变化的物质，而是包括了参加电极反应的所有物质。在电对中，如果氧化型或还原型物质的系数不是1，则[氧化型]或[还原型]要乘以与系数相同的方次。如果电对中的某一物质是固体或液体，则它们的浓度均为常数，常认为是1。如果电对中的某一物质是气体，它的浓度用气体分压来表示。

现在举例来说明上式的表示法：

(*a*) 已知 $Fe^{3+} + e^- \rightleftharpoons Fe^{2+}, \varphi^\ominus = +0.771V$

$$\varphi = \varphi^\ominus + \frac{0.059\ 1}{1}\lg\frac{[Fe^{3+}]}{[Fe^{2+}]}V$$

$$= 0.771V + 0.059\lg\frac{[Fe^{3+}]}{[Fe^{2+}]}V$$

(*b*) 已知 $Br_2(l) + 2e^- \rightleftharpoons 2Br^-, \varphi^\ominus = 1.08V$

$$\varphi = 1.08V + \frac{0.059\ 1}{2}\lg\frac{1}{[Br^-]^2}V$$

(*c*) 已知 $I_2(s) + 2e^- \rightleftharpoons 2I^-, \varphi^\ominus = 0.535V$

$$\varphi = 0.535V + \frac{0.059\ 1}{2}\lg\frac{1}{[I^-]^2}V$$

(*d*) 已知 $2H^+ + 2e^- \rightleftharpoons H_2, \varphi^\ominus = 0$

$$\varphi = \frac{0.059\ 1}{2}\lg\frac{[H^+]^2}{p_{H_2}/p^\ominus}V$$

(*e*) 已知 $O_2 + 4H^+ + 4e^- \rightleftharpoons 2H_2O(l), \varphi^\ominus = 1.229V$

$$\varphi = 1.229V + \frac{0.059\ 1}{4}\lg\frac{p_{O_2}/p^\ominus \times [H^+]^4}{1}V$$

$$\varphi = 1.229V + \frac{0.059\ 1}{4}\lg\left(\frac{p_{O_2}}{p^\ominus} \times [H^+]^4\right)V$$

为了阐明浓度对电极电势的影响，下面以电对 Fe^{3+}/Fe^{2+} 为例进行计算：

电对 $Fe^{3+} + e^- \rightleftharpoons Fe^{2+}, \varphi^\ominus = 0.771V$

$$\varphi = \varphi^{\ominus} + 0.059\ 1\lg \frac{[Fe^{3+}]}{[Fe^{2+}]}V$$

如果改变$\frac{[Fe^{3+}]}{[Fe^{2+}]}$的比值，那么 φ 也随之而变化。将计算结果列于表 11－3。

表 11－3　在不同浓度时，$\varphi_{Fe^{3+}/Fe^{2+}}$ 的数值(298K)

$\frac{[Fe^{3+}]}{[Fe^{2+}]}$	$\frac{1}{1000}$	$\frac{1}{100}$	$\frac{1}{10}$	$\frac{1}{1}$	$\frac{10}{1}$	$\frac{100}{1}$	$\frac{1000}{1}$
φ/V	0.594	0.653	0.712	0.771	0.830	0.880	0.948

由此可见，随着$\frac{[Fe^{3+}]}{[Fe^{2+}]}$比值的增加，$\varphi_{Fe^{3+}/Fe^{2+}}$ 也在增加。$\frac{[Fe^{3+}]}{[Fe^{2+}]}$每增加 10 倍，$\varphi_{Fe^{3+}/Fe^{2+}}$ 就增加 0.059 1V。

例 11－11　已知 $Fe^{3+} + e^{-} \rightleftharpoons Fe^{2+}$，$\varphi^{\ominus} = 0.771V$。试求$\frac{[Fe^{3+}]}{[Fe^{2+}]} = 10000$ 时的 $\varphi_{Fe^{3+}/Fe^{2+}}$ 值。

解：$\varphi = \varphi^{\ominus} + \frac{0.059\ 1}{n}\lg\frac{[\text{氧化型}]}{[\text{还原型}]}$

$$= 0.771 + \frac{0.059\ 1}{1}\lg 10^{4}$$

$$= 0.771 + 0.059\ 1 \times 4 = 1.01(V)$$

计算结果说明，随着 Fe^{2+} 浓度的降低至原来的 $\frac{1}{10^{4}}$，电极电势升高了 0.236V，作为氧化剂的 Fe^{3+} 夺取电子的能力增强了。这和化学平衡移动的概念相一致，也就是说 Fe^{2+} 浓度降低，促使平衡向右移动。

上面所讨论的是指氧化型物质和还原型物质本身浓度的改变对电极电势的影响。此外，浓度对电极电势的影响还可以表现在以下二个方面：

首先酸度对电极电势的影响　如果电极反应中包含着 H^{+} 和

OH^- 离子,那么酸度将会对电极电势产生影响。

重铬酸钾是一种常见的氧化剂,它在不同酸度的溶液中氧化性如何呢？从下列电极反应:

$$Cr_2O_7^{2-} + 14H^+ + 6e^- \rightleftharpoons 2Cr^{3+} + 7H_2O \quad \varphi^\ominus = +1.33V$$

来看,反应包含着 H^+ 离子。因此,介质的酸度就会对电极电势有影响。如果将 $[Cr_2O_7^{2-}]$ 和 $[Cr^{3+}]$ 都固定为 $1mol \cdot dm^{-3}$ 只改变氢离子 H^+ 浓度,看看对电极电势有什么影响。

$$\varphi = \varphi^\ominus + \frac{0.059\,1}{6}\lg\frac{[Cr_2O_7^{2-}][H^+]^{14}}{[Cr^{3+}]^2}V$$

$$\varphi = \varphi^\ominus + \frac{0.059\,1}{6}\lg[H^+]^{14}V$$

当 $[H^+] = 1mol \cdot dm^{-3}$ 时,

$$\varphi^\ominus_{Cr_2O_7^{2-}/Cr^{3+}} = +1.33V$$

当 $[H^+] = 10^{-3}mol \cdot dm^{-3}$ 时,

$$\varphi_{Cr_2O_7^{2-}/Cr^{3+}} = 1.33 + \frac{0.059\,1}{6}\lg(10^{-3})^{14}$$

$$= 1.33 - \frac{42 \times 0.059\,1}{6}$$

$$= 0.92(V)$$

从以上计算,可以看出 $K_2Cr_2O_7$ 在强酸性溶液中的氧化性比在弱酸性中为强。在实验室或工业生产中,总是在较强的酸性溶液中使用 $K_2Cr_2O_7$ 作为氧化剂。

例 11-12 已知 $2H^+ + 2e^- \rightleftharpoons H_2$, $\varphi^\ominus = 0$,求算 $[HAc] = 0.10mol \cdot dm^{-3}$ $p_{H_2} = 100kPa$ 时,氢电极的电极电势 φ_0

解:先计算 $0.10mol \cdot dm^{-3}$ HAc 溶液中的 $[H^+]$,

$$HAc \rightleftharpoons H^+ + Ac^-$$

$$c/mol \cdot dm^{-3} \quad 0.10 - x \quad x \quad x$$

$$\frac{[H^+][Ac^-]}{[HAc]} = K^\ominus_{HAc} = 1.8 \times 10^{-5}$$

因为 HAc 的电离常数较小,$0.01 - x \approx 0.10$

$$\frac{x^2}{0.10 - x} = 1.8 \times 10^{-5}$$

$$\frac{x^2}{0.10} = 1.8 \times 10^{-5}$$

$$x^2 = 0.10 \times 1.8 \times 10^{-5} = 1.8 \times 10^{-6}$$

$$x = 1.3 \times 10^{-3}(\text{mol} \cdot \text{dm}^{-3})$$

即氢离子浓度为 $1.3 \times 10^{-3}\,\text{mol}\cdot\text{dm}^{-3}$，将 $[H^+] = 1.3 \times 10^{-3}\,\text{mol}\cdot\text{dm}^{-3}$，$p_{H_2} = 1.013 \times 10^5\,\text{Pa}$ 代入公式：

$$\begin{aligned}\varphi &= \varphi^{\ominus} + \frac{0.059\ 1}{2}\lg\frac{[H^+]^2}{p_{H_2}/1.013 \times 10^5\,\text{Pa}} \\ &= \varphi^{\ominus} + \frac{0.059\ 1}{2}\lg[H^+]^2 \\ &= \varphi^{\ominus} + 0.059\ 1\lg[H^+] \\ &= 0 + 0.059\ 1\lg 1.3 \times 10^{-3} \\ &= -0.17(\text{V})\end{aligned}$$

计算结果表明，由于 H^+ 离子浓度降低至 $1.3 \times 10^{-3}\,\text{mol}\cdot\text{dm}^{-3}$，氢电极的电极电势降低了 0.17V。

第二是沉淀生成对电极电势的影响　从电对 $Ag^+ + e^- \rightleftharpoons Ag$，$\varphi^{\ominus}_{Ag^+/Ag} = 0.799\text{V}$ 来看，Ag^+ 是一个中等偏弱的氧化剂。若在溶液中加入 NaCl，便产生 AgCl 沉淀：

$$Ag^+ + Cl^- \rightleftharpoons AgCl\downarrow$$

当达到平衡时，如果 Cl^- 离子浓度为 $1\text{mol}\cdot\text{dm}^{-3}$，$Ag^+$ 离子浓度则为：

$$[Ag^+] = \frac{K^{\ominus}_{sp}}{[Cl^-]} = \frac{K^{\ominus}_{sp}}{1} = K_{sp} = 1.6 \times 10^{-10}$$

这时
$$\begin{aligned}\varphi &= \varphi^{\ominus} + 0.059\ 1\lg 1.6 \times 10^{-10} \\ &= 0.799 - 0.578 = +0.221(\text{V})\end{aligned}$$

上面计算所得的电极电势属于下列电对

$$AgCl(s) + e^- \rightleftharpoons Ag(s) + Cl^-$$

的标准电极电势，这是因为将 Ag 插在 Ag^+ 的溶液中所组成的电极 Ag^+/Ag，当加入 NaCl 而产生 AgCl 沉淀后形成了一种新的

AgCl/Ag 电极，相应之下，电极电势下降了 0.578V。

用同样的方法可以算出 $\varphi^{\ominus}_{AgBr/Ag}$ 和 $\varphi^{\ominus}_{AgI/Ag}$ 的数值来，现将这些电对对比如下：

$\varphi^{\ominus}$	$K^{\ominus}_{sp}$	$[Ag^+]$	电 对	$\varphi^{\ominus}$/V
↑ 减	↑ 减	↑ 减	$AgI(s)+e^- \rightleftharpoons Ag+I^-$	−0.152
小	小	小	$AgBr(s)+e^- \rightleftharpoons Ag+Br^-$	+0.071
			$AgCl(s)+e^- \rightleftharpoons Ag+Cl^-$	+0.221
			$Ag^+ + e^- \rightleftharpoons Ag$	+0.799

从上面的对比中，我们可以看出：卤化银的溶度积越小 $\varphi^{\ominus}_{AgX/Ag}$ 也越小，换句话说，溶度积越小，Ag^+ 离子的平衡浓度越小，它的氧化能力越弱。

综合起来，我们可以把浓度对电极电势的影响归纳如下几点：

① 对与酸度无关的电对，例如 $M^{n+} + e^- \rightleftharpoons M^{(n-1)+}$ 来说，$\dfrac{[M^{n+}]}{[M^{(n-1)+}]}$的比值越大，$\varphi$ 的数值越大。

② 对含有 H^+ 或 OH^- 离子的电对，不但氧化型和还原型物质的浓度对电极电势有影响，而且$[H^+]$也有影响，往往$[H^+]$的影响更大。

③ 如电对中氧化型物质生成沉淀，则沉淀物的 $K^{\ominus}_{sp}$ 越小，它们的标准电极电势就越小；相反，如果电对中还原型物质生成沉淀，则沉淀物的 $K^{\ominus}_{sp}$ 越小，它们的标准电极电势就越大。结果，前一种情况对氧化型物质起稳定作用，而后一种情况对还原型物质起稳定作用。

④ 若溶液中有络合物生成时，$\varphi^{\ominus}$ 值也会发生变化，这将在以后阐述。

3-4 电极电势的应用

(1) 判断氧化剂和还原剂的强弱

如前所述,电极电势的高低表明得失电子的难易,也就是表明了氧化还原能力的强弱。电极电势正值越大就表明电极反应中氧化型物质越容易夺得电子转变为相应的还原型,如表 11-1 中 $\varphi^{\ominus}_{F_2/F^-}=2.87V$,$\varphi^{\ominus}_{Mn(VII)/Mn^{2+}}=1.49V$,$\varphi^{\ominus}_{Cr(VI)/Cr^{3+}}=1.33V$ 说明 F_2,MnO_4^-,$Cr_2O_7^{2-}$ 都是强氧化剂。电极电势负值越大就表明电极反应中还原型物质越容易失去电子转变为相应的氧化型,如表 11-1 中 $\varphi^{\ominus}_{K^+/K}=-2.92V$,$\varphi^{\ominus}_{Na^+/Na}=-2.71V$,这说明金属 K 和 Na 都是强还原剂。应当注意的是,用 $\varphi^{\ominus}$ 判断氧化还原能力的强弱是在标准状况下的结果。如果在非标准状况下比较氧化还原剂的强弱时,必须利用奈斯特方程进行计算,求出在某条件下的 φ 然后再进行比较。如在例 11-11 中可以看到由于 Fe^{3+} 离子浓度的增大,电极电势由 0.771V 升到 1.01V;而 $Cr_2O_7^{2-}$ 的电极电势由于溶液的 pH 的变化,从 1.33V 降到 0.92V,在这种条件下 $Cr_2O_7^{2-}$ 的氧化能力反而低于 Fe^{3+} 离子氧化能力。

(2) 求平衡常数和溶度积常数

① 求平衡常数

氧化还原反应同其他反应如沉淀反应和酸碱反应等一样,在一定条件下也能达到化学平衡。那么,氧化还原反应的平衡常数怎样求得呢?

在化学平衡一章中,已介绍过标准自由能变化和平衡常数之间的关系为:

$$\Delta_r G_m^{\ominus}=-RT\ln K^{\ominus}$$

$$\Delta_r G_m^{\ominus}=-2.303RT\lg K^{\ominus}$$

而所有的氧化还原反应从原则上讲又都可以用它构成原电池,原电池的电动势与反应自由能变化之间的关系如 11-1 式所示:

$$\Delta_r G_m^\ominus = -nFE^\ominus$$

上两式合并即得：

$$-nFE^\ominus = -2.303RT\lg K^\ominus$$

在 298K

$$E^\ominus = \frac{2.303RT}{nF}\lg K^\ominus = \frac{2.303 \times 8.314 \times 298}{n \times 96500}\lg K^\ominus$$

$$E^\ominus = \frac{0.059\,1}{n}\lg K$$

$$\lg K^\ominus = \frac{nE^\ominus}{0.059\,1} = \frac{n(\varphi_{正}^\ominus - \varphi_{负}^\ominus)}{0.059\,1} \qquad (11-4)$$

我们如果知道了电池的电动势 $E^\ominus$ 和电子的转移数 n，便可计算氧化还原反应的平衡常数了。但是在应用 11－4 式时，应注意准确的取用 n 的数值，因为同一个电池反应，可因反应方程式中的计量数不同而有不同的电子转移数 n。

例 11－13　求反应 $2Ag + 2HI \rightleftharpoons 2AgI\downarrow + H_2\uparrow$ 的平衡常数。

解：分析反应中得失的电子数 n：

$2e^-$（由 Ag 指向 AgI）

$2Ag + 2HI \rightleftharpoons 2AgI + H_2$，$n = 2$

若组成原电池，在电池反应中，由于 AgI/Ag 电极起氧化作用（或被氧化），是负极。

依　$\lg K^\ominus = \dfrac{n(\varphi_{正}^\ominus - \varphi_{负}^\ominus)}{0.0591} = \dfrac{n(\varphi_{H^+/H_2}^\ominus - \varphi_{AgI/Ag}^\ominus)}{0.059\,1}$

查表知 $\varphi_{H^+/H_2}^\ominus = 0V$，$\varphi_{AgI/Ag}^\ominus = -0.15V$

代入上式　$\lg K = \dfrac{2[0-(-0.15)]}{0.059\,1} = 5.08$

$$K^\ominus = 1.2 \times 10^5$$

例 11－14　如将上题的反应式写成

$$Ag + HI \rightleftharpoons AgI\downarrow + \frac{1}{2}H_2\uparrow$$

求平衡常数。

解：$Ag + HI \rightleftharpoons AgI + \frac{1}{2}H_2$ $n' = 1$（e^-）

已知电极的半反应式书写时计量数可以不同，但电极电势不变，所以 $\varphi^{\ominus}_{H^+/H_2}$，$\varphi^{\ominus}_{AgI/Ag}$ 的数值与上题相同。

$$依\quad \lg K^{\ominus'} = \frac{n'(\varphi^{\ominus}_{H^+/H_2} - \varphi^{\ominus}_{AgI/Ag})}{0.059\,1}$$

$$= \frac{1\times[0-(-0.15)]}{0.059\,1} = 2.54$$

$$K^{\ominus'} = 3.47\times10^2$$

比较上两例题的计算结果得

$$K^{\ominus} = (K^{\ominus'})^2$$

② 求溶度积常数

为了测定 $PbSO_4$ 的溶度积常数 $K^{\ominus}_{sp}$，可设计一种由 Pb^{2+}/Pb 和 Sn^{2+}/Sn 两个电对所组成的原电池。在 Sn^{2+}/Sn 半电池中，Sn^{2+} 离子浓度为 $1mol\cdot dm^{-3}$，在 Pb^{2+}/Pb 半电池中，Pb^{2+} 离子的浓度由于加入过量的 SO_4^{2-} 离子使 $PbSO_4$ 沉淀析出而降低到很小的数值，最后将 SO_4^{2-} 离子浓度调整为 $1mol\cdot dm^{-3}$。这个原电池的电动势经测量为 +0.22V，并测知 Sn 是正极，Pb 是负极，表明下列氧化还原反应：

$$Pb(s) + Sn^{2+}(1mol\cdot dm^{-3}) \rightleftharpoons Pb^{2+}(x\cdot mol\cdot dm^{-3}) + Sn(s)$$

可以自发地进行。

根据奈斯特方程式：

$$\varphi_{正} = \varphi^{\ominus}_{Sn^{2+}/Sn} + \frac{0.059\,1}{2}\lg[Sn^{2+}]$$

$$\varphi_{负} = \varphi^{\ominus}_{Pb^{2+}/Pb} + \frac{0.059\,1}{2}\lg[Pb^{2+}]$$

将上两式代入 $E = \varphi_{正} - \varphi_{负}$

$$E = \varphi_{正} - \varphi_{负} = \varphi^{\ominus}_{Sn^{2+}/Sn} - \varphi^{\ominus}_{Pb^{2+}/Pb} + \frac{0.059\,1}{2}\lg\frac{[Sn^{2+}]}{[Pb^{2+}]}$$

而 $E = 0.22V, \varphi^{\ominus}_{Sn^{2+}/Sn} = -0.14V, \varphi^{\ominus}_{Pb^{2+}/Pb} = -0.13V$,则

$$0.22 = -0.14 - (-0.13) - \frac{0.059\,1}{2}\lg\frac{[Pb^{2+}]}{1}$$

$$\lg[Pb^{2+}] = -\frac{0.22 + 0.01}{0.030} = -7.7$$

$$[Pb^{2+}] = 2 \times 10^{-8}(mol \cdot dm^{-3})$$

$$K^{\ominus}_{sp} = [Pb^{2+}][SO_4^{2-}] = (2 \times 10^{-8})(1) = 2 \times 10^{-8}$$

经测定 $PbSO_4$ 的溶度积常数为 2×10^{-8}。

(3) 判断氧化还原反应进行的方向和进行的程度

在 3-2 一节中我们已经知道,当反应的自由能变化 $\Delta_r G_m$ 为负值时,反应可自发的进行,当 $\Delta_r G^{\ominus}_m < 0$ 时,因 $\Delta_r G^{\ominus}_m = -nFE^{\ominus}$,则 $E^{\ominus} > 0$,所以由氧化还原反应组成的原电池,如果其 $E^{\ominus} > 0$,则该氧化还原反应可自发进行;如果其 $E^{\ominus} < 0$,则反应不能自发进行。

以上所举的例子,都是用标准电极电势来判断氧化还原反应进行的方向。事实上参与反应的氧化型和还原型物质,其浓度和分压并不都是 $1mol \cdot dm^{-3}$ 或标准气压。不过在大多数情况下,用标准电极电势来判断,结论还是正确的,这是因为我们经常遇到的大多数氧化还原反应,如果组成原电池,其电动势都是比较大的,一般大于 0.2V。在这种情况下,浓度的变化虽然会影响电极电势,但不会因为浓度的变化而使 $E^{\ominus}$ 值正负变号。但也有个别的氧化还原反应组成原电池后,它的电动势相当小,这时判断反应方向,必须考虑浓度对电极电势的影响否则要出差错。例如判断下列反应的反应方向:

$$Pb^{2+} + Sn \rightleftharpoons Pb + Sn^{2+}$$

在标准状态下 (即 $[Pb^{2+}] = [Sn^{2+}] = 1mol \cdot dm^{-3}$)

$$E^{\ominus} = \varphi^{\ominus}_{Pb^{2+}/Pb} - \varphi^{\ominus}_{Sn^{2+}/Sn}$$

$$= -0.126-(-0.136)=0.010\text{V}$$

上述反应可以自发地向右进行。但若$[Sn^{2+}]=1\text{mol}\cdot\text{dm}^{-3}$，$[Pb^{2+}]=0.1\text{mol}\cdot\text{dm}^{-3}$，由于 $\varphi^{\ominus}_{Pb^{2+}/Pb}$和 $\varphi^{\ominus}_{Sn^{2+}/Sn}$只差 0.01V，我们就不能不考虑浓度对电极电势的影响，而必须另行计算：

$$\varphi_{Pb^{2+}/Pb}=\varphi^{\ominus}_{Pb^{2+}/Pb}+\frac{0.059}{2}\lg\frac{0.1}{1}$$

$$=-0.126-0.0295=-0.156(\text{V})$$

则

$$E=\varphi_{Pb^{2+}/Pb}-\varphi^{\ominus}_{Sn^{2+}/Sn}$$

$$=-0.156-(-0.136)=-0.020\text{V}$$

计算证明恰好和上面情况相反，当$[Pb^{2+}]=0.1\text{mol}\cdot\text{dm}^{-3}$时上述反应不能自发地向右进行，反之，其逆反应可以自发进行。

既然利用电极电势可计算出反应的平衡常数那末用它来判断氧化还原反应进行的程度是毫无疑问的。例如，已知下列氧化－还原反应：

$$Cl_2(g)+2Br^{-}=\!=\!=Br_2(l)+2Cl^{-}$$

是可以自发地向右进行的。但它进行到什么程度才能达到平衡呢？

已知 $\varphi^{\ominus}_{Br_2/Br^-}=1.08\text{V}$，$\varphi^{\ominus}_{Cl_2/Cl^-}=1.36\text{V}$

$$E^{\ominus}=1.36-1.08=0.28\text{V}$$

$$\lg K^{\ominus}=\frac{nE^{\ominus}}{0.059}=\frac{2\times0.28}{0.059}=9.5$$

$$K^{\ominus}=\frac{[Br_2][Cl^-]^2}{p_{Cl_2}/p^{\ominus}[Br^-]^2}=\frac{[Cl^-]^2}{[Br^-]^2}=3.2\times10^9$$

$K^{\ominus}$值很大，表明上述反应进行得很完全，在平衡时，$[Br^-]$只有$[Cl^-]$的 5.66×10^4 分之一。上面的计算结果说明 $E^{\ominus}$ 值在 0.2 到 0.3V 时，平衡常数已经很大了。

在用电极电势来判断氧化还原反应进行的方向和进行的程度时，应该注意下列两点：

(1) 从电极电势只能判断氧化还原反应能否进行,进行的程度如何,但不能说明反应的速率,因热力学和动力学是两回事。例如:

$$MnO_4^- + 8H^+ + 5e^- \rightleftharpoons Mn^{2+} + 4H_2O \quad \varphi^\ominus = 1.51V$$

$$S_2O_8^{2-} + 2e^- \rightleftharpoons 2SO_4^{2-} \quad \varphi^\ominus = 2.01V$$

从 $\varphi^\ominus$ 判断,$S_2O_8^{2-}$ 可以氧化 Mn^{2+},但实际上这个反应速度很小,以致单独用 $S_2O_8^{2-}$ 不能使 Mn^{2+} 氧化,必须在热溶液中加入银盐作催化剂,反应才能加速进行。

(2) 某些含氧化合物例如 $KMnO_4$,$K_2Cr_2O_7$,H_3AsO_4 等参加氧化还原反应时,用电极电势判断反应进行的方向和程度,还要考虑溶液的酸度,例如下列反应:

$$H_3AsO_4 + 2I^- + 2H^+ \rightleftharpoons H_3AsO_3 + I_2 + H_2O$$

当 $[H_3AsO_4] = [I^-] = [H^+] = 1mol \cdot dm^{-3}$ 时,$\varphi^\ominus_{H_3AsO_4/H_3AsO_3} = +0.56V$,$\varphi^\ominus_{I_2/I^-} = +0.535V$。电池电动势 $E^\ominus = 0.56 - 0.535 = 0.025V$。$E^\ominus > 0$,反应从左向右进行。

如果在上例中,$[H^+]$ 变为 10^{-8} mol·dm^{-3},粗略的看 $[H_3AsO_4] = [H_3AsO_3] = [I^-] = 1mol \cdot dm^{-3}$ 时,$\varphi^\ominus_{I_2/I^-}$ 仍为 $+0.535V$,而 H_3AsO_4/H_3AsO_3 电对的电极电势变了,即:

$$H_3AsO_4 + 2H^+ + 2e^- = H_3AsO_3 + H_2O$$

$$\varphi = \varphi^\ominus + \frac{0.059\,1}{2}\lg\frac{[H_3AsO_4][H^+]^2}{[H_3AsO_3]}$$

$$= 0.56 + \frac{0.059\,1}{2}\lg\frac{1\times(10^{-8})^2}{1}$$

$$= +0.088V$$

这时,电池电动势 $E = 0.088 - 0.535 = -0.447V$,$E < 0$,反应不能正向进行,而能逆向进行。这是酸度影响到反应方向的一个典型实例。

§ 11-4 电势图解及其应用

4-1 元素电势图

大多数非金属元素和过渡元素可以存在几种氧化态,各氧化态之间都有相应的标准电极电势,拉提默(Latimer)提出将它们的标准电极电势以图解方式表示,这种图称为元素电势图或拉提默图。比较简单的元素电势图是把同一种元素的各种氧化态按照高低顺序排成横列。关于氧化态的高低顺序有两种书写方式:一种是从左至右,氧化态由高到低排列(氧化型在左边,还原型在右边);另一种是从左到右,氧化态由低到高排列。两者的排列顺序恰好相反,所以使用时应加以注意。在两种氧化态之间若构成一个电对,就用一条直线把它们联接起来,并在上方标出这个电对所对应的标准电极电势。根据溶液的 pH 值不同,又可以分为两大类:$\varphi_A^\ominus$(A 表示酸性溶液 acid solution)表示溶液的 pH=0;$\varphi_B^\ominus$(B 表示碱性溶液 basic solution)表示溶液的 pH=14。书写某一元素的元素电势图时,既可以将全部氧化态列出,也可以根据需要列出其中的一部分。例如碘的元素电势图。

$$\varphi_A^\ominus/V$$

$$H_5IO_6 \overset{\sim+1.7}{\overline{\qquad\quad}} IO_3^- \overset{+1.13}{\overline{\qquad\quad}} HIO \overset{+1.45}{\overline{\qquad\quad}} I_2 \overset{+0.54}{\overline{\qquad\quad}} I^-$$

$$\underbrace{IO_3^- \cdots\cdots I_2}_{\text{上方连线 } +1.19} \qquad \underbrace{HIO \cdots\cdots I^-}_{\text{下方连线 } +0.99}$$

$$\varphi_B^\ominus/V$$

$$H_3IO_6^{2-} \overset{\sim+0.70}{\overline{\qquad\quad}} IO_3^- \overset{+0.56}{\overline{\qquad\quad}} IO^- \overset{+0.44}{\overline{\qquad\quad}} I_2 \overset{+0.54}{\overline{\qquad\quad}} I^-$$

$$\underbrace{IO^- \cdots\cdots I^-}_{+0.49}$$

也可以列出其中的一部分,例如:

$$\varphi_A^\ominus/V$$

$$HIO \overset{+1.45}{\overline{\qquad\quad}} I_2 \overset{+0.54}{\overline{\qquad\quad}} I^-$$

$$\underbrace{HIO \cdots\cdots I^-}_{+0.99}$$

从元素电势图不仅可以全面地看出一种元素各氧化态之间的电极电势高低和相互关系，而且可以判断哪些氧化态在酸性或碱性溶液中能稳定存在。现介绍以下几方面的应用。

(1) 利用元素电势图求算某电对的未知的标准电极电势。若已知两个或两个以上的相邻电对的标准电极电势，即可求算出另一个电对的未知标准电极电势。例如某元素电势图为

$$A \xrightarrow{\Delta_r G_1^{\ominus},\ \varphi_1^{\ominus}} B \xrightarrow{\Delta_r G_2^{\ominus},\ \varphi_2^{\ominus}} C \quad (A \to C:\ \Delta_r G^{\ominus},\ \varphi^{\ominus})$$

根据标准自由能变化和电对的标准电极电势关系：

$$\Delta_r G_1^{\ominus} = -n_1 F\varphi_1^{\ominus}$$

$$\Delta_r G_2^{\ominus} = -n_2 F\varphi_2^{\ominus}$$

$$\Delta_r G^{\ominus} = -nF\varphi^{\ominus}$$

n_1, n_2, n 分别为相应电对的电子转移数，其中 $n = n_1 + n_2$，则

$$\Delta_r G^{\ominus} = -nF\varphi^{\ominus} = -(n_1 + n_2)F\varphi^{\ominus}$$

按照盖斯定律，吉布斯自由能是可以加合的。即：

$$\Delta_r G^{\ominus} = \Delta_r G_1^{\ominus} + \Delta_r G_2^{\ominus}$$

于是 $\quad -(n_1 + n_2)F\varphi^{\ominus} = -n_1 F\varphi_1^{\ominus} + (-n_2 F\varphi_2^{\ominus})$

整理得

$$\varphi^{\ominus} = \frac{n_1\varphi_1^{\ominus} + n_2\varphi_2^{\ominus}}{n_1 + n_2}$$

若有 i 个相邻电对，则

$$\varphi^{\ominus} = \frac{n_1\varphi_1^{\ominus} + n_2\varphi_2^{\ominus} + \cdots + n_i\varphi_i^{\ominus}}{n_1 + n_2 + \cdots + n_i}$$

例 11－15　试从下列元素电势图中的已知标准电极电势，求 $\varphi^{\ominus}_{BrO_3^-/Br^-}$ 值。

$$\varphi_A^{\ominus}/V \qquad BrO_3^- \xrightarrow{+1.50} BrO^- \xrightarrow{+1.59} Br_2 \xrightarrow{+1.07} Br^- \quad (BrO_3^- \to Br^-:\ \varphi^{\ominus})$$

解：根据各电对的氧化数变化可以知道 n_1, n_2, n_3 分别为 4,1,1 则

$$\varphi^{\ominus}_{BrO_3^-/Br^-} = \frac{n_1\varphi_1^{\ominus} + n_2\varphi_2^{\ominus} + n_3\varphi_3^{\ominus}}{n_1 + n_2 + n_3}$$

$$= \frac{(4\times1.50 + 1\times1.59 + 1\times1.07)\text{V}}{4+1+1}$$

$$= \frac{8.66\text{V}}{6} = +1.44\text{V}$$

例 11－16　试从下列元素电势图中的已知标准电极电势，求 $\varphi^{\ominus}_{IO^-/I_2}$ 值。

$$\varphi_B^{\ominus}/\text{V} \qquad IO^- \xrightarrow{\varphi_1^{\ominus}} I_2 \xrightarrow{+0.54} I^- \quad (IO^- \xrightarrow{+0.49} I^-)$$

解：$n\varphi^{\ominus} = n_1\varphi_1^{\ominus} + n_2\varphi_2^{\ominus}$

$$\varphi_1^{\ominus} = \varphi^{\ominus}_{IO^-/I_2} = \frac{n\varphi^{\ominus} - n_2\varphi_2^{\ominus}}{n_1}$$

$$= \frac{(2\times0.49 - 1\times0.54)\text{V}}{1} = +0.44\text{V}$$

(2) 判断歧化反应是否能够进行

由某元素不同氧化态的三种物质所组成两个电对，按其氧化态由高到低排列如下：

$$A \xrightarrow{\varphi^{\ominus}_{左}} B \xrightarrow{\varphi^{\ominus}_{右}} C$$

氧化态降低 ⟶

假设 B 能发生歧化反应，那么这两个电对所组成的电池电动势：

$$E^{\ominus} = \varphi^{\ominus}_{正} - \varphi^{\ominus}_{负}$$

B 变成 C 是获得电子的过程，应是电池的正极；B 变成 A 是失去电子的过程，应是电池的负极，所以

$$E^{\ominus} = \varphi^{\ominus}_{右} - \varphi^{\ominus}_{左} > 0 \quad 即\ \varphi^{\ominus}_{右} > \varphi^{\ominus}_{左}$$

假设 B 不能发生歧化反应，同理

$$E^{\ominus} = \varphi^{\ominus}_{右} - \varphi^{\ominus}_{左} < 0 \quad 即\ \varphi^{\ominus}_{右} < \varphi^{\ominus}_{左}$$

根据以上原则，来看一看 Cu^+ 是否能够发生歧化反应？

有关的电势图为：

$$\varphi_A^{\ominus}/\text{V} \quad Cu^{2+} \xrightarrow{+0.153} Cu^+ \xrightarrow{+0.521} Cu$$

因为 $\varphi^{\ominus}_{右} > \varphi^{\ominus}_{左}$，所以在酸性溶液中，$Cu^+$ 离子不稳定，它将发生下列歧化反应：

$$2Cu^+ \longrightarrow Cu + Cu^{2+}$$

又如铁的元素电势图

$$\varphi^{\ominus}_A/V \qquad Fe^{3+} \xrightarrow{+0.77} Fe^{2+} \xrightarrow{-0.44} Fe$$

因为 $\varphi^{\ominus}_{右} < \varphi^{\ominus}_{左}$，$Fe^{2+}$ 不能发生歧化反应。

但是由于 $\varphi^{\ominus}_{左} > \varphi^{\ominus}_{右}$，$Fe^{3+}/Fe^{2+}$ 电对中的 Fe^{3+} 离子可氧化 Fe 生成 Fe^{2+} 离子：

$$Fe^{3+} + Fe \longrightarrow 2Fe^{2+}$$

此即歧化反应的逆反应。

可将上面所讨论的内容推广为一般规律：在元素电势图 $A \xrightarrow{\varphi^{\ominus}_{左}} B \xrightarrow{\varphi^{\ominus}_{右}} C$ 中，若 $\varphi^{\ominus}_{右} > \varphi^{\ominus}_{左}$，物质 B 将自发地发生歧化反应，产物为 A 和 C。若 $\varphi^{\ominus}_{右} < \varphi^{\ominus}_{左}$，当溶液中有 A 和 C 存在时，将自发地发生歧化的逆反应，产物为 B。

4-2 氧化态图

埃布斯沃思（Ebsworth）提出另外一种图解法表示元素的不同氧化态之间的关系。他用某种元素的各种"半反应的吉布斯自由能对氧化态（n）作图，其半反应式为：

$$M^0 \longrightarrow M^{n+} + ne^-$$

严格的讲，应当是：

$$M^0 + nH^+ \longrightarrow M^{n+} + \frac{1}{2}nH_2$$

图 11-6 中，标准状态下的单质画在零点上，单质同另一氧化态电对的标准电极电势乘以另一氧化态的氧化数（即单质变为另一氧化态时得失电子数）$n\varphi^{\ominus}$ 标在纵坐标（左边）上，如半反应：$Mn^0 \longrightarrow Mn^{2+} + 2e^-$ 的 $n\varphi^{\ominus}$ 为 $2 \times (-1.18)V = -2.36V$；半反

应：$Mn^0 \longrightarrow Mn^{3+} + 3e^-$ 的 $n\varphi^\ominus$ 为 $3\times(-0.283V) = -0.85V$(即 $2\times -1.18V + 1\times 1.51V = -0.85V$)。相应反应的 $\Delta_r G$ 标在纵坐标（右边）上。如 Mn^{2+} 的 $\Delta_r G = -2.36\times 96.5 = -228kJ\cdot mol^{-1}$；$Mn^{3+}$ 的 $\Delta_r G = -0.85\times 96.5 = -82kJ\cdot mol^{-1}$。氧化态标在横坐标上。图 11-6 为锰的氧化态图。

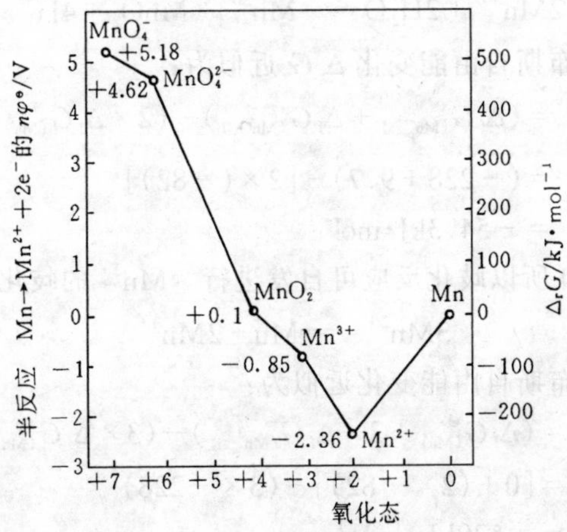

图 11-6 pH=0 时，锰的氧化态图

这样画出的图具有以下的性质：

(*a*) 连接任何两个氧化态值的直线，其斜率等于这两个氧化态所形成电对的电极电势。如 $Mn—Mn^{2+}$ 连线的斜率为 $-2.36/2 = -1.18$ 即该电对的标准电极电势 $\varphi^\ominus_{Mn^{2+}/Mn} = -1.18V$；$Mn^{2+}—Mn^{3+}$ 连线的斜率为 $[-0.85-(-2.36)]/1 = 1.51$，即 $\varphi^\ominus_{Mn^{3+}/Mn^{2+}} = +1.51V$。

(*b*) 若任意三个氧化态的中间态的点位于连接三个氧化态中的最高氧化态与最低氧化态两点的连线之上，则中间态是不稳定的，即能够歧化成最高氧化态和最低氧化态，如 Mn^{3+} 不稳定，容易发生下列歧化反应：

$$2Mn^{3+} \rightleftharpoons Mn^{IV} + Mn^{2+}$$

反之,若中间态的点位于最高氧化态和最低氧化态两点的连线之下,则中间态稳定,不能发生歧化反应。如 Mn^{2+} 处于 Mn 和 Mn^{3+} 两点连线之下;MnO_2 处于 MnO_4^{2-} 和 Mn^{3+} 两点连线之下,所以 MnO_2,Mn^{2+} 都不歧化。为什么 Mn^{3+} 会歧化而 Mn^{2+} 不歧化?可以从热力学角度来说明,Mn^{3+} 的歧化反应为:

$$2Mn^{3+} + 2H_2O \rightleftharpoons Mn^{2+} + MnO_2 + 4H^+$$

该反应的吉布斯自由能变化 $\Delta_r G$ 近似为:

$$\begin{aligned}\Delta_r G &= (\Delta_f G^{\ominus}_{(Mn^{2+})} + \Delta_f G^{\ominus}_{(MnO_2)}) - (2\times\Delta_f G^{\ominus}_{(Mn^{3+})})\\ &= (-228+9.7) - [2\times(-82)]\\ &= -54.3\,kJ\cdot mol^{-1}\end{aligned}$$

因为 $\Delta_r G<0$ 所以歧化反应可自发进行。Mn^{2+} 的歧化反应为:

$$3Mn^{2+} \rightleftharpoons Mn + 2Mn^{3+}$$

该反应的吉布斯自由能变化近似为:

$$\begin{aligned}\Delta_r G &= (\Delta_f G^{\ominus}_{(Mn)} + 2\times\Delta_f G^{\ominus}_{(Mn^{3+})}) - (3\times\Delta_f G^{\ominus}_{(Mn^{2+})})\\ &= [0+(2\times-82)] - (3\times-228)\\ &= +520\,kJ\cdot mol^{-1}\end{aligned}$$

因为 $\Delta_r G>0$ 所以 Mn^{2+} 不能发生歧化反应。

4-3 电势-pH 图及其应用

在等温等浓度的条件下,以电对的电极电势为纵坐标,溶液的pH值为横坐标,绘出 φ 随 pH 变化的关系图,这种图叫做电势-pH 图。

(1) 水的热力学稳定区

水本身也具有氧化还原性质,并且其氧化还原性与酸度有关。现在介绍水的电势-pH 图。水的氧化-还原性与下面两个电对的电极反应有关:

$$2H^+ + 2e^- \rightleftharpoons H_2(g) \quad \varphi^{\ominus} = 0$$

$$O_2(g) + 4H^+ + 4e^- \rightleftharpoons 2H_2O(l) \quad \varphi^{\ominus} = +1.23V$$

这两个电对的电极电势都受酸度的影响。列出计算式：

$$\varphi=\varphi^{\ominus}+\frac{0.059\ 1}{2}\lg\frac{[H^+]^2}{p_{H_2}/p^{\ominus}}$$

$$\varphi=\varphi^{\ominus}+\frac{0.059\ 1}{4}\lg\frac{p_{O_2}/p^{\ominus}[H^+]^4}{1}$$

如果 p_{H_2} 和 p_{O_2} 均为 1.013×10^5 Pa，上式可改写为

$$\begin{aligned}\varphi_{H^+/H_2}&=\varphi^{\ominus}+\frac{0.059\ 1}{2}\lg\frac{[H^+]^2}{p_{H_2}/1.013\times10^5\,\text{Pa}}\\&=\varphi^{\ominus}+\frac{0.059\ 1}{2}\lg[H^+]^2\\&=\varphi^{\ominus}+0.059\ 1\lg[H^+]\\&=\varphi^{\ominus}-0.059\ 1\text{pH}=-0.059\ 1\text{pH}\end{aligned}$$

$$\begin{aligned}\varphi_{O_2/H_2O}&=\varphi^{\ominus}+\frac{0.059\ 1}{4}\lg\frac{p_{O_2}[H^+]^4}{1.013\times10^5\,\text{Pa}}\\&=\varphi^{\ominus}+\frac{0.059\ 1}{4}\lg[H^+]^4\\&=\varphi^{\ominus}+0.059\ 1\lg[H^+]\\&=+1.23-0.059\ 1\text{pH}\end{aligned}$$

用上边两个公式，计算 pH 从 0 到 14 的相应电极电势：

$[H^+]/\text{mol}\cdot\text{dm}^{-3}$	pH	$\varphi_{H^+/H_2}/\text{V}$	$\varphi_{O_2/H_2O}/\text{V}$
1	0	0	1.23
10^{-2}	2	−0.118	1.11
10^{-4}	4	−0.236	0.994
10^{-6}	6	−0.355	0.875
10^{-8}	8	−0.473	0.757
10^{-10}	10	−0.591	0.639
10^{-12}	12	−0.709	0.521
10^{-14}	14	−0.827	0.403

根据上列数据绘出电势－pH 图，如图 11－7 所示。

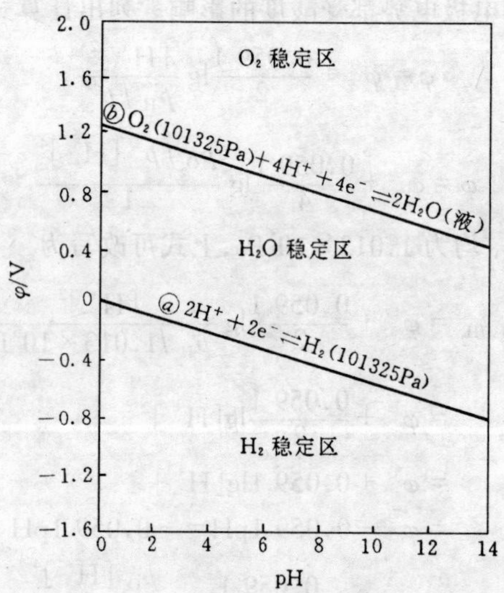

图 11-7　水的电势-pH 图

图中ⓑ线表示电对：

$$O_2(1.013\times10^5\,Pa)+4H^++4e^-\rightleftharpoons 2H_2O(g)$$

的电极电势随着 pH 值的不同而改变的趋势；ⓐ线表示电对：

$$2H^++2e^-\rightleftharpoons H_2(1.013\times10^5\,Pa)$$

的电极电势随着 pH 值的不同而改变的趋势。

ⓑ线上的任何一点都表示在该 pH 值时，在电对

$$O_2+4H^++4e^-\rightleftharpoons 2H_2O$$

中，H_2O 和 O_2(100kPa)处于平衡状态。设在ⓑ线上任一点的电极电势为 φ，ⓑ线上方的区域中，任一坐标点的电极电势为 φ'，p_{O_2} 与 p'_{O_2} 是电对 O_2/H_2O 具有电极电势 φ 和 φ' 时所相应的氧气分压。在相同 pH 条件下，根据

$$\varphi=\varphi^{\ominus}+\frac{0.059\,1}{4}\lg\frac{\frac{p_{O_2}}{p^{\ominus}}[H^+]^4}{1},$$

$$\varphi' = \varphi^{\ominus} + \frac{0.059\ 1}{4} \lg \frac{\dfrac{p'_{O_2}}{p^{\ominus}}[H^+]^4}{1}$$

若 $\varphi' > \varphi$，则 $p'_{O_2} > p_{O_2}$，而 $p_{O_2} = 1.013 \times 10^5$ Pa 所以 $p'_{O_2} > 1.013 \times 10^5$ Pa≫空气中氧的分压。从 O_2/H_2O 电对的电极反应式来看：

$$O_2 + 4H^+ + 4e^- \rightleftharpoons 2H_2O$$

今外界空气中氧的分压小于上式处于平衡状态时氧的压力 p'_{O_2}，上式平衡将向左移，H_2O 将转变为 O_2，所以在ⓑ线上方的区域中，H_2O 不稳定 O_2 稳定，为 O_2 的稳定区。

ⓐ线上的任何一点都表示在该 pH 值时，在电对

$$2H^+ + 2e^- \rightleftharpoons H_2$$

中，H^+ 和 H_2（1.013×10^5 Pa）处于平衡状态。如同上面一样分析，不难得出在ⓐ线下方的区域为 H_2 的稳定区。

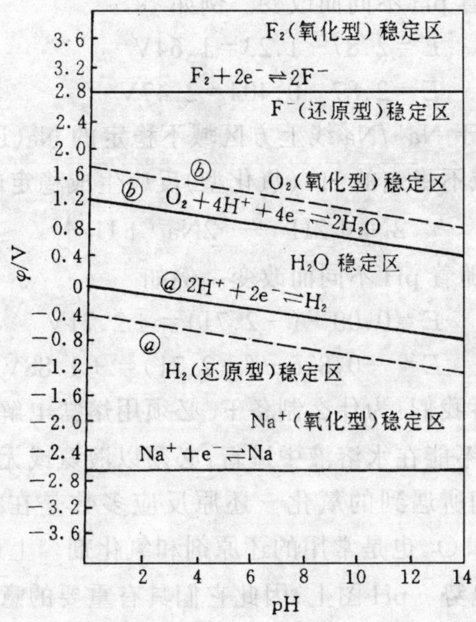

图 11-8　F_2-H_2O，$Na-H_2O$ 体系的电势-pH 图

在ⓐⓑ两线之间的区域，H_2 和 O_2 都不稳定，是 H_2O 的稳定区。下面介绍电势－pH 图的一些应用。

(2) 应用

例如，电对：

$$F_2 + 2e^- \rightleftharpoons 2F^-$$

$$\varphi^{\ominus} = +2.87(V)$$

$$Na^+ + e^- \rightleftharpoons Na$$

$$\varphi^{\ominus} = -2.71(V)$$

这两个电对的电极电势都不随 pH 不同而改变，因此它们是两条平行于横坐标的直线。F_2/F^- 线在ⓑ线的上面，Na^+/Na 线在ⓐ线的下面，如图 11－8 所示。F_2/F^- 线的下方区域是 F^-（还原型）的稳定区，F_2（氧化型）是不稳定的。因此 F_2（氧化型）必与处于ⓑ线上方不稳定的 H_2O（还原型）反应生成稳定的 O_2。反应如下：

$$F_2 + 2H_2O \longrightarrow 2F^- + 4H^+ + O_2\uparrow$$

其 E 值将随着 pH 不同而改变。例如

pH＝0　　　$E = 2.87 - 1.23 = 1.64V$

pH＝14　　　$E = 2.87 - 0.404 = 2.47V$

同理，位于 Na^+/Na 线上方区域不稳定的 Na（还原型）必与在ⓐ线下方区域不稳定的 H^+（氧化型）反应生成稳定的 H_2。

$$2Na + 2H^+ \longrightarrow 2Na^+ + H_2\uparrow$$

其 E 值同样随着 pH 不同而改变。例如

pH＝0　　　$E = 0.00 - (-2.71) = +2.71V$

pH＝14　　　$E = -0.826 - (-2.71) = +1.88V$

这就告诉我们：为什么制备 F_2 必须用熔盐电解法。用钠做还原剂的反应，不能在水溶液中进行，必须以液氨或无水醚作溶剂。

由于我们所遇到的氧化－还原反应多数是在水溶液中进行的，而且 H_2 和 O_2 也是常用的还原剂和氧化剂。上述两条ⓐ、ⓑ线经常出现在电势－pH 图上，因此它们具有重要的意义。但应该注意，实验证明，电对 $O_2 + 4H^+ + 4e^- \rightleftharpoons 2H_2O$ 和 $2H^+ + 2e^- \rightleftharpoons$

H^2 的实际作用线与上述理论求得的作用线有所不同，它们都各自比理论值偏离约 0.5V（如图 11－8 中的ⓐ、ⓑ两条虚线），即实际上水的稳定区要比理论求得的稳定区大。

现在来讨论高锰酸根 MnO_4^- 在 pH＝0 时的氧化能力，在酸性溶液中，作为氧化剂的 MnO_4^- 被还原为 Mn^{2+}，这一电对的电极反应为：

$$8H^+ + MnO_4^- + 5e^- \rightleftharpoons Mn^{2+} + 4H_2O \quad \varphi^\ominus = +1.51V$$

在 pH＝0 时，这个电对的电极电势为＋1.51V，从图 11－8 中看，这个坐标点落在理论作用线 ⓑ的上方，因而从理论上判断，高锰酸根在水溶液中是不稳定的，它将把水氧化而放出氧，本身被还原为 Mn^{2+}。这样 $KMnO_4$ 似乎在水溶液中不能作为一种优良的氧化剂加以利用。由图 11－8 可以看出，$\varphi^\ominus_{MnO_4^-/Mn^{2+}} = +1.51V$，却落在 $O_2 + 4H^+ + 4e^- \rightleftharpoons 2H_2O$ 的实际作用线（ⓑ虚线）的下方，即落在水的稳定区，因此 $KMnO_4$ 可以稳定地存在于水溶液中。分析化学中，常常采用 $KMnO_4$ 水溶液作为优良的氧化试剂。

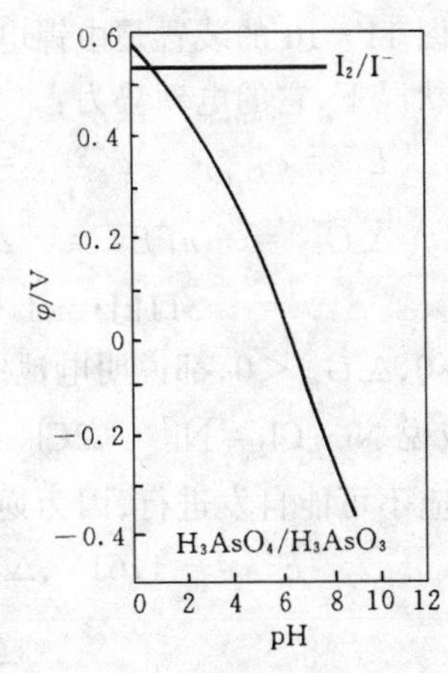

图 11－9　H_3AsO_4/H_3AsO_3 和 I_2/I^- 体系的电势－pH 图

如果将电对 H_3AsO_4/H_3AsO_3 和 I_2/I^- 的电极电势与 pH 的关系绘在同一电势－pH 图上（图 11－9），则可清楚的看到，随着溶液的 pH 变小，电对 H_3AsO_4/H_3AsO_4 的电极电势急剧的增大。而且可以看出，只有在酸度很大时，H_3AsO_4 才能氧化 I^- 离子，酸度略低，则 I_2 可氧化 H_3AsO_3。

有了电势－pH 图，人们就可以通过控制溶液的 pH 值，来利用氧化还原反应为生产服务。在水法冶金和某些化工生产中常常用到它。

§11-5 电　　解

5-1 原电池和电解池

我们已经知道,原电池中的氧化还原反应是通过电子自发地从负极流向正极来实现。这一过程是把化学能转变为电能。并且知道,在可逆情况下,原电池所得到的最大功恰好等于体系吉布斯自由能的减少($nFE=-\Delta_r G_m$)。

图 11-10 的装置是由镍电极和氯电极组成的一个原电池,在标准状况下,它的电动势为:

$$E^{\ominus}=\varphi^{\ominus}_{Cl_2/Cl^-}-\varphi^{\ominus}_{Ni^{2+}/Ni}=1.36-(-0.25)=1.61V$$

$$\Delta_r G^{\ominus}_m=-nFE^{\ominus}=-2\times 96\ 500C\cdot mol^{-1}\times 1.61V$$
$$=-311kJ\cdot mol^{-1}$$

$E^{\ominus}>0$,$\Delta_r G^{\ominus}_m<0$,都说明电池中电子将自发地从镍电极流向氯电极,或说 $Ni+Cl_2=Ni^{2+}+2Cl^-$ 反应可以自发地进行。反之,上述逆反应不可能自发进行,因为逆反应的

$$E^{\ominus}=-1.61V,\Delta_r G^{\ominus}_m=+311kJ\cdot mol^{-1}$$

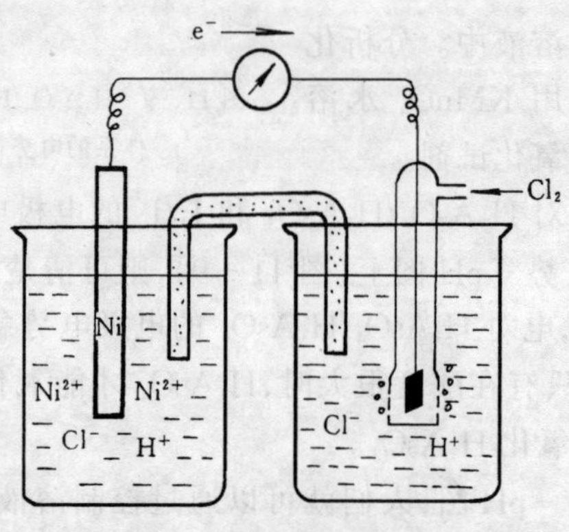

图 11-10 镍氯原电池

如果我们想迫使上述反应朝着逆向进行

$$Ni^{2+} + 2Cl^{-} = Ni + Cl_2$$

我们必须把装置改为如图 11－11 所示，利用外加直流电源向两极提供至少等于 1.61V 的外加电压的反电动势以抵销电池进行自发反应的电动势，这样才有可能使反应朝着逆向进行。在外加电压下：

$$阴极：Ni^{2+} + 2e^{-} = Ni\downarrow$$

$$阳极：2Cl^{-} - 2e^{-} = Cl_2\uparrow$$

图 11－11 装置叫做电解池。这种依靠加外电压迫使一个自发的氧化还原反应朝着相反方向进行的反应，叫做电解反应。我们通过对电池电动势的计算，从理论上求得使电解开始所必需的最小的外加电压，叫做理论分解电压。由此可见，电解反应和电池反应恰好是相反的过程。电解反应和电池反应虽然同属电化学反应，但各自的电极反应则不相同，现比较如下：

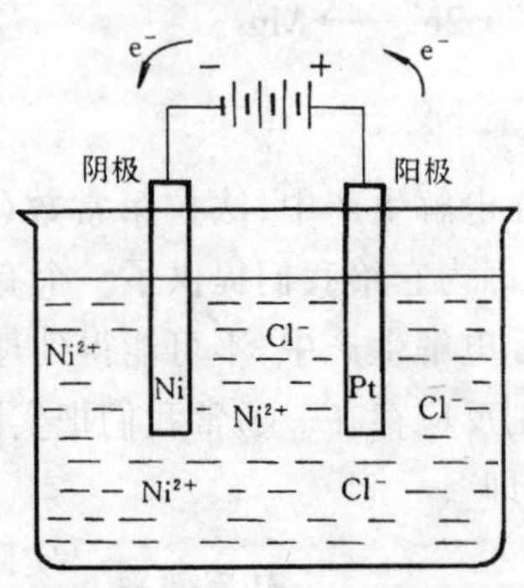

图 11－11 $NiCl_2$ 电解池

原　电　池	电　解　池
电子流出的电极叫做负极	获得电子的电极叫做阴极
负极被氧化	阴极被还原
获得电子的电极叫做正极	电子流出的电极叫做阳极
正极被还原	阳极被氧化
原电池反应可以自发进行	电解反应必须加外电压
正离子向正极移动	正离子向阴极移动
负离子向负极移动	负离子向阳极移动

5-2 电解定律

1934 年法拉第通过实验指出："由电解所产生的物质的量，必定与通过的电量成正比，而与其它因素无关。"1mol 电子所带电荷的电量为 96500C。由于离子所带电荷不同，所以在电解过程中产生 1mol 电解产物所需电量也不相同。例如：

半反应	1mol 电解产物质量/g	所需电量/C
$Na^{+} + e^{-} \longrightarrow Na$	23	96500
$Mg^{2+} + 2e^{-} \longrightarrow Mg$	24.3	2×96500
$Al^{3+} + 3e^{-} \longrightarrow Al$	27.0	3×96500

在电解生产中，法拉第常数（96500C mol^{-1}）是一个很重要的数据，因为它给我们提供了一个有效利用电能的极限数值。当然，在实际电解生产中，不可能得到理论上相应量的电解产物，因为同时有副反应存在。通常我们把实际产量与理论产量之比称为电流效率，即

$$电流效率 = \frac{实际产量}{理论产量} \times 100\%$$

例 11-17　在一铜电解试验中，所给电流强度为 10A（安培），经过 4h（小时）后，电解得到铜 50g。问电流效率为多少？

解：电量 = 电流强度 × 时间

$$10A \times (3\ 600 \times 4)s = 144\ 000C$$

铜的半反应为 $Cu^{2+} + 2e^{-} = Cu\downarrow$。

电解产生 1mol Cu(63.55g)需 2×96 500C 电量，因此，144 000C 电量应电解得到

$$63.55 \times \frac{144\ 000}{2 \times 96\ 500} = 53.4(g)$$

$$电流效率 = \frac{实际产量}{理论产量} \times 100\% = \frac{50g}{53.4g} \times 100\%$$

$$= 94\%$$

5－3　分解电压

前面我们已经讲到电解反应是电池反应的逆过程。从原电池的电动势可以求得理论分解电压。由此可知,理论分解电压主要是由该电极反应的电极电势来决定。

分解电压也可以通过实验来求得,下面我们举电解 HCl 溶液为例来加以说明。

在一个烧杯中装有 HCl 溶液,插入两个 Pt 电极,如图 11－12 所示。图中 V 是伏特计,G 是电流计。将电解池和电源与可变电阻相联接使电压可以调节。逐渐增加电压,同时记录相应的电流,然后绘制电流－电压曲线,如图 11－13 所示。在开始时,外加电压很小,几乎没有电流通过电解池。此后电压增加,电流略有增加,但当电压增加到某一数值以后,曲线的斜率急增,继续增加电压,电流就随电压直线上升。

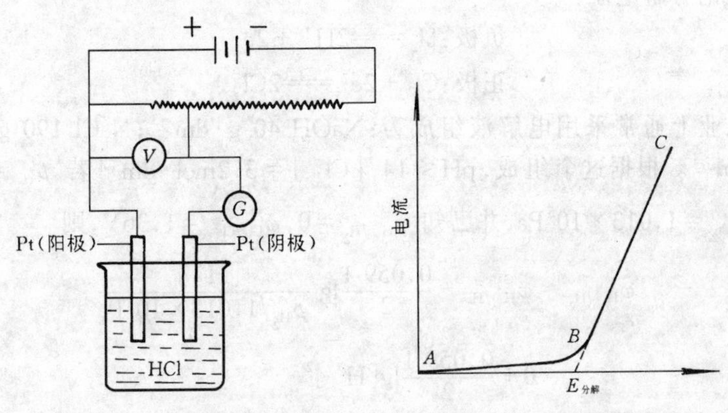

图 11－12　分解电压的测定　　图 11－13　电流－电压曲线

将直线 BC 部分延到电流强度为零处所得的电压,称为该电解质溶液的分解电压 $E_{分解}$。它也表示某电解质溶液能顺利发生电解反应的最小外加电压。这个分解电压和从原电池计算得到的理论分解电压数值上有所差别，它大于理论分解电压，两者之差叫做超过压。这种现象叫做“极化作用”，产生原因较复杂，这里不作介绍。要注意的是这里的“极化作用”与以前讨论的分子极化、离子极化在概念上是两回事。

在实际应用中，$E_{分解}$ 比理论分解电压更有实用价值。尽管如此，在实际电解生产中，外加电压往往要比分解电压更大才能使电解反应顺利进行，这是因为当有电流通过时，电解池内的溶液和外接导线、接触点等等都会产生电阻而使电解所需的实际电压增大。现以隔膜法电解食盐水为例来讨论电解过程。在电解饱和食盐水时是以涂钌的钛电极作为阳极，为了避免 H_2 和 Cl_2 接触。用涂有石棉浆的铁丝网作为阴极。在两个电极上加一定的外加电压。阳极上得到 Cl_2，阴极上得到 H_2 和 NaOH 溶液。那么外加电压需要多少呢？

先根据下列电极反应计算在 298K 时原电池的电动势以求得理论分解电压：

$$负极：H_2 \rightleftharpoons 2H^+ + 2e^-$$

$$正极：Cl_2 + 2e^- \rightleftharpoons 2Cl^-$$

工业上通常采用电解液组成为：NaOH 40 $g\cdot dm^{-3}$；NaCl 190 $g\cdot dm^{-3}$。根据这个组成，pH≈14，$[Cl^-] = 3.2 mol\cdot dm^{-3}$ 若 $p_{H_2} = p_{Cl_2} = 1.013\times10^5 Pa$，并已知 $\varphi^{\ominus}_{H^+/H_2} = 0$，$\varphi^{\ominus}_{Cl_2/Cl^-} = 1.36V$，则

$$\varphi_{H^+/H_2} = \varphi^{\ominus}_{H^+/H_2} + \frac{0.059\,1}{2}\lg\frac{[H^+]^2}{p_{H_2}/1.013\times10^5 Pa}$$

$$= 0 + \frac{0.059\,1}{2}\lg[H^+]^2$$

$$= 0 + \frac{0.059\,1}{2}\lg(10^{-14})^2$$

$$= 0 + (-0.059\,1\times14) = -0.83V$$

$$\varphi_{Cl_2/Cl^-} = \varphi^{\ominus}_{Cl_2/Cl^-} \frac{0.059\,1}{2}\lg\frac{p_{Cl_2}/10\times10^5 Pa}{[Cl^-]^2}$$

$$=1.36+\frac{0.059\,1}{2}\lg\frac{1}{(3.2)^2}$$

$$=1.36-0.03=1.33\text{V}$$

所以电池的电动势

$$E=\varphi_{Cl_2/Cl^-}-\varphi_{H^+/H_2}=1.33-(-0.83)$$

$$=2.16\text{V}$$

于是从理论计算，外加电压至少等于 2.16V 此电解反应才能进行。但事实上，电解饱和食盐溶液所需的外加电压为 3.5V，比理论分解电压高 1.34V。

§11－6　化学电源简介

从氧化－还原反应释放的化学能转变为电能，有两种途径，一种是通过氧化－还原反应所产生的热能（例如煤、天然气的燃烧）来加热蒸气。然后利用蒸气推动涡轮机来发电；另一种是利用电池装置使化学能直接转变为电能。

目前我们的电能大都是用前一种间接方法得到的，这种间接过程无论在理论上还是在实用上都比应用电池直接将化学能转变为电能的效率低，最好的电厂也只能将燃烧热的 30% 到 40% 转换成电能，其余部分热能都消耗在周围的空气和水中。

用电池装置把化学能直接转变为电能，从理论上讲是完全可能的。日常用的干电池、蓄电池就属于这一类装置。它的原理在原电池中已详细论述。然而前面所述装有盐桥的原电池，虽对测定氧化－还原反应中的重要数据（例如电极电势等）是一个好方法，但作为电能利用则由于这种电池的内阻较高而不适合于实际应用。

因为

$$I=\frac{E}{R}$$

当电阻 R 很高时，若欲让电池产生较大的电流强度 I，电压 E 必

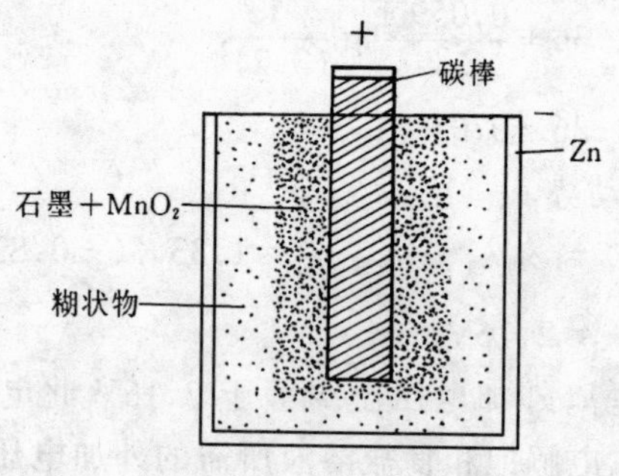

图 11-14　Zn-MnO_2 干电池

然变大,所以商用电池均不用盐桥。例如 Zn-MnO_2 干电池就是最常见的化学电源,它的结构如图 11-14 所示。

干电池的外壳(锌)是负极,中间的碳棒是正极,在碳棒的周围是细密的石墨同去极化剂 MnO_2 的混合物,在混合物周围再装入以 NH_4Cl 溶液浸湿的 $ZnCl_2$,NH_4Cl 和淀粉或其他填充物(制成糊状物)。为了避免水的蒸发,干电池用腊封好。干电池在使用时的电极反应为:

碳极:

$$\left.\begin{aligned} 2NH_4^+ + 2e^- &\longrightarrow 2NH_3 + H_2 \\ H_2 + 2MnO_2 &\longrightarrow 2MnO(OH) \end{aligned}\right\}$$

$$2NH_4^+ + 2MnO_2 + 2e^- \longrightarrow 2NH_3 + 2MnO(OH)$$

锌极:

$$Zn \longrightarrow Zn^{2+} + 2e^-$$

总反应:

$$Zn + 2MnO_2 + 2NH_4^+ \longrightarrow 2MnO(OH) + 2NH_3 + Zn^{2+}$$

从反应式看出:加 MnO_2 是因为碳极上 NH_4^+ 离子获得电子产生 H_2,妨碍碳棒与 NH_4^+ 的接触,使电池的内阻增大,即产生"极化作用"。添加 MnO_2 就能与 H_2 反应生成 MnO(OH)。这样就能消除电极上氢气的集积现象,使电流畅通。所以 MnO_2 起到消除"极化"的作用,叫做去极剂。

蓄电池和干电池不同，它可以通过数百次的充电和放电反复使用。所谓充电，是使直流电通过蓄电池，使蓄电池内进行化学反应，把电能转化为化学能并积蓄起来。充完电的蓄电池，在使用时蓄电池内进行与充电时方向相反的电极反应，使化学能转变为电能，这一过程称为放电。

常用的蓄电池是铅蓄电池，铅蓄电池的极板是用铅锑合金制成的栅状极片，正极的极片上填塞着 PbO_2，负极的极片上填塞着灰铅。这两组极片交替地排列在蓄电池中，并浸泡在 30% 的 H_2SO_4（密度 $1.2kg \cdot dm^{-3}$）的溶液中。

蓄电池放电时（即使用时），正极上的 PbO_2 被还原为 Pb^{2+}，负极上的 Pb 被氧化成 Pb^{2+}。Pb^{2+} 离子与溶液中的 SO_4^{2-} 离子作用生成 $PbSO_4$ 沉积在正、负极片上，反应为：

负极：$$Pb(s) + SO_4^{2} \rightleftharpoons PbSO_4(s) + 2e^-$$

正极：$$PbO_2(s) + 4H^+ + SO_4^{2-} + 2e^- \rightleftharpoons PbSO_4(s) + 2H_2O$$

随着蓄电池放电，H_2SO_4 的浓度逐渐降低，这是因为每 1molPb 参加反应，要消耗 2molH_2SO_4，生成 2molH_2O。当溶液的密度降低到 $1.05kg \cdot dm^{-3}$ 时，蓄电池应该进行充电。

蓄电池充电时，外加电流使极片上的反应逆向进行：

阳极：$$PbSO_4(s) + 2H_2O \rightleftharpoons PbO_2(s) + 4H^+ + SO_4^{2-} + 2e^-$$

阴极：$$PbSO_4(s) + 2e^- \rightleftharpoons Pb + SO_4^{2-}$$

蓄电池经过充电，恢复原状，可再次使用。

目前许多科学家都在探索一种把价格低廉的燃料燃烧过程中放出的化学能直接转换为电能的装置。这种装置叫做燃料电池。燃料燃烧和其他电池中的氧化-还原反应一样都是一种自发的化学反应。目前象氢氧燃料电池已应用于宇宙飞船和潜艇中。它的基本反应是：

$$H_2(g) + \frac{1}{2}O_2(g) \longrightarrow H_2O(l) \quad \Delta_r H_m^\ominus = -286kJ \cdot mol^{-1}$$

在 298K,1.013×10^5 Pa 下,$\Delta_r G_m = -237\text{kJ}\cdot\text{mol}$,从原则上说燃烧 1mol H_2 可以转换成 237kJ 的电功。如果通过加热蒸气间接得到电能,则所产生的电能最多不超过 237kJ × 40% = 95kJ。若将它设计成一个电池,一般可以得到 200kJ 电功。电能的利用率较一般发电方式增加了一倍。在氢氧燃料电池中用多孔隔膜把电池分成三个部分。电池的中间部分装有 75%KOH 溶液,左侧通入燃料 H_2,右侧通入氧化剂 O_2。气体通过隔膜,缓慢扩散到 KOH 溶液中并发生下列反应:

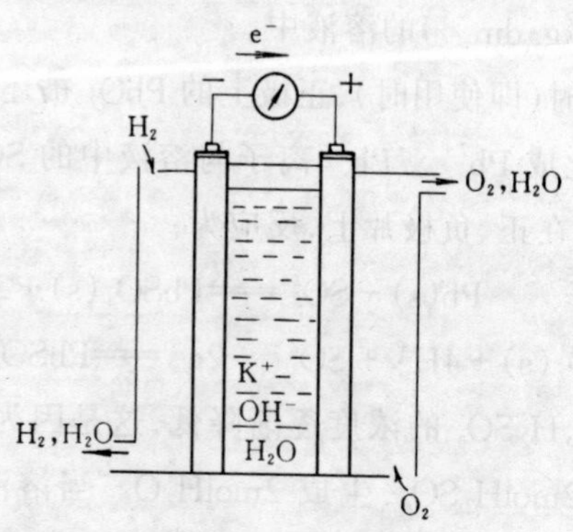

图 11-15　氢氧燃料电池

正极:　$\frac{1}{2}O_2(g) + H_2O(l) + 2e^- \rightleftharpoons 2OH^-$

负极:　$H_2(g) + 2OH^- \rightleftharpoons 2H_2O(l) + 2e^-$

总反应式:　$H_2(g) + \frac{1}{2}O_2(g) \rightleftharpoons H_2O(l)$

燃料电池的突出优点是把化学能直接转变为电能而不经过热能这一中间形式,因此化学能的利用率很高而且减少了环境污染。

习　题

1. 用离子电子法配平下列反应式:

(1) $PbO_2 + Cl^- \longrightarrow Pb^{2+} + Cl_2$　(酸性介质)

(2) $Br_2 \longrightarrow BrO_3^- + Br^-$ （酸性介质）

(3) $HgS + NO_3^- + Cl^- \longrightarrow HgCl_4^{2-} + NO_2 + S$ （酸性介质）

(4) $CrO_4^{2-} + HSnO_2^- \longrightarrow HSnO_3^- + CrO_2^-$ （碱性介质）

(5) $CuS + CN^- + OH^- \longrightarrow Cu(CN)_4^{3-} + NCO^- + S$ （碱性介质）

2. 用离子电子法配平下列电极反应：

(1) $MnO_4^- \longrightarrow MnO_2$ （碱性介质）

(2) $CrO_4^{2-} \longrightarrow Cr(OH)_3$ （碱性介质）

(3) $H_2O_2 \longrightarrow H_2O$ （碱性介质）

(4) $H_3AsO_4 \longrightarrow H_3AsO_3$ （酸性介质）

(5) $O_2 \longrightarrow H_2O_2(aq)$ （酸性介质）

3. 现有下列物质：$KMnO_4$，$K_2Cr_2O_7$，$CuCl_2$，$FeCl_3$，I_2，Br_2，Cl_2F_2 在一定条件下它们都能作为氧化剂，试根据电极电势表，把这些物质按氧化本领的大小排列成顺序，并写出它们在酸性介质中的还原产物。

4. 现有下列物质：$FeCl_2$，$SnCl_2$，H_2，KI，Li，Mg，Al，它们都能用做还原剂。试根据标准电极电势表，把这些物质按还原本领的大小排列成顺序，并写出它们在酸性介质中的氧化产物。

5. 就下面的电池反应，用电池符号表示之，并求出 298K 时的 E 和 $\Delta_r G$ 值。说明反应是否能从左至右自发进行。

(1) $\frac{1}{2}Cu(S) + \frac{1}{2}Cl_2(1.013\times10^5\,Pa) \rightleftharpoons$

$$\frac{1}{2}Cu^{2+}(1mol\cdot dm^{-3}) + Cl^-(1mol\cdot dm^{-3})$$

(2) $Cu(S) + 2H^+(0.01mol\cdot dm^{-3}) \rightleftharpoons$

$$Cu^{2+}(0.1mol\cdot dm^{-3}) + H_2(0.9\times1.013\times10^5\,Pa)$$

6. 已知电对 $Ag^+ + e^- \rightleftharpoons Ag$，$\varphi^\ominus = +0.799V$，$Ag_2C_2O_4$ 的溶度积为 3.5×10^{-11}。求算电对 $Ag_2C_2O_4 + 2e^- \rightleftharpoons 2Ag + C_2O_4^{2-}$ 的标准电极电势。

7. MnO_4^{2-} 离子的歧化反应能否进行？已知电对的标准电极电势为：

$$\varphi^\ominus_{MnO_4^-/MnO_4^{2-}} = 0.56V, \varphi^\ominus_{MnO_4^{2-}/MnO_2} = 2.26(V)$$

写出反应式及电池符号。

8. 今有一种含有 Cl^-，Br^-，I^- 三种离子的混合溶液，欲使 I^- 氧化为 I_2，而又不使 Br^-，Cl^- 氧化。在常用的氧化剂 $Fe_2(SO_4)_3$ 和 $KMnO_4$ 中，选择哪

一种能符合上述要求。

9. 已知电对 $H_3AsO_3 + H_2O \rightleftharpoons H_3AsO_4 + 2H^+ + 2e^-$，$\varphi^\ominus = +0.559V$；电对 $3I^- = I_2^- + 2e^-$，$\varphi^\ominus = 0.535V$。算出下列反应的平衡常数：

$$H_3AsO_3 + I_3^- + H_2O \rightleftharpoons H_3AsO_4 + 3I^- + 2H^+$$

如果溶液的 pH=7,反应朝什么方向进行？

如果溶液中的$[H^+] = 6mol \cdot dm^{-3}$,反应朝什么方向进行？

10. 已知在碱性介质中 $\varphi^\ominus_{H_2PO_2^-/P_4} = -1.82V$；$\varphi^\ominus_{H_2PO_2^-/PH_3} = -1.18V$ 计算电对 $P_4 - PH_3$ 的标准电极电势,并判断 P_4 是否能发生歧化反应。

11. 利用氧化还原电势表,判断下列反应能否发生歧化反应。

(*a*) $2Cu^+ \rightleftharpoons Cu + Cu^{2+}$

(*b*) $Hg_2^{2+} \rightleftharpoons Hg + Hg^{2+}$

(*c*) $2OH^- + I_2 \rightleftharpoons IO^- + I^- + H_2O$

(*d*) $H_2O + I_2 \rightleftharpoons HIO + I^- + H^+$

12. 将一个压强为 $1.013 \times 10^5 Pa$ 的氢电极和一个含有 90% 氩气,压强 $1.013 \times 10^5 Pa$ 的氢电极侵入盐酸中后,求此电池的电动势 E。

(0.029 5V)

13. 含有铜和镍盐的酸性水溶液,其浓度分别为$[Cu^{2+}] = 0.015mol \cdot dm^{-3}$,$[Ni^{2+}] = 0.23mol \cdot dm^{-3}$,$[H^+] = 0.72mol \cdot dm^{-3}$时,最先放电析出的是哪种物质,最难析出的是哪种物质？

14. 试计算下列反应的标准摩尔自由能变化 $\Delta_r G_m^\ominus$。

(*a*) $MnO_2 + 4H^+ + 2Br^- \longrightarrow Mn^{2+} + 2H_2O + Br_2$

(*b*) $Br_2 + HNO_2 + H_2O \longrightarrow 2Br^- + NO_3^- + 3H^+$

(*c*) $I_2 + Sn^{2+} \longrightarrow 2I^- + Sn^{4+}$

(*d*) $NO_3^- + 3H^+ + 2Fe^{2+} \longrightarrow 2Fe^{3+} + HNO_2 + H_2O$

(*e*) $Cl_2 + 2Br^- \longrightarrow Br_2 + 2Cl^-$

15. 已知下列反应在碱性介质中的标准电极电势：

$$CrO_4^{2-}(aq) + 4H_2O(l) + 3e^- \longrightarrow Cr(OH)_3(s) + 5OH^-(aq)$$

$$\varphi^\ominus = -0.11V$$

$$[Cu(NH_3)_2]^+(aq) + e^- \longrightarrow Cu(s) + 2NH_3(aq) \quad \varphi^\ominus = -0.10V$$

试计算用 H_2 还原 CrO_4^{2-} 和$[Cu(NH_3)_2]^+$时的 $\varphi^\ominus$,$\Delta_r G_m^\ominus$ 和 $K^\ominus$。并说

明这两个系列的 $\varphi^{\ominus}$ 虽然近似,但 $\Delta_r G_m^{\ominus}$ 和 K 却相差很大的原因?

$$\begin{pmatrix} CrO_4^- : \Delta_f G^{\ominus} = +31.8 kJ \cdot mol^{-1}; K^{\ominus} = 2.7 \times 10^{-6} \\ Cu(NH_3)_2^+ : \Delta_f G^{\ominus} = +11.6 kJ \cdot mol^{-1}; K^{\ominus} = 9.3 \times 10^{-3} \end{pmatrix}$$

16. 对于 298K 时 Sn^{2+} 和 Pb^{2+} 与其粉末金属平衡的溶液,在低离子强度的溶液中 $[Sn^{2+}]/[Pb^{2+}] = 2.98$,已知 $\varphi^{\ominus}_{Pb^{2+}/Pb} = -0.126V$,计算 $\varphi^{\ominus}_{Sn^{2+}/Sn}$。

($\varphi^{\ominus}_{Sn^{2+}/Sn} = -0.14V$)

17. 在 298K 时反应 $Fe^{3+} + Ag \rightleftharpoons Fe^{2+} + Ag^+$ 的平衡常数为 0.531。已知 $\varphi^{\ominus}_{Fe^{3+}/Fe^{2+}} = +0.770V$,计算 $\varphi^{\ominus}_{Ag^+/Ag}$。

($\varphi^{\ominus}_{Ag^+/Ag} = +0.786V$)

18. 粗铜片中常含杂质 Zn,Pb,Fe,Ag 等,将粗铜作阳极,纯铜作阴极,进行电解精炼,可以得到纯度为 99.99% 的铜,试用电极电势说明这四种杂质是怎样和铜分离的。

19. 在含有 $CdSO_4$ 溶液的电解池的两个极上加外电压,并测得相应的电流。所得数据如下:

E/V	0.5	1.0	1.8	2.0	2.2	2.4	2.6	3.0
I/A	0.002	0.004	0.007	0.008	0.028	0.069	0.110	0.192

试在坐标纸上作图,并求出分解电压。

20. 在一铜电解试验中,所给电流强度为 5 000A,电流效率为 94.5%,问经过 3h(小时)后,能得电解铜多少 kg(千克)?

附　录

（一）普通物理常数

阿佛加德罗常数	$N_A = 6.022\ 169 \times 10^{23}\ mol^{-1}$
电子电荷	$e = 1.602\ 191\ 7 \times 10^{-19}\ C$
电子静止质量	$m_e = 9.109\ 558 \times 10^{-28}\ g$
质子静止质量	$m_p = 1.672\ 614 \times 10^{-24}\ g$
法拉第常数	$F = 9.648\ 670 \times 10^{4}\ C$
普朗克常数	$h = 6.626\ 196 \times 10^{-34}\ J \cdot s$
玻耳兹曼常数	$k = 1.380\ 622 \times 10^{-23}\ J \cdot K^{-1}$
气体常数	$R = 8.314 J \cdot mol^{-1} \cdot K^{-1}$
	$= 8.205 \times 10^{-2}\ L \cdot atm \cdot mol^{-1} \cdot K^{-1}$
光速（真空）	$c = 2.997\ 925\ 0 \times 10^{10}\ cm \cdot s^{-1}$
原子的质量单位	$u = 1.660\ 531 \times 10^{-24}\ g$
	$\left(= {}^{12}C 原子质量的 \frac{1}{12}\right)$

（二）单位和换算因数

国　际　单　位　(SI)			
物理量	单位名称	单位符号	
		中　文	国　际
长　度	米	米	m
质　量	千克	千克	kg
时　间	秒	秒	s
电　流	安培	安	A
温　度	开尔文	开	K
光强度	坎德拉	坎	cd
物质的量	摩　尔	摩	mol

换　算　关　系	
1 厘米(cm)	$= 10^8 Å = 10^7 nm$
1 波数(cm^{-1})	$= 2.859\ 1 \times 10^{-3} kcal \cdot mol^{-1}$
$1 kcal \cdot mol^{-1}$	$= 349.76 cm^{-1}$
1 电子伏特(eV)	$= 23.061 kcal \cdot mol^{-1}$
$1 kcal \cdot mol^{-1}$	$= 0.0433 eV$
1kcal	$= 4.184 kJ$
1 尔格(erg)	$= 2.390 \times 10^{-11} kcal = 10^{-7} J$
1 大气压(atm)	$= 101\ 325 Pa = 1.033\ 2 \times 10^4 kg \cdot m^2 = 760$ 托(Torr)

(三)国际相对原子质量表(1979)

[以相对原子质量 $A_r(^{12}C) = 12$ 为标准]

许多元素的相对原子质量并非固定不变,而是决定于所用材料的来源和处理经历。表中的附注详细注解了各元素可能有的变化情况。本表提供的 $A_r(E)$ 值应用于在地球上存在的天然元素和某些人工合成元素,应对附注给予应有的注意。各相对原子质量数值的最后一位数字准至 ±1,带星号* 的准至 ±3,括弧中的数值用于某些放射性元素,它们的准确相对原子质量因与来源有关而无法提供,表中数值是该元素已知半衰期最长的同位素的相对原子质量。

序数	名称	符号	相对原子质量	附注	序数	名称	符号	相对原子质量	附注
1	氢	H	1.007 9	w	11	钠	Na	22.989 77	
2	氦	He	4.002 60	x	12	镁	Mg	24.305	x
3	锂	Li	6.941*	w,x,y	13	铝	Al	26.981 54	
4	铍	Be	9.012 18		14	硅	Si	28.085 5*	
5	硼	B	10.81	w,y	15	磷	P	30.973 76	
6	碳	C	12.011	w	16	硫	S	32.06	w
7	氮	N	14.006 7		17	氯	Cl	35.453	
8	氧	O	15.999 4*	w	18	氩	Ar	39.948*	w,x
9	氟	F	18.998 403		19	钾	K	39.098 3*	
10	氖	Ne	20.179*	y	20	钙	Ca	40.08	x

续表

序数	名称	符号	相对 原子质量	附注	序数	名称	符号	相对 原子质量	附注
21	钪	Sc	44.955 9		54	氙	Xe	131.29*	x,y
22	钛	Ti	47.88*		55	铯	Cs	132.905 4	
23	钒	V	50.941 5		65	钡	Ba	137.33	x
24	铬	Cr	51.996		57	镧	La	138.905 5*	x
25	锰	Mn	54.938 0		58	铈	Ce	140.12	x
26	铁	Fe	55.847*		59	镨	Pr	140.907 7	
27	钴	Co	58.933 2		60	钕	Nd	144.24*	x
28	镍	Ni	58.69		61	钷	Pm	(145)	x
29	铜	Cu	63.546*	w	62	钐	Sm	150.36*	x
30	锌	Zn	65.38		63	铕	Eu	151.96	x
31	镓	Ga	69.72		64	钆	Gd	157.25*	
32	锗	Ge	72.59*		65	铽	Tb	158.925 4	
33	砷	As	74.921 6		66	镝	Dy	162.50*	
34	硒	Se	78.96*		67	钬	Ho	164.930 4	
35	溴	Br	79.904		68	铒	Er	167.26*	
36	氪	Kr	83.80	x,y	69	铥	Tm	168.934 2	
37	铷	Rb	85.467 8*	x	70	镱	Yb	173.04*	
38	锶	Sr	87.62	x	71	镥	Lu	174.967*	
39	钇	Y	88.905 9		72	铪	Hf	178.49*	
40	锆	Zr	91.22	x	73	钽	Ta	180.947 9	
41	铌	Nb	92.906 4		74	钨	W	183.85*	
42	钼	Mo	95.94		75	铼	Re	186.207	
43	锝	Tc	(98)		76	锇	Os	190.2	x
44	钌	Ru	101.07*	x	77	铱	Ir	192.22*	
45	铑	Rh	102.9055		78	铂	Pt	195.08*	
46	钯	Pd	106.42	x	79	金	Au	196.9665	
47	银	Ag	107.868	x	80	汞	Hg	200.59*	
48	镉	Cd	112.41	x	81	铊	Tl	204.383	
49	铟	In	114.82	x	82	铅	Pb	207.2	w,x
50	锡	Sn	118.69*		83	铋	Bi	208.980 4	
51	锑	Sb	121.75*		84	钋	Po	(209)	
52	碲	Te	127.60*	x	85	砹	At	(210)	
53	碘	I	126.904 5		86	氡	Rn	(222)	

续表

序数	名称	符号	相对原子质量	附注	序数	名称	符号	相对原子质量	附注
87	钫	Fr	(223)		98	锎	Cf	(251)	
88	镭	Ra	226.025 4	x,z	99	锿	Es	(252)	
89	锕	Ac	227.027 8	z	100	镄	Fm	(257)	
90	钍	Th	232.038 1	x,z	101	钔	Md	(258)	
91	镤	Pa	231.035 9	z	102	锘	No	(259)	
92	铀	U	238.028 9	x,y	103	铹	Lr	(260)	
93	镎	Np	237.048 2	z	104				
94	钚	Pu	(244)		105				
95	镅	Am	(243)		106				
96	锔	Cm	(247)		107				
97	锫	Bk	(247)						

w 此元素在正常地球材料中的同位素组成已知有某些变化而不能提供精确的相对原子质量。

x 已知此元素在某些地区的样品具有反常的同位素组成，以至于在这些样品中该元素的相对原子质量同表列数值之间的差值可能超过给定的未测准值。

y 由于对同位素组成进行了无意的或不公开的改变，在某些商品材料中该元素的相对原子质量同表列数值可能有相当大的差异。

z 该元素的 A_r 值是半衰期最长的放射性同位素的相对原子质量。

（四） 热力学数据 （298.15K）

物 质	状 态	$\dfrac{\Delta_f H_m^\ominus}{kJ \cdot mol^{-1}}$	$\dfrac{\Delta_f G_m^\ominus}{kJ \cdot mol^{-1}}$	$\dfrac{S_m^\ominus}{J \cdot K^{-1} \cdot mol^{-1}}$
Ag	s	0	0	42.55
Ag	g	284.5	245.7	172.89
Ag^+	g	1019.2	—	—
Ag^+	aq	105.58	77.12	72.68
AgF	s	−204.6	—	—
AgCl	s	−127.07	−109.80	96.23
AgBr	s	−100.37	−96.90	107.11
AgI	s	−61.84	−66.19	115.5

续表

物　质	状　态	$\frac{\Delta_f H_m^\ominus}{kJ \cdot mol^{-1}}$	$\frac{\Delta_f G_m^\ominus}{kJ \cdot mol^{-1}}$	$\frac{S_m^\ominus}{J \cdot K^{-1} \cdot mol^{-1}}$
Al	s	0	0	28.33
Al	g	326.4	285.8	164.43
Al^{3+}	g	5484.0	—	—
Al^{3+}	aq	−531	−485	−322
As	s	0	0	35.1
As	g	302.5	261.1	174.10
As_4	g	143.9	92.5	313.8
As_4O_6	g	−1 209	−1 098	381
AsH_3	g	66.4	68.9	222.67
AsF_3	l	−956.3	−909.1	181.21
$AsCl_3$	g	−261.5	−248.9	327.1
$AsBr_3$	g	−130	−159	363.8
B	s	0	0	5.86
B	g	562.7	518.8	153.34
B_2O_3	s	−1 272.8	−1 193.7	54.0
B_2O_3	g	−836.0	−825.3	283.7
B_2H_6	g	35.6	86.6	232.0
BF_3	g	−1 137.0	−1 120.3	254.0
B_2F_4	g	−1 440.1	−1 410.4	317.1
BCl_3	g	−403.8	−388.7	290.0
B_2Cl_4	g	−490.4	−460.7	357.3
BBr_3	g	−205.6	−232.5	324.1
BI_3	g	71.1	20.75	349.1
Ba	s	0	0	62.8
Ba	g	180	146	170.13
Ba^{2+}	g	1660.5	—	—
Ba^{2+}	aq	−537.64	−560.74	9.6
BaO	s	−553.5	−525.1	70.42
BaO_2	s	−634.3	—	—
$Ba(OH)_2$	s	−944.7	—	—
BaF_2	s	−1 207.1	—	—
$Ba(NO_3)_2$	s	−992.1	−796.7	213.8
$BaCO_3$	s	−1 216.3	−1 137.6	112.1

续表

物 质	状 态	$\frac{\Delta_f H_m^\ominus}{kJ\cdot mol^{-1}}$	$\frac{\Delta_f G_m^\ominus}{kJ\cdot mol^{-1}}$	$\frac{S_m^\ominus}{J\cdot K^{-1}\cdot mol^{-1}}$
Be	s	0	0	9.50
Be^{2+}	g	2 993.2	—	—
Be^{2+}	aq	−382.8	−379.7	−129.7
BeO	s	−609.6	−580.3	14.1
$Be(OH)_2$	s	−905.8	−817.6	50
Br_2	l	0	0	152.23
Br_2	g	30.907	3.142	245.354
Br_2	aq	−2.59	3.93	130.5
Br	g	111.88	82.43	174.91
Br^-	g	−233.9	—	—
Br^-	aq	−121.50	−104.04	82.84
HBr	g	−36.40	−53.42	198.59
BrO_3^-	aq	−83.7	1.7	163.2
BrF	g	−58.6	−73.8	228.9
BrF_3	g	−255.6	−229.4	292.3
BrF_5	g	−428.9	−351.4	323.6
BrCl	g	14.64	−0.96	240.0
C	graphite	0	0	5.740
C	diamond	1.897	2.900	2.377
C	g	716.68	671.29	157.99
C_2	g	833	—	—
CO	g	−110.52	−137.15	197.56
CO_2	g	−393.51	−394.36	213.64
CO_3^{2-}	aq	−677.1	−527.9	−56.9
CH	g	596	—	—
CH_2	g	392	—	—
CH_3	g	138.9	—	—
CH_4	g	−74.81	−50.75	186.15
C_2H_6	g	−84.68	−32.89	229.49
$C(CH_3)_4$	g	−166.0	−15.23	306.4
CN^-	aq	150.6	172.4	94.1
HCN	aq	107.1	119.7	124.7
CF_4	g	−925	−879	261.5

续表

物质	状态	$\Delta_f H_m^\ominus$ / $kJ \cdot mol^{-1}$	$\Delta_f G_m^\ominus$ / $kJ \cdot mol^{-1}$	$S_m^\ominus$ / $J \cdot K^{-1} \cdot mol^{-1}$
CCl_4	l	-135.44	-65.27	216.40
CCl_4	g	-102.9	-60.6	309.74
CBr_4	g	79	67	357.94
CS_2	l	89.70	65.27	151.34
CS_2	g	117.36	67.15	237.73
CSe_2	l	221.3	196.6	165.3
CSe_2	g	257.7	206.3	255.6
Ca	s	0	0	41.4
Ca	g	178.2	144.3	154.77
Ca^+	g	774.2	—	—
Ca^{2+}	g	1 925.9	—	—
Ca^{2+}	aq	-542.83	-553.54	-53.1
CaO	s	-635.1	-604.0	39.75
CaO_2	s	-652.7	—	—
$Ca(OH)_2$	s	-986.1	-898.6	83.4
CaS	s	-482.4	-477.4	56.5
$Ca(NO_3)_2$	s	-938.4	-743.2	193.3
$CaCO_3$	calcite	-1 206.9	-1 128.8	92.9
$CaCO_3$	aragonite	-1 207.0	-1 127.7	88.7
Cd	s	0	0	51.76
Cd	g	112.0	77.4	167.64
Cd^{2+}	g	2 623.5	—	—
Cd^{2+}	aq	-75.90	-77.74	-61.1
CdO	s	-258.2	-228.4	54.8
CdF_2	s	-700.4	-647.7	77.4
CdI_2	s	-203.3	-201.4	161.1
$CdCO_3$	s	-750.6	-669.4	92.5
Ce	s	0	0	72.0
Ce	g	420.1	—	—
Ce^{4+}	g	7 514.5	—	—
Ce^{3+}	aq	-700.4	-676	-205
Ce^{4+}	aq	-576	-506	-419
Ce_2O_3	s	-1799	—	—

续表

物质	状态	$\frac{\Delta_f H_m^\ominus}{kJ\cdot mol^{-1}}$	$\frac{\Delta_f G_m^\ominus}{kJ\cdot mol^{-1}}$	$\frac{S_m^\ominus}{J\cdot K^{-1}\cdot mol^{-1}}$
$CeCl_3$	s	−1058.0	—	—
Cl_2	g	0	0	222.96
Cl_2	aq	−23.4	6.90	121
Cl	g	121.68	105.70	165.09
Cl^-	g	−246.0	—	—
Cl^-,HCl	aq	−167.08	−131.29	56.73
HCl	g	−92.31	−95.30	186.80
Cl_2O	g	80.3	97.9	266.10
HClO	g	−92	−75	236
HClO	aq	−120.9	−79.9	142.3
ClO_4^-	aq	129.33	−8.62	182.0
ClF	g	−54.48	−55.94	217.78
ClF_3	g	−163.2	−123.0	281.50
ClF_3	g	−238	—	—
Co	s	0	0	30.04
Co	g	424.7	380.3	179.41
Co^{2+}	g	2 841.6	—	—
Co^{2+}	aq	−58.2	−54.5	−113
Co^{3+}	aq	—	132	—
$CoCl_2$	s	−312.5	—	—
Cr	s	0	0	23.77
Cr	g	397	352	174.39
Cr^{2+}	g	2 653	—	—
Cr^{2+}	aq	−144	—	—
CrO_4^{2-}	aq	−881.2	−727.8	50.2
$Cr_2O_7^{2-}$	aq	−1 490.3	−1 301.2	261.9
$HCrO_4^-$	aq	−878.2	−764.8	184.1
$CrCl_2$	s	−395.4	−356.1	115.3
$CrCl_3$	s	−556.5	−486.2	123.0
Cs	s	0	0	85.23
Cs	g	76.07	—	—
Cs^+	g	457.86	—	—
Cs^+	aq	−258.04	−291.70	132.8

续表

物　质	状　态	$\Delta_f H_m^\ominus$ / $kJ\cdot mol^{-1}$	$\Delta_f G_m^\ominus$ / $kJ\cdot mol^{-1}$	$S_m^\ominus$ / $J\cdot K^{-1}\cdot mol^{-1}$
Cs_2O_2	s	−402.5	—	—
CsO_2	s	−259.8	—	—
CsF	s	−554.8	—	—
$CsHF_2$	s	−930.5	—	—
CsN_3	s	−10.0	—	—
Cu	s	0	0	33.15
Cu	g	338.3	298.6	166.27
Cu^+	aq	71.7	50.0	40.6
Cu^{2+}	g	3 054.0	—	—
Cu^{2+}	aq	64.77	65.52	−99.6
CuO	s	−157.3	−129.7	42.6
$CuCl_2$	s	−220.1	−175.7	108.1
Dy	s	0	0	74.8
Dy	g	290.4	—	—
Dy^{3+}	aq	−696.5	−664	−231
Dy_2O_3	s	−1 863	—	—
$DyCl_2$	s	−693	—	—
$DyCl_3$	s	−990.1	—	—
Er	s	0	0	73.2
Er	g	316.4	—	—
Er^{3+}	aq	−705	−669	−244
Er_2O_3	s	−1 898	—	—
$ErCl_3$	s	−995	—	—
Eu	s	0	0	77.8
Eu	g	177.4	—	—
Eu^{2+}	aq	−527.8	−541	−10
Eu^{3+}	aq	−605.6	−574	−222
Eu_2O_3	s	−1 663	—	—
$EuCl_2$	s	−824.4	—	—
$EuCl_3$	s	−936.5	—	—
F_2	g	0	0	202.67
F	g	78.99	61.92	158.64
F^-	g	−270.7	—	—

续表

物 质	状 态	$\frac{\Delta_f H_m^{\ominus}}{kJ \cdot mol^{-1}}$	$\frac{\Delta_f G_m^{\ominus}}{kJ \cdot mol^{-1}}$	$\frac{S_m^{\ominus}}{J \cdot K^{-1} \cdot mol^{-1}}$
F^-	aq	−332.63	−278.82	−13.8
HF	g	−271.1	−273.2	173.67
HF	aq	−320.1	−296.9	88.7
F_2O	g	−21.8	−4.6	247.32
Fe	s	0	0	27.28
Fe	g	416.3	370.7	180.38
Fe^{2+}	g	2 752.2	—	—
Gd	s	0	0	68.1
Gd	g	397.5	—	—
Gd^{3+}	aq	−687.0	−664	−206
Gd_2O_3	s	−1 827	—	—
$GdCl_3$	s	−1 007.6	—	—
Ge	s	0	0	31.09
Ge	g	376.6	336.0	167.79
GeO_2	s	−551.0	−497.1	55.3
GeH_4	g	90.8	113.4	217.02
Ge_2H_6	g	162.3	—	—
Ge_3H_8	g	226.8	—	—
GeF_4	g	−1190	—	—
$GeCl_4$	g	−495.8	−457.3	347.61
$GeBr_4$	g	−300.0	−318.0	396.1
GeI_4	g	−56.9	−106.3	428.8
Ge_3N_4	s	−63.2	—	—
H_2	g	0	0	130.57
H	g	217.97	203.26	114.60
H^+	g	1 536.2	—	—
H^+	aq	0	0	0
H^-	g	139.70	—	—
OH	g	39.0	34.2	183.64
OH^-	g	−140.88	—	—
OH^-	aq	−229.99	−157.29	−10.8
H_2O	l	−285.83	−237.18	69.91
H_2O	g	−241.82	−228.59	188.715

续表

物 质	状 态	$\frac{\Delta_f H_m^\ominus}{kJ\cdot mol^{-1}}$	$\frac{\Delta_f G_m^\ominus}{kJ\cdot mol^{-1}}$	$\frac{S_m^\ominus}{J\cdot K^{-1}\cdot mol^{-1}}$
H_2O_2	l	-187.78	-120.42	109.6
H_2O_2	g	-136.31	-105.60	232.6
Hg	l	0	0	76.02
Hg	g	61.32	-31.85	174.85
Hg^{2+}	g	2 890.4	—	—
Hg^{2+}	aq	171.1	164.4	-32.2
HgO	red	-90.83	-58.56	70.29
HgF_2	s	-418	—	—
$HgCl_2$	s	-224.3	-178.7	146.0
$HgBr_2$	s	-170.7	-153.1	172
HgI_2	red	-105.4	-101.7	180
Hg_2Cl_2	s	-265.22	-210.78	192.5
Hg_2Br_2	s	-206.90	-181.08	218
Hg_2I_2	s	-121.34	-111.00	233.5
Ho	s	0	0	75.3
Ho	g	300.6	—	—
Ho^{3+}	aq	-707	-675	-227
Ho_2O_3	s	-1881	—	—
$HoCl_3$	s	-995	—	—
I_2	s	0	0	116.14
I_2	g	62.438	19.359	260.58
I_2	aq	22.6	16.42	137.2
I	g	106.84	70.28	180.68
I^-	g	-196.6	—	—
I^-	aq	-56.90	-51.93	106.70
HI	g	26.5	1.7	206.48
IO_3^-	aq	-221.3	-128.0	118.4
IF	g	-94.8	-117.7	236.2
ICl	g	17.8	5.4	247.4
IBr	g	40.8	3.7	258.66
IF_5	l	-882.6	-778.2	214.6
IF_5	g	-840.3	-771.7	334.6
IF_7	g	-961.1	-835.9	347.6

续表

物质	状态	$\Delta_f H_m^\ominus$ / $kJ \cdot mol^{-1}$	$\Delta_f G_m^\ominus$ / $kJ \cdot mol^{-1}$	$S_m^\ominus$ / $J \cdot K^{-1} \cdot mol^{-1}$
K	s	0	0	64.68
K	g	89.24	—	—
K^+	g	514.17	—	—
K^+	aq	−252.17	−282.48	101.04
K_2O_2	s	−495.8	—	—
KO_2	s	−280.3	—	—
KF	s	−568.6	−538.9	66.55
KHF_2	s	−928.4	−860.4	104.6
KN_3	s	1.3	—	—
KBF_4	s	−1 887.0	−1785	134
La	s	0	0	57.0
La	g	431.0	—	—
La^{3+}	g	3 905.2	—	—
La^{3+}	aq	−709.4	−686	−218
La_2O_3	s	−1 799	—	—
$LaCl_3$	s	−1 073.2	—	—
Li	s	0	0	29.12
Li	g	159.4	—	—
Li^+	g	685.63	—	—
Li^+	aq	−278.46	−292.61	11.30
Li_2O	s	−598.7	−562.1	37.89
LiF	s	−616.9	−588.7	35.66
$LiHF_2$	s	−945.3	—	—
LiN_3	s	10.8	—	—
Li_2CO_3	s	−1 216.0	−1132.2	90.17
Lu	s	0	0	51.0
Lu	g	427.6	—	—
Lu^{3+}	g	4 356.2	—	—
Lu^{3+}	aq	−702.6	−667	−264
Lu_2O_3	s	−1878	—	—
$LuCl_3$	s	−986	—	—
Mg	s	0	0	32.68
Mg	g	147.7	113.1	148.54

续表

物质	状态	$\Delta_f H_m^\ominus$ / $kJ \cdot mol^{-1}$	$\Delta_f G_m^\ominus$ / $kJ \cdot mol^{-1}$	$S_m^\ominus$ / $J \cdot K^{-1} \cdot mol^{-1}$
Mg^{2+}	g	2 348.48	—	—
Mg^{2+}	aq	−466.85	−454.80	−138.1
MgO	s	−601.7	−569.4	26.94
$Mg(OH)_2$	s	−924.5	−833.6	63.18
$Mg(NO_3)_2$	s	−790.65	−589.5	164.0
$MgCO_3$	s	−1 095.8	−1 012.1	65.69
Mn	s	0	0	32.01
Mn	g	280.7	238.5	173.59
Mn^{2+}	g	2 519.2	—	—
Mn^{2+}	aq	−220.75	−228.0	−73.6
MnO	s	−385.2	−362.9	59.71
MnO_4^-	aq	−541.4	−447.2	191.2
MnO_4^{2-}	aq	−652	−501	59
MnF_2	s	−795	—	—
$MnCl_2$	s	−481.3	−440.5	118.2
$MnBr_2$	s	−384.9	—	—
MnI_2	s	−247	—	—
N_2	g	0	0	191.50
N	g	472.70	455.58	153.19
N_3^-	g	181	—	—
NO	g	90.25	86.57	210.65
NO^+	g	989	—	—
NO_2	g	33.18	51.30	239.95
NO_2^-	aq	−104.6	−37.2	140.2
NO_3^-	aq	−207.36	−111.34	146.4
N_2O	g	82.0	104.2	219.74
N_2O_3	g	83.72	139.41	312.17
N_2O_4	l	−19.50	94.45	209.2
N_2O_4	g	9.16	97.82	304.2
N_2O_5	cubic	−43.1	113.8	178.2
NH_2	g	172	—	—
NH_3	g	−46.11	−16.48	192.34
N_2H_4	l	50.6	149.2	121.2

续表

物质	状态	$\Delta_f H_m^\ominus$ / $kJ \cdot mol^{-1}$	$\Delta_f G_m^\ominus$ / $kJ \cdot mol^{-1}$	$S_m^\ominus$ / $J \cdot K^{-1} \cdot mol^{-1}$
N_2H_4	g	95.4	159.3	238.4
NH_4^+	g	619	—	—
NH_4^+	aq	−132.51	−79.37	113.4
NH_2OH	s	−114.2	—	—
$NH_3 \cdot H_2O$	l	−361.2	−254.1	165.6
HNO_2	g	−79.5	−46.0	254.0
HNO_2	aq	−119.2	−55.6	152.7
NF_2	g	43.1	57.7	249.83
NF_3	g	−124.7	−83.3	260.6
N_2F_4	g	−7.1	81.2	301.1
NCl_3	l	230	—	—
NOF	g	−66.5	−51.0	248.0
NOCl	g	51.7	66.1	261.6
NH_4F	s	−463.9	−348.8	72.0
NH_4Cl	s	−314.4	−203.0	94.6
NH_4Br	s	−270.8	−175.3	113
NH_4I	s	−201.4	−112.5	117
Na	s	0	0	51.30
Na	g	107.1	78.33	147.84
Na^+	g	609.36	—	—
Na^+	aq	−240.300	−261.88	58.41
Na_2O	g	−418.0	−379.1	75.04
Na_2O_2	s	−513.2	−449.7	94.8
NaO_2	s	−260.7	−218.7	115.9
NaF	s	−575.4	−545.1	51.21
$NaHF_2$	s	−915.1	—	—
Na_2CO_3	s	−1 130.8	−1 048.1	138.8
Nd	s	0	0	71.5
Nd	g	326.9	—	—
Nd^{3+}	aq	−696.6	−672	−207
Nd_2O_3	s	−1812	—	—
$NdCl_2$	s	−707	—	—
$NdCl_3$	s	−1041.8	—	—

续表

物 质	状 态	$\frac{\Delta_f H_m^\ominus}{kJ \cdot mol^{-1}}$	$\frac{\Delta_f G_m^\ominus}{kJ \cdot mol^{-1}}$	$\frac{S_m^\ominus}{J \cdot K^{-1} \cdot mol^{-1}}$
Ni	s	0	0	29.87
Ni	g	429.7	384.5	182.08
Ni^{2+}	g	2930.1	—	—
Ni^{2+}	aq	−54.0	−45.6	−128.9
$NiCl_2$	s	−305.33	−259.06	97.65
O_2	g	0	0	205.03
O	g	249.17	231.75	160.946
O^-	g	101.63	—	—
O_2^+	g	1 177.7	—	—
O_3	g	142.7	163.2	238.8
P	white	0	0	41.09
P	red	−17.6	−12.1	22.80
P	g	314.6	278.3	163.084
P_2	g	144.3	103.8	218.02
P_4	g	58.91	24.48	279.87
PO_4^{3-}	aq	−1 277.4	−1 018.8	−222
P_4O_5	s	−1 640.1	—	—
P_4O_{10}	hexagonal	−2 984.0	−2 697.8	228.9
PH_3	g	5.4	13.4	210.12
P_2H_4	g	20.9	—	—
H_3PO_3	s	−964.4	—	—
H_3PO_3	aq	−964.8	—	—
PF_3	g	−918.8	−897.5	273.13
PCl_3	l	−319.7	−272.4	217.1
PCl_3	g	−287.0	−267.8	311.67
PBr_3	g	−139.3	−162.8	347.98
PI_3	s	−45.6	—	—
PF_5	g	−1 595.8	—	—
PCl_5	s	−443.5	—	—
PCl_5	g	−374.9	−305.0	364.47
POF_3	g	−1 254.4	−1 205.8	285.0
$POCl_3$	g	−558.5	−513.0	325.3
PH_4Cl	s	−145.2	—	—

续表

物质	状态	$\Delta_f H_m^{\ominus}$ / $kJ \cdot mol^{-1}$	$\Delta_f G_m^{\ominus}$ / $kJ \cdot mol^{-1}$	$S_m^{\ominus}$ / $J \cdot K^{-1} \cdot mol^{-1}$
PH_4Br	s	-127.6	-47.7	110.0
PH_4I	s	-69.8	0.2	123.0
Pb	s	0	0	64.81
Pb	g	195.0	161.9	175.26
Pb^{2+}	g	2 373.4	—	—
Pb^{2+}	aq	-1.7	-24.4	10.5
PbO	red	-219.0	-188.9	66.5
PbF_2	s	-664.0	-617.1	110.5
$PbCl_2$	s	-359.4	-314.1	138.0
PbI_2	s	-175.5	-173.6	174.8
Pr	s	0	0	73.2
Pr	g	356.9	—	—
Pr^{3+}	aq	-706.2	-680	-209
Pr_2O_3	s	-1 828	—	—
$PrCl_3$	s	-1 059.0	—	—
Ra	s	0	0	71
Ra^{2+}	g	1 631	—	—
Ra^{2+}	aq	-527.6	-561.5	54
RaO	s	-523	—	—
$Ra(NO_3)_2$	s	-992	-796	222
Rb	s	0	0	76.78
Rb	g	80.88	—	—
Rb^+	g	490.03	—	—
Rb^+	aq	-251.12	-283.61	120.46
Rb_2O	s	-330.1	—	—
Rb_2O_2	s	-425.5	—	—
RbO_2	s	-264.0	—	—
RbH	s	-47.7	—	—
RbOH	s	-418.4	—	—
RbF	s	-557.5	—	—
$RbHF_2$	s	-919.8	—	—
RbN_3	s	-0.4	—	—
$RbNH_2$	s	-109.6	—	—

续表

物 质	状 态	$\frac{\Delta_f H_m^\ominus}{kJ\cdot mol^{-1}}$	$\frac{\Delta_f G_m^\ominus}{kJ\cdot mol^{-1}}$	$\frac{S_m^\ominus}{J\cdot K^{-1}\cdot mol^{-1}}$
S	rhombic	0	0	31.80
S	g	278.81	238.28	167.71
S^{2-}	aq	33.1	85.8	−14.6
S_2	g	128.37	79.33	228.07
S_4^{2-}	aq	23.0	69.0	103.3
S_5^{2-}	aq	21.3	65.7	140.6
S_2	g	102.30	49.66	430.87
SO	g	6.3	−19.8	221.84
SO_2	g	−297.04	−300.19	248.11
SO_3	β−s	−454.51	−368.99	52.3
SO_3	g	−395.72	−371.08	256.65
SO_4^{2-}	aq	−909.27	−774.63	20.1
$S_2O_8^{2-}$	aq	−1 338.9	−1 110.4	248.1
HS	g	142.7	113.3	195.6
HS	aq	−17.6	12.05	62.8
H_2S	g	−20.63	−33.56	205.7
H_2S	aq	−39.7	−27.87	121
H_2S_4	l	−12.5	—	—
H_2S_6	g	33.4	—	—
H_2H_6	l	−8.3	—	—
H_2SO_4	l	−813.99	−690.06	156.90
H_2SO_4	g	−741	—	—
SF_2	g	−297	−303	257.6
SCl_2	g	−19.7	—	—
SF_4	g	−763	−722	299.6
SF_5	g	−976.5	−912.1	322.6
SF_6	g	−1 220.5	−1 116.5	291.6
SF_5Cl	g	−1 048.1	−949.3	319.1
SO_2F_2	g	−769.7	—	—
SO_2ClF	g	−564.0	—	—
SO_2Cl_2	g	−382.1	—	—
$(CH_3)_2SO_2$	g	−372.8	—	—
Sb	s	0	0	45.69

续表

物质	状态	$\Delta_f H_m^\ominus$ / $kJ \cdot mol^{-1}$	$\Delta_f G_m^\ominus$ / $kJ \cdot mol^{-1}$	$S_m^\ominus$ / $J \cdot K^{-1} \cdot mol^{-1}$
Sb	g	262.3	222.2	180.16
Sb_4	g	205.0	141.4	351
SbH_3	g	145.1	147.7	232.67
$SbCl_3$	g	−313.8	−301.2	337.69
$SbBr_3$	g	−194.6	−223.8	372.75
Sc	s	0	0	34.64
Sc	g	377.8	336.1	174.68
Sc^{3+}	g	4 694.5	—	—
Sc^{3+}	aq	−614.2	−586.6	−255
$ScCl_3$	s	−925.1	—	—
Se	black	0	0	42.44
Se	g	227.1	187.1	176.6
H_2Se	g	29.7	15.9	218.9
$SeCl_2$	g	−31.8	—	—
Se_2Cl_2	g	17	—	—
$SeBr_2$	g	−21	—	—
Se_2Br_2	g	29	—	—
Si	s	0	0	18.83
Si	g	455.6	411.3	167.86
Si_2	g	594	536	229.79
SiO	g	−99.6	−126.4	211.50
SiO_2	quartz	−910.94	−856.67	41.84
SiO_2	g	−322	—	—
SiH_4	g	34.3	56.9	204.5
Si_2H_6	g	80.3	127.2	272.5
Si_3H_8	g	120.9	—	—
SiF_4	g	−1 614.9	−1 572.7	282.38
$SiCl_4$	l	−687.0	−619.9	239.7
$SiCl_4$	g	−657.0	−617.0	330.6
$SiBr_4$	g	−415.5	−431.8	377.8
Si_3N_4	s	−743.5	−642.7	101.3
SiC	cubic	−65.3	−62.8	16.61
Sm	s	0	0	69.6

续表

物质	状态	$\frac{\Delta_f H_m^\ominus}{kJ\cdot mol^{-1}}$	$\frac{\Delta_f G_m^\ominus}{kJ\cdot mol^{-1}}$	$\frac{S_m^\ominus}{J\cdot K^{-1}\cdot mol^{-1}}$
Sm	g	206.7	—	—
Sm^{3+}	aq	-691.1	-665	-212
Sm_2O_3	s	-1828	—	—
$SmCl_2$	s	-802.5	—	—
$SmCl_3$	s	-1 026.0	—	—
Sn	white	0	0	51.54
Sn	gray	-2.09	0.13	44.14
Sn	g	302.1	267.4	168.38
SnH_4	g	162.8	188.3	227.57
$SnCl_4$	g	-471.5	-432.2	365.7
$SnBr_4$	g	-314.6	-331.4	411.8
$Sn(CH_3)_4$	g	-18.8	—	—
Sr	s	0	0	52.3
Sr	g	164.4	131.0	164.5
Sr^{2+}	g	1 790.6	—	—
Sr^{2+}	aq	-545.80	-559.44	-32.6
SrO	s	-592.0	-561.9	54.4
SrO_2	s	-633.5	—	—
$Sr(OH)_2$	s	-959.0	—	—
$Sr(NO_3)_2$	s	-978.2	-780.1	194.6
$SrCO_3$	s	-1 220.1	-1 140.1	97.1
Tb	s	0	0	73.2
Tb	g	388.7	—	—
Tb^{3-}	aq	-698	-667	-226
Tb_2O_3	s	-1 865	—	—
$TbCl_3$	s	-1 007	—	—
Te	s	0	0	49.71
Te	g	196.7	157.1	182.63
H_2Te	g	99.6	—	—
TeH_6	g	-1369	—	—
Ti	s	0	0	30.63
Ti	g	469.9	425.1	180.19
$TiCl_2$	s	-513.8	-464.4	87.4

续表

物质	状态	$\frac{\Delta_f H_m^\ominus}{kJ \cdot mol^{-1}}$	$\frac{\Delta_f G_m^\ominus}{kJ \cdot mol^{-1}}$	$\frac{S_m^\ominus}{J \cdot K^{-1} \cdot mol^{-1}}$
$TiCl_3$	s	−720.9	−653.5	139.7
Tl	s	0	0	64.18
Tl	g	182.2	147.4	180.85
Tl^+	g	777.73	—	—
Tl^{2+}	g	2 754.9	—	—
Tl^{3+}	g	5 639.2	—	—
Tl^+	aq	5.36	−32.38	125.5
Tl^{2+}	aq	196.6	214.6	−192
TlCl	s	−204.14	−184.93	111.25
$TlCl_3$	s	−315.1	—	—
$TlCl_4^-$	aq	−519.2	−421.7	243
Tm	s	0	0	74.0
Tm	g	232.2	—	—
Tm^{3+}	aq	−705.2	−669	−243
Tm_2O_3	s	−1 889	—	—
$TmCl_2$	s	−709	—	—
$TmCl_3$	s	−991.0	—	—
V	s	0	0	28.91
V	g	514.2	453.2	182.19
VCl_2	s	−452	−406	97.1
VCl	s	−580.7	−511.3	131.0
Xe	g	0	0	169.57
Xe	g	1 176.5	—	—
XeF_2	g	−107.0	—	—
XeF_4	g	−206.2	—	—
XeF_6	g	−279.0	—	—
Y	s	0	0	44.4
Y	g	421.3	—	—
Y^{3+}	g	4214	—	—
Y^{3+}	aq	−715	−685	−251
Y_2O_3	s	−1 864	—	—
YCl_3	s	−996	—	—
Yb	s	0	0	59.9

续表

物质	状态	$\Delta_f H_m^\ominus$ / $kJ \cdot mol^{-1}$	$\Delta_f G_m^\ominus$ / $kJ \cdot mol^{-1}$	$S_m^\ominus$ / $J \cdot K^{-1} \cdot mol^{-1}$
Yb	g	155.6	—	—
Yb^{3+}	aq	−674.5	−644	−238
Yb_2O_3	s	−1 815	—	—
$YbCl_2$	s	−799	—	—
$YbCl_3$	s	−960.0	—	—
Zn	s	0	0	41.63
Zn	g	130.73	95.18	160.87
Zn^{2+}	g	2 782.7	—	—
Zn^{2+}	aq	−153.89	−147.03	−112.1
ZnO	s	−348.28	−318.32	43.64
ZnF_2	s	−764.4	−713.5	73.68
$ZnCO_3$	s	−812.78	−731.57	82.4

（五）弱酸、弱碱在水中的离解常数(298K)

弱　酸	分子式	$K_a^\ominus$	$pK_a^\ominus$
砷　酸	H_3AsO_4	$6.3\times10^{-3}(K_{a_1}^\ominus)$	2.20
		$1.0\times10^{-7}(K_{a_2}^\ominus)$	7.00
		$3.2\times10^{-12}(K_{a_3}^\ominus)$	11.50
亚砷酸	$HAsO_2$	6.0×10^{-10}	9.22
硼　酸	H_3BO_3	$5.8\times10^{-10}(K_{a_1}^\ominus)$	9.24
碳　酸	$H_2CO_3(CO_2+H_2O)^*$	$4.2\times10^{-7}(K_{a_1}^\ominus)$	6.38
		$5.6\times10^{-11}(K_{a_2}^\ominus)$	10.25
氢氰酸	HCN	6.2×10^{-10}	9.21
铬　酸	$HCrO_4^-$	$3.2\times10^{-7}(K_{a_2}^\ominus)$	6.50
氢氟酸	HF	6.6×10^{-4}	3.18
亚硝酸	HNO_2	5.1×10^{-4}	3.29
磷　酸	H_3PO_4	$7.6\times10^{-3}(K_{a_1}^\ominus)$	2.12
		$6.3\times10^{-8}(K_{a_2}^\ominus)$	7.20
		$4.4\times10^{-13}(K_{a_3}^\ominus)$	12.36

续表

弱　酸	分子式	$K_a^\ominus$	$pK_a^\ominus$
焦磷酸	$H_4P_2O_7$	$3.0\times10^{-2}(K_{a_1}^\ominus)$	1.52
		$4.4\times10^{-3}(K_{a_2}^\ominus)$	2.36
		$2.5\times10^{-7}(K_{a_3}^\ominus)$	6.60
		$5.6\times10^{-10}(K_{a_4}^\ominus)$	9.25
亚磷酸	H_3PO_3	$5.0\times10^{-2}(K_{a_1}^\ominus)$	1.30
		$2.5\times10^{-7}(K_{a_2}^\ominus)$	6.60
氢硫酸	H_2S	$1.3\times10^{-7}(K_{a_1}^\ominus)$	6.88
		$7.1\times10^{-15}(K_{a_2}^\ominus)$	14.15
硫　酸	HSO_4^-	$1.0\times10^{-2}(K_{a_2}^\ominus)$	1.99
亚硫酸	$H_2SO_3(SO_2+H_2O)$	$1.3\times10^{-2}(K_{a_1}^\ominus)$	1.90
		$6.3\times10^{-8}(K_{a_2}^\ominus)$	7.20
偏硅酸	H_2SiO_3	$1.7\times10^{-10}(K_{a_1}^\ominus)$	9.77
		$1.6\times10^{-12}(K_{a_2}^\ominus)$	11.8
甲　酸	HCOOH	1.8×10^{-4}	3.74
乙　酸	CH_3COOH	1.8×10^{-5}	4.74
一氯乙酸	$CH_2ClCOOH$	1.4×10^{-3}	2.86
二氯乙酸	$CHCl_2COOH$	5.0×10^{-2}	1.30
三氯乙酸	CCl_3COOH	0.23	0.64
氨基乙酸盐	$^+NH_3CH_2COOH$	$4.5\times10^{-3}(K_{a_1}^\ominus)$	2.35
	$^+NH_3CH_2COO^-$	$2.5\times10^{-10}(K_{a_2}^\ominus)$	9.60
抗坏血酸	O=C—C=C—C(H)(OH)—C(H)—CH₂OH (环: C1—O—C4); OH OH H · OH	$5.0\times10^{-5}(K_{a_1}^\ominus)$	4.30
		$1.5\times10^{-10}(K_{a_2}^\ominus)$	9.82
乳　酸	$CH_3CHOHCOOH$	1.4×10^{-4}	3.86
苯甲酸	C_5H_5COOH	6.2×10^{-5}	4.21
草　酸	$H_2C_2O_4$	$5.9\times10^{-2}(K_{a_1}^\ominus)$	1.22
		$6.4\times10^{-5}(K_{a_2}^\ominus)$	4.19
d-酒石酸	CH(OH)COOH—CH(OH)COOH	$9.1\times10^{-4}(K_{a_1}^\ominus)$	3.04
		$4.3\times10^{-5}(K_{a_2}^\ominus)$	4.37
邻-苯二甲酸	$C_6H_4(COOH)_2$（苯环邻位 COOH, COOH）	$1.1\times10^{-3}(K_{a_1}^\ominus)$	2.95
		$3.9\times10^{-6}(K_{a_2}^\ominus)$	5.41

续表

弱　酸	分子式	$K_a^\ominus$	$pK_a^\ominus$
柠檬酸	CH_2COOH	$7.4\times10^{-4}(K_{a_1}^\ominus)$	3.13
	$C(OH)COOH$	$1.7\times10^{-6}(K_{a_2}^\ominus)$	4.76
	CH_2COOH	$4.0\times10^{-7}(K_{a_3}^\ominus)$	6.40
苯　酚	C_6H_6OH	1.1×10^{-19}	0.95
乙二胺四乙酸	H_6-EDTA^{2+}	$0.1(K_{a_1}^\ominus)$	0.9
	H_5-EDTA^+	$3\times10^{-2}(K_{a_2}^\ominus)$	1.6
	H_4-EDTA	$1\times10^{-2}(K_{a_3}^\ominus)$	2.0
	H_3-EDTA^-	$2.1\times10^{-3}(K_{a_4}^\ominus)$	2.67
	H_2-EDTA^{2-}	$6.9\times10^{-7}(K_{a_5}^\ominus)$	6.16
	$H-EDTA^{3-}$	$5.5\times10^{-11}(K_{a_6}^\ominus)$	10.26
氨　水	NH_3	1.8×10^{-5}	4.74
联　氨	H_2NNH_2	$3.0\times10^{-6}(K_{b_1}^\ominus)$	5.52
		$7.6\times10^{-15}(K_{b_2}^\ominus)$	14.12
羟　氨	NH_2OH	9.1×10^{-9}	8.04
甲　胺	CH_3NH_2	4.2×10^{-4}	3.38
乙　胺	$C_2H_5NH_2$	5.6×10^{-4}	3.25
二甲胺	$(CH_3)_2NH$	1.2×10^{-4}	3.93
二乙胺	$(C_2H_5)_2NH$	1.3×10^{-8}	2.89
乙醇胺	$HOCH_2CH_2NH_2$	3.2×10^{-5}	4.50
三乙醇胺	$(HOCH_2CH_2)_3N$	5.8×10^{-7}	6.24
六次甲基四胺	$(CH_2)_6N_4$	1.4×10^{-9}	8.85
乙二胺	$H_2NCH_2CH_2NH_2$	$8.5\times10^{-5}(K_{b_1}^\ominus)$	4.07
		$7.1\times10^{-8}(K_{b_2}^\ominus)$	7.15
吡　啶	(吡啶环，N)	1.7×10^{-9}	8.77

*　如不计水合 CO_2，H_2CO_3 的 $pK_{a_1}^\ominus=3.76$

（六）微溶化合物的溶度积（291—298K）

微溶化合物	$K_{sp}^\ominus$	$pK_{sp}^\ominus$	微溶化合物	$K_{sp}^\ominus$	$pK_{sp}^\ominus$
$Al(OH)_3$ 无定形	1.3×10^{-33}	32.9	AgBr	5.0×10^{-13}	12.30
Ag_2AsO_4	1×10^{-22}	22.0	Ag_2CO_3	8.1×10^{-12}	11.09

续表

微溶化合物	$K_{sp}^{\ominus}$	$pK_{sp}^{\ominus}$	微溶化合物	$K_{sp}^{\ominus}$	$pK_{sp}^{\ominus}$
AgCl	1.8×10^{-10}	9.75	$CoCO_3$	1.4×10^{-13}	12.84
Ag_2CrO_4	2.0×10^{-12}	11.71	$Co_2[Fe(CN)_6]$	1.8×10^{-15}	14.74
AgCN	1.2×10^{-16}	15.92	$Co(OH)_2$ 新析出	2×10^{-15}	14.7
AgOH	2.0×10^{-8}	7.71	$Co(OH)_3$	2×10^{-44}	43.7
AgI	9.3×10^{-17}	16.03	$Co[Hg(SCN)_4]$	1.5×10^{-6}	5.82
$Ag_2C_2O_4$	3.5×10^{-11}	10.46	$\alpha-CoS$	4×10^{-21}	20.4
Ag_3PO_4	1.4×10^{-16}	15.84	$\beta-CoS$	2×10^{-25}	24.7
Ag_2SO_4	1.4×10^{-5}	4.84	$Co_3(PO_4)_2$	2×10^{-35}	34.7
Ag_2S	2×10^{-49}	48.7	$Cr(OH)_3$	6×10^{-31}	30.2
AgSCN	1.0×10^{-12}	12.00	CuBr	5.2×10^{-9}	8.28
As_2S_3	2.1×10^{-22}	21.68	CuCl	1.2×10^{-6}	5.92
$BaCO_3$	5.1×10^{-9}	8.29	CuCN	3.2×10^{-29}	19.49
$BaCrO_4$	1.2×10^{-10}	9.93	CuI	1.1×10^{-12}	11.96
BaF_2	1×10^{-6}	6.0	CuOH	1×10^{-14}	14.0
$BaC_2O_4\cdot H_2O$	2.3×10^{-8}	7.64	Cu_2S	2×10^{-48}	47.7
$BaSO_4$	1.1×10^{-10}	9.96	CuSCN	4.8×10^{-15}	14.32
$Bi(OH)_3$	4×10^{-31}	30.4	$CuCO_3$	1.4×10^{-10}	9.86
BiOOH*	4×10^{-10}	9.4	$Cu(OH)_2$	2.2×10^{-20}	19.66
BiI_3	8.1×10^{-19}	18.09	CuS	6×10^{-36}	35.2
BiOCl	1.8×10^{-31}	30.75	$FeCO_3$	3.2×10^{-11}	10.50
$BiPO_4$	1.3×10^{-23}	23.89	$Fe(OH)_2$	8×10^{-16}	15.1
Bi_2S_3	1×10^{-87}	97.0	FeS	6×10^{-18}	17.2
$CaCO_3$	2.9×10^{-9}	8.54	$Fe(OH)_3$	4×10^{-38}	37.4
CaF_2	2.7×10^{-11}	10.57	$FePO_4$	1.3×10^{-22}	21.89
$CaC_2O_4\cdot H_2O$	2.0×10^{-9}	8.70	Hg_2Br_2**	5.8×10^{-25}	22.24
$Ca_3(PO_4)_2$	2.0×10^{-29}	28.70	Hg_2CO_3	8.9×10^{-17}	16.05
$CaSO_4$	9.1×10^{-6}	5.04	Hg_2Cl_2	1.3×10^{-18}	17.88
$CaWO_4$	8.7×10^{-9}	8.06	$Hg_2(OH)_2$	2×10^{-24}	23.7
$CdCO_3$	5.2×10^{-12}	11.28	Hg_2I_2	4.5×10^{-29}	28.35
$Cd_2[Fe(CN)_5]$	3.2×10^{-17}	16.49	Hg_2SO_4	7.4×10^{-7}	6.13
$Cd(OH)_2$ 新析出	2.5×10^{-14}	13.60	Hg_2S	1×10^{-47}	47.0
$CdC_2O_4\cdot 3H_2O$	9.1×10^{-5}	7.04	$Hg(OH)_2$	3.0×10^{-25}	25.52

续表

微溶化合物	$K_{sp}^{\ominus}$	$pK_{sp}^{\ominus}$	微溶化合物	$K_{sp}^{\ominus}$	$pK_{sp}^{\ominus}$
CdS	8×10^{-27}	26.1	HgS 红色	4×10^{-53}	52.4
黑色	2×10^{-52}	51.7	$PbSO_4$	1.6×10^{-5}	7.79
$MgNH_4PO_4$	2×10^{-13}	12.7	PbS	1×10^{-28}	27.9
$MgCO_3$	3.5×10^{-8}	7.46	$Pb(OH)_4$	3×10^{-66}	65.5
MgF_2	6.4×10^{-9}	8.19	$Sb(OH)_3$	4×10^{-42}	41.4
$Mg(OH)_2$	1.8×10^{-11}	10.74	Sb_2S_3	2×10^{-93}	92.8
$MnCO_3$	1.8×10^{-11}	10.74	$Sn(OH)_2$	1.4×10^{-28}	27.85
$Mn(OH)_2$	1.9×10^{-13}	12.72	SnS	1×10^{-25}	25.0
MnS 无定形	2×10^{-10}	9.7	$Sn(OH)_4$	1×10^{-56}	56.0
MnS 晶形	2×10^{-13}	12.7	SnS_2	2×10^{-27}	26.7
$NiCO_3$	6.6×10^{-9}	8.18	$SrCO_3$	1.1×10^{-10}	9.96
$Ni(OH)_2$ 新析出	2×10^{-15}	14.7	$SrCrO_4$	2.2×10^{-5}	4.65
$Ni_3(PO_4)_2$	5×10^{-31}	30.3	SrF_2	2.4×10^{-9}	8.61
α－NiS	3×10^{-19}	18.5	$SrC_2O_4\cdot H_2O$	1.6×10^{-7}	6.80
β－NiS	1×10^{-24}	24.0	$Sr_3(PO_4)_2$	4.1×10^{-28}	27.39
γ－NiS	2×10^{-26}	25.7	$SrSO_4$	3.2×10^{-7}	6.49
$PbCO_3$	7.4×10^{-14}	13.13	$Ti(OH)_3$	1×10^{-40}	40.0
$PbCl_2$	1.6×10^{-5}	4.79	$TiO(OH)_2$ ***	1×10^{-29}	29.0
PbClF	2.4×10^{-9}	8.62	$ZnCO_3$	1.4×10^{-11}	10.84
$PbCrO_4$	2.8×10^{-13}	12.55	$Zn_2[Fe(CN)_6]$	4.1×10^{-16}	15.39
FbF_2	2.7×10^{-8}	7.57	$Zn(OH)_2$	1.2×10^{-17}	16.92
$Pb(OH)_2$	1.2×10^{-15}	14.93	$Zn_3(PO_4)_2$	9.1×10^{-33}	32.04
PbI_2	7.1×10^{-9}	8.15	α－ZnS	2×10^{-24}	23.7
$PbMoO_4$	1×10^{-13}	13.0	β－ZnS	2×10^{-22}	21.7
$Pb_3(PO_4)_2$	8.0×10^{-43}	42.10			

* BiOOH　　$K_{sp}^{\ominus}=[BiO^+][OH^-]$

** $(Hg_2)_mX_n$　　$K_{sp}^{\ominus}=[Hg_2^{2+}]^m[X^{-2m/n}]^n$

*** $TiO(OH)_2$ $K_{sp}^{\ominus}=[TiO^{2+}][OH^-]^2$

（七）标准电极电势(298K)

酸性溶液	
半　　反　　应	$\varphi^{\ominus}$/V
$3/2N_2 + H^+ + e^- = HN_3(g)$	-3.40
$3/2N_2 + H^+ + e^- = HN_3(aq)$	-3.09
$Li^+ + e^- = Li$	-3.045
$K^+ + e^- = K$	-2.925
$Rb^+ + e^- = Rb$	-2.925
$Cs^+ + e^- = Cs$	-2.923
$Ra^{2+} + 2e^- = Ra$	-2.916
$Ba^{2+} + 2e^- = Ba$	-2.906
$Sr^{2+} + 2e^- = Sr$	-2.888
$Ca^{2+} + 2e^- = Ca$	-2.866
$Na^+ + e^- = Na$	-2.714
$Ac^{3+} + 3e^- = Ac$	-2.6
$La^{3+} + 3e^- = La$	-2.522
$Ce^{3+} + 3e^- = Ce$	-2.483
$Pr^{3+} + 3e^- = Pr$	-2.462
$Nd^{3+} + 3e^- = Nd$	-2.431
$Pm^{3+} + 3e^- = Pm$	-2.423
$Sm^{3+} + 3e^- = Sm$	-2.414
$Eu^{3+} + 3e^- = Eu$	-2.407
$Gd^{3+} + 3e^- = Gd$	-2.397
$Tb^{3+} + 3e^- = Tb$	-2.391
$Y^{3+} + 3e^- = Y$	-2.372
$Mg^{2+} + 2e^- = Mg$	-2.363
$Dy^{3+} + 3e^- = Dy$	-2.353
$Am^{3+} + 3e^- = Am$	-2.320
$Ho^{3+} + 3e^- = Ho$	-2.319
$Er^{3+} + 3e^- = Er$	-2.296
$Tm^{3+} + 3e^- = Tm$	-2.278
$Yb^{3+} + 3e^- = Yb$	-2.267
$Lu^{3+} + 3e^- = Lu$	-2.255
$1/2H_2 + e^- = H^-$	-2.25

续表

酸性溶液	
半　反　应	$\varphi^{\ominus}$/V
$H^+ + e^- = H(g)$	−2.1065
$Sc^{3+} + 3e^- = Sc$	−2.077
$AlF_6 + 3e^- = Al + 6F^-$	−2.069
$Pu^{3+} + 3e^- = Pu$	−2.031
$Th^{4+} + 4e^- = Th$	−1.899
$Np^{3+} + 3e^- = Np$	−1.856
$Be^{2+} + 2e^- = Be$	−1.847
$U^{3+} + 3e^- = U$	−1.789
$Hf^{4+} + 4e^- = Hf$	−1.70
$Al^{3+} + 3e^- = Al$	−1.662
$Ti^{2+} + 2e^- = Ti$	−1.628
$Zr^{4+} + 4e^- = Zr$	−1.529
$SiF_2^{6-} + 4e^- = Si + 6F^-$	−1.24
$Yb^{3+} + e^- = Yb^{+2}$	−1.21
$TiF_6^{2-} + 4e^- = Ti + 6F^-$	−1.191
$V^{2+} + 2e^- = V$	−1.186
$Mn^{2+} + 2e^- = Mn$	−1.180
$Sm^{3+} + e^- = Sm^{+2}$	−1.15
$Nb^{3+} + 3e^- = Nb$	−1.099
$PaO_2^{2-} + 4H^+ + 5e^- = Pa + 2H_2O$	−1.0
$Po + 2H^+ + 2e^- = H_2Po$	> −1.00
$TiO^{2+} + 2H^+ + 4e^- = Ti + H_2O$	−0.882
$H_3BO_3(aq) + 3H^+ + 4e = B + 3H_2O$	−0.8 698
$H_3BO_3(c) + 3H^+ + 3e^- = B + 3H_2O$	−0.869
$SiO_2(quartz) + 4H^+ + 4e^- = Si + 2H_2O$	−0.857
$Ta_2O_5 + 10H^+ + 10e^- = 2Ta + 5H_2O$	−0.812
$Zn^{2+} + 2e^- = Zn$	−0.7 628
$Zn^{2+} + Hg + 2e^- = Zn(Hg)$	−0.7 627
$TlI + e^- = Tl + I^-$	−0.752
$Cr^{3+} + 3e^- = Cr$	−0.744
$Te + 2H^+ + 2e^- = H_2Te(aq)$	−0.739
$Te + 2H^+ + 2e^- = H_2Te(g)$	−0.718

续表

酸性溶液	
半反应	$\varphi^{\ominus}/V$
$TlBr + e^- = Tl + Br$	−0.658
$Nb_2O_5 + 10H^+ + 10e^- = 2Nb + 5H_2O$	−0.644
$U^{4+} + e^- = U^{3+}$	−0.607
$As + 3H^+ + 3e^- = AsH_3(g)$	−0.607
$TlCl + e^- = Tl + Cl^-$	−0.556 8
$Ca^{3+} + 3e^- = Ga$	−0.529
$Sb + 3H^+ + 3e^- = SbH_3(g)$	−0.510
$H_3PO_2 + H^+ + e^- = P(white) + 2H_2O$	−0.508
$H_3PO_3(aq) + 2H^+ + 2e^- = H_3PO_2(aq) + H_2O$	−0.499
$Fe^{2+} + 2e^- = Fe$	−0.440 2
$Eu^{3+} + e^- = Eu^{2+}$	−0.429
$Cr^{3+} + e^- = Cr^{2+}$	−0.408
$Cd^{2+} + 2e^- = Cd$	−0.402 9
$Se + 2H^+ + 2e^- = H_2Se(aq)$	−0.399
$Ti^{3+} + e^- = Ti^{2+}$	−0.369
$PbI_2 + 2e^- = Pb + 2I^-$	−0.365
$PbSO_4 + 2e^- = Pb + SO_4^{2-}$	−0.358 8
$Cd^{2+} + Hg + 2e^- = Cd(Hg)$	−0.351 6
$PbSO_4 + Hg + 2e^- = Pb(Hg)$	−0.350 5
$In^{3+} + 3e^- = In$	−0.343
$Tl^+ + e^- = Tl$	−0.3363
$HCNO + H^+ + e^- = 1/2C_2N_2 + H_2O$	−0.330
$PtS + 2H^+ + 2e^- = Pt + H_2S(aq)$	−0.327
$PtS + 2H^+ + 2e^- = Pt + H_2S(g)$	−0.297
$PbBr_2 + 2e^- = Pb + 2Br^-$	−0.284
$Co^{2+} + 2e^- = Co$	−0.277
$H_3PO_4(aq) + 2H^+ + 2e^- = H_3PO_3(aq) + H_2O$	−0.276
$PbCl_2 + 2e^- = Pb + 2Cl^-$	−0.268
$V^{3+} + e^- = V^{2+}$	−0.256
$V(OH)_4^+ + 4H^+ + 5e^- = V + 4H_2O$	−0.254
$SnF_6^{2-} + 4e^- = Sn + 6F^-$	−0.25
$Ni^{2+} + 2e^- = Ni$	−0.250

续表

酸 性 溶 液	
半 反 应	$\varphi^{\ominus}/V$
$N_2 + 5H^+ + 4e^- \rightleftharpoons N_2H_5^+$	−0.23
$2SO_4^{2-} + 4H^+ + 2e^- \rightleftharpoons S_2O_6^{2-}$	−0.22
$Mo^{3+} + 3e^- \rightleftharpoons Mo$	−0.20
$CO_2(g) + 2H^+ + 2e^- \rightleftharpoons HCOOH(aq)$	−0.199
$CuI + e^- \rightleftharpoons Cu + I^-$	−0.1852
$AgI + e^- \rightleftharpoons Ag + I^-$	−0.1518
$GeO_2 + 4H^+ + 4e^- \rightleftharpoons Ge + 2H_2O$	−0.15
$Sn^{2+} + 2e^- \rightleftharpoons Sn(white)$	−0.136
$O_2 + H^+ + e^- \rightleftharpoons HO_2$	−0.13
$Pb^{2+} + 2e^- \rightleftharpoons Pb$	−0.126
$WO_3(c) + 6H^+ + 6e^- \rightleftharpoons W + 3H_2O$	−0.090
$2H_2SO_3 + H^+ + 2e^- \rightleftharpoons HS_2O_4 + 2H_2O$	−0.082
$P(white) + 3H^+ + 3e^- \rightleftharpoons PH_3(g)$	−0.063
$Hg_2I_2 + 2e^- \rightleftharpoons 2Hg + 2I^-$	−0.040 5
$HgI_4^{2-} + 2e^- \rightleftharpoons Hg + 4I^-$	−0.038
$2D^+ + 2e^- \rightleftharpoons D_2$	−0.003 4
$2H^+ + 2e^-$ (SHE) $\rightleftharpoons H_2$	±0.000 0
$2H^+ + 2e^- \rightleftharpoons H_2$(satd, t.p.101 325Pa)	+0.000 4
$Ag(S_2O_3)_2^{3-} + e^- \rightleftharpoons Ag + 2S_2O_3^{2-}$	+0.017
$CuBr + e^- \rightleftharpoons Cu + Br^-$	+0.033
$UO_2^{2+} + e^- \rightleftharpoons UO_2^+$	+0.05
$HCOOH(aq) + 2H^+ + 2e^- \rightleftharpoons HCHO(aq) + H_2O$	+0.056
$AgBr + e^- \rightleftharpoons Ag + Br^-$	+0.0713
$TiO^{2+} + 2H^+ + e^- \rightleftharpoons Ti^{3+} + H_2O$	+0.099
$Si + 4H^+ + 4e^- \rightleftharpoons SiH_4(g)$	+0.102
$C(graphite) + 4H^+ + 4e^- \rightleftharpoons CH_4(g)$	+0.1316
$CuCl + e^- \rightleftharpoons Cu + Cl^-$	+0.137
$Hg_2Br_2 + 2e^- \rightleftharpoons 2Hg + 2Br^-$	+0.139 7
$S(rhombic) + 2H^+ + 2e^- \rightleftharpoons H_2S(aq)$	+0.142
$Np^{4+} + e^- \rightleftharpoons NP^{3+}$	+0.147
$Sn^{4+} + 2e^- \rightleftharpoons Sn^{2+}$	+0.15
$Sb_2O_2 + 6H^+ + 6e^- \rightleftharpoons 2Sb + 3H_2O$	+0.152

续表

酸性溶液	
半　　反　　应	$\varphi^{\ominus}/V$
$Cu^{2+} + e^- \rightleftharpoons Cu^+$	+0.153
$BiOCl + 2H^+ + 3e^- \rightleftharpoons Bi + H_2O + Cl^-$	+0.160
$SO_4^{2+} + 4H^+ + 2e^- \rightleftharpoons H_2SO_3 + H_2O$	+0.172
$At_2 + 2e^- \rightleftharpoons 2At^-$	+0.2
$AgCl + e^- \rightleftharpoons Ag + Cl^-$	+0.222 2
$HgBr_4^{2-} + 2e^- \rightleftharpoons Hg + 4Br^-$	+0.223
$(CH_3)_2SO_2 + 2H^+ + 2e^- \rightleftharpoons (CH_3)_2SO + H_2O$	+0.23
$HAsO_2(aq) + 3H^+ + 3e^- \rightleftharpoons As + 2H_2O$	+0.247 6
$ReO_2 + 4H^+ + 4e^- \rightleftharpoons Re + 2H_2O$	+0.251 3
$Hg_2Cl_2 + 2e^- \rightleftharpoons 2Hg + 2Cl^-$	+0.267 6
$BiO^+ + 2H^+ + 3e^- \rightleftharpoons Bi + H_2O$	+0.320
$UO_2^{2+} + 4H^+ + 2e^- \rightleftharpoons U^{4+} + 2H_2O$	+0.330
$Cu^{2+} + 2e^- \rightleftharpoons Cu$	+0.337
$AgIO_3 + e^- \rightleftharpoons Ag + IO_3^-$	+0.354
$SO_4^{2-} + 8H^+ + 6e^- \rightleftharpoons S + 4H_2O$	+0.3572
$VO^{2+} + 2H^+ + e^- \rightleftharpoons V^{3+} + H_2O$	+0.359
$Fe(CN)_6^{3-} + e^- \rightleftharpoons Fe(CN)_6^{4-}$	+0.36
$PeO_4^- + 8H^+ + 7e^- \rightleftharpoons Re + 4H_2O$	+0.362
$1/2C_2N_2(g) + H^+ + e^- \rightleftharpoons HCN(aq)$	+0.373
$H_2N_2O_2 + 6H^+ + 4e^- \rightleftharpoons 2NH_3OH^+$	+0.387
$Tc^{2+} + 2e^- \rightleftharpoons Tc$	+0.4
$2H_2SO_3 + 2H^+ + 4e^- \rightleftharpoons S_2O_3^{2-} + 3H_2O$	+0.400
$RhCl_6^{3+} + 3e^- \rightleftharpoons Rh + 6Cl^-$	+0.431
$H_2SO_3 + 4H^+ + 4e^- \rightleftharpoons S + 3H_2O$	+0.450
$Ag_2CrO_4 + 2e^- \rightleftharpoons 2Ag + CrO_4^{2-}$	+0.464
$Sb_2O_3(c) + 2H^+ + 2e^- \rightleftharpoons Sb_2O_4(c) + H_2O$	+0.479
$Ag_2MoO_4 + 2e^- \rightleftharpoons 2Ag + MoO_4^{2-}$	+0.486
$ReO_4^- + 4H^+ + 3e^- \rightleftharpoons ReO_2 + 2H_2O$	+0.510
$4H_2SO_3 + 4H^+ + 6e^- \rightleftharpoons S_4O_6^{2-} + 6H_2O$	+0.51
$C_2H_4(g) + 2H^+ + 2e^- \rightleftharpoons C_2H_6(g)$	+0.52
$Cu^{2+} + 2e^- \rightleftharpoons Cu$	+0.521
$TeO_2(c) + 4H^+ + 4e^- \rightleftharpoons Te + 2H_2O$	+0.529

续表

酸性溶液	
半　　反　　应	$\varphi^{\ominus}$/V
$I_2 + 2e^- \rightleftharpoons 2I^-$	+0.535 5
$I_3^- + 2e^- \rightleftharpoons 3I^-$	+0.536
$Cu^{2+} + Cl^- + e^- \rightleftharpoons CuCl$	+0.538
$AgBrO_3 + e^- \rightleftharpoons Ag + BrO_3^-$	+0.546
$TeOOH^+ + 3H^+ + 4e^- \rightleftharpoons Te + 2H_2O$	+0.559
$H_2AsO_4(aq) + 2H^+ + 2e^- \rightleftharpoons HAsO_2 + 2H_2O$	+0.560
$AgNO_2 + e^- \rightleftharpoons Ag + NO_2^-$	+0.564
$MnO_4^- + e^- \rightleftharpoons MnO_4^{2-}$	+0.564
$S_2O_6^{2-} + 4H^+ + 2e^- \rightleftharpoons 2H_2SO_3$	+0.57
$PtBr_4{}^{2-} + 2e^- \rightleftharpoons Pt + 4Br^-$	+0.581
$Sb_2O_5(c) + 6H^+ + 4e^- \rightleftharpoons 2SbO^+ + 3H_2O$	+0.581
$CH_3OH(aq) + 2H^+ + 2e^- \rightleftharpoons CH_4(g) + H_2O$	+0.588
$TcO_2 + 4H^+ + 2e^- \rightleftharpoons Tc^{2+} + 2H_2O$	+0.6
$PdBr_4^{2-} + 2e^- \rightleftharpoons Pd + 4Br^-$	+0.60
$RuCl_5^{2-} + 3e^- \rightleftharpoons Ru + 5Cl^-$	+0.601
$Hg_2SO_4 + 2e^- \rightleftharpoons 2Hg + SO_4^{2-}$	+0.615 1
$UO_2^+ + 4H^+ + e^- \rightleftharpoons U^{4+} + 2H_2O$	+0.62
$PdCl_4^{2-} + 2e^- \rightleftharpoons Pd + 4Cl^-$	+0.62
$Cu^{+2} + Br^- + e^- \rightleftharpoons CuBr$	+0.640
$AgC_2H_3O_2 + e^- \rightleftharpoons Ag + C_2H_3O_2^-$	+0.643
$Po^{2+} + 2e^- \rightleftharpoons Po$	+0.65
$Ag_2SO_4 + 2e^- \rightleftharpoons Ag + SO_4^{2-}$	+0.654
$Au(CNS)_4 + 3e^- \rightleftharpoons Au + 4CNS^-$	+0.655
$PtCl_6^{2-} + 2e^- \rightleftharpoons PtCl_4^{2-} + 2Cl^-$	+0.68
$O_2(g) + 2H^+ + 2e^- \rightleftharpoons H_2O_2(aq)$	+0.682 4
$C_6H_4O_2 + 2H^+ + 2e^- \rightleftharpoons C_6H_4(OH)_2$	+0.699 4
$2HAtO + 2H^+ + 2e^- \rightleftharpoons At_2 + 2H_2O$	+0.7
$TcO_4^- + 4H^+ + 3e^- \rightleftharpoons TcO_2 + 2H_2O$	+0.7
$2NO + 2H^+ + 2e^- \rightleftharpoons H_2N_2O_2$	+0.712
$PtCl_4^{2-} + 2e^- \rightleftharpoons Pt + 4Cl^-$	+0.73
$C_2H_2(g) + 2H^+ + 2e^- \rightleftharpoons C_2H_4(g)$	+0.731
$H_2SeO_3(aq) + 4H^+ + 4e^- \rightleftharpoons Se(gray) + 3H_2O$	+0.740

续表

酸 性 溶 液	
半 反 应	$\varphi^{\ominus}$/V
$NpO_2^+ + 4H^+ + e^- = Np^{4+} + 2H_2O$	+0.75
$(CNS)_2 + 2e^- = 2CNS^-$	+0.77
$IrCl_6^{3-} + 3e^- = Ir + 6Cl^-$	+0.77
$Fe^{3+} + e^- = Fe^{2+}$	+0.771
$Hg_2^{2+} + 2e^- = 2Hg$	+0.788
$Ag^+ + e^- = Ag$	+0.799 1
$PoO_2 + 4H^+ + 2e^- = Po^{2+} + H_2O$	+0.80
$Rh^{3+} + 3e^- = Rh$	+0.80
$2NO_3^- + 4H^+ + 2e^- = N_2O_4(g) + 2H_2O$	+0.803
$OsO_4(c, yellow) + 8H^+ + 8e^- = Os + 4H_2O$	+0.85
$2HNO_2 + 4H^+ + 4e^- = H_2N_2O_2 + 2H_2O$	+0.86
$Cu^{2+} + I^- + e^- = CuI$	+0.86
$Rh_2O_3 + 6H^+ + 2e^- = 2Rh + 3H_2O$	+0.87
$AuBr_4^- + 3e^- = Au + 4Br^-$	+0.87(60℃)
$2Hg^{2+} + 2e^- = Hg_2^{2+}$	+0.920
$PuO_2^{2+} + e^- = PuO_2^+$	+0.93
$NO_3^- + 3H^+ + 2e^- = HNO_2 + H_2O$	+0.94
$AuBr_2^- + e^- = Au + 2Br^-$	+0.956
$NO_3^- + 4H^+ + 3e^- = NO + 2H_2O$	+0.96
$Pu^{4+} + e^- = Pu^{3+}$	+0.97
$Pt(OH)_2 + 2H^+ + 2e^- = Pt + 2H_2O$	+0.98
$Pd^{2+} + 2e^- = Pd$	+0.987
$IrBr_6^{3-} + e^- = IrBr_6^{4-}$	+0.99
$HNO_2 + H^+ + e^- = NO + H_2O$	+1.00
$AuCl_4^- + 3e^- = Au + 4Cl^-$	+1.00
$V(OH)_4^+ + 2H^+ + 2e^- = VO^{2+} + 3H_2O$	+1.00
$IrCl_6^{2-} + e^- = IrCl_6^{3-}$	+1.017
$H_6TeO_6(c) + 2H^+ + 2e^- = TeO_2 + 4H_2O$	+1.02
$N_2O_4 + 4H^+ + 4e^- = 2NO + 2H_2O$	+1.03
$PuO_2^{2+} + 4H^+ + 2e^- = Pu^{4+} + 2H_2O$	+1.04
$ICl_2^- + e^- = 2Cl^- + 1/2I_2$	+1.056
$Br_2(l) + 2e^- = 2Br^-$	+1.065 2

续表

酸 性 溶 液	
半 反 应	$\varphi^{\ominus}$/V
$N_2O_4 + 2H^+ + 2e^- = 2HNO_2$	+1.07
$Br_2(aq) + 2e^- = 2Br^-$	+1.087
$PtO_2 + 2H^+ + 2e^- = Pt(OH)_2$	*ca*. +1.1
$PuO_2^+ + 4H^+ + e^- = Pu^{4+} + 2H_2O$	+1.15
$SeO_4^{2-} + 4H^+ + 2e^- = H_2SeO_3 + H_2O$	+1.15
$NpO_2^{2+} + e^- = NpO_2^+$	+1.15
$CCl_4 + 4H^+ + 4e^- = 4Cl^- + C + 4H^+$	+1.18
$O_2 + 4H^+ + 4e^- = 2H_2O(g)$	+1.185
$IO_3^- + 6H^+ + 5e^- = 1/2I_2 + 3H_2O$	+1.196
$Pt^{2+} + 2e^- = Pt$	*ca*. +1.2
$ClO_3^- + 3H^+ + 2e^- = HClO_2 + H_2O$	+1.21
$O_2 + 4H^+ + 4e^- = 2H_2O(l)$	+1.229
$S_2Cl_2 + 2e^- = 2S + 2Cl^-$	+1.23
$MnO_2 + 4H^+ + 2e^- = Mn^{2+} + 2H_2O$	+1.23
$ClO_4^- + 2H^+ + 2e^- = ClO_3^- + H_2O$	+1.230
$Tl^{3+} + 2e^- = Tl^+$	+1.25
$AmO_2^+ + 4H^+ + e^- = Am^{4+} + 2H_2O$	+1.261
$N_2H_5^+ + 3H^+ + 2e^- = 2NH_4^+$	+1.275
$ClO_2 + H^+ + e^- = HClO_2$	+1.275
$PdCl_6^{2-} + 2e^- = PdCl_4^{2-} + 2Cl^-$	+1.288
$2HNO_2(aq) + 4H^+ + 4e^- = N_2O(g) + 3H_2O$	+1.29
$Cr_2O_7^{2-} + 14H^+ + 6e^- = 2Cr^{3+} + 7H_2O$	+1.33
$NH_3OH^+ + 2H^+ + 2e^- = NH_4^+ + H_2O$	+1.35
$Cl_2 + 2e^- = 2Cl^-$	+1.359 5
$HAtO_3 + 4H^+ + 4e^- = HAtO + 2H_2O$	+1.4
$2NH_3OH^+ + H^+ + 2e^- = N_2H_5^+ + 2H_2O$	+1.42
$Au(OH)_3(c) + 3H^+ + 3e^- = Au + 3H_2O$	+1.45
$HIO + H^+ + e^- = 1/2I_2 + H_2O$	+1.45
$PbO_2 + 4H^+ + 2e^- = Pb^{2+} + 2H_2O$	+1.455
$HO_2(aq) + H^+ + e^- = H_2O_2(aq)$	+1.495
$Au^{3+} + 3e^- = Au$	+1.498
$Mn^{3+} + e^- = Mn^{2+}$	+1.51

续表

酸性溶液	
半反应	$\varphi^{\ominus}/V$
$MnO_4^- + 8H^+ + 5e^- = Mn^{2+} + 4H_2O$	+1.51
$BrO_3^- + 6H^+ + 5e^- = 1/2Br_2(l) + 3H_2O$	+1.52
$PoO_3 + 2H^+ + 2e^- = PoO_2 + H_2O$	+1.52?
$Bi_2O_4 + 4H^+ + 2e^- = 2BiO^+ + 2H_2O$	+1.593
$HBrO + H^+ + e^- = 1/2Br_2(l) + H_2O$	+1.595
$Bk^{4+} + e^- = Bk^{3+}$	*ca*. +1.6
$Ce^{4+} + e^- = Ce^{3+}$	+1.61
$HClO + H^+ + e^- = 1/2Cl_2 + H_2O$	+1.63
$AmO_2^{2+} + e^- = AmO_2^+$	+1.639
$H_5IO_6 + H^+ + 2e^- = IO_3^- + 3H_2O$	+1.644
$HClO_2 + 2H^+ + 2e^- = HClO + H_2O$	+1.645
$NiO_2 + 4H^+ + 2e^- = Ni + 2H_2O$	+1.678
$PbO_2 + SO_4^{2-} + 4H^+ + 2e^- = PbSO_4 + 2H_2O$	+1.682
$Au^+ + e^- = Au$	+1.691
$AmO_2^{2+} + 4H^+ + 3e^- = Am^{3+} + 2H_2O$	+1.694
$MnO_4^- + 4H^+ + 3e^- = MnO_2 + 2H_2O$	+1.695
$AmO_2^+ + 4H^+ + 2e^- = Am^{3+} + 2H_2O$	+1.721
$BrO_4^- + 2H^+ + 2e^- = BrO_3^- + H_2O$	+1.763[a]
$H_2O_2 + 2H^+ + 2e^- = 2H_2O$	+1.776
$XeO_3 + 6H^+ + 6e^- = Xe + 3H_2O$	+1.8
$Co^{3+} + e^- = Co^{2+}$	+1.808
$HN_3 + 3H^+ + 2e^- = NH_4^+ + N_2$	+1.96
$Ag^{2+} + e^- = Ag^+$	+1.980
$S_2O_8^{2-} + 2e^- = 2SO_4^{2-}$	+2.01
$O_3 + 2H^+ + 2e^- = O_2 + H_2O$	+2.07
$F_2O + 2H^+ + 4e^- = 2F^- + H_2O$	+2.15
$Am^{4+} + e^- = Am^{3+}$	+2.18
$FeO_4^{2-} + 8H^+ + 3e^- = Fe^{3+} + 4H_2O$	+2.20
$H_4XeO_6 + 2H^+ + 2e^- = XeO_3 + 3H_2O$	+2.3[b]
$O(g) + 2H^+ + 2e^- = H_2O$	+2.422

a　G.K.Johnson et al., Inorg.Chem., 9, p.119.(1970).

b　J.H.Holloway, Noble－Gas Chemistry, p.143, Methuen, London(1968).

续表

酸 性 溶 液	
半 反 应	$\varphi^{\ominus}$/V
$H_2N_2O_2 + 2H^+ + 2e^- \longrightarrow N_2 + 2H_2O$	+2.65
$OH + H^+ + e^- \longrightarrow H_2O$	+2.85
$Pr^{4+} + e^- \longrightarrow Pr^{3+}$	+2.86
$F_2(g) + 2e^- \longrightarrow 2F^-$	+2.87
$H_4XeO_6 + 2H^+ + 2e^- \longrightarrow XeO_3 + 3H_2O$	+3.0
$F_2(g) + 2H^+ + 2e^- \longrightarrow 2HF(aq)$	+3.06
碱 性 溶 液	
$Ca(OH)_2 + 2e^- \longrightarrow Ca + 2OH^-$	−3.02
$Ba(OH)_2 \cdot 8H_2O + 2e^- \longrightarrow Ba + 2OH^- + 8H_2O$	−2.99
$H_2O + e^- \longrightarrow H(g) + OH^-$	−2.934 5
$La(OH)_3 + 3e^- \longrightarrow La + 3OH^-$	−2.90
$Sr(OH)_2 + 2e^- \longrightarrow Sr + 2OH^-$	−2.88
$Ce(OH)_3 + 3e^- \longrightarrow Ce + 3OH^-$	−2.87
$Pr(OH)_3 + 3e^- \longrightarrow Pr + 3OH^-$	−2.85
$Nd(OH)_3 + 3e^- \longrightarrow Nd + 3OH^-$	−2.84
$Pm(OH)_3 + 3e^- \longrightarrow Pm + 3OH^-$	−2.84
$Sm(OH)_3 + 3e^- \longrightarrow Sm + 3OH^-$	−2.83
$Eu(OH)_3 + 3e^- \longrightarrow Eu + 3OH^-$	−2.83
$Gd(OH)_3 + 3e^- \longrightarrow Gd + 3OH^-$	−2.82
$Ba(OH)_2 + 2e^- \longrightarrow Ba + 2OH^-$	−2.81
$Y(OH)_3 + 3e^- \longrightarrow Y + 3OH^-$	−2.81
$Tb(OH)_3 + 3e^- \longrightarrow Tb + 3OH^-$	−2.79
$Dv(OH)_3 + 3e^- \longrightarrow Dy + 3OH^-$	−2.78
$Ho(OH)_3 + 3e^- \longrightarrow Ho + 3OH^-$	−2.77
$Er(OH)_3 + 3e^- \longrightarrow Er + 3OH^-$	−2.75
$Tm(OH)_3 + 3e^- \longrightarrow Tm + 3OH^-$	−2.74
$Yb(OH)_3 + 3e^- \longrightarrow Yb + 3OH^-$	−2.73
$Lu(OH)_3 + 3e^- \longrightarrow Lu + 3OH^-$	−2.72
$Mg(OH)_2 + 2e^- \longrightarrow Mg + 2OH^-$	−2.690
$Be_2O_3^{2-} + 3H_2O + 4e^- \longrightarrow 2Be + 6OH^-$	−2.63

续表

碱 性 溶 液	
半 反 应	$\varphi^{\ominus}$/V
$BeO + H_2O + 2e^- = Be + 2OH^-$	−2.613
$Sc(OH)_3 + 3e^- = Sc + 3OH^-$	−2.61
$HfO(OH)_2 + H_2O + 4e^- = Hf + 4OH^-$	−2.50
$Th(OH)_4 + 4e^- = Th + 4OH^-$	−2.48
$Pu(OH)_3 + 3e^- = Pu + 3OH^-$	−2.42
$UO_2 + 2H_2O + 4e^- = U + 4OH^-$	−2.39
$H_2ZrO_3 + H_2O + 4e^- = Zr + 4OH^-$	−2.36
$H_2AlO_3^- + H_2O + 3e^- = Al + 4OH^-$	−2.33
$Al(OH)_3 + 3e^- = Al + 3OH^-$	−2.30
$U(OH)_4 + e^- = U(OH)_3 + OH^-$	−2.20
$U(OH)_3 + 3e^- = U + 3OH^-$	−2.17
$H_2PO_2^- + e^- = P + 2OH^-$	−2.05
$H_2BO_3^- + H_2O + 3e^- = B + 4OH^-$	−1.79
$SiO_3^{2-} + 3H_2O + 4e^- = Si + 6OH^-$	−1.697
$Na_2UO_4 + 4H_2O + 2e^- = U(OH)_4 + 2Na^+ + 4OH^-$	−1.618
$HPO_3^{2-} + 2H_2O + 2e^- = H_2PO_2^- + 3OH^-$	−1.565
$Mn(OH)_2 + 2e^- = Mn + 2OH^-$	−1.55
$MnCO_3(c) + 2e^- = Mn + CO_3^{2-}$	−1.50
$MnCO_3(ppt) + 2e^- = Mn + CO_3^{2-}$	−1.48
$Cr(OH)_3(c) + 3e^- = Cr + 3OH^-$	−1.48
$ZnS(wurtzite) + 2e^- = Zn + S^{2-}$	−1.405
$Cr(OH)_3(hydr) + 3e^- = Cr + 3OH^-$	−1.34
$CrO_2 + 2H_2O + 3e^- = Cr + 4OH^-$	−1.27
$Zn(CN)_4^{2-} + 2e^- = Zn + 4CN^-$	−1.26
$Zn(OH)_2 + 2e^- = Zn + 2OH^-$	−1.245
$H_2GaO_3^- + H_2O + 3e^- = Ga + 4OH^-$	−1.219
$ZnO_2^{2-} + 2H_2O + 2e^- = Zn + 4OH^-$	−1.215
$CdS + 2e^- = Cd + S^{2-}$	−1.175
$HV_6O_{17}^{3-} + 16H_2O + 30e^- = 6V + 33OH^-$	−1.154
$Te + 2e^- = Te^{2-}$	−1.143
$PO_4^{3-} + 2H_2O + 2e^- = HPO_3^{2-} + 3OH^-$	−1.12
$2SO_3^{2-} + 2H_2O + 2e^- = S_2O_4^{2-} + 4OH^-$	−1.12

碱性溶液	
半　反　应	$\varphi^{\ominus}$/V
$ZnCO_3 + 2e^- = Zn + CO_3^{2-}$	−1.06
$WO_4^{2-} + 4H_2O + 6e^- = W + 8OH^-$	−1.05
$MoO_4^{2-} + 4H_2O + 6e^- = Mo + 8OH^-$	−1.05
$Zn(NH_3)_4^{2+} + 2e^- = Zn + 4NH_3(aq)$	−1.04
$NiS(\gamma) + 2e^- = Ni + S^{2-}$	−1.04
$HGeO_3^- + 2H_2O + 4e^- = Ge + 5OH^-$	−1.03
$Cd(CN)_4^{2-} + 2e^- = Cd + 4CN$	−1.028
$In(OH)_3 + 3e^- = In + 3OH^-$	−1.00
$CNO^- + H_2O + 2e^- = CN^- + 2OH^-$	−0.970
$Pu(OH)_4 + e^- = Pu(OH)_3 + OH^-$	−0.963
$FeS(\alpha) + 2e^- = Fe + S^{2-}$	−0.95
$PbS + 2e^- = Pb + S^{2-}$	−0.93
$Sn(OH)_5^- + 2e^- = HSnO_2^- + H_2O + 3OH^-$	−0.93
$SO_4^{2-} + H_2O + 2e^- = SO_3^{2-} + 2OH^-$	−0.93
$Se + 2e^- = Se^{2-}$	−0.92
$HSnO_2^- + H_2O + 2e^- = Sn + 3OH^-$	−0.909
$Tl_2S + 2e^- = 2Tl + S^{2-}$	−0.90
$Cu_2S + 2e^- = 2Cu + S^{2-}$	−0.89
$P(white) + 3H_2O + 3e^- = PH_3 + 3OH^-$	−0.89
$Fe(OH)_2 + 2e^- = Fe + 2OH^-$	−0.877
$SnS + 2e^- = Sn + S^{2-}$	−0.87
$NiS(\alpha) + 2e^- = Ni + S^{2-}$	−0.830
$2H_2O + 2e^- = H_2 + 2OH^-$	−0.828 06
$Cd(OH)_2 + 2e^- = Cd + 2OH^-$	−0.809
$FeCO_3 + 2e^- = Fe + CO_3^{2-}$	−0.756
$CdCO_3 + 2e^- = Cd + CO_3^{2-}$	−0.74
$Co(OH)_2 + 2e^- = Co + 2OH^-$	−0.73
$Ni(OH)_2 + 2e^- = Ni + 2OH^-$	−0.72
$Fe_2S_3 + 2e^- = 2FeS(\alpha) + S^{2-}$	−0.715
$HgS(black) + 2e^- = Hg + S^{2-}$	−0.69
$AsO_4^{3-} + 2H_2O + 2e^- = AsO_2^- + 4OH^-$	−0.68
$AsO_2^- + 2H_2O + 3e^- = As + 4OH^-$	−0.675

续表

碱性溶液	
半　反　应	$\varphi^\ominus$/V
$Ag_2S(\alpha) + 2e^- = 2Ag + S^{2-}$	−0.66
$SbO_2^- + 2H_2O + 3e^- = Sb + 4OH^-$	−0.66
$CoCO_3 + 2e^- = Co + CO_3^{2-}$	−0.64
$Cd(NH_3)_4^{2+} + 2e^- = Cd + 4NH_3(aq)$	−0.613
$ReO_4^- + 2H_2O + 3e^- = ReO_2 + 4OH^-$	−0.594
$ReO_4^- + 4H_2O + 7e^- = Re + 8OH^-$	−0.584
$PbO(r) + H_2O + 2e^- = Pb + 2OH^-$	−0.580
$ReO_2 + 2H_2O + 4e^- = Re + 4OH^-$	−0.577
$2SO_3^{2-} + 3H_2O + 4e^- = S_2O_3^{2-} + 6OH^-$	−0.571
$TeO_3^{2-} + 3H_2O + 4e^- = Te + 6OH^-$	−0.57
$Fe(OH)_3 + 3e^- = Fe(OH)_2 + OH^-$	−0.56
$O_2 + e^- = O_2^-$	−0.563
$HPbO_2^- + H_2O + 2e^- = Pb + 3OH^-$	−0.540
$PbCO_3 + 2e^- = Pb + CO_3^{2-}$	−0.509
$PoO_5^{2-} + 3H_2O + 4e^- = Po + 6OH^-$	−0.49
$Ni(NH_3)_6^{2+} + 2e^- = Ni + 6NH_3(aq)$	−0.476
$Bi_2O_3 + 3H_2O + 6e^- = 2Bi + 6OH^-$	−0.46
$NiCO_3 + 2e^- = Ni + CO_3^{2-}$	−0.45
$S + 2e^- = S^{2-}$	−0.447
$Cu(CN)_2^- + e^- = Cu + 2CN^-$	−0.429
$Hg(CN)_4^{2-} + 2e^- = Hg + 4CN^-$	−0.37
$SeO_3^{2-} + 3H_2O + 4e^- = Se + 6OH^-$	−0.366
$Cu_2O + H_2O + 2e^- = 2Cu + 2OH^-$	−0.358
$Tl(OH)(c) + e^- = Tl + OH^-$	−0.343
$Ag(CN)_3^- + e^- = Ag + 2CN^-$	−0.31
$Cu(CNS) + e^- = Cu + CNS$	−0.27
$HO_2^- + H_2O + e^- = OH(g) + 2OH^-$	−0.262
$HO_2^- + H_2O + e^- = OH(aq) + 2OH^-$	−0.245
$CrO_4^{2-} + 4H_2O + 3e^- = Cr(OH)_3(hydr) + 5OH^-$	−0.13
$Cu(NH_3)_2^+ + e^- = Cu + 2NH_3$	−0.12
$2Cu(OH)_2 + 2e^- = Cu_2O + 2OH^- + H_2O$	−0.080
$O_2 + H_2O + 2e^- = HO_2^- + OH^-$	−0.076

续表

碱性溶液	
半反应	$\varphi^{\ominus}$/V
$Tl(OH)_3 + 2e^- \!=\!= TlOH + 2OH^-$	−0.05
$MnO_2 + 2H_2O + 2e^- \!=\!= Mn(OH)_2 + 2OH^-$	−0.05
$AgCN + e^- \!=\!= Ag + CN^-$	−0.017
$2AtO^- + 2H_2O + 2e^- \!=\!= At_2 + 4OH^-$	0.0
$NO_3^- + H_2O + 2e^- \!=\!= NO_2^- + 2OH^-$	+0.01
$HOsO_5^- + 4H_2O + 8e^- \!=\!= Os + 9OH^-$	+0.015
$Rh_2O_3 + 3H_2O + 6e^- \!=\!= 2Rh + 6OH^-$	+0.04
$SeO_4^{2-} + H_2O + 2e^- \!=\!= SeO_3^{2-} + 2OH^-$	+0.05
$Pd(OH)_2 + 2e^- \!=\!= Pd + 2OH$	+0.07
$S_4O_6^{2-} + 2e^- \!=\!= 2S_2O_3^{2-}$	+0.08
$HgO(r) + H_2O + 2e^- \!=\!= Hg + 2OH^-$	+0.098
$Ir_2O_3 + 3H_2O + 6e^- \!=\!= 2Ir + 6OH^-$	+0.098
$Co(NH_3)_6^{3+} + e^- \!=\!= Co(NH_3)_6^{2+}$	+0.108
$Pt(OH)_6^{2-} + 2e^- \!=\!= Pt(OH)_2 + 4OH^-$	−0.1～0.4
$N_2H_4 + 4H_2O + 2e^- \!=\!= 2NH_4OH + 2OH^-$	+0.11
$Mn(OH_3) + e^- \!=\!= Mn(OH)_2 + OH^-$	+0.15
$Pt(OH)_2 + 2e^- \!=\!= Pt + 2OH^-$	+0.15
$Co(OH)_3 + e^- \!=\!= Co(OH)_2 + OH^-$	+0.17
$PuO_2(OH)_2 + e^- \!=\!= PuO_2OH + OH^-$	+0.234
$PbO_2 + H_2O + 2e^- \!=\!= PbO(r) + 2OH^-$	+0.247
$IO_3^- + 3H_2O + 6e^- \!=\!= I^- + 6OH^-$	+0.26
$Ag(SO_3)_2^{3-} + e^- \!=\!= Ag + 2SO_3^{2-}$	+0.295
$ClO_3^- + H_2O + 2e^- \!=\!= ClO_2 + 2OH^-$	+0.33
$Ag_2O + H_2O + 2e^- \!=\!= 2Ag + 2OH^-$	+0.345
$ClO_4 + H_2O + 2e^- \!=\!= ClO_3^- + 2OH^-$	+0.36
$Ag(NH_3)_2^+ + e^- \!=\!= Ag + 2NH_3$	+0.373
$TeO_4^{2-} + H_2O + 2e^- \!=\!= TeO_3^{2-} + 2OH$	*ca*. +0.4
$O_2 + 2H_2O + 4e^- \!=\!= 4OH^-$	+0.401
$O_2 + H_2O + e^- \!=\!= OH + HO_2$	+0.413
$Ag_2CO + 2e^- \!=\!= 2Ag + CO_3^{2-}$	+0.47
$IO^- + H_2O + 2e^- \!=\!= I^- + 2OH^-$	+0.485
$NiO_2 + 2H_2O + 2e^- \!=\!= Ni(OH)_2 + 2OH^-$	+0.490

续表

碱性溶液	
半　　反　　应	$\varphi^{\ominus}$/V
$AtO_3^- + 2H_2O + 4e^- \xlongequal{} AtO^- + 4OH^-$	+0.5
$MnO_4^- + 2H_2O + 3e^- \xlongequal{} \overline{MnO_2(\text{软锰矿})} + 4OH^-$	+0.588
$MnO_4^{2-} + 2H_2O + 2e^- \xlongequal{} MnO_2 + 4OH^-$	+0.60
$RuO_4^- + e^- \xlongequal{} RuO_4^{2-}$	+0.6
$2AgO + H_2O + 2e^- \xlongequal{} Ag_2O + 2OH^-$	+0.607
$BrO_3^- + 3H_2O + 6e^- \xlongequal{} Br^- + 6OH^-$	+0.61
$ClO_2^- + H_2O + 2e^- \xlongequal{} ClO^- + 2OH^-$	+0.66
$H_3IO_6^{2-} + 2e^- \xlongequal{} IO_3^- + 3OH^-$	+0.7
$FeO_4^{2-} + 4H_2O + 3e^- \xlongequal{} Fe(OH)_3 + 5OH^-$	+0.72
$2NH_2OH + 2e^- \xlongequal{} N_2H_4 + OH^-$	+0.73
$Ag_2O_3 + H_2O + 2e^- \xlongequal{} 2AgO + 2OH^-$	+0.739
$BrO^- + H_2O + 2e^- \xlongequal{} Br^- + 2OH^-$	+0.761
$HO_2^- + H_2O + 2e^- \xlongequal{} 3OH^-$	+0.878
$ClO^- + H_2O + 2e^- \xlongequal{} Cl^- + 2OH^-$	+0.89
$HXeO_4^- + 3H_2O + 6e^- \xlongequal{} Xe + 7OH^-$	+0.9
$HXeO_6^{3-} + 2H_2O + 2e^- \xlongequal{} HXeO_4^- + 4OH^-$	+0.9
$Cu^{2+} + 2CN^- + e^- \xlongequal{} Cu(CN)_2^-$	+1.103
$ClO_2(g) + e^- \xlongequal{} ClO_2^-$	+1.16
$O_3(g) + H_2 + 2e^- \xlongequal{} O_2 + 2OH^-$	+1.24
$OH(g) + e^- \xlongequal{} OH^-$	+2.02

（八）配合物的稳定常数(291—298K)

金属离子	n	$\lg\beta_n$
氨配合物		
Ag^+	1,2	3.24;7.05
Cd^{2+}	1,……,6	2.65;4.75;6.19;7.12;6.80;5.14
Co^{2+}	1,……,6	2.11;3.74;4.79;5.55;5.73;5.11
Co^{3+}	1,……,6	6.7;14.0;20.1;25.7;30.8;35.2

续表

金属离子	n	$\lg\beta_n$
Cu^{+}	1,2	5.93;10.86
Cu^{2+}	1,……,5	4.31;7.98;11.02;13.32;12.86
Ni^{2+}	1,……,6	2.80;5.04;6.77;7.96;8.71;8.74
Zn^{2+}	1,……,4	2.37;4.81;7.31;9.46
溴配合物		
Bi^{2+}	1,……,6	4.30;5.55;5.89;7.82;—;9.70
Cd^{2+}	1,……,4	1.75;2.34;3.32;3.70
Cu^{+}	2	5.89
Hg^{2+}	1,……,4	9.05;17.32;19.74;21.00
Ag^{+}	1,……,4	4.38;7.33;8.00;8.73
氯配合物		
Hg^{2+}	1,……,4	6.74;13.22;14.07;15.07
Sn^{2+}	1,……,4	1.51;2.24;2.03;1.48
Sb^{3+}	1,……,6	2.26;3.49;4.18;4.72;4.72;4.11
Ag^{+}	1,……,4	3.04;5.04;5.04;5.30
氰配合物		
Ag^{+}	1,……,4	—;21.1;21.7;20.6
Cd^{2+}	1,……,4	5.48;10.60;15.23;18.78
Cu^{+}	1,……,4	—;24.0;28.59;30.3
Fe^{2+}	6	35
Fe^{3+}	6	42
Hg^{2+}	4	41.4
Ni^{2+}	4	31.3
Zn^{2+}	4	16.7
氟配合物		
Al^{3+}	1,……,6	6.13;11.15;15.00;17.75;19.37;19.84
Fe^{3+}	1,……,3	5.28;9.30;12.06
Th^{4+}	1,……,3	7.65;13.46;17.97
TiO^{2+}	1,……,4	5.4;9.8;13.7;18;0
ZrO^{2+}	1,……,3	8.80;16.12;21.94
碘配合物		
Bi^{3+}	1,……,6	3.63;—;—;14.95;16.80;18.80
Cd^{2+}	1,……,4	2.10;3.43;4.49;5.41

续表

金属离子	n	$\lg\beta_n$
Pb^{2+}	1,……,4	2.00;3.15;3.92;4.47
Hg^{2+}	1,……,4	12.87;23.82;27.60;29.88
Ag^{+}	1,……,3	6.58;11.74;13.68
硫氰酸配合物		
Ag^{+}	1,……,4	—;7.57;9.08;10.08
Cu^{+}	1,……,4	—;11.00;10.90;10.48
Au^{+}	1,……,4	—;23;—;12
Fe^{2+}	1,2	2.95;3.36
Hg^{2+}	1,……,4	—;17.47;—;21.23
硫代硫酸配合物		
Cu^{+}	1,……,3	10.35;12.27;13.71
Hg^{2+}	1,……,4	—;29.86;32.26;33.61
Ag^{+}	1,……,3	8.82;13.46;14.15
乙酰丙酮配合物		
Al^{3+}	1,……,3	8.60;15.5;21.30
Cu^{2+}	1,2	8.27;16.34
Fe^{2+}	1,2	5.07;8.67
Fe^{3+}	1,……,3	11.4;22.1;26.7
Ni^{2+}	1,……,3	6.06;10.77;13.09
Zn^{2+}	1,2	4.98;8.81
柠檬酸配合物		
Ag^{+} HL^{3-}	1	7.1
Al^{3+} L^{4-}	1	20.0
Cu^{2+} L^{4-}	1	11.2
Fe^{2+} L^{4-}	1	15.5
Fe^{3+} L^{4-}	1	25.0
Ni^{2+} L^{4-}	1	14.3
Zn^{2+} L^{4-}	1	11.4
乙二胺配合物		
Ag^{+}	1,2	4.70;7.70
Cd^{2+}	1,……,3	5.47;10.09;12.09
Co^{2+}	1,……,3	5.91;10.54;13.94
Co^{3+}	1,……,3	18.7;34.9;48.69

续表

金属离子	n	$\lg\beta_n$
Cu^{+}	2	10.80
Cu^{2+}	1,……,3	10.67;20.00;21.0
Fe^{2+}	1,……,3	4.34;7.65;9.70
Hg^{2+}	1,2	14.3;23.3
Mn^{2+}	1,……,3	2.73;4.79;5.67
Ni^{2+}	1,……,3	7.52;13.80;18.06
Zn^{2+}	1,……,3	5.77;10.83;14.11
草酸配合物		
Al^{3+}	1,……,3	7.26;13.0;16.3
Co^{2+}	1,……,3	4.79;6.7;9.7
Co^{3+}	3	~20
Fe^{2+}	1,……,3	2.9;4.52;5.22
Fe^{3+}	1,……,3	9.4;16.2;20.2
Mn^{3+}	1,……,3	9.98;16.57;19.42
Ni^{2+}	1,……,3	5.3;7.64;~8.5
TiO^{2+}	1,2	6.60;9.90
Zn^{2+}	1,……,3	4.89;7.60;8.15
磺基水杨酸配合物		
Al^{3+}	1,……,3	13.20;22.83;28.89
Cd^{2+}	1,2	16.68;29.08
Co^{2+}	1,2	6.13;9.82
Cr^{3+}	1	9.56
Cu^{2+}	1,2	9.52;16.45
Fe^{2+}	1,2	5.90;9.90
Fe^{3+}	1,……,3	14.64;25.18;32.12
Mn^{2+}	1,2	5.24;8.24
Ni^{2+}	1,2	6.42;10.24
Zn^{2+}	1,2	6.05;10.65
硫脲配合物		
Ag^{+}	1,2	7.4;13.1
Bi^{3+}	6	11.9
Cu^{+}	1,……,4	—;—;~13;15.4
Hg^{2+}	1,……,4	—;22.1;24.7;26.8

续表

金属离子	n	$\lg\beta_n$
酒石酸配合物		
Bi^{3+}	3	8.30
Ca^{2+}	2	9.01
Cu^{2+}	1,……,4	3.2;5.11;4.78;6.51
Fe^{3+}	3	7.49
Pb^{2+}	3	4.7

说明：β_n 为配合物的累积稳定常数，即 $\beta_n = k_1 \times k_2 \times k_3 \times k_4 \times \cdots\cdots \times k_n$

$\lg\beta_n = \lg k_1 + \lg k_2 + \lg k_3 + \lg k_4 + \cdots\cdots + \lg k_n$

例如，Ag^+ 与 NH_3 的配合物：$\lg\beta_1 = 3.24$ 即 $\lg k_1 = 3.24$

$\lg\beta_2 = 7.05$ 即 $\lg k_1 = 3.24$　$\lg k_2 = 3.81$

图书在版编目(CIP)数据

无机化学　上册/武汉大学等校编．—3版．—北京：高等教育出版社，1994.4(2008重印)
高等学校教材
ISBN 978-7-04-004581-9

Ⅰ.无… Ⅱ.武… Ⅲ.无机化学-高等学校-教材Ⅳ.061

中国版本图书馆CIP数据核字(95)第20239号

出版发行	高等教育出版社	购书热线	010-58581118
社　　址	北京市西城区德外大街4号	免费咨询	800-810-0598
邮政编码	100011	网　　址	http://www.hep.edu.cn
总　　机	010-58581000		http://www.hep.com.cn
		网上订购	http://www.landraco.com
经　　销	蓝色畅想图书发行有限公司		http://www.landraco.com.cn
印　　刷	北京宏信印刷厂	畅想教育	http://www.widedu.com
开　　本	850×1168　1/32	版　　次	1977年10月第1版
印　　张	16.625		1994年4月第3版
字　　数	430 000	印　　次	2008年4月第21次印刷
插　　页	1	定　　价	21.40元

本书如有缺页、倒页、脱页等质量问题，请到所购图书销售部门联系调换。

物料号　4581-00